Margrit List:
Physiotherapeutische Behandlungen in der Traumatologie

Springer
Berlin
Heidelberg
New York
Barcelona
Budapest
Hongkong
London
Mailand
Paris
Santa Clara
Singapur
Tokio

Margrit List

Physiotherapeutische Behandlungen in der Traumatologie

Mit einem Geleitwort von S. Weller

313 Abbildungen in 388 Einzeldarstellungen

Dritte, vollständig überarbeitete
und erweiterte Auflage

 Springer

Margrit List
Leitende Lehrkraft
Universität München
Staatliche Berufsfachschule
für Physiotherapie
Marchioninistraße 15
81377 München

Die 2. Auflage ist 1986 unter dem Titel „Krankengymnastische Behandlungen in der Traumatologie" erschienen

ISBN 3-540-59332-2
3. Auflage, Springer-Verlag Berlin Heidelberg New York

Die Deutsche Bibliothek – CIP-Einheitsaufnahme
List, Margrit: Physiotherapeutische Behandlungen in der Traumatologie /
Margrit List. Mit einem Geleitw. von S. Weller. – 3., vollst. überarb.
und erw. Aufl. – Berlin ; Heidelberg ; New York ; Barcelona ; Budapest ;
Hongkong ; London ; Mailand ; Paris ; Santa Clara ; Singapur ; Tokio :
Springer, 1996
2. Aufl. u. d. T.: List, Margrit: Krankengymnastische Behandlungen in
der Traumatologie
ISBN 3-540-59332-2

Springer-Verlag Berlin Heidelberg New York
ein Unternehmen der BertelsmannSpringer Science + Business Media GmbH

© Springer-Verlag Berlin Heidelberg 1978, 1986, 1996, 1999
Printed in Germany

Umschlag: Künkel und Lopka
Satz: Mitterweger & Partner GmbH, Plankstadt bei Heidelberg
SPIN: 10852475   21/3111 – 5 4 3 – Gedruckt auf säurefreiem Papier

Geleitwort

Die Fortschritte und Erfolge der modernen Unfall- und Wiederherstellungschirurgie beruhen nicht zuletzt auf einer gezielten und sinnvollen physiotherapeutischen Begleit- und Nachbehandlung. Schlüssel zum Erfolg ist das Zusammenspiel aller Kräfte im Sinne einer globalen Behandlung.

Der Satz *„Bewegung bedeutet Leben und Leben bedeutet Bewegung"* unterstreicht den Anteil der krankengymnastischen/physikalischen Maßnahmen innerhalb der gesamten Behandlungskette. Wie jedes einzelne Glied, so hat sich die Physiotherapie in der zweiten Hälfte dieses Jahrhunderts vielfältig verändert und weiterentwickelt. Neue Einblicke und Erkenntnisse im neuromuskulären und Stoffwechselbereich des Haltungs- und Bewegungsapparates, aber auch die Einflüsse und Auswirkungen anderer Organsysteme auf spezielle Verletzungsbilder im Rahmen allgemeiner und spezieller Behandlungsmaßnahmen haben zur Erarbeitung und Einführung weiterer Behandlungstechniken geführt.

Verordnung und Anwendung aller krankengymnastisch-physikalischen Maßnahmen setzen Grundkenntnisse über das Verhalten gesunder und verletzter Strukturen und deren Funktionsabläufe voraus. Wichtig für den Behandlungserfolg ist die gute Zusammenarbeit zwischen dem verordnenden Arzt – seiner qualifizierten Beurteilung und Überwachung der Heilmaßnahmen – und der Therapeutin/dem Therapeuten.

Margrit List, die Autorin dieses nunmehr schon in der 3. Auflage erscheinenden Buches, hat ihre Aufgabe und ihr Ziel von Anfang an darin gesehen, den Beteiligten auf breiter Basis die nötige Wissensgrundlage zu vermitteln. Dem jeweiligen Fortschritt in den verschiedenen Bereichen der Diagnostik (Befunderhebung) wie auch der Behandlung einschließlich der Überprüfung von Behandlungsergebnissen (Qualitätskontrolle) wird ausdrücklich Rechnung getragen.

Das jetzt neu bearbeitete Buch stellt in seiner globalen und Detailbetrachtung gleichsam eine Standortbestimmung („state of the art") moderner physiotherapeutischer Behandlungsmaßnahmen nach Verletzungen dar. Es enthält den großen Erfahrungsschatz eines Berufslebens, den sich die Autorin als Physiotherapeutin in der Praxis sowie in der Aus- und Weiterbildung erworben hat, und wird so zugleich zum Vermächtnis für alle Lernenden und Schüler im weitesten Sinne.

S. Weller
Tübingen

Inhaltsverzeichnis

1 Einführung

Siebzehn Jahre nach Erscheinen der Erstfassung des Lehrbuches »Krankengymnastische Behandlungen in der Traumatologie« mußte eine völlige Neubearbeitung erfolgen.

In der Zwischenzeit wurde der Name *KrankengymanstIn* in *PhysiotherapeutIn* geändert und damit eine Angleichung an die europäische und innerdeutsche Terminologie vollzogen. Wenn in diesem neuen Buch die weibliche Form der Berufsangehörigen, also »Physiotherapeutin« gewählt wurde, so soll dies der Realität Rechnung tragen, daß ca. 90% des Berufsstandes Frauen sind. Alle Ausführungen gelten selbstverständlich auch für Physiotherapeuten.

Form und Strukturierung des Lehrbuches wurden verändert, um das Lehrbuch noch übersichtlicher zu gestalten und den Schülerinnen und Schülern die Handhabung beim Lernen und Nachschlagen zu erleichtern.

Neu aufgenommen wurden biomechanische Gesichtspunkte, dies entspricht dem wissenschaftlichen Trend der modernen Unfallchirurgie.

Grundlage physiotherapeutischer Behandlungsformen sollen neben der Anatomie, Physiologie und Biomechanik vor allem die exakte Befunderhebung und die ärztlichen Vorgaben sein. Die Befundbögen wurden aktualisiert, Röntgenbilder zur Veranschaulichung der Osteosyntheseverfahren eingefügt. Es entspricht meiner persönlichen Auffassung, daß Physiotherapeutinnen durch exakte Befunderhebungen die funktionellen Probleme des verletzten Patienten zunächst erfassen und interpretieren müssen, bevor sie die Behandlung planen und die Maßnahmen durchführen.

Die ermittelten Funktionsprobleme werden gelöst durch Anwendung mehrerer Techniken und Methoden, durch Schwerpunktbildung, durch Änderung der Dosierungsstufen oder Abwandlung von Originaltechniken.

Therapeutinnen, die sich an festgeschriebenen Methoden orientieren, können diesem Anspruch selten gerecht werden. Individuelle Funktionsprobleme können nicht gelöst werden.

Auf Fragen zu Behandlungsdurchführungen höre ich in den letzten Jahren zunehmend die Antwort: »ich mache...«, gemeint ist dann eine Technik nach Autoren wie Brügger, Maitland, Klein-Vogelbach usw. Eine kritische Bewertung und Kontrolle, ob die ausschließlich angewendete Technik wirklich das Problem erfaßt, findet nicht statt.

Physiotherapeutinnen müssen umfangreich ausgebildet sein, ausreichend Kenntnisse über die Wirksamkeit der verschiedenen Behandlungsansätze besitzen und Handlungskompetenz erworben haben, um eine umfassende Bewegungstherapie durchführen zu können. Spezielle Methoden können in der Ausbildung nur zum Teil unterrichtet werden, sie sind Gegenstand der Fort- und Weiterbildung. So kann es nicht Aufgabe dieses Lehrbuches sein, spezielle Methoden zu beschreiben. Dort, wo sie besonders effektiv sind, habe ich sie erwähnt.

Anders ist dies bei der »*propriozeptiven neuromuskulären Fazilitation*« (PNF-Technik); sie ist seit 1962 fester Bestandteil der Grundausbildung an unserer Schule und keine spezielle Methode. Das PNF-Programm bietet gerade in der Behandlung von verletzten Patienten die erwünschte Vielfalt, um eine differenzierte und effektive Physiotherapie durchzuführen.

In der postoperativen Behandlungsphase von Unfallverletzten bieten *manuelle Techniken* ausschließlich die Möglichkeit der subtilen Dosierung. Die Führungskontakt gebende Hand der Physiotherapeutin kann sich der aktuellen Muskelspannung anpassen, dies kann kein Gerät. Kontraktionshilfen, wie Approximation, Stretch oder Traktion können nur durch die Hand der Therapeutin zielgerichtet gegeben werden. Ähnliches gilt für die Widerstandsübungen, dort wo es darum geht, angepaßten Widerstand zu setzen.

Im nachfolgenden Kapitel stelle ich allgemeine Richtlinien zur Entlastung von Verletzungen des Bewegungsapparates zusammen. Die vergangenen Jahre haben gezeigt, wie schnell sich solche Richtwerte ändern. Zudem gibt es unterschiedliche Auffassungen der einzelnen Schulen sowie Meinungsverschiedenheiten zwischen Chirurgen und Orthopäden.

Schüler neigen dazu, solche Richtlinien wörtlich zu nehmen und sie wie »Kochrezepte« zu handhaben. Der Lernende braucht Regeln, muß aber auch wissen, daß individuelle Entscheidungen des Arztes von diesen Richtwerten abweichen.

Wichtig scheint mir, daß Schülerinnen Kriterien kennen, denen sie ihre Maßnahmen zuordnen können, z.B. der Stabilität der Osteosynthese oder einer konservativ heilenden Fraktur.

In den letzten Jahren hat sich die *arthroskopische Bandchirurgie* durchgesetzt. Die Nachbehandlung ist präziser geworden, auch dies habe ich versucht, in einem ausführlichen Kapitel aufzuzeigen. Neue Wege wurden auch in der Wirbelsäulenchirurgie begangen; längst schon gehört der Fixateur interne oder der Wirbelkörperersatz zum Repertoire unserer Klinik. Patienten mit Osteolysen oder Osteoporosen an der Wirbelsäule können heute effektiv stabilisiert und einer frühfunktionellen Physiotherapie zugeführt werden.

Wie in der letzten Fassung des Buches habe ich die *Probleme polytraumatisierter Patienten* in Form von Beispielen beschrieben. Gerade bei diesen Patienten zeigt sich, wie individuell und befundbezogen eine physiotherapeutische Behandlung ablaufen muß. Um mehrfach verletzte Patienten erfolgreich behandeln zu können, bedarf es der Kreativität, guter Grundlagenkenntnisse, geschickter Handhabung des Patienten und besonderer Einfühlsamkeit.

Dieses Buch soll meinen Schülerinnen und Schülern gewidmet sein. Ihre Fragen, Ihre Kritik, aber auch ihr Engagement für die Patienten haben mich veranlaßt, die schwierige Aufgabe noch einmal anzupacken.

Mein Dank gilt den Ärzten unseres Klinikums, insbesondere Professor Dr. G. Lob, Priv.-Doz. Dr. H. Hertlein, Frau Fides Haag, Kathrin Spohn, Verena Wöhrl für ihre Hilfe bei den Tabellen und Bildern und Herrn W. Brummer, der die meisten Reproduktionen für mich erstellt hat. Für mancherlei Unterstützung im Hintergrund danke ich unserer Schulsekretärin, Frau Annerose Spohn, und meiner Familie.

Margrit List

2 Physiotherapeutische Behandlungen in der Unfallchirurgie

Die Behandlung Unfallverletzter ist eines der wichtigsten Aufgabengebiete einer Physiotherapeutin. Diese ist dabei Teil eines Teams, das aus Arzt, Schwester, Ergotherapeutin, medizinisch-technischer Assistentin, Diätassistentin, Sozialarbeiterin und Orthopädiemechaniker besteht. Eine enge Zusammenarbeit zwischen Arzt und Physiotherapeutin bei der Behandlung der Patienten ist unbedingt erforderlich.

Verantwortlich eingesetzt wird die Physiotherapeutin auf Intensivstationen, bei Frühbehandlungen, nach traumatologischen Operationen und in der Rehabilitation von Verletzten.

Das Aufgabengebiet ist so umfangreich, daß eine Spezialisierung heute unumgänglich geworden ist. In der Ausbildung soll die Grundlage der Berufstätigkeit vermittelt werden, die zu verantwortlichem, kompetenten Handeln führt. Ziel physiotherapeutischer Bemühungen wird stets die Wiederherstellung bestmöglicher Funktionen aller Strukturen des menschlichen Körpers sein. Symptomatische Behandlungen betreffen in erster Linie den aktiven Bewegungsapparat und die dazugehörende nervale Steuerung. Entsprechende *passive Maßnahmen* dienen der Vorbereitung zur *aktiven Bewegungstherapie*.

Behandlungsgrundlagen

VORAUSSETZUNGEN ZUR ERSTELLUNG EINES BEHANDLUNGSPLANES SIND:

- genaue Vorstellungen über den Bau und die Funktion des menschlichen Körpers (Anatomie),
- Kenntnisse über die Funktion des Herz-Kreislauf-Systems, des Muskelstoffwechsels, der peripheren und zentralen nervösen Steuerung,
- Kenntnisse der physikalischen Gesetzmäßigkeiten, der Biomechanik, der Elektro-, Kryo- und Wärmetherapie und der Wirkungsweisen,
- Kenntnisse der allgemeinen und speziellen operativen und konservativen Behandlungsverfahren bei Verletzungen des Bewegungsapparates, bei Schädel-Hirn-Traumata, Thorax- sowie Organverletzungen,

- Kenntnisse über den Heilungsablauf der verletzten Strukturen und deren Störungen (z. B. Wundheilungsstörung, Infektion, sympathische Reflexdystrophie),
- die Befunderhebung und deren Dokumentation, die im weiteren Verlauf der Behandlung als Protokoll dient.

Bewußtsein über psychosomatische Vorgänge

Die *Aufzeichnungen*, die eine Physiotherapeutin zu Kontrollzwecken und zur Objektivierung ihrer Behandlung vornimmt, stehen nicht in Konkurrenz zur ärztlichen Anamnese und Diagnose, sie ermöglichen erst eine differenzierte physiotherapeutische Behandlung. Genormte Befundbögen, wie sie in vielen Kliniken Verwendung finden, erleichtern die Dokumentation. Sie müssen jedoch die Möglichkeit offenhalten, spezifische Befunde zu dokumentieren (z. B. Gelenktestverfahren nach Cyriax, Maitland, Frisch, Kaltenborn).

Systematisches Beobachten und Testen sowie deren Aufzeichnung sind wichtig für die Planung der Behandlung. Der damit verbundene Zeitaufwand kann durch zielgerichtetes Behandeln wieder eingespart werden.

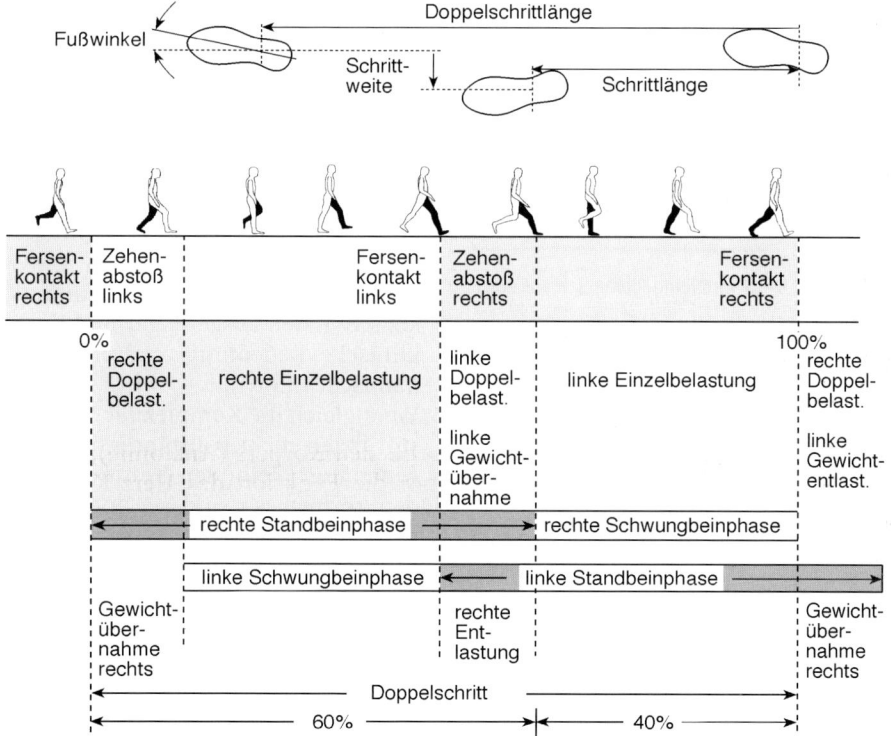

Abb. 2.1.   Definition des Gehzyklus. (Nach Mittlmeier 1991)

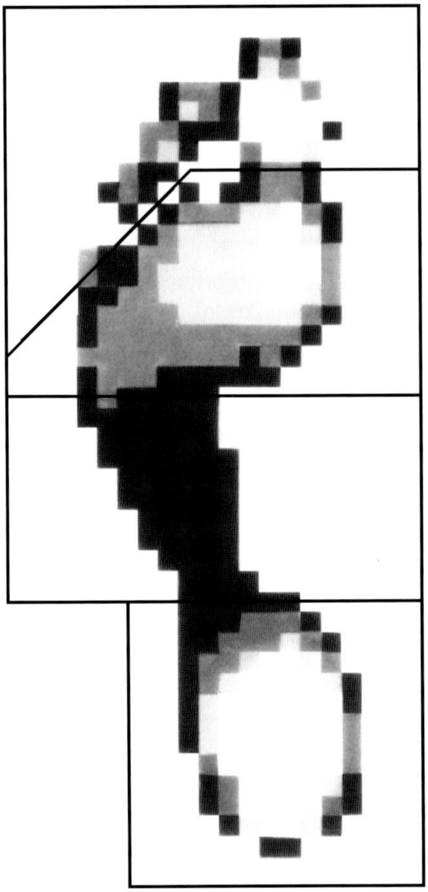

Abb. 2.2. Druckverteilung, gemessen auf einer Druckverteilungsplatte. (Nach Mittlmeier 1991)

> **!** Durch differenziertes Befunden, Interpretieren, Planen und gezieltes Behandeln unterscheidet sich die physiotherapeutische Bewegungstherapie von andern allgemeinen Übungsformen.

Zur Objektivierung klinischer Befunde wurden von Mittlmeier (1991) Untersuchungen vorgenommen, die *Kinetik* (Druckverteilung und Bodenreaktionskräfte), *Kinematik* (Bewegung eines Körpers im Raum) und *neuromuskuläre Parameter (EMG)* beim Gehen erfassen (Abb. 2.1).

Seine Versuche auf Druckverteilungsmeßplatten ergaben Daten (Abb. 2.2), die die zeitliche vertikale Belastung beim Abrollvorgang des Fußes definieren und eine Quantifizierung funktioneller Resultate erlauben (Abb. 2.3). Da Physiotherapeutinnen vielfach beobachten, daß eine mechanische Stabilität, z.B. im Röntgenbild nachgewiesen, nicht einem funktionell guten Ergebnis entspricht, ist die Ganganalyse mit dem Druckverteilungsmeßsystem ein hilfreiches Diagnostikverfahren.

Kinematische Untersuchungen sind auch heute noch sehr kosten- und zeitaufwendig. In großen biomechanischen Labors werden sie durchgeführt, wenn umfangreiche orthopädisch-neurologische Krankheitsbilder eine exakte Analyse erfordern. Basmajian (1985) hat über EMG-Ableitungen beim Gehen Kennmuskelaktivitäten ausgewertet und deren klinische Bedeutung analysiert (dynamisches EMG).

Wenngleich die Komplexität der Gehstörungen nicht vollständig über die genannten Methoden bestimmt werden können, so sind sie doch wichtige objektive Daten zur physiotherapeutischen Ganganalyse bei Verletzungen der unteren Extremität.

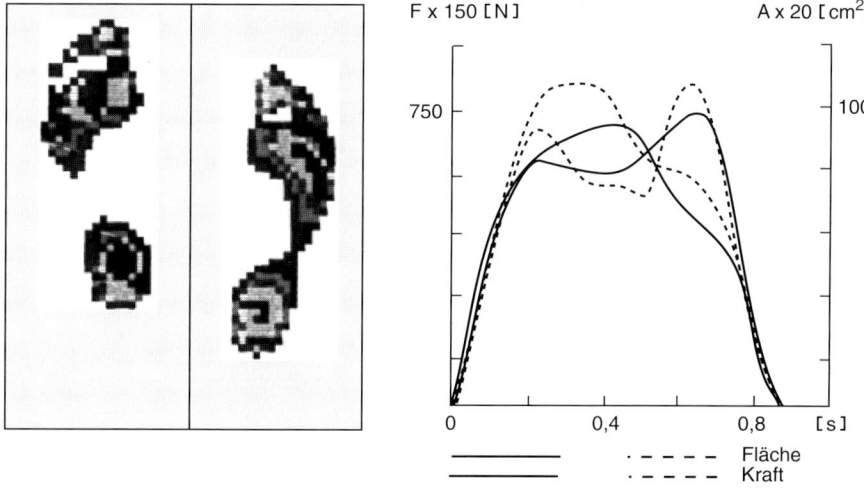

Abb. 2.3. Quantifizierung der Druckverteilung. (Nach Mittlmeier 1991)

Befunderhebung

Folgendes *Schema* der physiotherapeutischen Befunderhebung bei Unfallverletzten hat sich bewährt:

1. **Personengebundene Daten.**
2. **Unfallgebundene Daten.**
3. **Ärztliche Anamnese.**
   In Stichworten: Diagnose, Röntgenbefund, Laborwerte, Nebenbefunde, Stabilität der Verletzung oder Osteosynthese, Prozedere (Abb. 2.4).
4. **Krankengymnastischer Befund.**
   a) *Sichtbefund* (Abb. 2.5).
      Alle Beobachtungen müssen im Seitenvergleich zur nichtbetroffenen Körperhälfte oder zu Normwerten vorgenommen werden, z.B. Ausgangsposition, Gesichtsausdruck, Atmung, Haltung, Konstitutionstyp, AZ, EZ.
   b) *Tastbefund* (Abb. 2.5).
   Zum Beispiel Hautverschieblichkeit, Temperatur, Feuchtigkeit, Narben, Muskelspannungslage, Atrophie, Schwellungen, Ödeme, Pulse, Qualität des Bewegungsstops.
   c) *Sensibilitätsbefund* (Abb. 2.6 a–d).
   Grob-, Feinsensibilität, Zweipunktediskriminierung, Schmerzen, Temperaturempfinden, Tiefensensibilität.

Physiotherapeutischer Befund

Patient: _____ geb.: _____

Adresse:_____

Unfalldatum: _____ Anamnese: _____

_____

Diagnose: _____

_____

Nebenbefunde, andere Krankheiten:_____

_____

Medikamente:_____

Röntgenbefund/CT ect. _____

_____

Ärztliche Versorgung: Op.datum: _____

_____

Mechanische Stabilität: _____

Funktionelle Stabilität: _____

Verordnung/Procedere: _____

PT Befunddatum: _____

1. physiotherapeutische Behandlung: _____

Behandlerin/er:_____

List BFS Physiotherapie LMU München

Abb. 2.4.   Formalien

Patient: . . . .   untere Extremität   rechts ☐
Datum: . . . .   links ☐

Sicht- und Tastbefund

wo?

Hautfärbung:
☐ livide . . . .
☐ blaß . . . .
☐ rot . . . .
☐ normal . . . .

Schwellungen:
☐ leicht . . . .
☐ stark . . . .

Hämatome:

Hautbeschaffenheit:
☐ gespannt . . . .
☐ faltig . . . .
☐ schilfrig . . . .
☐ normal . . . .

Behaarung:
☐ vermehrt . . . .
☐ vermindert . . . .
☐ seitengleich . . . .
Ulcus off. ☐ . . . .
     zu . . . .
Varicen ☐ . . . .

Lage/Verlauf: . . . . cm
Zustand:
☐ frisch
☐ in Abheilung
☐ Fäden
☐ entzündlich

Abheilung:
☐ primär
☐ sekundär
☐ reizlos

Atrophien/Konturen:

wo?

Hauttemperatur:
☐ kühl . . . .
☐ erhöht . . . .
☐ stark erhöht . . . .
☐ seitengleich . . . .

Schwellungen:
☐ teigig . . . .
☐ fest . . . .
☐ tanzende Patella

Schweißsekretion:
☐ erhöht . . . .
☐ aufgehoben . . . .
☐ seitengleich . . . .

Pulse:
A. femoralis ☐   A. poplitea ☐
A. tib. post. ☐   A. dors. pedis ☐

Thrombosedruckpunkte:
Leistenbeuge ☐
hiatus add. ☐
poplitea ☐
Mitte Wade ☐
hinter Mall. med. ☐
unter D_1 ☐

Verschieblichkeit:
Narbe   *übriges BG*
☐ verschieblich ☐
☐ unverschieblich ☐
☐ gespannt

Verspannungen

Durchblutung/vegetativ

Narbe/Verletzungsber.

Muskulatur

Abb. 2.5. Sicht- und Tastbefund

Klinikum   Großhadern München
Phys.Med.: PHYSIOTHERAPIE   Adressette
Behandler : ....
Datum: ....

Diagnose:

SENSIBILITÄT und / oder SCHMERZEN

1. w o ?

Lokalisation der Störungen im Schema s.u. mit folgenden Symbolen eintragen:

o = Anaesthesie   x = Schmerz

↓ = Hypaesthesie

↑ = Hyperaesthesie

⦚⦚⦚ = Paraesthesie

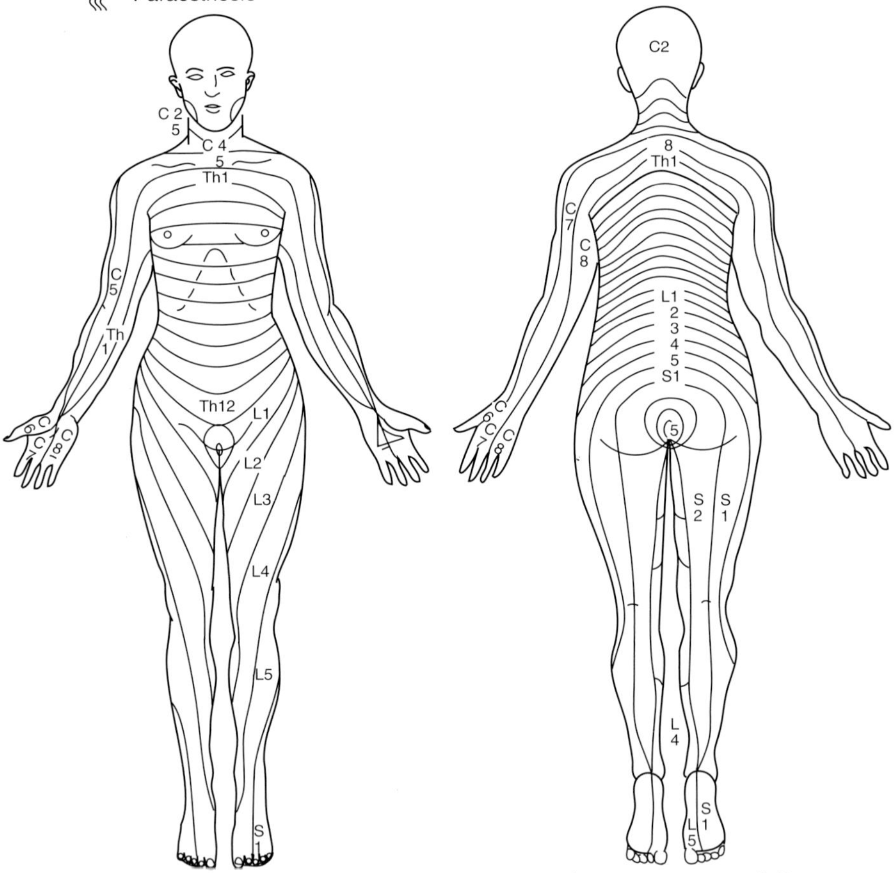

Abb. 2.6a–d. Befundbogen »Sensibilität und Schmerzen«: **a** Schmerzzonen gesamt, **b** Kommentare, **c** untere Extremität, **d** obere Extremität

2. w a n n ?

a) in Ruhe b) in welcher AST?	a) bei Bewegungen b) bei Belastung	tageszeitabhängig

3. w i e ?

Beschreibung der Qualität und Quantität der Mißempfindungen oder Schmerzen

==

Tiefensensibilität

Lageempfinden

a) kleine Gelenke   _____

b) Extremitäten   _____

Vibrationsempfinden

==

Zusätzliche Bemerkungen

Abb. 2.6 b.   (Legende s. S. 10)

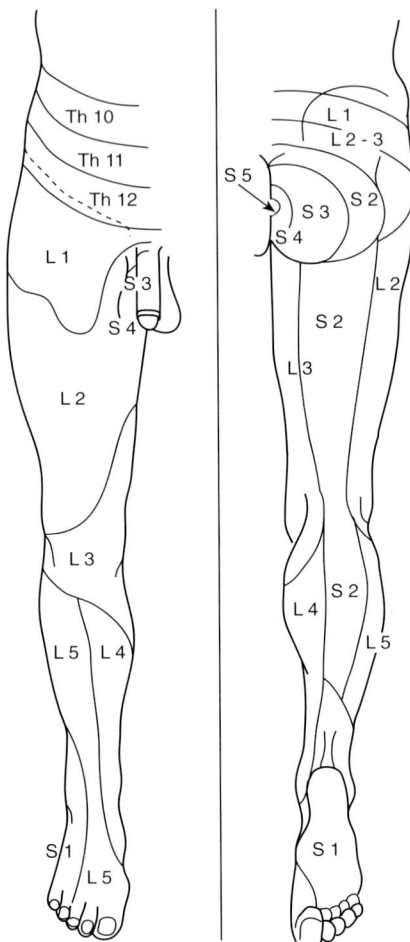

Abb. 2.6 c.   (Legende s. S. 10)

Folgendes *Schema* der physiotherapeutischen Befunderhebung bei Unfallverletzten hat sich bewährt:

d) *Funktionsbefund* (Abb. 2.7–2.12).
- Aktiver Meßbefund mit Winkelmesser.
- Passiver Meßbefund (wenn erlaubt).
- Qualität des Bewegungsstopps, angulär oder translatorisch.
- Prüfen der Muskeldehnbarkeit.
- Prüfen der Gebrauchsbewegung (Belastbarkeit auf der Waage, Gehen, Hand-, Armfunktionen).
- Muskeltest.
- Umfangmessung.
- Längenmaße (Beinlängendifferenz im Stand mit Brettchenunterlegung, vorläufiges Maß im Liegen mit Zentimetermaß).

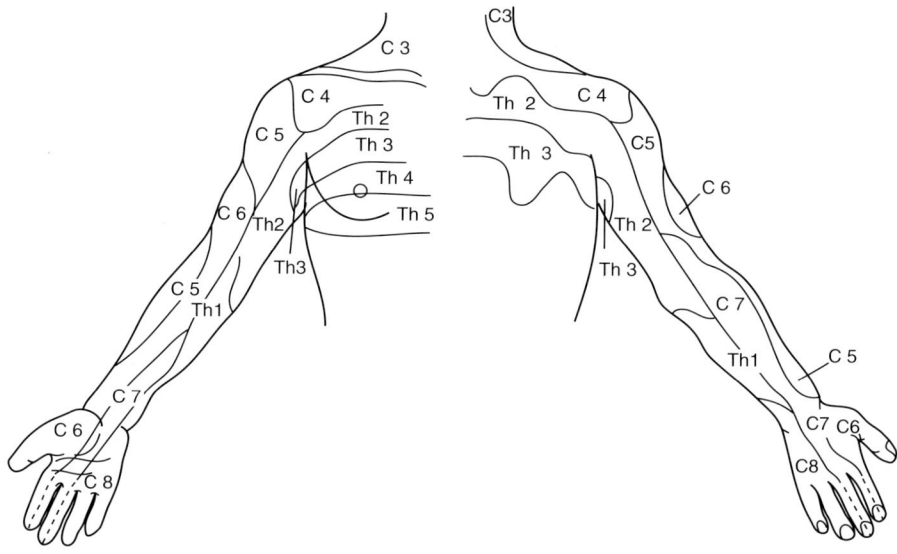

Abb. 2.6 d. (Legende s. S. 10)

Folgendes *Schema* der physiotherapeutischen Befunderhebung bei Unfallverletzten hat sich bewährt:

- Atmungsbefund (Abb. 2.12 a, b).
- Durchblutungstest (Ratschow, Gehtest mit Metronom).
- Evtl. Prüfung der Tonusqualität (Spastik).
- Evtl. Reflexprüfung.

e) *Subjektive Angaben des Patienten.*
- Schmerzen (wann – wo – wie?, s. Abb. 2.6).
- Individuelle Behinderung im Beruf im Sport, im Alltag, bei der Körperpflege usw.
- Übungsbereitschaft, Kontaktbereitschaft.

Für den Lernenden ist es günstig, auffällige Befunde optisch übersichtlich zu markieren, so daß in Abständen von 2–3 Wochen ohne Schwierigkeiten Vergleiche gezogen werden können. Viele Kliniken besitzen *Formblätter* zur Erfassung von Funktionsänderungen (s. Abb. 2.4–2.12). Für eine wissenschaftliche Auswertung müßten solche Bögen jedoch computergerecht ausgerichtet sein. Da die Patienten i. allg. nur sehr kurz stationär behandelt werden, sollen die Befunddaten an die weiterbehandelnden Kolleginnen gegeben werden. Dies geschieht bei uns in Form eines kurzen Verlegungsbriefes.

List, BFS Physiotherapeuten, München

Patient: verletzter Arm: rechts: [＿＿＿＿＿]

Datum: links: [＿＿＿＿＿]

Gelenk-Meßbefund
Obere Extremität- aktiv/passiv

Schultergelenk: rechts   links   **Bewegungsstop**

Extension/Flexion   [＿] [＿]   Ext. _____   Flex. _____

Abduktion/Adduktion   [＿] [＿]   Abd. _____   Add. _____

Horizontale Abduktion/Adduktion   [＿] [＿]   H. Abd. ____   H. Add. _____

Außenrotation/Innenrot.   [＿] [＿]   AR. _____   IR. _____

Ellbogenlenk: Ext. _____   Flex. _____

Extension/Flexion   [＿] [＿]   Ext. _____   Flex. _____

Supination/Pronation   Sup. _____   Pron._____

Handgelenke:

Dorsalextension/   [＿] [＿]   Dors. _____   Palm. _____

Palmarflexion

Radialabduktion/   [＿] [＿]   Rad. _____   Uln. _____

Ulnarabduktion

Fingergelenke:

D1 D2 D3 D4 D5

MP Ext./Flex.   [＿] [＿]   Ext. _____   Flex. _____

PIP Ext./Flex.   [＿] [＿]   Ext. _____   Flex. _____

DIP Ext./Flex.   [＿] [＿]   Ext. _____   Flex. _____

Daumenabd./Add.   [＿] [＿]   Abd. _____   Add. _____

Fingerkuppen/

Hohlhandabstd. cm   [＿]

Greifen:

lumbrikaler Griff   [＿] [＿]   Schlüssel:

Pinzettengriff   [＿] [＿]   kräftig: ++

Klemmgriff   [＿] [＿]   möglich: +

Tragegriff   [＿] [＿]   vermindert: –

Grobgriff/Faustschluß   [＿] [＿]   unmöglich: – –

Umfangmaße: Differenz + / – re / li

Oberarm: M. Deltaansatz   _____ cm

          15 cm oberh. Olkranonspitze   _____ cm

          10 cm oberh. Olkranonspitze   _____ cm

Unterarm: 15 cm unterh. Olkranonspitze   _____ cm

          10 cm unterh. Olkranonspitze   _____ cm

Handgelenk: _____ cm

Mittelhand: _____ cm

Abb. 2.7.   Befundbogen Gelenkmessung obere Extremität aktiv/passiv

Patient: verletztes Bein: rechts: _____

Datum: links: _____

Gelenk-Meßbefund
Untere Extremität- aktiv/passiv

Hüftgelenk:	rechts	links	Bewegungsstop	
Extension/Flexion			Ext. _____	Flex. _____
Abduktion/Adduktion			Abd. _____	Add. _____
Außenrot./Innenrot., gebeugtes HG			AR. _____	IR. _____
Außenrot./Innenrot., gestrecktes HG			AR. _____	IR. _____

Kniegelenk:

Extension/Flexion			Ext. _____	Flex. _____

Sprunggelenk:

Dorsal/Plantarflexion			Dors. _____	Plant. _____
Supination/Pronation			Sup. _____	Pron _____

Zehen:

Extension/Flexion			Ext. _____	Flex. _____

Umfangmaße in cm:			Differenz +/−
20 cm ob. inn. Knie-Gelenkspalt			
10 cm ob. inn. Knie-Gelenkspalt			
Kniescheibenmitte			
15 cm unterh. inn. Gelenkspalt			
Unterschenkel, kleinster Umfang			
Knöchel			
Rist			
Vorfußballen			

Beinlänge in cm:

anatomisch funktionell/

Brettunterlage

im Stand

Stumpfende in cm:

Troch. maj.-Stumpfende

Inn. Knie-Gelenkspalt-Stumpfende

Abb. 2.8. Befundbogen Gelenkmessung untere Extremität aktiv/passiv

Patient/in _____   Adresse: _____

Diagnose:_____   Gelenk: _____

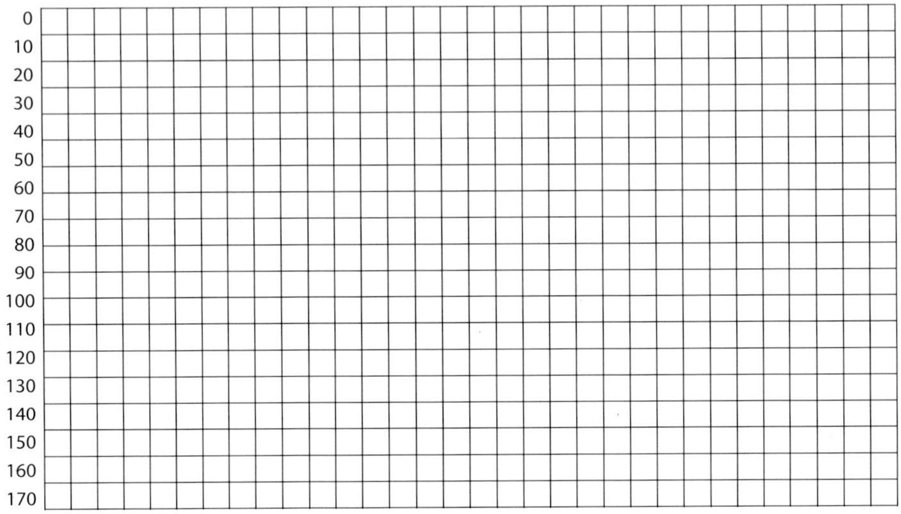

```
    0  ┌──────────────────────────────────────────┐
   10
   20
   30
   40
   50
   60
   70
   80
   90
  100
  110
  120
  130
  140
  150
  160
  170  └──────────────────────────────────────────┘
```

Datum:

Belastung: spontan, schmerzfrei _____   Bewegungsstop: _____

_____   _____

_____   _____

Abb. 2.9.   Befundbogen Belastung (Gelenkmessung/Graphische Darstellung)

Abb. 2.10.   Funktionsbefundbogen

List, BFS Physiotherapeuten, München

Patient: untere Extremität   rechts: ☐

Datum: links: ☐

Funktionsbefund

+ = möglich
– = unmöglich
(–) = mit Hilfe möglich

Gebrauchsbewegungen:

Lagewechsel   – Rl _____ Sl ___ (Bl) ___   Sitz _____
                   – Sitz _____ Stand   _____

Schüsselübung ☐ _____
Anziehen   Hose ☐ _____
           Strümpfe ☐ _____
           Schuhe ☐ _____
Sitzen ☐ _____
Bücken ☐ _____
Treppensteigen ☐ _____
Stand ☐ _____
Einbeinstand ☐ _____
Zehenstand ☐ _____

< = kleiner
> = größer
= = seitengleich

Gehen:

Gewichtsverteilung   re   li   _____
Schrittlänge   re   li   _____
Rhythmus   _____
Fußbewegung   _____
Hüftgelenk: _____ Trendelenburg?   re / li
                    _____ Duchenne?   re / li
Kniegelenk: _____
                  _____
Fußgelenke: _____
                  _____

Belastung auf der Waage: spontan   ☐   kg
                              Verordnung   ☐   kg

Hilfsmittel:

Unterarmstützen ☐   re / li / bds   _____
Stock ☐   re / li / bds   _____
Peronäus-Schiene ☐   re / li   _____
Schuheinlagen ☐   re / li / bds   _____
Schuhausgleich ☐   re / li   Höhe:_____cm _____
Stützstrümpfe ☐   re / li/ bds   _____
Prothese ☐   re / li   _____
Sonstiges ☐   _____

Muskeltest

Neurologische Klinik der Universität
Klinikum Großhadern
Marchioninistraße 15

81377 München 70

Staatliche Berufsfachschule für Physiotherapie
an der Universität München

Segmentale und periphere Innervation der Muskeln von C 1 – Th 1

Name:

Geb:

Links   Rechts

Segmentale Innervation

Muskel	C1	C2	C3	C4	C5	C6	C7	C8	Th1	Nerv
M. sternocleidomastoideus		■								N. accessorius
M. trapezius p. sup.		■	■							N. occipitalis minor
Mm. rhomboidei			■	■						N. dorsalis scapulae
M. supraspinatus				■	■					N. suprascapularis
M. infraspinatus				■	■					N. suprascapularis
M. deltoideus p. med.					■					N. axillaris
M. biceps brachii, M. brachialis					■	■				N. musculocutaneus
										N. radialis
M. brachioradialis						■				N. radialis
M. serratus anterior						■				N. thoracis longus
M. pectoralis major						■				Nn. pectorales
Mm. extensores carpi radialis long./brev.						■				N. radialis
M. subscapularis							■			N. subscapularis
M. pronator							■			N. medianus
M. triceps brachii							■			N. radialis
M. latissimus dorsi							■			N. thoracodorsalis
Mm. extensores digitorum communis							■			N. radialis
M. flexor carpi radialis							■			N. medianus
M. extensor carpi ulnaris							■			N. radialis
M. extensor pollicis long.							■			N. radialis
M. extensor pollicis brevis							■			N. radialis
M. abductor pollicis long.							■			N. radialis
M. flexor pollicis brevis								■		N. medianus / N. ulnaris
M. opponens pollicis								■		N. medianus
M. flexor pollicis long.								■		N. medianus
M. flexor carpi ulnaris								■		N. ulnaris
M. flexor digitorum superficialis								■		N. medianus
M. flexor digitorum profundus								■		N. medianus / N. ulnaris
M. adductor pollicis								■		N. ulnaris
M. abductor pollicis brevis								■		N. medianus
Mm. interossei dorsales								■		N. ulnaris
Mm. interossei ventrales								■		N. ulnaris
Mm. lumbricales I–IV								■		N. medianus / N. ulnaris
M. flexor digiti minimi								■		N. ulnaris
M. abductor digiti minimi								■		N. ulnaris
M. opponens digiti minimi								■		N. ulnaris

Abb. 2.11 a.   Befundbogen »Muskeltest«: C1 – Th1

Muskeltest

Segmentale und periphere Innervation der Muskeln von Th 6 – S 3

Prüfer	Links	Datum	Muskel	Segmentale Innervation	Rechts	Nerv
				Th1 Th2 Th3 Th4 Th5 Th6 Th7 Th8 Th9 Th10 Th11 Th12 L1 L2 L3 L4 L5		
			Mm. obliquii abd. ext./int.			Nn. intercostales
			M. rectus abdominis			Nn. intercostales et N. iliohypogastr.
				Th1 Th2 Th3 Th4 Th5 Th6 Th7 Th8 Th9 Th10 Th11 Th12 L1 L2 L3 L4 L5		

Prüfer	Links	Muskel	Segmentale Innervation	Rechts	Nerv
			L1 L2 L3 L4 L5 S1 S2 S3 S4 S5		
		M. iliopsoas			N. femoralis et plexus lumbalis
		Mm. adductores			N. obturatorius
		M. quadriceps femoris			N. femoralis
		M. tensor fasciae latae			N. glutaeus superior
		M. tibialis anterior			N. peronaeus profundus
		M. extensor hallucis long.			N. peronaeus profundus
		Mm. extensores digitorum long.			N. peronaeus profundus
		Mm. glutaei med./min.			N. glutaeus superior
		M. semitendinosus M. semimembranosus			N. tibialis
		M. biceps femoris			N. ischiadicus et N. peronaeus comm.
		M. triceps surae			N. tibialis
		M. tibialis post.			N. tibialis
		Mm. peronaei long./brev.			N. peronaeus superficialis
		M. glutaeus maximus			N. glutaeus inferior
		Mm. flexores digitorum long.			N. tibialis et N. plantaris medialis
		Mm. flexores hallucis long./brev.			N. tibialis et N. plantaris med./lat.
			L1 L2 L3 L4 L5 S1 S2 S3 S4 S5		

Abb. 2.11 b. Befundbogen »Muskeltest« Th6 – S3

Physiotherapeutischer Atembefund:

PatientIn: _____   Datum: _____

Diagnose: _____

Anamnese: _____

1. Beschwerden; subjektive Angaben: _____
- Atemnot:
- Husten:
- Schmerzen:
- Sonstiges:

2. Atemform:
- Ast.:
- Atemweg:
- Atemnebengeräusche:
- Atembewegungen: Costosternal: costoabdominal:
- Atemhilfsmuskeleinsatz: inspiratorisch: exspiratorisch:
- Atemfrequenz:
- Atemrhythmus:
- Atemzeitquotient:
- Sprechdauer:

3. Thorax, -beweglichkeit:
  Wirbelsäule:
- Thoraxform, Einziehungen?
- Bauch:
- Muskulatur:
- Hautgewebe:
- Thoraxbeweglichkeit: Umfangmessung in Atemruhelage, max. Inspiration und maximaler Exspiration

Meßstelle	ARL	max. Insp.	max. Exsp.	Differenz:
Achsel				
Sternumspitze				
untere Thoraxapertur				

Abb. 2.12 a, b.   Physiotherapeutischer Atembefund: **a** Beschwerden, Atemform, Thorax/Wirbelsäule, **b** Haut, Puls, Belastbarkeit, Bemerkungen

4. Haut:
- Farbe:
- Lippen:
- Gesicht:
- Nase-Mund-Dreieck:
- Extremitäten:

5. Puls: _____   **RR:** _____
- Frequenz:
- Rhythmus:
- Füllung:

6. Belastbarkeit:
- subjektive Angabe des Patienten/der Patientin

AF/min:				
Dyspnoe:				
Puls:				
Zyanose:				
Blutdruck:				
	Belastungsform	vorher	nach min	nach 5 min Erholung

Bemerkungen:

Kooperationsfähigkeit: **AZ:**

Abb. 2.12 b.   (Legende s. S. 20)

Allgemeine Richtlinien

Ist die Sammlung der Symptome
abgeschlossen, können die einzelnen
Behandlungsschritte und die *Zielsetzung* festgelegt werden. Bei jeder Verletzung spielt sich in etwa der gleiche
Vorgang ab:

- Die Physiotherapeutin behandelt
die Symptome der Funktionseinschränkung (Abb. 2.13).
- Je nach Art der Verletzung werden Schwerpunkte der Behandlung
festgelegt, und es wird eine Auswahl von Techniken und Methoden, die befundbezogen Anwendung finden sollen, getroffen.
- In Absprache mit dem verantwort-
lichen Arzt wird die Dosierung der
Übungsbehandlung und der Belastung vorgenommen.

Die moderne operative Frakturversorgung im Sinne der Arbeitsge-
meinschaft für Osteosynthesefragen
(AO) hat für den Beginn und die
methodische Anwendung der aktiven Übungsbehandlung Richtlinien
gesetzt. Sie fordert ein möglichst
umgehendes *aktives Bewegen* nach
übungsstabilen Osteosynthesen. Bestimmte Kriterien, wie Plattenlage
auf der konvexen Seite eines Röh-
renknochens, senkrechte Schrauben-
führung zur Frakturlinie, genügende
Anzahl von Schrauben in jedem
Fragment, entsprechende Platten-
länge, schlüssiger Nagelsitz, mediale
Abstützung der dynamischen Hüftschraube, statische Verriegelung des
Marknagels etc., sind die Voraussetzungen einer *mechanischen Stabilität.*

▶ Physiotherapeutinnen müssen deshalb in der Lage sein, Röntgenbilder
im Hinblick auf diese Kriterien zu
beurteilen. Erst dann entscheiden sie
über die Dosierung ihres Übungspro-
grammes.

Eine mechanische Übungsstabilität
berechtigt nicht zur Belastung eines
Körperabschnittes über das Maß des
Eigengewichtes hinaus. Bewegungen
gegen äußere Widerstände, das
Gesamtkörpergewicht oder Geräte
sind deshalb nicht erlaubt.

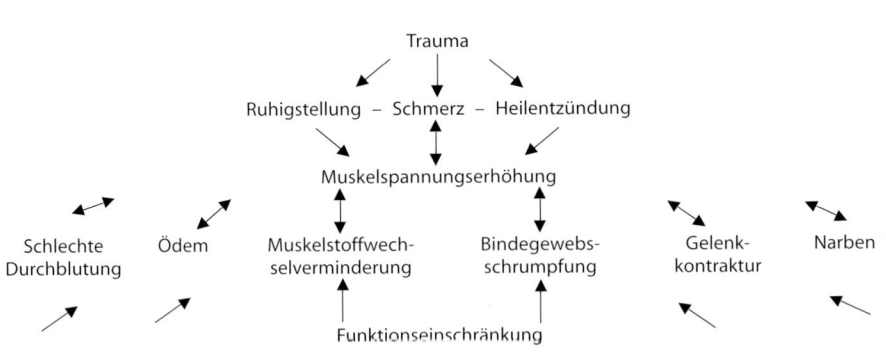

Abb. 2.13.   Allgemeine, sich gegenseitig verstärkende Symptome nach einer Verletzung

▶ Geübt werden *aktive Bewegungen im freien Raum* innerhalb der möglichen Bewegungsgrenze. In der Praxis hat sich der Beginn der Übungsbehandlung mit dynamischen Bewegungsformen nach Entfernung der Redondrainagen bewährt, wenn keinerlei Anzeichen einer Wundheilungsstörung oder sonstiger Komplikationen bestehen. Liegen die Redondrainagen in der Muskelloge oder im Gelenk, werden nur isometrische Spannungsformen gegen Führungskontakt und bei gelagerter Extremität durchgeführt. Die Patienten haben Bettruhe in Hochlagerung der betroffenen Extremität.

⚠ **Auf einen ungestörten Wundheilungsverlauf ist unbedingt Rücksicht zu nehmen. Deshalb dürfen sterile Verbände nicht abgenommen werden. (Arzt fragen!)**

▶ Nicht empfehlenswert sind außerdem vor dem Entfernen der Fäden feuchte Eistücher oder Packungen im Operationsgebiet. Zum Kühlen werden in den ersten Tagen *trockene Eisbeutel* verwendet, z. B. vorgefertigte »coolpacks« oder Eischips in einem Plastikbeutel, die in einen Baumwollbezug eingeschlagen werden müssen. Gekühlt wird immer im Intervallprinzip und nicht als Daueraflage. Der Patient muß die Möglichkeit haben, die Eisanwendung wegzunehmen oder wegnehmen zu lassen, wenn der Kälteschmerz auftritt.
▶ Die *frühe aktive Übungsbehandlung* soll die sog. »Frakturkrankheit«, d. h. Durchblutungsstörung (Sudeck-Syndrom), Kontraktur und Funktionseinschränkung verhindern. Heute vertreten Traumatologen die Lehrmeinung, daß die vollständige Entlastung der unteren Extremitäten

nach mechanisch stabiler Osteosynthese von Frakturen ungünstig ist. Deshalb wird heute dem verständigen Patienten nach wenigen Tagen das Aufstehen mit Sohlenkontakt erlaubt, was einer Belastung von 7–10 kg entspricht.

> ❗ Schematische Angaben sind Richtwerte; exakte Verordnungen sollen vom Operateur ausgehen und individuell differenziert sein. Die Physiotherapeutinnen müssen die funktionelle Umsetzung der Verordnung verantwortungsvoll einüben.

▶ Steht der Patient zum ersten Mal auf, wird die Spontanbelastung ermittelt.
▶ Bei dem heute notwendigerweise kurzen Klinikaufenthalt müssen dem Patienten auch *Verhaltensregeln* bei seiner Entlassung mitgegeben werden. Der Patient muß wissen, wieviel und wie lange er belasten darf, muß die Belastung auf der Waage regelmäßig kontrollieren und bei Auftreten von Warnzeichen sofort den Arzt aufsuchen. Solche *Warnzeichen* sind:
• Schmerz an der Bruchstelle,
• Schwellung,
• Rötung und
• Temperaturanstieg im Frakturbereich.

In der Regel bedeuten sie nicht einen Abbruch der physiotherapeutischen Behandlung, sondern ein Zurückstufen der Dosierung (z. B. Entlastung, Tragen von Antithrombosestrümpfen, medikamentöse Behandlung, Eistherapie, niederere Stufe der Bewegungstherapie.
▶ Eine frühzeitige dynamische Übungsbehandlung und Mobilisation ist nach einer *Spongiosaplastik* nicht erlaubt, wenn sie im Bereich der zu übenden Muskulatur liegt. Dynamische Übungen sollten ca. 8–10 Tage

nach der Operation begonnen werden. Dasselbe gilt für *frische Hauttransplantationen.*

▶ Proximale Gelenke oder nichtverletzte Extremitäten können selbstverständlich geübt werden. Overflow-Reaktionen sind gezielt einzusetzen.

Richtlinien zur Entlastung der verschiedenen Frakturen und Luxationen, nach speziellen Osteosyntheseverfahren oder nach Bandverletzungen

Untere Extremität (Tabelle 2.1)

Kalkaneusfraktur, Talusfraktur, Kuboidfraktur

▶ Operative Versorgung mit Kleinfragmentschraube oder Plattenosteosynthese; bei doppelseitigen Frakturen Versorgung mit Allgöwer-Entlastungsapparat für 12–15 Wochen.

▶ Sohlenkontakt kann ab der 8. Woche, Teilbelastung entsprechend der funktionellen Tragfähigkeit bis zu 12 Wochen verordnet sein.

▶ Die Steigerung der Belastung richtet sich nach der Funktion und kann bis zur vollen Belastung bis zu 15 Wochen dauern.

> Belastung nur mit festen Schuhen und Einlagen durchführen (evtl. Luftpolsterschuhe, auch nach Maß)! **!**

Achillessehnenruptur postoperativ

▶ Für 2 Wochen ventrale Unterschenkelgipsschale in 15–20° Plantarflexionsstellung.

▶ Zwei Wochen Unterschenkelgipsschale in Nullstellung.

▶ Dann gipsfreie Behandlung und aktive Krankengymnastik für weitere 2 Wochen.

Tabelle 2.1. Richtwerte zur Be- und Entlastung nach Frakturen an der unteren Extremität

	Entlastung	Sohlenkontakt	Teilbelastung 20 kg	Stufenweise Steigerung → Vollbelastung (VB)
Zehen-/Metatarsalfraktur	4–6 Wochen	ab 6. Woche	ab 7. Woche	ab 8. Woche → VB
Kalkaneus-/Talusfraktur, Fußwurzelfrakturen	3–6 Monate (Allgöwer)	ab 8. Woche	9.–12.Woche	ab 15. Woche → VB
Sprunggelenkfraktur				
– stabil:	ca. 2 Wochen	ab 2. Woche	ab 7. Woche	ab 8. Woche → VB
– mit Knorpelläsion	ca. 4 Wochen	ab 5. Woche	ab 6. Woche	ab 7. Woche – 12. Woche erst VB
– mit Band/Syndesmosennaht; Stellschraube auch Pilon-tibial-Fraktur	ca. 6 Wochen	ab 5. Woche	ab 6. Woche	ab 7. Woche, wenn Stellschrauben entfernt → VB
– instabil	Gips		ab 7. Woche Gips ab	ab 8. Woche → VB

Tabelle 2.1. Fortsetzung

	Entlastung	Sohlenkontakt	Teilbelastung 20 kg	Stufenweise Steigerung → Vollbelastung (VB)
Unterschenkelfraktur				
– stabile Osteosynthese	bis reizlose Wunde	2–3 Tage	ab 8. Woche	ab 12. Woche → VB
– instabile Osteosynthese	Sarmiento-Gips		ab 7.–8. Woche Gips ab	ab 12. Woche → VB
– statisch verriegelter Marknagel	bis reizlose Wunde	–	nach wenigen Tagen 20 kg	ab 4. Woche bis 50 kg, ab 8. Woche Steigerung weiter nach Entriegelung, ab 12. Woche VB
– instabiler Marknagel	Sarmiento-Gips		ab 6. Woche	ab 8. Woche → VB
– Fixateur externe		wenn Wunde reizlos	ab 6–8 Wochen	ab ca. 8. Woche → VB
Tibiakopffraktur				
– stabile Osteosynthese:	6 Wochen	ab 7. Woche	ab 8. Woche	ab 9. Woche → VB, 12. Woche VB
– instabile Osteosynthese	6 Wochen Gips		ab 7. Woche	ab 9.–12. Woche → VB
Femurfraktur Kondylenfraktur:				
– stabile Osteosynthese	bis Wunde reizlos	ca. 8 Wochen	9.–12. Woche	13.–16. Woche → VB
– Verriegelungsnagel			sofort	6–8 Wochen, Entriegelung, 16. Woche VB
Patellafraktur	Donjoy-Ruhigstellungsschiene	nach Symptomatik	ab 1. Woche, nach Symptomatik	ab 8.–10. Woche → VB, 12. Woche VB
Schenkelhalsfraktur, per-/subtrochanter				
– stabile Osteosynthese		nach Symptomatik	– 6. Woche	ab 7. Woche → VB, 16. Woche VB
– fragliche mediale Abstützung	6 Wochen	7. Wochen	8. Woche	ab 12. Woche → VB, 16. Woche VB
– zementierte Totalendoprothese			nach Funktion + Befund sofort	ab 1.–12. Woche VB
– nichtzementierte Totalendoprothese	6 Wochen		ab 7. Woche	ab 8.–10. Woche
– Teilendoprothese				nach reizloser Wunde, Symptomatik
Beckenfraktur				
– stabile Fraktur/ Osteosynthese	8–10 Tage		ab 9./10. Tag	nach Symptomatik
– mit Acetabulumfraktur, Illiosakralgelenkverletzung	3–4 Wochen	4. Woche	ab 5. Woche	ab 11.–12. Woche → VB, ab 16. Woche VB

▶ Nach 6 Wochen erste Teilbelastung mit festen Schuhen, weichen Sohlen (Luftpolster-Sohlen) und einem Fersenkissen.
▶ Anschließend Steigerung der Belastung entsprechend der Funktion des M. triceps surae und der Sprunggelenkfunktion.

Sprunggelenkfrakturen

Stabile Osteosynthese:
▶ Gipsfreie Behandlung, wenn mechanische Übungsstabilität besteht.

Ausnahme:
▶ Bei nicht kooperativen Patienten 6 Wochen Liegegips mit der Möglichkeit nach 4 Wochen eine Gehsohle anzubringen für die beginnende Belastung.
Normalfall:
▶ Ab 2. Woche Sohlenkontakt für 6 Wochen.
▶ Dann Teilbelastung mit ca. 20 kg Belastung entsprechend der Gelenk- und Muskelfunktionsverbesserung. Nach 8 Wochen Erarbeiten der Vollbelastung ohne Gehhilfen.

Sprunggelenkfraktur mit Knorpel- bzw. Knochenläsion (Pilon-tibial-Fraktur, Volkmann-Dreieck)

Stabile Osteosynthese:
▶ Kein Gips, sofort aktiv, dynamisch üben.
Ausnahme:
▶ Bei nicht kooperativen Patienten Liegegips für 4 Wochen plus 2 Wochen Gehgips.
Normalfall:
▶ Für 4 Wochen entlasten.
▶ Ab 5. Woche mit 10–15 kg beginnen und langsam je nach Funktion

wöchentlich die Belastung *steigern,* Vollbelastung erst nach 12 Wochen erarbeiten.

Sprunggelenkfraktur mit Band-/ Syndesmosennaht

Stabile Osteosynthese:
▶ Gips bei Kollateralbandriß und Naht für 6 Wochen.
▶ Gipsfreie Behandlung bei Naht der Syndesmose und Einbringen einer Stellschraube oder eines Stellhakens.
▶ Sohlenkontakt kann nach 4 Wochen, Teilbelastung ab 6 Wochen nach der Operation begonnen werden.
▶ Die Steigerung der Belastung muß sich nach der Funktion richten. Stellschrauben, die auch in der Gegenkortikalis der Fibula verankert wurden, behindern die Innenrotation und das Kaudalgleiten der Fibula während des belasteten Gehens. Dies führt zu vorzeitiger Lockerung. Deshalb sollte belastetes Gehen vor der Entfernung dieser Stellschraube nicht gefordert werden. Die Stellschraube wird ca. 6 Wochen nach ihrer Einbringung entfernt.

Nichtstabile Osteosynthesen nach Sprunggelenkfrakturen mit oder ohne Band- oder Knorpelverletzungen:

▶ Gips für 6 Wochen.
▶ Anschließend Teilbelastung (s. o.).
▶ Für die Gipsbehandlung kommt auch der Sarmiento-Gips in Frage.

Unterschenkelfraktur mit Plattenosteosynthesen, verriegeltem Marknagel

Stabile Osteosynthese:
▶ Sofort Sohlenkontakt bei reizlosen Wundverhältnissen bei der mechanisch stabilen Plattenosteosynthese.
▶ Ab 8 Wochen Teilbelastung, mit 20 kg beginnend, dann wöchentliche Steigerung, wenn es die Funktion erlaubt.
▶ Die Vollbelastung soll erst nach 12 Wochen erarbeitet werden.

Marknagelung mit einem statisch verriegelten Nagel:
▶ Es besteht sofort eine mechanische Teilbelastungsstabilität für ca. 20 kg, die bei guter Gelenkfunktion und Schmerzfreiheit umgesetzt werden darf.
▶ Nach 4 Wochen kann gesteigert werden.
▶ Eine Steigerung der Belastung über 40–50 kg wird allerdings erst nach 8 Wochen empfohlen, wenn bis dahin die Entriegelung erfolgt ist.

Instabile Osteosynthesen (mit/ohne Spongiosaplastik):
▶ Sarmiento-Gips für 6–8 Wochen.
▶ Dann gipsfreie Teilbelastung bis zu 12 Wochen und Beginn der Erarbeitung der Vollbelastung.
▶ Bei rotationsinstabilen Marknägeln ohne Verriegelung kann ebenso wie bei konservativ behandelten Unterschenkelfrakturen ein Sarmiento-Gips gegeben werden (Gipsdauer: 6–8 Wochen).

Fixateur externe:
▶ Wenn die Weichteile abgeheilt sind, kann Sohlenkontakt durchgeführt werden.
▶ Wenn im Röntgenbild eine knöcherne Überbrückung sichtbar wird, kann die Fraktur wie eine mechanisch stabile Osteosynthese behandelt werden.

▶ In der Regel wird nach 8 Wochen mit der Teilbelastung begonnen.
▶ Die Belastungssteigerung ergibt sich aus dem funktionellen Befund und der Ausheilung der Infektion. Die Belastung muß schmerzfrei sein.

Fixateur nach Ilizarow:
▶ Anwendung bei Verlängerungsosteotomie oder großen Defekten bei Patienten mit einer Osteitis.
▶ Die Belastung wird individuell vom Traumatologen angegeben, kann sich aber an der üblichen Fixateur-externe Behandlung orientieren.

Tibiakopffraktur

Stabile Osteosynthese mit Spongiosaunterfütterung, Normalfall:
▶ Gipsfreie Behandlung mit einer Entlastungszeit von 6–8 Wochen.
▶ Anschließend Sohlenkontakt und wöchentliche Steigerung um ca. 10 kg, wenn die Streckung des Kniegelenkes erreicht und muskulär gesichert ist.
▶ Die Vollbelastung soll erst nach 12 Wochen erarbeitet werden.

Instabile Osteosynthese:
▶ Gips für 6 Wochen, dann wie oben.

> Bei allen Gelenkfrakturen darf die Continuous-passive-motion-Schiene (CPM) nur verwendet werden, wenn die Fraktur mechanisch übungsstabil versorgt und das Gelenk anatomisch wiederhergestellt wurde. Bei Knorpeldefekt und refixiertem Knorpel soll 4–6 Wochen ruhiggestellt werden. Anschließend darf die CPM-Schiene verwendet werden, i.a. wird für die ersten Wochen eine Bewegungsbegrenzung von 0-20-60° festgelegt. Kontraindiziert ist die CPM-Schiene auch bei bestehendem Gelenkerguß.

Kniegelenk: Bandverletzungen, Bandrisse ohne Stabilitätsverlust

Innenbandverletzung isoliert:
▶ Für 2 Wochen Gipsschale.
▶ Für insgesamt 6 Wochen Tutor oder Donjoy-Ruhigstellungsschiene in ca. 10°-Beugestellung. Während dieser Zeit soll die Belastung im schmerzfreien Bereich sein.

Unhappy triad:
▶ Für 6 Wochen Gipstutor.
▶ Anschließend Donjoy-Schiene.

Vorderes Kreuzband:
Semitendinosusplastik (Modell der Chirurgischen Universitätsklinik München Großhadern):
▶ 1 Woche Gipsliegeschale in 30° Beugestellung.
▶ Anschließend Donjoy-Schiene, fixiert in einem Bewegungsausmaß von 0–20–60°.
▶ Ab der 3. Woche wird das Bewegungsmaß eingestellt auf 0–10–90°. Während der Zeit ist Sohlenkontakt möglich.
▶ Nach 6 Wochen wird das Bewegungsausmaß erweitert, die Donjoy-Schiene wird langsam abtrainiert und die volle Streckung des Kniegelenks erarbeitet.
▶ Erst nach einer gesicherten Streckung des Kniegelenks von weniger als 8° Streckdefizit darf die Teilbelastung über 20 kg erweitert werden.
▶ Bei voller Kniestreckung und gesicherter Stabilität darf die Vollbelastung angestrebt werden.

Hintere Kreuzbandverletzung
In der Regel wird die Belastung 1 Woche langsamer gesteigert, die Patienten erhalten meistens für 6 Wochen einen Gips.

Vordere Kreuzbandplastik mit Patellasehnendrittel:
▶ Für 14 Tage Gipsschiene oder Donjoy-Schiene in 0–10–10°.
▶ Nach 2 Wochen wird die Donjoy-Schiene eingestellt auf 0–0–90°. Von Sohlenkontakt zu Teilbelastung und Vollbelastung wird entsprechend der zunehmenden Funktion gesteigert (s. o.).
▶ Sportarten, die das Kniegelenk belasten, sollen nicht vor 9 Monaten begonnen werden. Ein angepaßtes Lauftraining kann evtl. ab der 16. Woche nach Rücksprache mit dem Arzt durchgeführt werden. Besser geeignet ist ein Farradtraining.

Keine isokinetischen Tests, kein Lachmann-Test, keine Kraftmaschinen, kein Beincurler!

Meniskusverletzung

Nach Meniszektomie:
▶ Gipsfreie Behandlung.
▶ Sohlenkontakt bei reizlosem Kniegelenk und Muskeltestwert 3, symptomatische Steigerung
Meniskusreinsertion:
▶ Bei reizlosem Kniegelenk Sohlenkontakt.
▶ Nach 6 Wochen Teilbelastung.
▶ Nach 8 Wochen mit Vollbelastung beginnen.

Femur- und Kondylenfraktur mit Plattenosteosynthese, Fixateur externe

Stabile Osteosynthese:
▶ Nach gesicherter Wundheilung Sohlenkontakt für 8 Wochen.
▶ Teilbelastung für weitere 2–4 Wochen mit ca. 20 kg.
▶ Dann Steigerung der Belastung um 10–15 kg pro Woche, wenn die Funktion es zuläßt.
▶ Die volle Belastung soll nach 16 Wochen erreicht sein.

Verriegelte Marknagelung:
▶ Bei bündiger Abstützung darf sofort im schmerzfreien Bereich teilbelastet werden, ca. 20 kg.
▶ Nach 6–8 Wochen soll der Nagel dynamisiert werden, dann kann die Belastung, entsprechend der Funktionsverbesserung, stufenweise gesteigert werden.
▶ Die volle Belastung soll nach 16 Wochen erarbeitet sein.

Patellafraktur

Zuggurtungsosteosynthese:
▶ Donjoy-Ruhigstellungsschiene für 6 Wochen.
▶ Stehen sofort nach gesicherter Wundheilung, Gehen mit Teilbelastung je nach gesicherter Wundheilung, Gehen mit Teilbelastung je nach Schmerzen, Gelenkbefund und Muskelkraft; die Belastung kann symptomatisch gesteigert werden.
▶ Volle Belastung nicht vor 10–12 Wochen, z. B. freies Treppensteigen.

Schenkelhals-, per- und subtrochantere Femurfraktur

Stabile Osteosynthese, bei medialer Abstützung (Winkelplatte, dynamische Hüftschraube, Gammanagel):
▶ Teilbelastung für 6 Wochen, wenn sie funktionell umgesetzt werden kann, sonst Sohlenkontakt.
▶ Bei guten Muskeltestwerten der Mm. glutaei medius, minimus und maximus und des M. quadriceps kann im schmerzfreien Bereich symptomatisch belastet werden. Ab der 7. postoperativen Woche kann die Belastung wöchentlich um 10–15 kg gesteigert werden, wenn dies die Funktion und das Röntgenbild zulassen.
▶ Ältere Patienten sollen bis zu 12 Wochen mit Stützen gehen, dann kann bis zur 16. Woche langsam die volle Belastung eingeübt werden.

Fragliche mediale Abstützung, sowie Schraubenosteosynthese:
▶ Für 6–8 Wochen Entlastung.
▶ Sohlenkontakt/Teilbelastung bis 10–12 Wochen (individuelle Entscheidung nach Röntgenbild und Funktion).
▶ Anschließend zunehmende Belastung bis zur 16. Woche. Ab dann kann volle Belastung erfolgen.

Zementierte Totalendoprothesen:
▶ Die Prothesen sind mechanisch belastungsstabil. Nach gesicherter Wundheilung und bei entsprechender Muskelkraft und gutem Allgemeinzustand ist die Belastung sofort erlaubt (Gehen mit Gehwagen Rollator oder Stützen).
▶ Gesteigert wird symptomatisch nach Verbesserung der Funktion.
▶ Nach 10–12 Wochen kann in der Regel voll belastet werden ohne

Gehilfen. Alte Patienten behalten in der Regel ihren Gehstock als Gehhilfe.

Andere Prothesen, z. B. Tumorprothesen, Langschaftprothesen:

▶ Die mechanische Belastbarkeit ist von Anfang an gegeben, funktionell jedoch nicht sofort umsetzbar.
▶ Häufig muß deshalb zunächst Sohlenkontakt oder Teilbelastung durchgeführt werden, bis die Muskelkraft und die Gelenkfunktion eine Belastungssteigerung erlauben.

Nichtzementierte Totalendoprothesen:

▶ Zunächst *Entlastung* für 6 Wochen.
▶ Sohlenkontakt und Teilbelastung werden symptomatisch gesteigert.
▶ Nach 8 Wochen kann in der Regel die volle Belastung erarbeitet werden.

Femurkopfprothesen:

▶ Mechanisch belastbar, es besteht keine Belastungseinschränkung. Die Belastung wird entsprechend der Muskelfunktion und dem Allgemeinzustand individuell eingestellt.

Beckenfrakturen

Stabile Frakturen (Schambein-Sitzbein-Frakturen)
Mechanisch übungsstabile Osteosynthesen:
▶ Bettruhe für ca. 2 Wochen, Bewegungsbad.
▶ Je nach Schmerzsituation Aufstehen und Gehen sowie Sitzen.

Instabile Frakturen (Schmetterlingsfraktur)
▶ Bettruhe für 4–6 Wochen, kein Transfer ins Bewegungsbad.
▶ Anschließend Teilbelastung im hoch eingestellten Gehwagen und im Bewegungsbad, symptomatische Steigerung.
▶ Nach 16 Wochen erst volle Belastung ohne Gehhilfen erarbeiten.
▶ *Freier Sitz bedeutet volle Belastung!*

Azetabulumfraktur

Plattenosteosynthese:
▶ Für 6 Wochen Entlastung, Bewegungsbad.
▶ Dann Sohlenkontakt für 4 Wochen.
▶ Ab 10.–12. Woche Teilbelastung beginnen mit 20 kg, wöchentlich steigern.
▶ Volle Belastung erst ab der 16. Woche erarbeiten.

Konservative Versorgung:
▶ Anfangs Extension, Bettruhe für 2–4 Wochen, Bewegungsbad.
▶ Sohlenkontakt, ab 10.–12. Woche Teilbelastung, langsam aufbauen und steigern.
▶ Vollbelastung erst nach 16 Wochen.

Alle zementierten Verbundosteosynthesen können nach gesicherter Wundheilung belastet werden, wenn Symptomatik und Grundkrankheit es zulassen

Wirbelfrakturen BWK 8-LWK 5
(Tabelle 2.2)

Stabile Frakturen
Konservative Versorgung:
► Flache Lagerung für wenige Tage.

► Bei *Frakturen unterhalb von Th 8* wird ein Dreipunktkorsett angepaßt. Die Patienten dürfen über die gestreckte Seitenlage und Bauchlage aufstehen und gehen, jedoch nicht »normal« sitzen.

Tabelle 2.2. Vorgehen nach Wirbelfrakturen

	Bettruhe	Sitz	Gehen/Belastung	Korsett
Wirbelfraktur: – LWK stabil (1–5)	3–4 Wochen	kein Sitz für 6 Wochen, Dreipunktkorsett	mit Dreipunktkorsett hoher Sitz, entlasteter Sitz, Aufstehen über Bauchlage erlaubt	für 12 Wochen, ab 13. Woche Korsett abtrainieren
– Fixateur interne	wenige Tage	kein Sitz für 6 Wochen, Dreipunktkorsett	mit Dreipunktkorsett hoher Sitz, entlasteter Sitz, Aufstehen über Bauchlage erlaubt	ab 13. Woche Korsett abtrainieren
– Titankorb LWK + BWK	wenige Tage	kein Korsett	hoher Sitz, entlasteter Sitz, Aufstehen über Bauchlage erlaubt	–
– BWK stabil (1–8)	wenige Tage bis zu 3 Wochen	kein Korsett, keine Einschränkung normales Aufsetzen	keine Einschränkung, normale Bewegungsübergänge	–
– BWK stabil (9–12)	wenige Tage bis zu 3 Wochen	kein Sitz für 6 Wochen Dreipunktkorsett	mit Dreipunktkorsett hoher Sitz, entlasteter Sitz, Aufstehen über Bauchlage erlaubt	für 12 Wochen, ab 13. Woche Korsett abtrainieren
– Fixateur interne	wenige Tage	entsprechend der BWK-Höhe (s. oben)	entsprechend der BWK-Höhe (s. oben)	
– HWK: Titankorb Fixateur interne Schraube, Platte Zuggurtung HWK instabil	keine feste Krawatte (Camp) für einige Tage spezielle Lagerung	weiche Krawatte (Schantz) für 6 Wochen, keine Sitzeinschränkung erlaubt	normale Bewegungsübergänge normal, mit Hilfe für Bewegungsübergänge	– –
Halo-Fixateur	keine Bettruhe	erlaubt	normal, mit Hilfe für Bewegungsübergänge	–

▶ *Sitzen ist für 6 Wochen nicht erlaubt!* Nur für kurze Zeit darf der Patient auf einem Keilkissen und erhöhtem Stuhl sitzen (Toilettenaufsatz bestellen!).
▶ Das Korsett muß 3 Monate getragen werden.
▶ Patienten mit *höheren Wirbelfrakturen im BWS-Bereich* dürfen sich »physiologisch« über die Seite aufsetzen und brauchen kein Korsett.

Instabile Frakturen:
Osteosynthese mit Fixateur interne, mit Platten- oder Titankorbosteosynthese:
▶ Sie gelten als mechanisch belastungsstabil. Sie werden wie die o.g. Frakturen mit Dreipunktkorsett entsprechend ihrer Höhe versorgt.
▶ Bei ventral und dorsal stabilisierten Wirbelfrakturen kann auf das Korsett verzichtet werden.
▶ *Auch diese Patienten dürfen 6 Wochen lang nicht sitzen.*

Konservative Versorgung:
▶ Gips- oder Kunststoffliegeschale für mindestens 6 Wochen.

Halswirbelfrakturen

Platten-, Schrauben-, Titankorbosteosynthese:
▶ Sie gelten als übungsstabil und werden für wenige Tage mit einer festen Halskrawatte versorgt.
▶ Anschließend wird für 8 Wochen eine weiche Schantz-Krawatte getragen.

Obere Extremität

Schultergürtel: Klavikulafraktur

Stabile Osteosynthese:
▶ Nach gesicherter Wundheilung werden für die folgenden 6 Wochen aktive Bewegungen bis zu 0–60–60° Abduktion begrenzt.

Konservative Versorgung:
▶ Rucksackverband für ca. 4 Wochen (bei Kindern 2 Wochen). Der Patient soll viel aufstehen oder sitzen. In der Rückenlage soll er den Arm auf einen Schaumstoffkeil ablegen.
▶ *Stützen und Heben von Gewichten ist für 8 Wochen nicht erlaubt.*

Akromioklavikulargelenk

Bandnaht und -plastik, Schraubenfixation:
▶ Desault- oder Gilchrist-Verband für wenige Tage.
▶ Für ca. 4 Wochen Begrenzung der Abduktion auf 0–0–60°, Üben unter abgenommener Schwere, bis zum Ende der 6. Woche bis 0–90°.
▶ Dann symptomatische Funktionsschulung.
▶ Die horizontale Abduktion hinter die Körpermittellinie und die horizontale Adduktion über die Nullstellung hinaus sind *nicht erlaubt.*
▶ Leichte Pendelübungen aus dem Lot heraus sind möglich, hingegen sind Schwungübungen *kontraindiziert.*
▶ Die *volle Funktion* soll nach ca. 8–10 Wochen erreicht sein.
▶ An Stelle des Desault-Verbandes kann auch ein Abduktionskissen von 40° gegeben werden.

Schultergelenkluxation

▶ Desault- oder Gilchrist-Verband für wenige Tage.
▶ Anschließend Abduktionskissen von 40° für 6 Wochen.
▶ Alterantiv kann auch bei veralteten Luxationen, Hill-Sachs- und Bankart-Läsion eine feste Abduktionsschiene gegeben werden. Aus der Schiene heraus darf die Spannung des M. deltoideus eingeübt werden.
▶ Kontraindiziert sind alle dynamische Rotationsbewegungen.

> **!** Die dynamische Innenrotation darf erst nach 6 Wochen, die dynamische Außenrotation erst nach 8 Wochen geübt werden!

Humeruskopf- und -schaftfraktur

Konservativ je nach Alter:
▶ Desault- oder Gilchrist-Verband für wenige Tage.
▶ Für Patienten mit Schaftfrakturen evtl. ein Armkissen mit Keilaufbau.
▶ Im Liegen soll der Arm auf einem Schaumstoffkeilkissen gelagert sein.
▶ Geübt wird unter abgenommener Armschwere gegen Führungskontakt.

> **!** Rotationsbewegungen sind erst nach 6 Wochen erlaubt.

Bündelnagelung, T-Platte, mechanisch stabile Osteosynthese:
▶ Nach gesicherter Wundheilung sind aktive Übungen in allen Richtungen erlaubt.
▶ Symptomatische Steigerung entsprechend der Muskelkraft des M. deltoideus und der Rotatorenmanschette.
▶ Nach 6 Wochen kann mit Übungen gegen Widerstand begonnen werden, wenn das Röntgenbild dies erlaubt.

▶ Mobilisation mit manueller Therapie soll individuell mit dem Operateur abgestimmt werden.

> **!** Bei allen Mobilisationstechniken muß passiv fixiert werden!

Frakturen im Bereich des Ellbogengelenkes

Mechanisch übungsstabile Osteosynthese:
▶ Laterale Gipsschiene für 3–4 Wochen, aus der heraus unter Abnahme der Schwere geübt werden kann.
▶ Anschließend kommen aktive Bewegungen im freien Raum gegen Führungskontakt zur Anwendung.
▶ Nach Röntgenkontrolle und entsprechender Funktionsverbesserung darf gegen angepaßten Widerstand geübt werden.
▶ Nach ca. 4–6 Wochen können intensivere Mobilisationstechniken aus der Manuellen Medizin angewendet werden.
▶ Vorsichtige Traktion und Maitland-Techniken können früher zum Einsatz kommen. Die CPM-Motorschiene muß individuell ausprobiert werden. Nur wenn sie schmerzfrei einsetzbar ist, soll sie zur Anwendung kommen.

Instabile Osteosynthesen und Luxationen:
▶ Für 4–6 Wochen Oberarmgips in Funktionsstellung.

Unterarmfraktur und distale Radiusfraktur

Stabile Osteosynthese mit Fixateur externe, Plattenosteosynthese:
▶ Keine Ruhigstellung, aktives Üben ohne Widerstände ist erlaubt.

Instabile Osteosynthese mit Kirschner-Drahtspickung und konservativ behandelte distale Radiusfraktur:
▶ Unterarmgips für 4–5 Wochen. Aktives Üben der freien Gelenke ohne Pro- und Supination bis zur Gipsabnahme.
▶ Bei der Kirschner-Drahtversorgung darf erst nach Entfernung der Pins mit der Übungsbehandlung der Handgelenke begonnen werden.

Handwurzel- und Fingerfrakturen

▶ Hier sowie bei Sehnen- und Nervenverletzungen an der Hand muß mit dem Handchirurgen die Behandlungsdosierung abgestimmt werden (s. Kap. 11).
▶ In der Regel gilt, daß 6 Wochen lang keine Zugspannung auf die verletzten Sehnen und Nerven gebracht werden darf.

Physiotherapeutische Behandlung nach Osteomyelitis

Bei einer bestehenden Knocheninfektion gilt grundsätzlich, daß nach der Infektausräumung (Lavage) eine 3tägige strenge Bettruhe durchgeführt wird. Eine physiotherapeutische Behandlung findet an der betroffenen Extremität nicht statt.

Das chirurgische Vorgehen wird durch eine hochdosierte Antibiotika-behandlung in den ersten Tagen ergänzt. Am 3. postoperativen Tag wird ein Abstrich durchgeführt und auf Bakterien untersucht. Sind weitere Kontrollbefunde negativ, kann die eigentliche Bewegungstherapie beginnen.

In Kombination mit Frakturen wird die Osteomyelitis/Osteitis mit einem Fixateur externe offen behandelt. Bei größeren Defekten wird ein Ringfixateur nach Ilizarow verwendet. In manchen Kliniken wird nur eine Lavage durchgeführt, andere Ärzte legen eine Saug-Spül-Drainage ein oder verwenden Antibiotikaketten. Auch in diesen Fällen kann meist nach 1 1/2–2 Wochen damit gerechnet werden, daß die Drainagen oder die Ketten entfernt werden können, so daß die aktive physiotherapeutische Behandlung beginnen kann.

▶ Aktive Techniken haben den Vorrang. Die Funktion des Armes oder Beines steht im Vordergrund.
▶ Die Behandlungsdosierung richtet sich nach der Stabilität der Fraktur, den evtl. erneuten chirurgischen Eingriffen (Sequesterausräumung, Spongiosaplastik, Hautdeckung) und dem Allgemeinzustand des Patienten.
▶ Vorsicht ist geboten mit der Anwendung von Eis; es soll eine Hyperämisierung der infizierten Bereiche vermieden werden.
▶ Schwellung, Rötung, Temperatur und Schmerzhaftigkeit müssen sorgfältig beobachtet werden. Die klinischen Symptome geben das weitere Vorgehen bezüglich der Übungsintensität und der Belastbarkeit an.
▶ Erst bei ausreichender knöcherner Überbrückung darf Sohlenkontakt erlaubt werden.
▶ Die Steigerung der Belastung erfolgt langsamer als üblich. Die Phy-

siotherapeutin wird insbesondere auf Schmerzen und Entzündungszeichen achten und den Arzt darüber informieren.

▶ Die physiotherapeutische Behandlung muß exakt dosiert werden und den aktuellen Befunden Rechnung tragen.

Literatur

Basmajian J (1985) Muscles alive, their function revealed by electromyography, Baltimore 5th edn. Williams & Wilkins.

Baumgartl F et al. (1980) Spezielle Chirurgie für die Praxis, III/2. Thieme, Stuttgart

Bold R, Gossmann A (1978) Stemmführung nach R. Brunkow, Enke, Stuttgart

Brügger A (1980) Die Erkrankungen des Bewegungsapparates und seines Nervensystems, 2. Aufl. G Fischer, Stuttgart

Caillet R (1975/1977) Foot and ankle pain, knee pain and disability, neck and arm pain, shoulder pain, hand pain and impairment, soft tissue pain and disability. Davis, Philadelphia

Cyriax J (1971) Textbook of orthopedic medicine. Cassel, London

Debrunner H (1982) Orthopädisches Diagnostikum, 4. Aufl. Thieme, Stuttgart

Deusinger R (1984) Biomechanics of Stance. Phys Ther 64

Ehrenberg, H et al. (1982) Krankengymnastik Bd I und II. Thieme, Stuttgart

Gronley J K et al. (1984) Techniques for clinical assessment of human movement. Phys Ther 64: 12

Heberer G et al. (1970) Indikation zur Operation. Springer, Berlin Heidelberg New York

Hierholzer G et al. (1976) Pathogenese und Therapie der akuten posttraumatischen Osteomyelitis. Unfallheilkd 79: 139

Jäger M, Wirth CJ (1978) Kapselbandläsionen. Thieme, Stuttgart

Kaltenborn F (1984) Manuelle Therapie der Extremitätengelenke, 6. Aufl. Nordis, Düsseldorf

Kendall F (1983) Muscles testing and function, 3. edn Williams & Wilkins, London Baltimore

Klein-Vogelbach S (1976) Funktionelle Bewegungslehre. Springer, Berlin Heidelberg New York

Knapp U, Weller S (1979) Weichteilbehandlung bei offenen Frakturen. Zentralbl Chir 104: 154

Lanz T, Wachsmuth W (1972) Praktische Anatomie. Bd I/4. Bein und Statik. Springer, Berlin Heidelberg New York

Laughman R et al. (1984) Objective clinical evaluation of function. Phys Ther 64: 12

List M (1979) Krankengymnastische und physikalische Begleitbehandlung von Verletzungen aus der Sicht der Krankengymnastin. Hefte Unfallheilkd 138: 7243

List M (1979) Zur Nachbehandlung von Patienten mit Osteosynthesen aus krankengymnastischer Sicht. Chirurg 50: 746

List M (1981) Methodik und Technik der krankengymnastischen Behandlung nach Osteosynthesen. Krankengymnastik 33: 92

List M (1982) Wege zur Teamarbeit zwischen Chirurgie und Krankengymnastik. Krankengymnastik 34: 928

List M (1978) Eisbehandlung in der Krankengymnastik. Broschüre Deutscher Verb. f. Physiotherapie, Köln

Loeweneck H, Liebenstund I (1994) Funktionelle Anatomie für Krankengymnasten, 2. Aufl. Pflaum, München

Matter R (1979) Offene Frakturen (Einteilung, Therapieprinzipien, Ergebnisse). Hefte Unfallheilkd 138: 551

Mittlmeier T (1991) Statische und dynamische Belastungsmessungen am posttraumatischen Fuß. Orthopäde 20: 20–32

Mittlmeier T, Morlock M, Hertlein H et al. (1993) Analysis of morphology and gait function following intraarticular calcaneal fracture. Orthop Traumatol 7: 303–310

Mittlmeier T et al. (1994) Evaluation of lower limb function after trauma. Biomech Sem 8: 38–50

Müller M, Allgöwer M (1977) Manual der Osteosynthesen, 2. Aufl. Springer, Berlin Heidelberg New York

Müller W (1982) Das Knie. Springer, Berlin Heidelberg New York

Pauwels F (1965) Gesammelte Abhandlungen zur funktionellen Anatomie des Bewegungsapparates. Springer, Berlin Heidelberg New York

Peter K et al. (1982) Der polytraumatisierte Patient. Bd 32. Thieme, Stuttgart

Petracic B (1983) Funktionelle, konservative Knochenbruchbehandlung. Thieme, Stuttgart

Polterauer P et al. (1978) Die tödliche Lungenembolie in der Traumatologie. Unfallheilkd 81: 469

Rendl H et al. (1983) Gefäßkomplikationen nach Heparin-DHE-Thromboseprophylaxe. Acta Chir Austriaca 51: 68

Rogers M (1984) Glossary of biomechanical terms, concepts and units. Phys Ther 64: 12

Sauer N (1982) Die Versorgung frischer, offener Frakturen. Med. Fakultät Univ. Tübingen

Schöttle U et al. (1981) Ergebnisse der operativen Stabilisierung bei 307 offenen Frakturen. Unfallchirurgie 75: 256

Stein K (1977) Analyse unterschiedlicher Muskelbefunde und ihre Behandlung. Krankengymnastik 2: 53

Voss D et al. (1988) Propriozeptive neuromuskuläre Fazilitation. Fischer, Stuttgart

Weineck J (1980) Optimales Training. Perimed, Erlangen

Weller S (1977) Begründete Indikation für die Anwendung des Marknagels. Unfallheilkd

Weller S (1980) Indikation und Kontraindikation zur Marknagelung. Unfallmedizinische Tagung

Weller S (1984) Die Marknagelung, eine instabile aber belastbare Osteosynthese. Akt Traumatol 14: 146

Wiedemann, Braun, Rüter A (1992) Leitfaden der Unfallchirurgie. Urban & Schwarzenberg, München

Yack H J (1984) Techniques for clinical assessment of human movement. Phys Ther 64: 12

3 Grundzüge der prä- und postoperativen physiotherapeutischen Behandlung

Atemtherapie

Im Rahmen der Unfallchirurgie wird die prä- und postoperative Atemtherapie nicht den Raum einnehmen wie z. B. in der adominalen Chirurgie. Besonderer Betreuung bedürfen jedoch

- ältere Patienten,
- Polytraumatisierte und
- Verletzte, die bereits eine Atemwegserkrankung mitbringen.

Die Auswahl der Atemtechniken richtet sich nach dem *Atembefund* (s. Abb. 2.12a, b). Die Länge der vorgegangenen Vollnarkose kann dabei eine wichtige Rolle spielen. Alte Menschen vertragen eine längere Vollnarkose schlechter als jüngere. Deshalb werden heute in der modernen Anästhesie für solche Patienten manchmal Lumbalanästhesien, Spinal-, oder Plexusnarkosen verwendet. Durch die modernen Osteosyntheseverfahren erübrigen sich i. allg. lange Liegezeiten, wie sie früher üblich waren; so ist die gefürchtete Bronchopneumonie nach traumatologischen Operationen ein seltenes Krankheitsbild geworden. Die Indikation zur operativen Knochenversorgung wird gerade aus diesem Grund gestellt.

Nach Ehrenberg (1990) sind verschiedene Faktoren als Ursachen für die Entstehung einer Pneumonie zu erkennen:
- Stase des Blutstromes bei bettlägerigen Patienten,
- Bewegungsmangel,
- Hypoventilation,
- geringe kostoabdominale Atembewegung.

Es sind *3 Hauptsymptome* zu beobachten:

1. Atelektasen (Verklebungen der Alveolen durch mangelnde Belüftung,
2. Hypostase (verlangsamte Blutzirkulation in Abschnitten des Lungenkreislaufs),
3. Ansammlung von Sekret.

Klinische Zeichen sind z. B.
- veränderte Atembewegung nach kranial,
- erhöhte Atemfrequenz,
- Kurzatmigkeit bei Belastung,
- trockener oder produktiver Husten.

Behandlungsmöglichkeiten

<small>GESICHTSPUNKTE DER ATEMTHERAPIE</small>

1. Eröffnung von Atelektasen (Abb. 3, 1a, b).
2. Verlangsamung und Vertiefung der Atmung.
3. Verbesserung der Atembewegung.
4. Verbesserung der Lungendurchblutung.
5. Unterstützung des Sekrettransportes, Provokation des Hustens und Erleichtern des Abhustens.
6. Anpassung der Atmung an die körperliche Leistung.

- 1. Eröffnung von Atelektasen

- 2. Verlangsamung und Vertiefung der Atmung, z.B. gegen Handkontakt

- 3. Verbesserung der Atembewegung (Abb. 3.2–3.5)

▶ Zur *Eröffnung von Atelektasen* werden tiefe Atemzüge zwischen die Spontanatmung eingeschaltet. Zur besseren Verteilung der Einatmungsluft kann diese auch einen Moment angehalten werden. Als *Techniken* kommen hier z.B. in Frage:
- Wahrnehmen der kostoabdominalen Atembewegung (Basaltexte).
- Langsames, tiefes Einatmen durch die Nase (ca. 2mal 5 Wiederholungen).
- Schnüffeln und Gähnen.
- Atmen mit dem variablen, künstlichen Totraumvergrößerer (5 min lang) oder einem Triflowgerät. Beatmungsgeräte, wie der Bird können ebenfalls zum Einsatz kommen.

▶ Um eine Hyperventilation zu vermeiden, sind Exspirationstechniken günstig, die die Ausatmung verlängern (z.B. Ausatmen auf »sch«, »s«, und Tönen auf »o«. Das Triflow-Gerät kann auch umgedreht werden und dann als Ausatmungsanreiz benutzt werden.

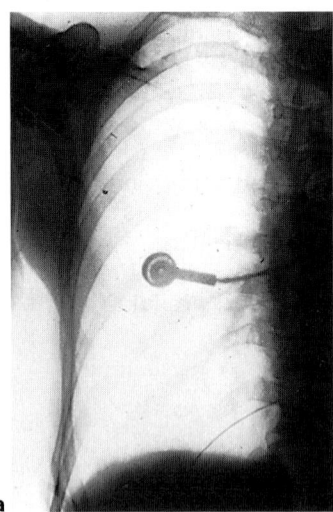
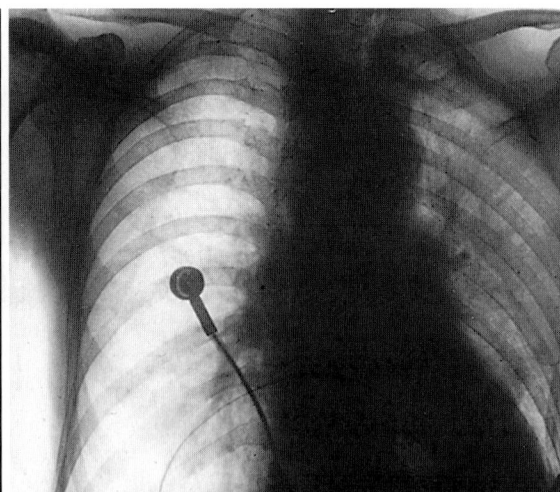

a   b

Abb. 3.1.   a Lungenbelüftung vor, **b** nach Atemtherapie

● **4. Verbesserung der Lungendurchblutung**

▶ Die Verbesserung der Lungendurchblutung wird durch Lagewechsel am besten erreicht, da entsprechende Lungenabschnitte durch die Umverteilung des Lungenblutes wechselnd der Schwerkraft ausgesetzt sind.

● **5. Unterstützung des Sekrettransports, Provokation des Hustens und Erleichterung des Abhustens**

▶ Zur Förderung des Sekrettransportes können Vibrationen auf dem Thorax versucht werden. Durch Inhalieren kann das Sekret gelockert werden, Klopfen ist weniger effektiv. Das Anfeuchten der Mundschleimhaut und des Flimmerepithels in der oberen Luftröhre kann das Abhusten jedoch erleichtern. Inhalationen mit entsprechenden sekretlösenden Medikamenten werden zusätzlich angewendet. Husten produzierend wirkt auch der Totraumvergrößerer. Man verlängert ihn auf ca. 300 ml und befestigt eine einfache, mit einem ätherischen Öl (z. B. Kampher) getränkte Kompresse am Ende des Giebelrohres.

▶ Bei allen Maßnahmen zur Sekretabstoßung sollte der *Oberkörper,* wenn erlaubt, höher *gelagert* sein. Eine Fixation der Rippen oder der Wunden im Abdominalbereich mit großflächig angelegten Händen vermeidet Schmerzen und erleichtert das Abhusten. Wenn eine Oberkörperhochlagerung nicht erlaubt ist, kann das Bettende abgesenkt werden.

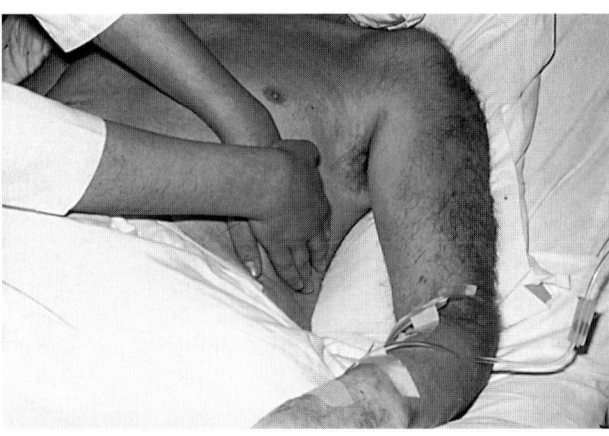

Abb. 3.2. Atmen gegen Handkontakt an einer Seite

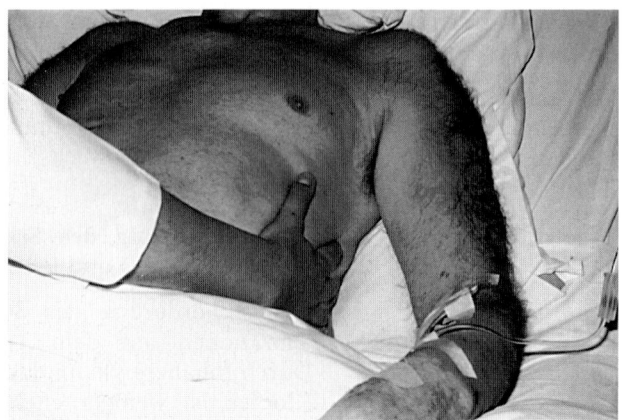

Abb. 3.3. Atmen gegen Handkontakt an beiden unteren Rippenbögen

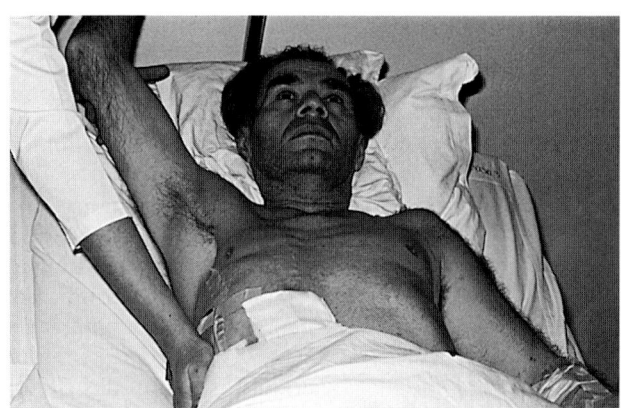

Abb. 3.4. Bewegen und Atmen

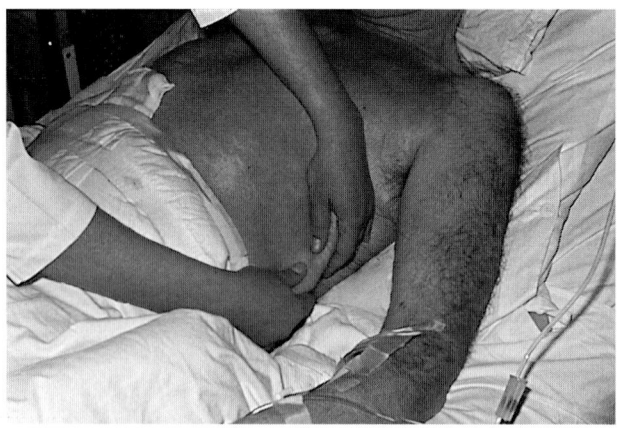

Abb. 3.5. Hautrollungen

- **6. Anpassung der Atmung an die körperliche Leistung**

▶ Zur *Senkung der Atemfrequenz* sind Formen der langsamen Umkehrbewegungen, abgestimmt auf den individuellen Atemrhythmus des Patienten, sowie Basaltexte und alle Ausatemtechniken geeignet. Bewegen und Atmen lassen sich dabei sinnvoll kombinieren (s. Abb. 3.4).

▶ Individuelle Probleme bei polytraumatisierten Patienten oder bei Verletzten, die eine obstruktive Atemerkrankung mitbringen, müssen über den sorgfältig erhobenen Atembefund erkannt und behandelt werden.

! Blutdruck, Puls und Atmung müssen vor jedem Aufstehen bei älteren und polytraumatisierten Patienten kontrolliert werden. Zu bewerten sind auch die Medikamente, die der Patient erhält.

Thromboseprophylaxe

Zur Thromboseprophylaxe können nach Ehrenberg (1982) kleine bis mittelgroße Muskelgruppen in dynamischer und statischer Muskelarbeit im Sinne der lokalen aeroben *Ausdauerverbesserung* beansprucht werden.

▶ Die Übungen werden als freie Umkehrbewegungen unter 20–30% der maximalen statischen Kraft über mindestens 10 min nicht zu schnell ausgeführt.

▶ Kreislauftraining im sportmedizinischen Sinn, z. B. mit dem Fahrradergometer oder Laufband, können mit Unfallverletzten oder operierten Patienten nicht durchgeführt werden.

▶ Als niedrige Belastungsstufe kann das Gehen mit einer Schrittfolge von 80 min angesehen werden, es entspricht dann einer Leistung von 20 Watt auf dem Fahrradergometer. Jedoch bewirkt Gehen ohne Belastung eines Beines (Hüpfen auf dem gesunden Bein) oder auch das Gehen mit Sohlenkontakt, eine erheblich höhere Herz-Kreislauf-Leistung.

Kathrins (1984) konnte nachweisen, daß unbelastetes Gehen einer Streßsituation gleichkommt, in welcher der Sauerstoffverbrauch um ein Vielfaches ansteigt. Vermutlich ist eine erhöhte statische Muskelarbeit dafür verantwortlich. Beim Gehen mit Sohlenkontakt ist die Herzleistung etwas geringer, liegt aber gegenüber dem normalen Gehen immer noch im Streßbereich. Dies ist v.a. bei Polytraumatisierten und alten Menschen zu beachten.

Literatur

Class B (1966) Atembehandlung unter Ausnützung der Nasenstenose. Krankengymnastik 18: 222

Edel H, Knauth K (1983) Atemtherapie. Ullstein, Berlin

Ehrenberg H (1983) Aufgaben und pathologische Grundlagen der Krankengymnastischen Atemtherapie. Krankengymnastik 35: 382

Ehrenberg H (1987a) Krankengymnastik der obstruktiven Atemwegserkrankungen. Prax Klin Pneumol 41: 571

Ehrenberg H (1987b) Krankengymnastik bei peripheren Gefäßerkrankungen. Pflaum, München

Ehrenberg H et al. (1982) Krankengymnastik, Bd 1, 2. Thieme, Stuttgart

Kathrins B (1984) Cardiovascular responses during nonweightbearing and touch down ambulation. Phys Ther 64: 1

Rumberger E (1981) Atmung. In: Cotta (Hrsg.) Krankengymnastisches Taschenlehrbuch. Bd. 4. Thieme, Stuttgart

4 Physiotherapeutische Behandlung bei der Sympathischen Reflexdystrophie

Jedes Trauma heilt normalerweise über den Weg der physiologischen Entzündung aus. Sudeck hat eine Entgleisung dieses normalen Vorganges beschrieben; nach ihm wurde der sehr typische Symptomkomplex über viele Jahrzehnte als *Sudeck-Dystrophie* bezeichnet. Heute wird nach de Takats (1937) der Begriff »*Sympathische Reflexdystrophie*« (SRD) verwendet.

Ursache und Symptomatik

Als Ursache wird eine *chronische Vasodilatation* angenommen, die zu autonomen, motorischen und sensorischen Störungen in allen Gewebestrukturen führt. Sie frühzeitig abzufangen ist die Aufgabe der ärztlichen und physiotherapeutischen Behandlung. Grundsätzlich sind alle Gewebestrukturen im Bereich spongiöser Knochen betroffen. Selten tritt eine Sympathische Reflexdystrophie an den Fußwurzelknochen, häufig jedoch an der Hand auf. Dort muß auch mit Dauerschäden gerechnet werden (Abb. 4.1 a, b, 4.2 – 4.4).

Auslöser für die SRD sind Frakturen, häufig die distale Radiusfraktur, aber auch alle Traumen und Infektionen an der Hand. Wie schon von Sudeck beschrieben, gilt die Kompression durch einen zu engen Gips oder eine unzureichende Frakturreposition als häufigste Ursache.

Generell ist zu beobachten, daß ein bestimmter Patiententyp, der mit sich und der Umwelt in einem Spannungsfeld steht, eher zu einer Sympathischen Reflexdystrophie neigt. Vor einer vorschnellen Beurteilung eines Patienten möchte ich jedoch warnen. Wesentlich häufiger können wiederholte schmerzverursachende Einwirkungen, wie mehrfaches Reponieren nach abgerutschten Frakturen, Zweitoperationen sowie Ischämie und Ödeme mit Kompression auf den tiefen Hohlhandbogen, als Ursache erkannt werden.

Befunderhebung an der Hand

BEURTEILE
- Hautverfärbung (blau, rot, fleckig?).
- Hautspannung (Schwellung, Streckfalten verschwunden?).
- Schweißsekretion.

- Muskelspannung (erhöht? Handbreite verschmälert? Finger kleben aneinander?).

MISS

- Aktives Bewegungsausmaß des Handgelenkes, der Fingergelenke, Abduktion des Daumens usw.
- Umfang an Handgelenk und Mittelhand.

PRÜFE

- Temperatur (lokal erhöht?).
- Verschieblichkeit der Metakarpalia.
- Qualität des Bewegungsstops an allen eingeschränkten Gelenken.
- Sensibilität.
- Ellenbogen-, Schultergelenk- und Halswirbelsäulenbeweglichkeit.

NOTIERE

- Schmerzen: Art, Situation und Lokalisation (Nachts? Im Schultergelenk?).
- Sonstige Beschwerden.
- Zeitabstand zur Verletzung.
- Wertung der Laser-Doppler-Kapillarperfusion und der Sympathikusreaktion der Hautdurchblutung.
- Wertung der Sympathikusblockade, falls durchgeführt.

Symptome des frühen Stadiums sind:
- Schmerzen bei Bewegung und in Ruhe,
- starke Schwellung,
- überwärmte Hand,
- zyanotische Hand,
- Abwehrspannng der Handmuskulatur (»Umklammertsein« der Hand),
- Kontraktur der Fingergelenke,
- Schultergelenkschmerzen, vor allem nachts,
- Halswirbelsäulenbeschwerden.

Symptome des späteren Stadiums sind:
- blasse Haut,
- Abnahme der Schwellungen,
- deutliche Atrophie der Binnen-, Daumen- und Kleinfingermuskulatur,

- harte Bewegungsstopps (Kapselschrumpfung),
- kühle Hand, starke Kälteempfindlichkeit,
- Bewegungsschmerzen, Funktionslosigkeit der Hand.

> **Das gleiche gilt auch für den Fuß.** !

Im *Röntgenbild* wird die Strukturveränderung der Spongiosa deutlich sichtbar; die Kompakta erscheint als dünne Linie (Knochendystrophie), besonders die Gelenkspalten der distalen Fingergelenke sind schmal, oft kaum noch erkennbar.

> **Bei bereits bestehender akuter klinischer Symptomatik kann das Röntgenbild noch für einige Zeit unauffällig sein.** !

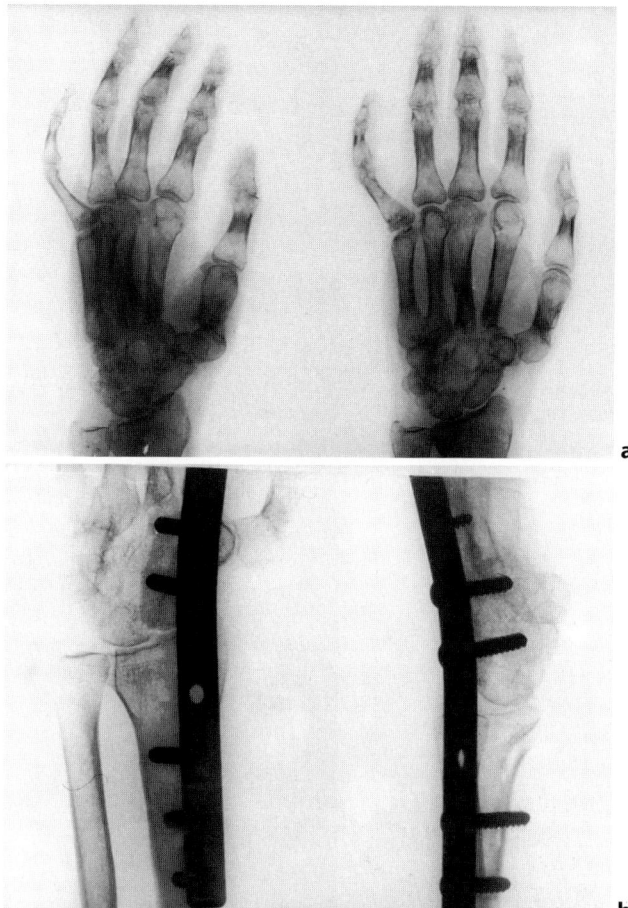

Abb. 4.1. **a** Schwere Quetschverletzung im Handwurzelbereich mit sympathischer Reflexdystrophie, **b** handgelenk-übergreifende Platten-osteosynthese

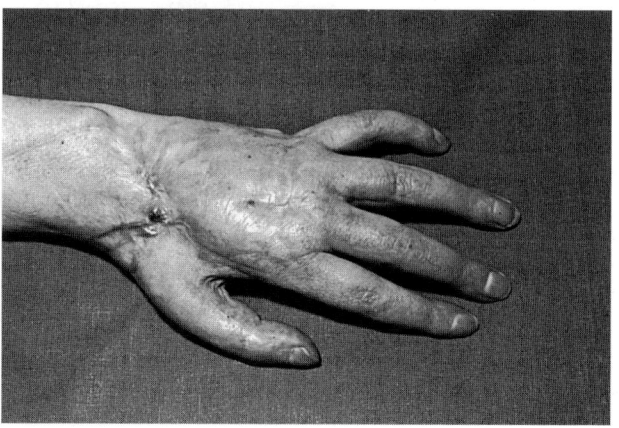

Abb. 4.2. Sympathische Reflexdystrophie (SRD) nach Quetschverletzung

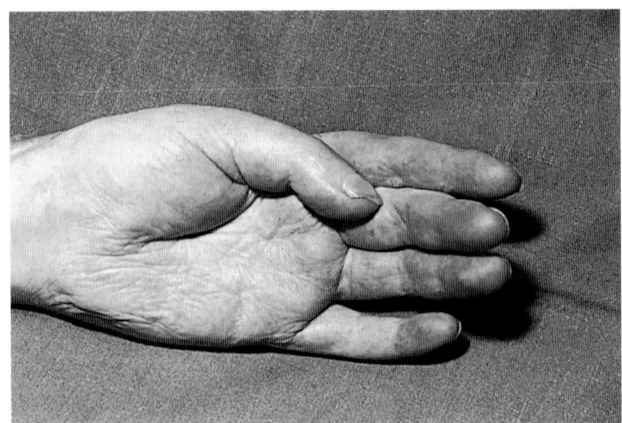

Abb. 4.3. SRD, funktions-
lose Hand

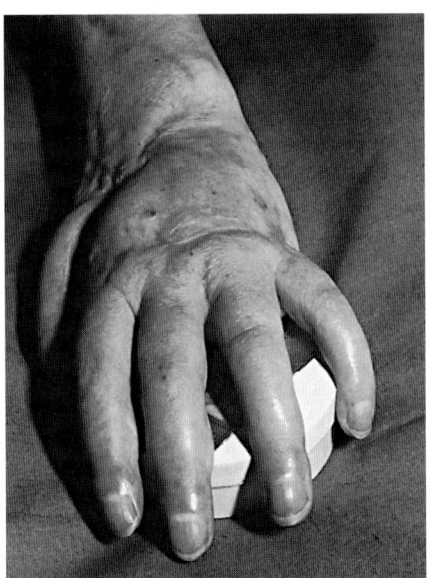

Abb. 4.4. SRD, vermin-
dertes Greifen

Behandlungsmöglichkeiten im Bereich der Hand

GESICHTSPUNKTE
DER BEHANDLUNG

Ärztlicherseits wird heute eine 2- bis 3malige Sympathikusblockade in 3tägigem Abstand empfohlen.

- **1. Vermeidung äußerer Irritationen**

  ▶ Da ein zu enger Verband oder Gips die Durchblutung der Hand und Finger drosselt, müssen Verbände oder ein fest angelegter Gips wenige Stunden nach der Operation oder Verletzung aufgeschnitten

GESICHTSPUNKTE
DER BEHANDLUNG

Frühes Stadium
(auch zur Prophy-
laxe):
1. Vermeidung
   äußerer Irritatio-
   nen an der Verlet-
   zung und enger
   ruhigstellender
   Verbände.
2. Verbesserung der
   Durchblutung.
3. Entspannung der
   Hand.
4. Entspannung der
   Armmuskulatur,
   der Nacken- und
   Halsmuskulatur.
5. Freihalten des
   Ellenbogen-, des
   Schultergelenkes
   und der Halswir-
   belsäulenbewe-
   gungen.

Späteres Stadium
(zusätzlich zu
1.–5.):
6. Änderung der Maß-
   nahmen zur Resorp-
   tionsförderung.
7. Halswirbelsäulen-
   und Schulterge-
   lenkbehandlung.
8. Änderung der
   Maßnahmen zur
   Durchblutungs-
   verbesserung.
9. Mobilisation der
   Gelenke.
10. Schulung der
    Hand- und Fin-
    germuskulatur.
11. Funktionsschu-
    lung der Hand.
12. Ergotherapie.

werden. Vor allem der tiefe Hohlhandbogen muß Platz haben, die Mittelhand darf nicht eingeschnürt sein.

▶ Physiotherapeutinnen sollten routinemäßig die Handverbände *kontrollieren* und evtl. korrigieren. Besonders ist dabei zu achten auf
die physiologische Stellung der Finger,
einen nicht einengenden Verband oder Gips,
die Bewegungsfreiheit der angrenzenden Gelenke (z. B. Grundgelenke frei im Radiusgips).

▶ Wichtig ist, daß die Patienten *schmerzfrei* behandelt werden. Techniken zur Behandlung neuromeningealer Strukturen werden bevorzugt eingesetzt. Dabei handelt es sich um kleine Umkehrbewegungen einzelner Gelenke bei Annäherung der schmerzhaften Struktur innerhalb der komplexen Armmuster.

▶ Unterstütztes Üben, das eher als »*Spielen mit den Gelenken*« bezeichnet werden kann, bewährt sich in den ersten Wochen. In jedem Fall sollen Schmerzen und eine reflektorische Abwehrspannung vermieden werden.

Wärmeanwendungen und Massagegriffe aus der klassischen Massage sind kontraindiziert.

▶ Vorsichtiges Ausstreichen der Hand darf nach Abheilung der Operationswunden angewendet werden, ebenso die sog. »manuelle Lymphdrainage«.
▶ Milde Kälteanwendungen in Form von Umschlägen können nach Entfernung der Fäden durchgeführt werden.
▶ Alle Patienten werden angehalten, den Arm nicht in einer Schlinge zu tragen, ihn nicht ständig nach unten hängen zu lassen und sich nicht in die Sonne zu legen.
Jedoch sollen sie häufig die Schulter-, Ellenbogen- und freien Fingergelenke bewegen und die Hand kühlen.

● **2. Verbesserung der Durchblutung**

▶ Im Frühstadium kommen in der Regel *aktive Spannungsübungen* der Oberarm-, Unterarm-, Hand- und Fingermuskulatur in Frage, soweit es die Verletzung erlaubt. Anwendung findet die Technik isometrisches Spannen gegen Handkontakt im Sekundenrhythmus. Die Übungen werden 10- bis

GESICHTSPUNKTE
DER BEHANDLUNG

2. Verbesserung der
Durchblutung.

15mal wiederholt in einer Serie. Sie werden wechselweise mit Eisabtupftechnik über der Unterarmmuskulatur ausgeführt.

**Keinesfalls sollten diese Spannungsübungen als
Haltearbeit im Sinn einer Trainingsspannung ausgeführt werden.**

Ist die verletzte Hand deutlich wärmer als die
andere, kann im Handbereich selbst gekühlt werden. Der sterile Verband darf jedoch nicht abgenommen werden.

▶ *Ratschow-Umlagerungen* und *Hochlagern* der
Hand werden dem Patienten als »Hausaufgabe« aufgegeben und müssen entsprechend kontrolliert werden. Jede verletzte Hand soll in den ersten Tagen auf
einem Armkeil hochgelagert und gekühlt werden.
Häufig kann ein Fell die Lagerung verbessern (s.
Abb. 7.9). Im allgemeinen sind Handverletzte nicht
an Bettruhe gebunden. Es empfiehlt sich jedoch, den
Patienten anzuhalten, seine Hand *möglichst häufig
für einige Stunden hochzulagern.* Ungern werden
ruhigstellende Schienen angelegt; sie drosseln eher
die Durchblutung und führen zu unnötigen Kontrakturen an den sonst nicht betroffenen Gelenken.

▶ Mußte wegen einer starken Nachblutung ein
Kompressionsverband angelegt werden, sollte man
unbedingt darauf achten, daß er *nicht zu lange* liegen bleibt. Auch heute noch zählt der zu enge Verband zu den häufigsten Ursachen der Sympathischen Reflexdystrophie (s. auch Kap. 10 „Radiusfraktur" und Kap. 11 »Handchirurgie«).

3. Entspannung der
Hand.

● **3. Entspannung der Hand**

▶ Die oben beschriebenen Maßnahmen zur Durchblutungsverbesserung sollten möglichst spontan mit
Entspannungstechniken abwechseln. Bei schmerzfreier Lagerung der Hand, z. B. auf einem individuell
einzustellenden Handtisch, wird das bewußte
Anspannen der Finger für die nachfolgende ausführliche Entspannung ausgenützt.

▶ Effektiv sind auch Entspannungstechniken nach
Schaarschuch (Haase et al. 1985), langsame Umkehrbewegungen, Techniken der »progressiven Muskelrelaxation« nach Jakobson (1990; Stokris 1965).

▶ Schmerzfreies, weiches Greifen der Physiotherapeutin unterstützt ebenfalls die Entspannung der

Handmuskulatur. Auch der verbale Auftrag kann deutlich machen, daß es sich um eine kurze Anspannung handelt und nicht um eine statische Haltearbeit.

▶ An Techniken kommen in Frage die »Chirurgische Technik« und die »Rhythmische Stabilisation – Entspannen mit aktivem Weiterziehen«. Genügend lange Pausen sollten einkalkuliert werden.

▶ Ganz besonders wichtig scheint die *positive Mitarbeit des Patienten* und seine Angabe von Schmerzen zu sein. Der Patient muß sich darauf verlassen können, daß die Bewegungen nicht über die Schmerzgrenze hinaus erzwungen werden. Handverletzte Patienten, die schlechte Erfahrungen gemacht haben, werden in der Erwartung von Schmerzen nicht entspannen können. Die erfahrene Physiotherapeutin wird jede Bewegung behutsam an die Bewegungsgrenze heranführen und dabei eine vorsichtige Traktion setzen. *Dem Schüler sei geraten, eher etwas weniger zu dosieren als zuviel.*

▶ Ein deutliches Kriterium dafür, ob die Hand wirklich zur Entspannung gebracht wurde, ist das *Spreizen der Finger.* Gelingt es nicht, die Finger wenigstens ein wenig voneinander abzuspreizen, war die Technik nicht erfolgreich. Bewegungsformen, die Punctum fixum und mobile vertauschen oder Techniken, die zunächst den Schultergürtel- und Nackenbereich entspannen, können dann den erwünschten Effekt erbringen.

4. Entspannung der Armmuskulatur, der Nacken- und Halsmuskulatur.

● **4. Entspannung des ganzen Armes**

▶ Über Kontakt oder manuellen Widerstand und Übungsauftrag wird das Bewußtsein auf den Schultergelenkbereich, den Oberarm und den Unterarm gelenkt. Das Anspannen muß kräftig und kurz sein, die Entspannungsphase lang und bewußt.

▶ Skapulaumkehrbewegungen aus dem PNF-Programm senken die Abwehrspannung des M. trapezius ebenso wie weiches Bewegen der Schulter-, Ellbogen- und Handgelenke in Annäherung der neuromeningealen Strukturen. Unterstützt werden diese Techniken durch Eisumschläge oder Eiskompressen auf den besonders verspannten Muskeln.

5. Freihalten des Ellenbogen-, des Schultergelenkes und der Halswirbelsäulenbewegungen.

● **5. Freihalten des Ellbogen-, Schultergelenkes und der Halswirbelsäulenbewegungen**

Da viele Patienten mit *Halswirbelsäulenbeschwerden* zu einer Sympathischen Reflexdystrophie neigen, ist es günstig, die Behandlung in dieser Region zu beginnen. Dazu bieten sich die PNF-, Kopf- und Schulterblattpattern, z.B. als langsame Umkehrbewegungen mit und ohne Haltephasen, an.

▶ Ellbogen- und Schultergelenke werden am besten durch komplexes Üben in PNF-Mustern funktionsfähig gehalten. Alle Bewegungen sollen bis zum Ende der Bewegungsbahn durchgeführt werden und die Rotation im Schultergelenk betonen.

6. Änderung der Maßnahmen zur Resorptionsförderung.

● **6. Änderung der Maßnahmen zur Resorptionsförderung und Kühlung**

▶ Empfohlen werden können jetzt Eistauchbäder, vegetative Umstimmungen durch Bindegewebsmassage in den Rumpfzonen und die sog. manuelle Lymphdrainage.

▶ Auf aktive Spannungsübungen sollte nicht verzichtet werden. Auch aktive Umkehrbewegungen können Verwendung finden.

In diesem Stadium dürfen keine warmen Bäder oder andere Wärmeanwendungen im Handbereich durchgeführt werden!

7. Halswirbelsäulen- und Schultergelenkbehandlung.

● **7. Halswirbelsäulen- und Schultergelenkbehandlung**

▶ Besonders sorgfältig sollten die *Beschwerden der Halswirbelsäule* behandelt werden. Dazu stehen heute Techniken aus dem Maitland-Programm zur Verfügung (Maitland 1996).

Normalisiert sich der Muskeltonus in der Nakken-Schultergürtel-Muskulatur, werden auch die Maßnahmen an der Hand erfolgreicher sein.

▶ Aktive Behandlungen können ergänzt werden durch Massagegriffe, eine Eiskrawatte oder je nach Verträglichkeit auch durch eine warme Kompresse.

▶ Schulterblatt- oder Kopfpattern werden in Form der wiederholten Kontraktionen gegen Führungskontakt, evtl. auch gegen Widerstand angewendet.

▶ Entspannungstechniken für das Schultergelenk wechseln mit intensiven Übungen für die Schultergelenkabduktoren, -flexoren, -innen- und -außenrotatoren ab.

▶ Im Handbereich muß man immer noch auf eine *Entspannung der Binnenmuskulatur* und eine Normalisierung der Durchblutung achten. Erst wenn die Streckfalten über den Grund-, Mittel- und Endgelenken wieder sichtbar werden, wenn die Hand keine Hitze mehr ausstrahlt und sich die Beweglichkeit spontan verbessert, kann die Handbehandlung intensiviert werden.

▶ *Kontrakturenbehandlung* und die *Schulung der Greiffunktion* stehen dann im Vordergrund (s. auch Kap. 11, »Handchirurgie«).

8. Änderung der Maßnahmen zur Durchblutungsverbesserung.

● **8. Maßnahmen zur Durchblutungsverbesserung**

▶ Die nun äußerst kälteempfindliche Hand kann jetzt nicht mehr mit Eis behandelt werden. Lauwarme Kompressen oder Handbäder ersetzen die Eisbehandlung.

▶ Neben der evtl. wieder neu angesetzten Bindegewebsmassage können vom Patienten selbst Bürstungen ausgeführt werden. Vielfach werden auch auf- oder absteigende Bäder oder Wechselduschen empfohlen.

▶ Am effektivsten ist der selbständige Gebrauch der Hand.

9. Mobilisation der Gelenke.

● **9. Mobilisation**

Im Vordergrund steht nun die intensive Mobilisation der Fingergelenke. Erfahrungsgemäß sind besonders die Mittel- und Endgelenke kontrakt.

▶ Effektiv erweist sich eine Kombination aus der PNF-Technik »langsame Umkehr – halten – entspannen – aktiv/passives Weiterziehen« unter Traktion und manueller Therapie. Der Bewegungsstop ist in der Regel fest.

▶ Im Anschluß an jede Mobilisation soll Endstellung-Halten oder eine aktive Umkehrbewegung durchgeführt werden.

10. Schulung der Hand- und Fingermuskulatur.

● **10. Schulung der Hand- und Fingermuskulatur**

▶ Die *Kontraktionsschulung* der Finger- und Handmuskulatur muß einzeln erfolgen. Genaues Fixieren der Nachbargelenke ermöglicht gezieltes Üben der einzelnen Flexoren und Extensoren. Die Technik der Wahl ist die »wiederholte Kontraktion« aus dem PNF-Programm. Zur Verstärkung wird das Handgelenk in leichter Dorsalextension stabilisiert (s. auch Kap. 11, »Handchirurgie«).

● 11. Funktionsschulung der Hand

Nach Erreichen einer gewissen Beweglichkeit und
Kraft muß die *Funktion des Greifens* intensiv
geschult werden.

▶ Kleine Geräte, eine Knetmasse und Gegenstände
aus dem Alltag können sinnvoll zum Üben eingesetzt werden.

▶ Ein vorgeübtes Aufgabenprogramm sollte vom
Patienten regelmäßig zu Hause selbst durchgeführt
werden.

● 12. Ergotherapie

Da evtl. mit einem bleibenden Schaden gerechnet
werden muß, sollten Patienten mit einer Sympathischen Reflexdystrophie im Spätstadium *so vielseitig
wie möglich* gefordert werden. Je intensiver geübt
wird, um so erfolgreicher endet die Behandlung. In
diesem Sinn erweist sich eine zusätzliche Ergothera-
piebehandlung als besonders günstig.

Literatur

Ehrenberg H (1970) Über die Lösungs- und
Atemtherapie von A. Schaarschuch.
Krankengymnastik 22: 169
Haase H, Ehrenberg H, Schweizer M (1985)
Lösungstherapie in der Krankengymna-
stik. Pflaum, München

Jacobson E (1990) Entspannung als Thera-
pie. Pfeiffer, München
Maitland G D (1996) Manipulation der peri-
pheren Gelenke. 2. Aufl. Springer, Berlin
Heidelberg New York
Rumberger E (1970) Über den Muskeltonus.
Krankengymnastik 22: 170
Stokris B (1965) Der Mensch in der Entspan-
nung. Hippokrates, München, S 165

5 Physiotherapeutische Behandlung nach Sehnen-, Band- und Muskelverletzungen

Sehnen- und Bandverletzungen

Ursachen

- Trauma, indirekt oder direkt, wie z. B. Zerrung, Dehnung, Schnitt, Riß, Schlag, Quetschung nach Arbeits-, Sport- oder Verkehrsunfällen,
- chronische Überlastungsschäden,
- Kortisongaben.

Allgemeine Richtlinien, Biomechanik, Symptomatik und therapeutische Maßnahmen

Der Häufigkeit nach sind folgende Sehnen verletzungsgefährdet:
- Achillessehne,
- M.-Supraspinatus-Sehne,
- Quadrizepssehne,
- Aponeurose der Fingerextensoren,
- Sehne des Extensor policis longus,
- Sehne des langen Bizepskopfes.

Von besonderer Bedeutung sind die Bänderverletzungen des Knie- und Sprunggelenkes sowie die Kapsel-Band-Verletzungen des Schulter- und Akromioklavikular-Gelenkes.

▶ *Akute kleinere Sehnen- und Bandverletzungen,* wie z. B. Bandzerrungen, werden i. allg. durch Kühlen und einen festen Tapeverband behandelt (Abb. 5.1 u. 5.2). Die Gelenke sollen soweit bewegt werden, wie es der Verband zuläßt.

▶ *Dehn-, Riß- oder Schnittverletzungen* werden entsprechend ihres Ausprägungsgrades mit einer Ruhigstellung im Gips, einer Schiene oder operativ versorgt. Die Ruhigstellung beträgt in der Regel 6 Wochen.

▶ Heute werden neben Kunststoffschienen, wie der »Vaku-Pad« (Abb. 5.3), Schuheinlagen und Spezialschuhe zur Stabilisation der *Sprunggelenke* angeboten.

▶ Für die *Kniebandverletzungen* haben sich Donjoy-Ruhigstellungs- und Bewegungsschienen (s. Kap. 16) oder die MVP-Artrocare-Schiene bewährt. Ausschlaggebend für physiotherapeutisches Vorgehen ist die ärztliche Verordnung und die Befunderhebung.

Biomechanisch gesehen heilt jede Band- oder Sehnenverletzung mit einer Narbe aus. Die strukturelle Schwächung wird durch eine Querschnittszunahme kompensiert. Dies kann die Ursache für Verklebungen und mangelnde Gleitfähigkeit der Sehnen sein.

Die biomechanische Veränderung der Patellarsehne nach Transplanta-

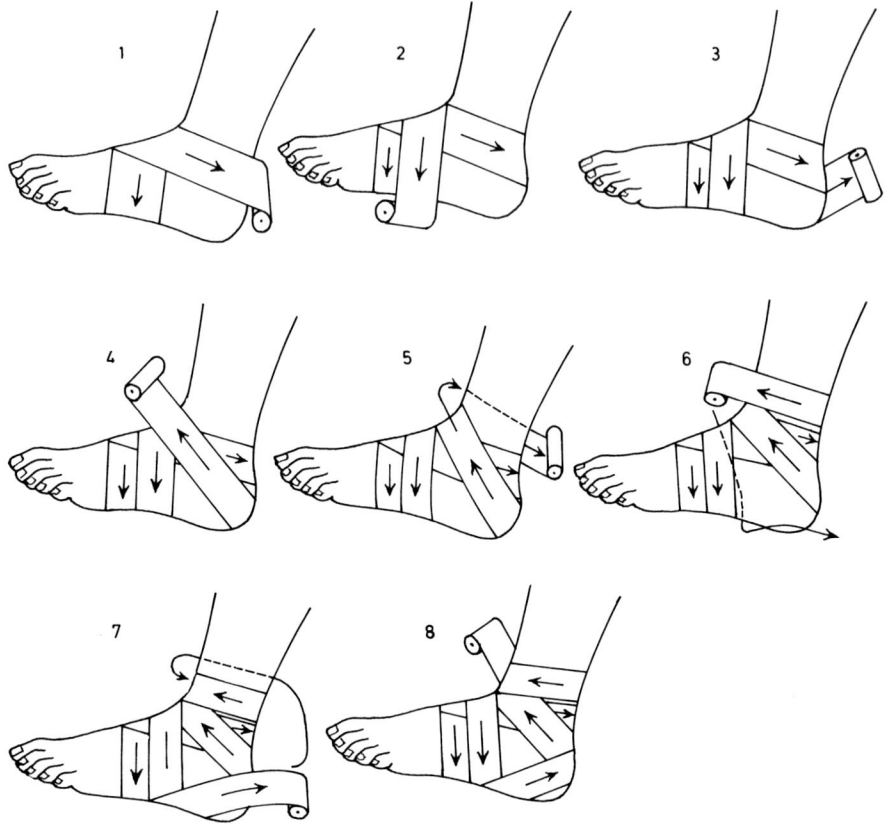

Abb. 5.1.   Stützverband

tionsentnahme zur Stabilisierung des vorderen Kreuzbandes wurde von Scherer (1993) untersucht. Die Erhöhung des Sehnenquerschnitts wurde von ihm an der verbleibenden Patellarsehne sowie am Transplantat beobachtet. Die Patellarsehne ist demnach nicht in der Lage, ihre ursprüngliche Struktur wiederzuerlangen, jedoch soll die Festigkeit nach 12 Monaten nicht mehr beeinträchtigt sein.

Diese Aussagen haben nicht nur Bedeutung für die physiotherapeutische Behandlung der Kniebandver-letzungen, sondern auch für alle anderen Sehnen- und Bandverletzungen.

Die Belastung, aber auch die Sportfähigkeit sollte unter biomechanischen Gesichtspunkten sorgfältig überdacht werden.

Komplikationen

* Bandinstabilität, Gelenkinstabilität,
* Narbenadhäsionen,
* Kontrakturen,
* Arthrose.

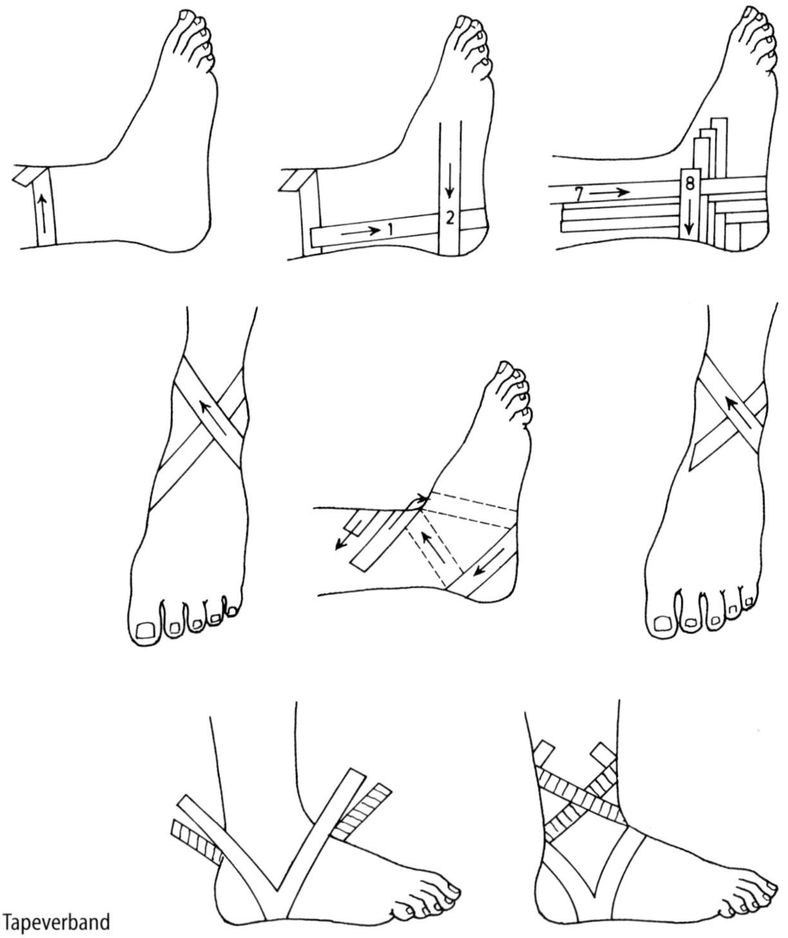

Abb. 5.2. Tapeverband

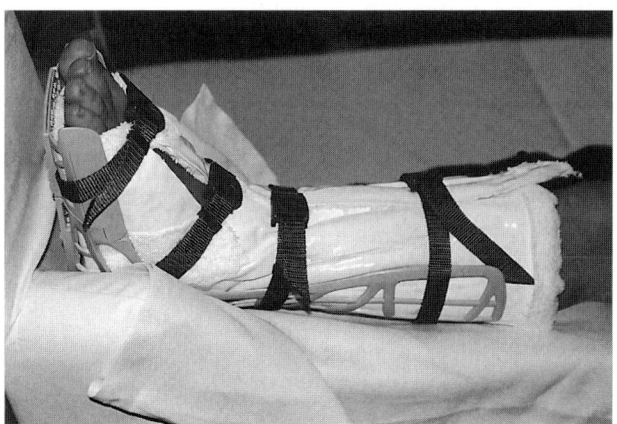

Abb. 5.3. Vaku-Pad-
Schiene

Befunderhebung

BEURTEILE	• Gelenkkontur und -stellung. • Ödem, Narben, Muskelrelief. • Röntgenbild (gehaltene Aufnahme).
MISS	• Aktives, erlaubtes Bewegungsausmaß (evtl. nur in der Schiene). • Umfang.
PRÜFE	• Art der Schwellung, Temperatur. • Sensibilität. • Qualität des Bewegungsstops. • Am Kniegelenk: Gleitfähigkeit der Patella.

> **!** Nach operativer Behandlung der Kniegelenkbänder mit Transplantaten der Quadrizeps- oder Semitendinosussehne dürfen der Lachmann- oder Pivot-Shift-Test sowie alle translatorischen Testverfahren nur in Absprache mit dem Operateur durchgeführt werden (s. auch Kap. 16, »Kniegelenk«).

NOTIERE	Art, Lokalisation und Auftreten der Schmerzen.

Die *Arthroskopie* wird heute als das geeignete Diagnoseverfahren angesehen. In der Regel wird auch die operative Versorgung arthroskopisch vorgenommen.

Klinische Zeichen von *frischen Bandrupturen* sind:
• Schwellung,
• Druckschmerz bei Teilrupturen,
• Bewegungsschmerz,
• Instabilitätsgefühl,
• mangelnde Kraft.

Bei *chronischen Bandschäden* bestehen als klinische Zeichen:
• Atrophie,
• harte Schwellung, Verklebungen,
• Dauerschmerz bei Belastung, v. a. am Sehnenansatz,
• Instabilitätsgefühl bei Belastung.

Chronische Symptome werden häufig an vorgeschädigten Sehnen beobachtet; typische Beispiele sind die Achilles- und die Tibialis-anterior-Sehne. Als *Überlastungsschäden* an den Sehnen der Hand- und Fingerextensoren, insbesondere an ihren Ansatzstellen, gelten die Epikondylitis und die Tendovaginitis (»Tennisellbogen«).

Behandlungsmöglichkeiten

GESICHTSPUNKTE
DER BEHANDLUNG

1. Resorption des
   Ödems.
2. Durchblutungsver-
   besserung.
3. Lösen der Verkle-
   bungen, Verbesse-
   rung der Gleitfä-
   higkeit.
4. Erhalten der
   Gelenkbeweglich-
   keit innerhalb der
   vorgegebenen
   Bewegungsgrenze.
5. Funktionsschulung
   der gelenksichern-
   den Muskulatur.

- **1. Resorption des Ödems**

- **2. Durchblutungsverbesserung**

KLEINE SEHNEN- UND BANDVERLETZUNGEN
▶ Eisbehandlung und anschließend Kompressions-
verband (Tapeverband).
▶ Bewegen und Belasten mit Bandage ist erlaubt.

SCHWERE VERLETZUNG, NACH ARTHROSKOPIE
ODER NACH OPERATIVER VERSORGUNG
▶ Verzögerte aktive Behandlung nach entsprechender Ruhigstellung, z. B. 6 Wochen nach Sehnenriß
und -naht am Sprunggelenk, 3 Wochen nach Distorsion. (Zur differenzierten Behandlung der Kniege-
lenkbandverletzungen und der Rotatorenmanschette s. Kap. 16, „Kniegelenkbereich" und Kap. 7,
»Schultergelenkbereich«.)

- **3. Lösen von Verklebungen**

  ▶ Cyiax-, Frisch- oder Maitland-Techniken können
  angewandt werden, die durch aktive Umkehrbewegungen gegen angepaßten Widerstand oder gegen
  Führungskontakt ergänzt werden.
  ▶ Bei chronischer Symptomatik dürfen Massagegriffe, Ultraschall, Diadynamik und vorsichtiges
  passives Dehnen hinzugenommen werden.

- **4. Erhalten der Gelenkbeweglichkeit**

  ▶ Um die Bewegungsfreiheit zu erhalten, soll so
  früh wie möglich das betroffene Gelenk »spielerisch« bewegt werden. Dabei müssen Bewegungsgrenzen (Sprunggelenk: Nullstellung, Kniegelenk:
  0–20–60° o. ä.) eingehalten werden.

- **5. Funktionsschulung**

  ▶ Schwerpunkt ist hier die *Kräftigung der Muskulatur*, die biomechanisch das betroffene Gelenk
  sichern soll. PNF-Techniken müssen vielfach abgeändert werden. Techniken, die eine Kokontraktion
  antagonistischer Muskelgruppen fordern, sind dazu
  geignet (s. auch Kap. 16).

Muskelverletzungen

Ursachen

- Trauma direkt oder indirekt, wie Kontusion, Riß, Einriß, Stich, Schnitt, nach Sport-, Arbeits- oder Verkehrsunfällen;
- Folge von Übermüdung, bei Sportlern nach unzureichender Aufwärmzeit vor der Wettkampfleistung.

Allgemeine Richtlinien, Symptomatik und ärztliche Maßnahmen

Muskelverletzungen bluten sehr stark und neigen deshalb zu *schmerzhaften Hämatomen* und *Verklebungen*. Der verletzte Muskel läßt sich weder schmerzfrei dehnen noch kontrahieren. Der Schmerz ist bei Kontraktion auslösbar und wird als stechend und scharf empfunden.

Oft kann eine Lücke im Faserverlauf getastet werden. Ist die Sensibilität intakt und kann keine Muskelaktivität ausgelöst werden, liegt der Verdacht eines *Muskelrisses* nahe. Bei chronischen Muskelfaserrissen können die Narben quer zum Faserverlauf getastet werden, während Myogelosen parallel zum Muskel liegen. Muskelrisse oder -einrisse kommen vor an:

- M. gastrocnemius,
- Mm. adductores,
- Mm. ischiocrurales,
- M. quadriceps
- an der Rotatorenmanschette und
- am M. biceps humeri.

> **!** Die physiotherapeutische Behandlung beginnt nach operativer Versorgung oder/und Ruhigstellung im Gips.

Komplikationen

- Narben,
- Kontrakturen,
- sekundäre Infektionen.

Befunderhebung

BEURTEILE	Muskelrelief, Hämatom.
MISS	• Aktives und passives Bewegungsausmaß. • Umfang an vorgegebenen Stellen.
PRÜFE	• Qualität der Schwellung. • Temperatur. • Sensibilität. • Pulse. • Muskelteststufe 2 < 3. • Qualität des Bewegungsstops.
NOTIERE	• Schmerz bei Kontraktion, Dehnung sowie Art und Lokalisation. • Narben.

Behandlungsmöglichkeiten

GESICHTSPUNKTE
DER BEHANDLUNG

1. Verhütung weiterer
   Blutungen und
   Förderung der
   Resorption.
2. Durchblutungsver-
   besserung.
3. Funktionsschulung
   des Muskels.
4. Verbesserung der
   Dehnfähigkeit,
   Lösen von Adhä-
   sionen.
5. Verbesserung der
   Geschicklichkeit,
   Ausdauer, Kraft
   des Muskels.

Akutstadium

▶ Eiskompressen und Kompressionsverband, nach 24 h evtl. Diadynamik, 5 min MF, 5 min CP oder Ultraschalltherapie mit sehr niedriger Dosierung in Kombination mit Eis;
▶ Hochlagerung für 24 h mit gleichzeitig kühlenden Maßnahmen.
▶ Nach 24 h isometrische Spannungsübungen im Sekundenrhythmus gegen Führungskontakt während der Eisbehandlung.
▶ Aktive dynamische Bewegungen ohne Widerstand.

Verboten sind Massagegriffe jeglicher Art und Wärmeanwendungen!

Subakutes und Spätbehandlungsstadium

▶ Aktive Übungen gegen angepaßten Widerstand.
▶ Weiche Massagegriffe (Spätphase).
▶ Unterwassermassage (Spätphase), Sprudelbad.
▶ Aktive Dehntechniken.
▶ Mobilisation mit Maitland-, Cyriax-, Frisch-Techniken.
▶ Training des Muskels in der Muskelkette zu Gebrauchsfunktionen.

Während des biomechanischen Umbaus der Mus- **kelfasern und der mangelnden Dehnfähigkeit besteht für den Muskel die Gefahr von neuen Muskeleinrissen. Abruptes Vorgehen und schmerzhaftes Üben tragen dazu bei, daß der Muskel Kalzifikationen einlagert. Es ist deshalb zu warnen vor frühzeitiger Muskelbelastung auch bei der Arbeit oder im Sport.**

SCHÜLERAUFGABE ▬▬▬▬

Überprüfen Sie bei einem Patienten, der eine kombinierte Muskel-Knochen-Verletzung erfahren hat, die Symptome und legen sie Ihre Behandlungsschwerpunkte fest.

Literatur

Burri et al. (1974) Unfallchirurgie. Heidelberger Taschenbücher. Springer, Berlin Heidelberg New York, S 101, S 146

Jäger M, Wirt C J (1978) Kapselbandläsionen. Thieme, Stuttgart

Riemenschneider J et al. (1983) Erfahrungen bei der Nachbehandlung von operativ versorgten Rupturen der Außenknöchelbänder mit einem Spezialschuh. Aktuelle Traumatol 6:226

Scherer M. A. (1993) Biomechanische Untersuchungen zur Veränderung der Patellarsehne nach Transplantatentnahme. Aktuelle Traumatol 23:129

(s. auch Literatur Kap. 7. „Schultergelenk" und Kap. 16, „Kniegelenk")

6 Physiotherapeutische Behandlung nach Wirbelfrakturen, Schleudertrauma und Rippenfrakturen

Wirbelfrakturen

Einteilung

- Wirbelkörperfrakturen mit und ohne Luxation,
- Dornfortsatzfrakturen
- Querfortsatzfrakturen.

Im folgenden soll die Behandlung der Wirbelkörperfrakturen ohne Querschnittlähmung besprochen werden.

Ursachen

- Stauchungsmechanismus, Fall aus größerer Höhe, Verkehrs-, Reit-, Taucherunfälle etc.

Allgemeine Richtlinien, Biomechanik und therapeutische Maßnahmen

In der Regel heilt eine Kompressionsfraktur im spongiösen Bereich am besten, wenn die Einstauchung belassen wird. Darüber hinaus besteht bei Verletzungen bis zum 50. Lebensjahr nur eine geringe Gefahr, daß der gebrochene Wirbelkörper weiter zusammensintert. Am häufigsten sind die 4.–6. Halswirbel, die Brustwirbel 10–12 sowie die ersten 3 Lendenwirbel verletzt. Für die Therapie ist die Einteilung in *primär stabile* und *primär instabile Frakturen* von Bedeutung. Man beurteilt nach Junghanns (1986) dabei das *Bewegungssegment* Bandscheibe, Wirbelkörper, Gelenkfortsätze und Bandverbindung.

Patienten mit *primär stabilen Verletzungen* können sofort oder nach 3–4 Wochen aufstehen (85 % aller Verletzungen werden als primär stabil angegeben). Zu ihnen zählen nach Walker u. Schreiber (1979):

- isolierte Bandscheibenverletzungen,
- isolierte Wirbelkörperfrakturen ohne Bandscheibenbeteiligung,
- isolierte Wirbelbogenfrakturen,
- Wirbelkörperfrakturen mit Bandscheibenverletzung, sofern
  a) der ventrale Achsenknick auf der exakten seitlichen Röntgenaufnahme höchstens 15° beträgt,
  b) kein sagittaler Knick besteht,
  c) keine Subluxation nachweisbar ist,
  d) die Dornfortsätze nur gering oder gar nicht auseinander weichen.

Primär instabile Verletzungen bestehen bei:
- Luxation eines Wirbels, meist HWS,
- bestehender Trümmerfraktur mit Interposition von Bandscheibengewebe und Dislokation von Fragmenten nach ventral und dorsal,
- Längsbandverletzungen,
- Luxationsfrakturen mit Knickbildung von 25° und mehr,
- Frakturen der Gelenkfortsätze, Klaffen der Dornfortsätze,
- Wirbelbogenverletzungen.

Der Trend zur *operativen Versorgung* der instabilen Wirbelfrakturen hat deutlich zugenommen. Die Möglichkeiten liegen bei der Verwendung des Fixateur interne, der Plattenosteosynthese von ventral zusätzlich zur dorsalen Osteosynthese oder auch als Einzelversorgung. Zusätzlich kann eine Spongiosaplastik notwendig werden. Als Ersatz für pathologisch veränderte Wirbelstrukturen und bei schweren Kompressionsfrakturen wird ein Titankorb eingesetzt (Abb. 6.1a–c, Abb. 6.2a–c).

Kortikospongiöse Späne, z.B. aus dem Beckenkamm, werden auch in Verbindung mit Schraubenosteosynthesen bei Densfrakturen verwendet. Halswirbelfrakturen werden häufig von ventral mit einer kleinen Platte stabilisiert (Abb. 6.3a, b).

Im Gegensatz zu früheren Jahren werden ein Halo-Fixateur-externe oder eine Crutchfield-Klammer nur noch sehr selten angewandt.

▶ Stabile Brustwirbel- und Lendenwirbelfrakturen werden funktionell behandelt; die Verletzten dürfen sich entsprechend der Schmerzsituation mit gestreckter Wirbelsäule drehen und auch aufstehen.

▶ Alle Patienten mit Frakturen unterhalb BWK 10 erhalten ein Dreipunktkorsett, das sie 12 Wochen tragen sollen. Dies gilt für konservativ wie für operativ behandelte Patienten (Abb. 6.4).
▶ Diese Patienten dürfen auch 6 Wochen lang nicht frei auf einem normalen Stuhl sitzen.
▶ Patienten mit Halswirbelfrakturen erhalten, entsprechend der erreichten Stabilität, anfangs eine feste, anschließend eine weiche Schantz-Krawatte für insgesamt 8 Wochen (Abb. 6.5).

Biomechanik

Auf dem thorakolumbalen Wirbelsäulenabschnitt wirken hohe Kräfte, denen die Fraktur sowie die Osteosynthese ausgesetzt sind. Die *Belastung* eines Bewegungssegmentes (Wirbel, Wirbelgelenke und Bandscheiben) ergibt sich aus
- den Teilgewichten der darüberliegenden Körperabschnitte,
- der Spannung der autochthonen Muskulatur,
- der Bänderspannung,
- äußeren Gewichten und Widerständen.

Nach Kapandji (1985) teilt sich diese Belastung auf in eine *Druckkraft,* die auf die Wirbelkörper wirkt und eine *Schubkraft,* die auf die Wirbelbogengelenke ausgerichtet ist. Drehbewegungen des Kopfes, des Schultergürtels, des Beckens und der Beine wirken als *Drehkraft* auf die thorakolumbalen Bewegungssegmente (Abb. 6.6).
Die stärkste Belastung erfahren die Bewegungssegmente der Lendenwirbelsäule. Zur Verdeutlichung sei hier

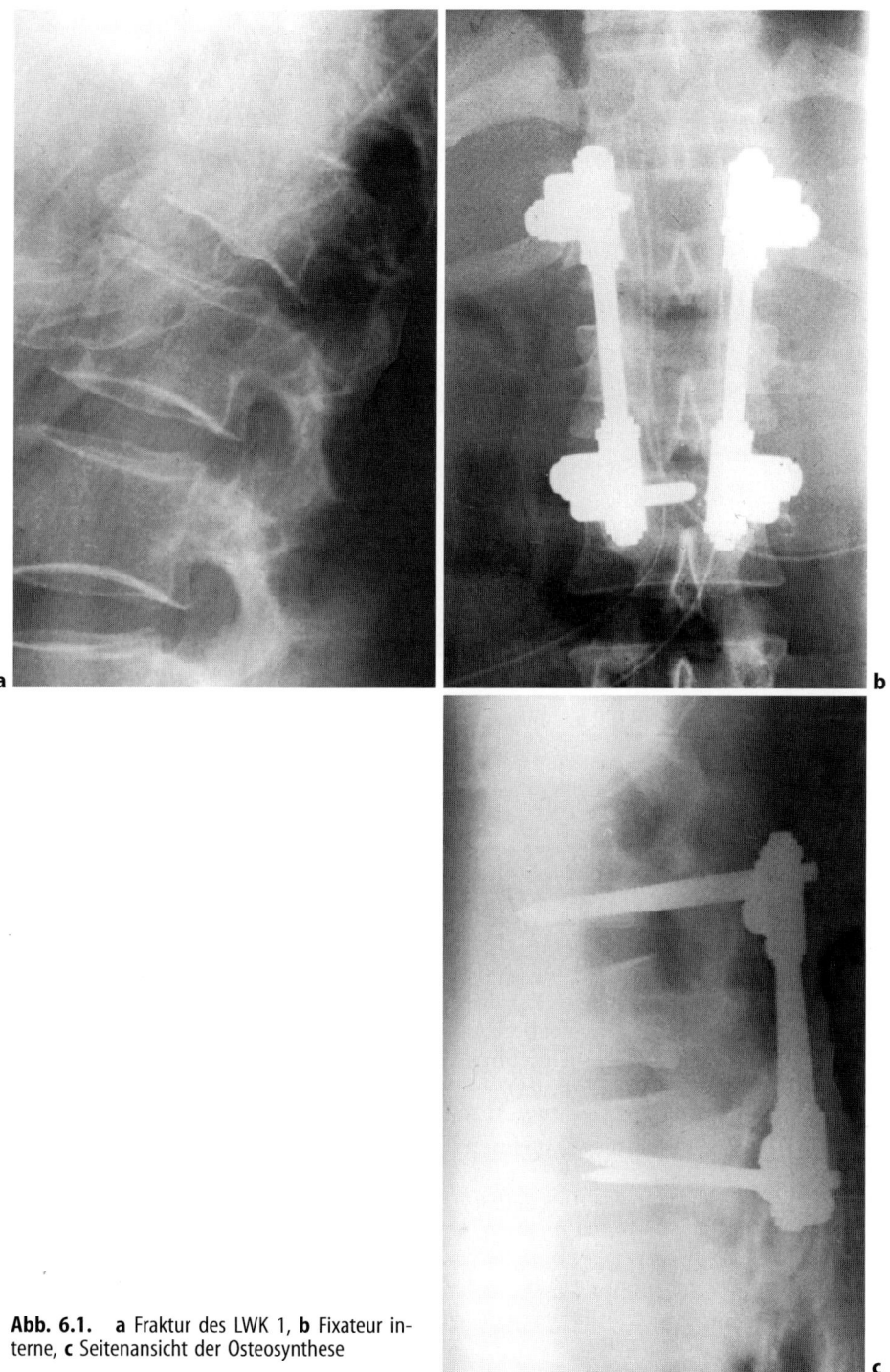

Abb. 6.1.   **a** Fraktur des LWK 1, **b** Fixateur interne, **c** Seitenansicht der Osteosynthese

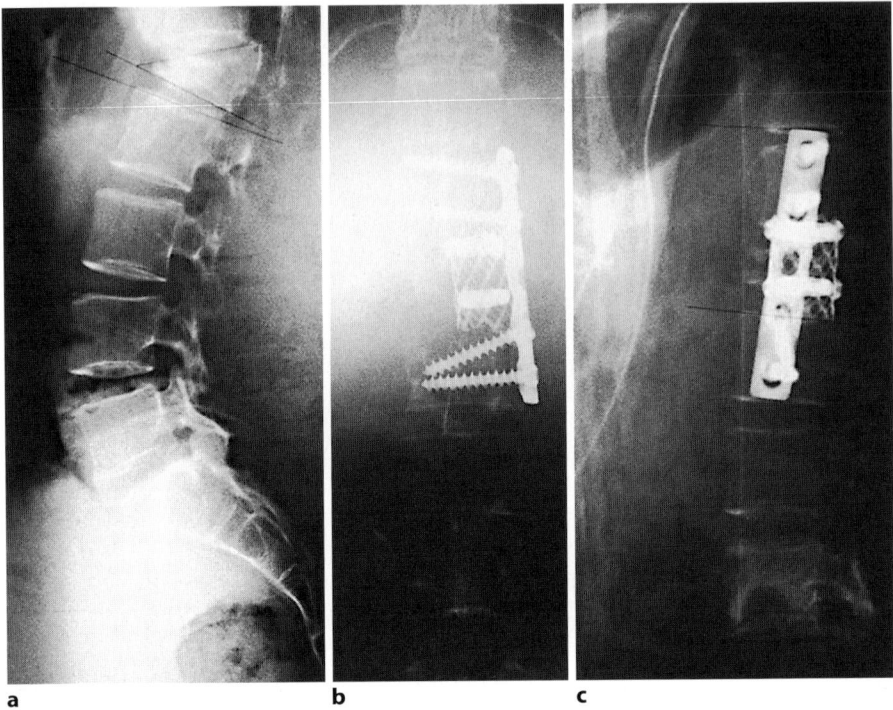

a   b   c

Abb. 6.2.   a Fraktur des LWK 1; **b, c** Titankorb- und Plattenosteosynthese

eine Arbeit von Krämer (1984) zitiert, die sich auf Untersuchungen von Nachemson u. Morris aus dem Jahr 1964 bezieht.

Folgende *Belastungen* werden für das Bewegungssegment L 3 angegeben:
- in Rückenlage 15 kp (ausschließlich Muskel- und Bänderspannung),
- in Seitenlage 30 kp,
- im freien Sitz ohne Anlehnen 140 kp,
- im entlasteten Sitz mit Rückenlehne 70 kp,
- im geraden Stand 100 kp,
- im Stand mit Rumpfbeuge vorwärts 150 kp,
- im Stand mit leichter Vorbeugung und einem Gewicht von 20 kg in den Händen über 200 kp (Abb. 6.7)

In der aufrechten Haltung überwiegen die längsgerichteten Kräfte; sie verteilen sich gleichmäßig auf die Wirbelkörper und Bandscheiben. Eine ausgewogene ventrale und dorsale Muskelspannung sorgt dafür, daß die Schub- und Rotationskräfte verringert werden.

Bei jeder Rumpfvorbeugung vergrößern sich die Schubkräfte, bei einseitiger Belastung (z. B. Einbeinstand, Gehen ohne Belastung für ein Bein) die Rotationskräfte.

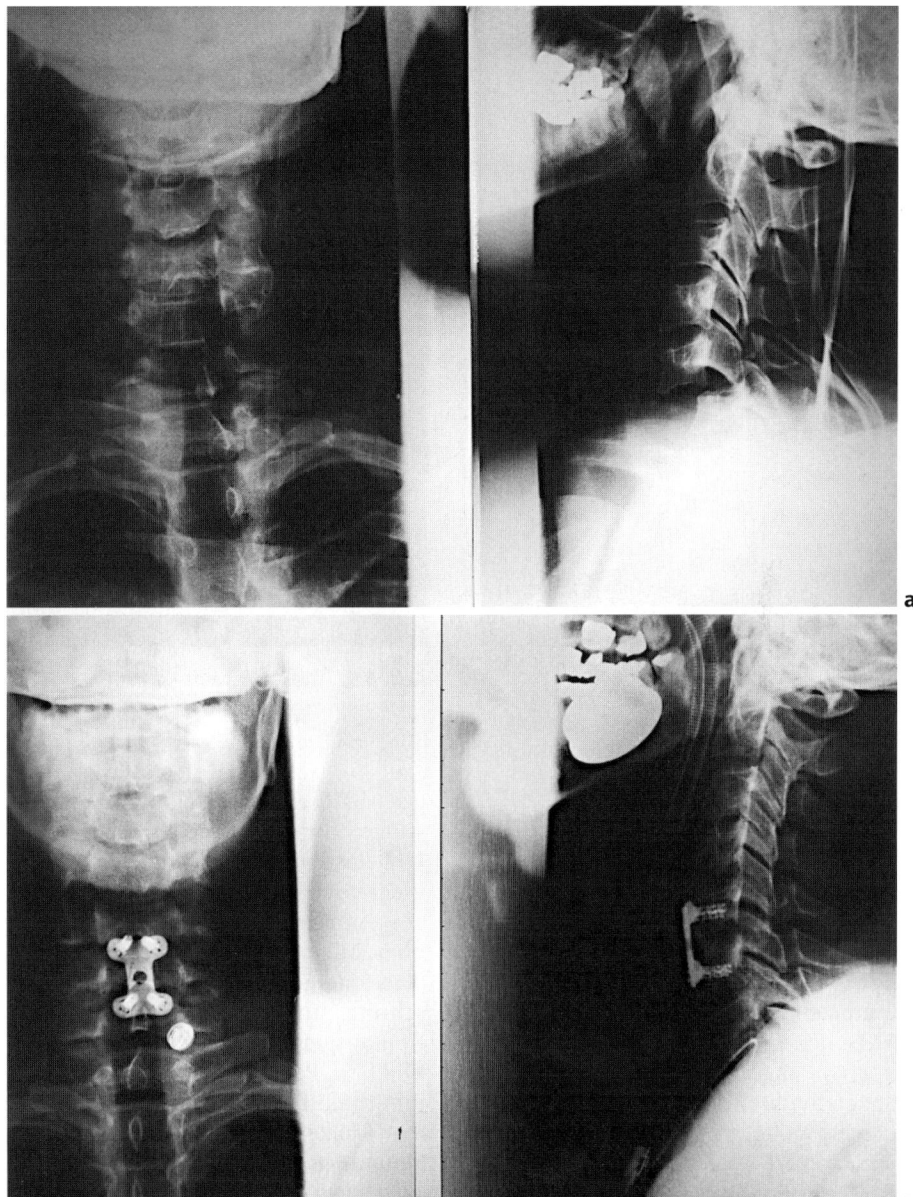

Abb. 6.3. **a** HWK-Fraktur (Vorder- und Seitenansicht), **b** Plattenosteosynthese

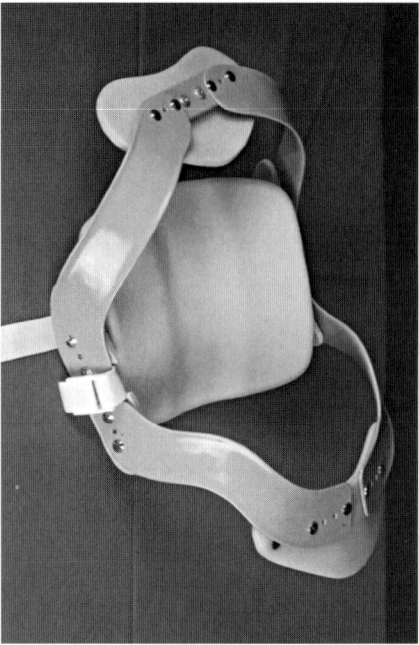

Abb. 6.4. Dreipunktkorsett

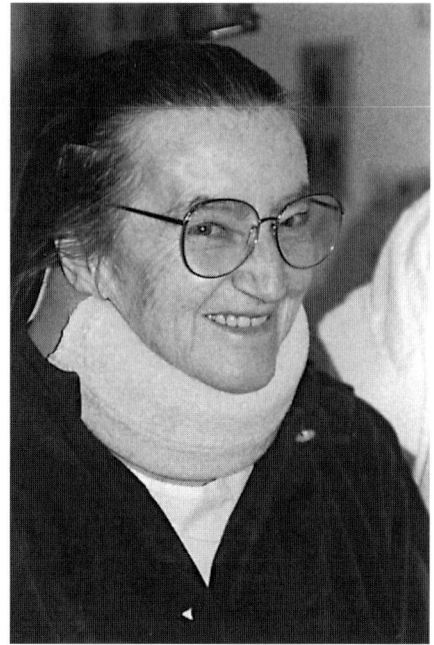

Abb. 6.5. Weiche Schantz-Krawatte

Frühe Behandlungszeit

Diese biomechanischen Aspekte haben große Bedeutung für die frühe Behandlungsphase von Patienten nach Wirbelfrakturen im thorakolumbalen Bereich (Tabelle 6.1)

▶ In der Regel müssen die Patienten nur 1–2 Tage Bettruhe einhalten, bis das individuell angepaßte Dreipunktkorsett geliefert wird (s. Abb. 6.4). Das Korsett wird möglichst über die Bridging-Position angelegt. Wenn dies nicht möglich ist, kann es auch über die gestreckte Seitenlage angezogen weren.

▶ Es hat sich auch bewährt, Patienten, die eine dorsale und ventrale Stabilisation erhalten haben, mit einem Dreipunktkorsett zu versor-gen. Es dient dann als »Gedächtnisstütze« für die aufrechte Haltung.

▶ Belastende Positionen dürfen nicht vor Konsolidierung der Fraktur eingenommen werden. Bewegungsübergänge sollen möglichst in Streckstellung des Wirbelsäulenabschnitts und unter minimaler Rotation ausgeführt werden.

▶ Alle Patienten mit Frakturen unterhalb BWK 10 sollen deshalb von der Rückenlage über die gestreckte Seitenlage und Bauchlage, durch Abstützen der Hände in den Stand kommen und über den umgekehrten Weg wieder zurück in die Rückenlage gelangen (s. Abb. 6.14 u. 6.15). Besteht die Notwendigkeit der Entlastung eines zusätzlich frakturierten Beines, muß der Stand über das Stehbrett erreicht werden (Abb. 6.8).

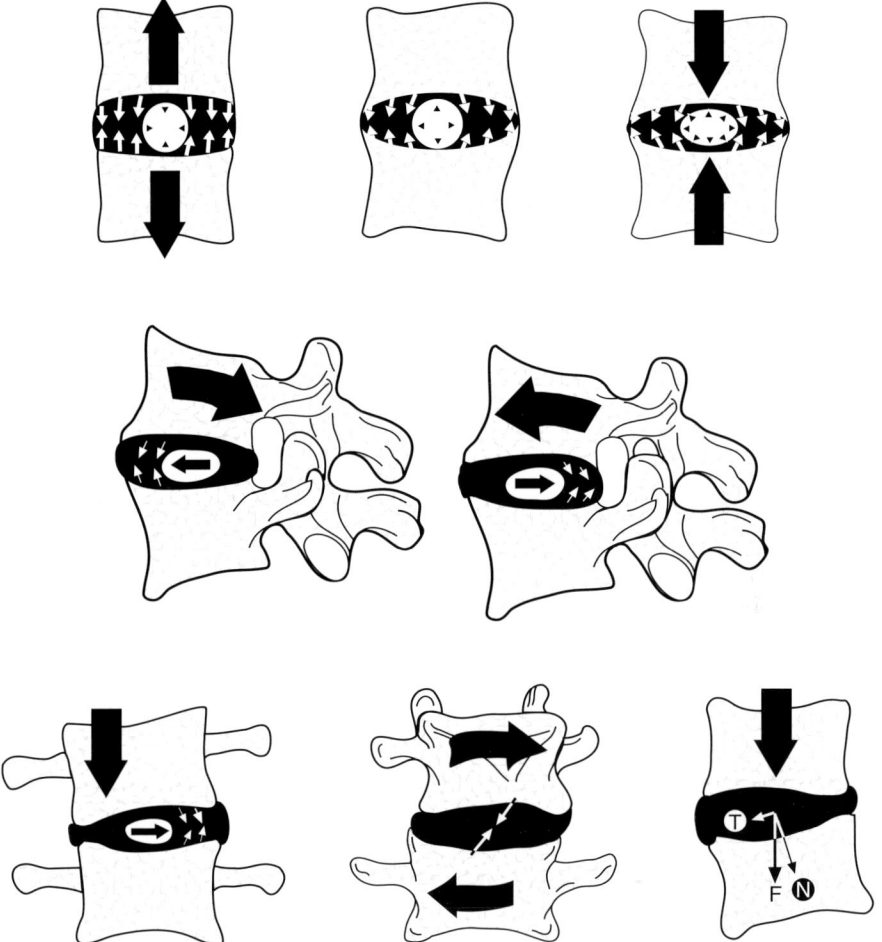

Abb. 6.6. Kraftverteilung nach Kapandji in Ruhestellung, bei Extension und Flexion, Lateralflexion und Rotation. (Aus Kapandji 1985)

▶ Der entlastete Sitz (ca. 0–45–45° Hüftgelenkbeugestellung) mit angelehntem Rücken darf kurzfristig, z.B. in einem Reko-Stuhl, eingenommen werden (Abb. 6.9). *Der freie Sitz ist jedoch 6 Wochen lang nicht erlaubt.*
▶ Als Hilfsmittel verwenden wir einen Sitzkeil. Entlastetes Sitzen ist möglich über die hinter dem Körper abgestützten Hände oder durch Ablegen der Unterarme auf dem Tisch. Vor Entlassung aus der Klinik erhalten die Patienten den sog. Brügger-Sitzkeil und einen Toilettenaufsatz, den sie mit nach Hause oder in die Rehabilitationsklinik mitnehmen.
▶ Patienten, die Wirbelfrakturen oberhalb von Th 10 erlitten haben,

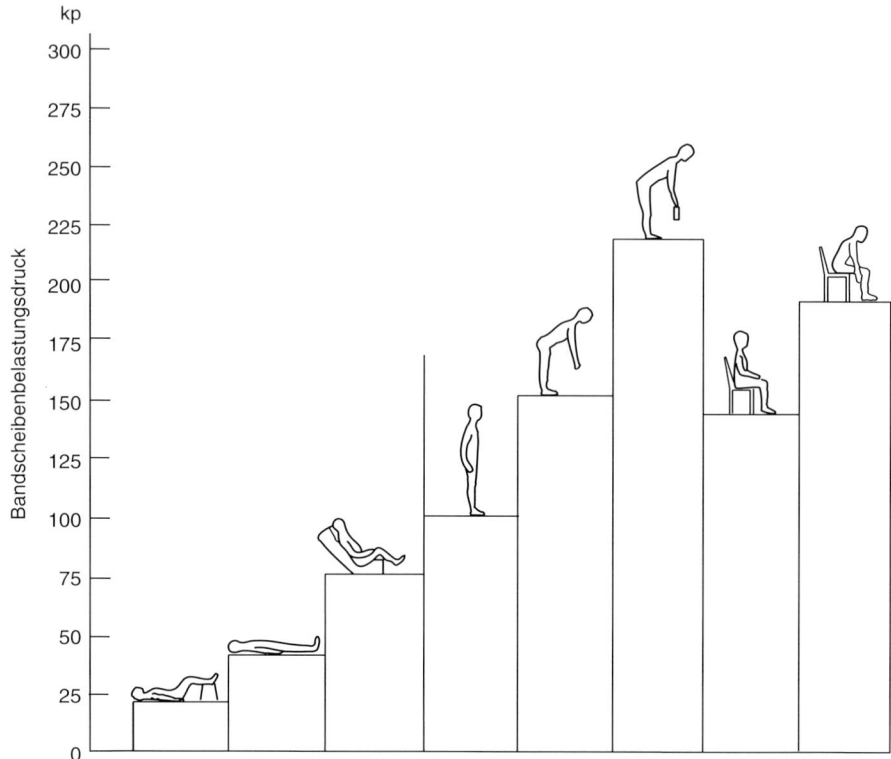

Abb. 6.7.   Belastungsdrucke. (Nach Krämer 1984)

dürfen sich über die Seite aufsetzen; sie brauchen keine Hilfsmittel.

Wir sehen uns in unserem Behandlungskonzept durch eine Arbeit von Loew (1992) bestätigt, der nachweisen konnte, daß sich bei Patienten mit Wirbelfrakturen im thorakolumbalen Übergang der Kyphosewinkel signifikant um 1,5–2,5° innerhalb von 3 Monaten vergrößerte. Alle Patienten waren konservativ mit einem Dreipunktkorsett behandelt worden. Die Belastungskräfte konnten offenbar nicht genügend abgefangen werden.

Wir selbst konnten feststellen, daß bei der Materialentfernung des Fixateur interne nach ca. 9 Monaten die Schantz-Schrauben meistens locker waren. Die Frakturen waren in der Regel durchbaut.

Frühzeitiges Lockern der Osteosynthese stellt nach Weise u. Weller (1993) ein erhöhtes Infektrisiko dar.

▶ Oberstes Ziel der frühen physiotherapeutischen Behandlungen ist die *muskuläre Sicherung* des betroffenen Wirbelsäulenabschnittes in der optimalen Streckstellung der Wirbelsäule.

▶ Man erreicht dies am besten durch Ganzkörperspannungen nach Brunkow oder in PNF-Mustern; dabei sollen in gerader Rücken-, Seiten- oder

Tabelle 6.1. Prozedere nach Wirbelfrakturen

	Bettruhe	Sitz	Gehen/Belastung	Korsett
Wirbelfraktur:				
– LWK stabil (1–5)	3–4 Wochen	kein Sitz für 6 Wochen, Dreipunktkorsett	mit Dreipunktkorsett hoher Sitz, entlasteter Sitz, Aufstehen über Bauchlage erlaubt	für 12 Wochen, ab 13. Woche Korsett abtrainieren
– Fixateur interne	wenige Tage	kein Sitz für 6 Wochen, Dreipunktkorsett	mit Dreipunktkorsett hoher Sitz, entlasteter Sitz, Aufstehen über Bauchlage erlaubt	ab 13. Woche Korsett abtrainieren
– Titankorb LWK + BWK	wenige Tage	kein Korsett	hoher Sitz, entlasteter Sitz, Aufstehen über Bauchlage erlaubt	–
– BWK stabil (1–8)	wenige Tage bis zu 3 Wochen	kein Korsett, keine Einschränkung normales Aufsetzen	keine Einschränkung, normale Bewegungsübergänge	–
– BWK stabil (9–12)	wenige Tage bis zu 3 Wochen	kein Sitz für 6 Wochen Dreipunktkorsett	mit Dreipunktkorsett hoher Sitz, entlasteter Sitz, Aufstehen über Bauchlage erlaubt	für 12 Wochen, ab 13. Woche Korsett abtrainieren
– Fixateur interne	wenige Tage	entsprechend der BWK-Höhe (s. oben)	entsprechend der BWK-Höhe (s. oben)	
– HWK: Titankorb Fixateur interne Schraube, Platte Zuggurtung	keine feste Krawatte (Camp) für einige Tage	weiche Krawatte (Schantz) für 6 Wochen, keine Sitzeinschränkung	normale Bewegungsübergänge	–
HWK instabil	spezielle Lagerung		normal, mit Hilfe für Bewegungsübergänge	–
Halo-Fixateur	keine Bettruhe	Sitz erlaubt	normal, mit Hilfe für Bewegungsübergänge	–

Bauchlage Muskelketten gegen manuellen Kontakt/Widerstand statisch beansprucht und über 7–10 s gehalten werden. Anfangs sollen schwerpunktmäßig die Rückenmuskeln beansprucht werden.

Andere Autoren, wie Brügger (1980), McKenzie (1991) und Scharll (1975) haben Übungsprogramme entwickelt, aus denen geeignete Übungen ausgewählt werden können.

> Ziele sind jeweils die Stabilisation der Wirbelsäule in der Mitte, deren Sicherung bei den Bewegungsübergängen und in der neuen Position.

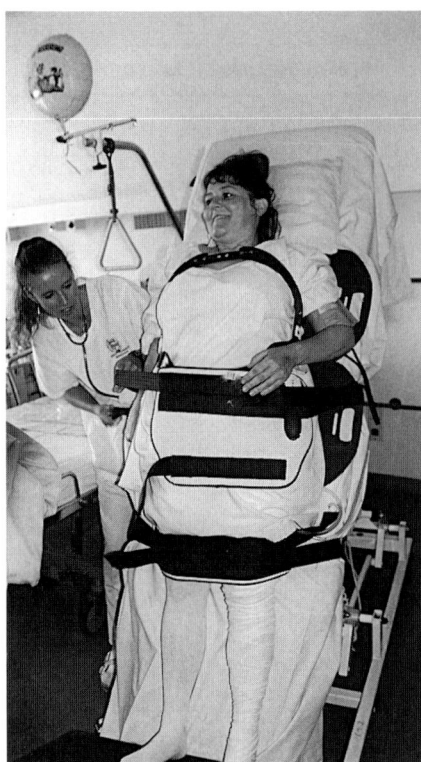

Abb. 6.8. Aufstehen mit dem Stehbrett bei Entlastung des linken Beines

Im Anschluß an einen kurzen Klinikaufenthalt weren die Patienten häufig in einer *Rehabilitationsklinik* weiterbehandelt.
▶ Ist die Wunde reizlos abgeheilt, können die Patienten mit dem Korsett im *Bewegungsbad* üben. Auch dort sollen die Flexions- und Rotationsmuster der Rumpfmuskulatur vermieden und die Streckmuster geschult werden. Ob die Patienten nach einer solch schweren Verletzung und/oder Operation kreislaufstabil genug sind, um eine Behandlung im warmen Wasser zu tolerieren, muß vom Arzt entschieden werden.
▶ Gezielt eingesetzte und kontrollierte kurzzeitige Behandlungen im

Wasser sind eine gute Ergänzung zur Einzelbehandlung; sie ersetzen diese jedoch nicht.
▶ Stabilisationsübungen können mit und ohne Auftriebskörper, gegen den Wasserwiderstand und in allen Lagen geübt werden.
▶ Alle dynamischen Bewegungsmuster, die eine Rotation, Lateralflexion oder Flexion der Wirbelsäule beinhalten, werden keinesfalls vor Ablauf der 12. Woche, oft nicht vor der 16. Woche begonnen. *Sie stellen ein Risiko für die Frakturausheilung dar.*

Behandlungszeit ab der 13.–16. Woche

▶ Schwerpunkt der physiotherapeutischen Behandlung ist jetzt das *Erlernen physiologischer Bewegungsabläufe und Belastungen.*
▶ Natürliches Bewegungsverhalten, Einüben von Bewegungsübergängen, Arbeitspositionen, richtiges Tragen von Gegenständen und Bücken mit geradem Rücken sind die Ziele der Einzel- und Gruppenbehandlungen. Mit Hilfe von Musik und dem Einsatz von kleinen Geräten, wie Tüchern, Luftballons, Säckchen, Bällen und Keulen, können die Übungen variiert und die Bewegungsfreude gefördert werden.

> Das Dreipunktkorsett muß 3 Monate lang getragen werden, alle Bewegungsübergänge werden mit Korsett ausgeführt. Normales Sitzen ist 6 Wochen lang nicht erlaubt! **!**

Komplikationen

• Querschnittlähmung,
• Polytrauma,
• Serienfrakturen.

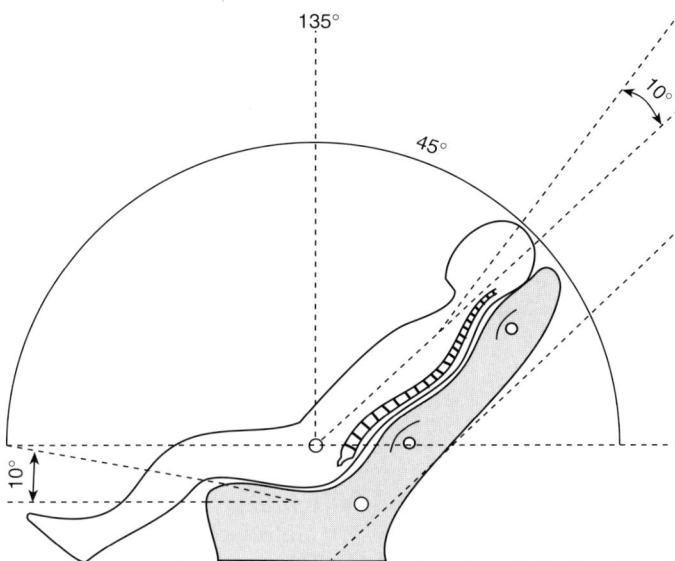

Abb. 6.9. Entlasteter Sitz.
(Nach Krämer 1984)

Befunderhebung

BEURTEILE

- Allgemeinzustand (evtl. liegt der Patient auf der Intensivstation).
- Atmung, Kreislaufsituation.
- Lagerung.
- Röntgenbefund (Übergänge von Os occipitale zu HWK 1 und 2, zervikothorakaler und thorakolumbaler Übergang, evtl. Schrägaufnahmen. Zu achten ist auf Luxations- oder Translationsstellung, Deck- oder Grundplatteneinbruch, ungleiche Abstände der Wirbelbögen, Verschiebung der Wirbelhinterkanten zum nächsten Wirbel, Wirbelverformung, Achsenknickbildung, ventral-dorsale Dislokationen, Klaffen der Dornfortsätz etc.
- Computertomogramm.

PRÜFE

- Hautdurchblutung, Temperatur.
- Sensibilität auf Berührung, Lagesinn.
- Muskelkontraktionsfähigkeit, in flacher Rückenlage nur auf Teststufe 2.
- Kennmuskeln bei HWK-Frakturen:
  C 1 – Kopfrotatoren
  C 2, 3, 4 – M. trapezius, Diaphragma (C 3, 4)

C 5 – M. supraspinatus, M. infraspinatus, M. deltoideus
C 6 – M. brachioradialis, M. biceps brachii, Mm.ext. carpi rad.
C 7 – M. abductor poll. brev., Thenarmm., M. flexor carpi rad., M. triceps brachii
C 8 – M. abductor dig. V, M. adductor pollicis, Hypothenarmm., M. triceps brachii
Th 1 – M. interosseus palm. III

NOTIERE

Nach Triano (1989) können die Symptome in folgende Kategorien eingeteilt werden:

1. Schmerzen

- lokal, paravertebral, ohne Ausstrahlung,
- mit Ausstrahlung nach proximal, nach distal, radikulär oder segmental,
- mit neurologischem Befund (Sensibilitätsstörungen, motorische Schwäche oder Paresen, Blasen-Darm-Störungen), postoperativ, beständig oder wechselnd, akut oder chronisch.

2. Radiologischer Befund – Fraktur mit

- Wurzelkompression (Hinterkanten stehen nicht in einer Linie),
- Verdacht auf Instabilität,
- bestehender Spinalkanaleinengung.

3. Adäquater Rehabilitationszustand mit symptomatischen oder gelegentlichen Beschwerden

Manche Patienten geben im postoperativen Zustand *diffuse Schmerzen* an, die weniger mit einer Einengung der Nervenwurzel als mit einer Irritation neuromeningealer Strukturen erklärt werden können. Eine Nachblutung oder ein Ödem können ebenfalls solche Schmerzen auslösen. Schmerzen verursachen eine reflektorische Abwehrspannung der Muskulatur, die den Patienten davon abhält, sich zu bewegen. Daraus erwächst auch die Gefahr einer Thrombose.

Segmentale oder auch *radikuläre Schmerzen* können die Atembewegungen behindern und zu einer Bronchopneumonie führen.

Bestehen Paresen und/oder Blasen- und Darmfunktionsstörungen, muß ein *neurologischer Befund* durchgeführt werden und evtl. ein suprapubischer Katheter gelegt werden (»Puffi«).

Behandlungsmöglichkeiten

GESICHTSPUNKTE
DER BEHANDLUNG

1. Atemtherapie,
   wenn erforder-
   lich.
2. Thromboseprop-
   phylaxe, Resorp-
   tion des Häma-
   toms/Ödems.
3. Lagerungskon-
   trolle.
4. Aktive Stabilisie-
   rung der Fraktur,
   des Wirbelsäulen-
   segmentes, in ent-
   lastender,
   schmerzfreier
   Position.
5. Erarbeiten einer
   ausgewogenen
   Muskelspannung
   der Rücken- und
   Bauchmuskulatur
   (axiale Spannung
   auf Osteosynthese
   und Wirbelkör-
   per).
6. Schulen von
   Bewegungsüber-
   gängen unter Ver-
   meidung von
   Schub- und Rota-
   tionskräften.
7. Schulen von bio-
   mechanisch rich-
   tigem Bewe-
   gungsverhalten
   für den Alltag.
8. Gehschulung mit
   Korsett, auch im
   Bewegungsbad.

> **!** Alle Maßnahmen müs-
> sen schmerzfrei durch-
> geführt werden!

Die Bewertung der biomechanischen Kräfte und die Befunderhebung führen zu den im folgenden erläu-terten *Behandlungszielen*.
Beispiel: Fraktur des 3. Lendenwirbelkörpers, Osteosynthese mit Fixateur interne

- **1. Atemtherapie**

- **2. Thromboseprophylaxe**

Siehe dazu Kap. 2, »Prä- und postoperative physio-therapeutische Behandlung.«

- **3. Lagerungskontrolle**

  ▸ Die Lagerung soll flach sein auf einer festen Matratze, evtl. kann auch ein Quaderbett mit einer Schaumstoffauflage benutzt werden. Die Kniege-lenke werden mit einem Fell oder kleinen Schaum-stoffkissen nur wenig unterlagert, die Fersen freige-legt und die Füße am Bettende abgestützt.
  ▸ Zum Essen kann das Bettende leicht schräg nach unten gestellt werden. Für die ersten Tage nach der Operation kann ein Spiegel am sog. »Galgen« ange-bracht werden. Der Haltegriff wird weggenommen. Anwendung finden auch kippbare Standspiegel.

- **4. Aktive Stabilisierung der Fraktur**

  ▸ Die Stabilisation des Bewegungssegmentes L 3 wird über komplexes Spannen der dorsalen Muskel-kette nach Brunkow durchgeführt. In korrigierter, flacher Lagerung wird die Grundspannung von den Fußgelenken bis zum Kopf aufgebaut, die Position wird dann gegen Führungskontakt oder angepaßten manuellen Widerstand gehalten. Die Physiothera-peutin gibt anfangs Kontakte auf der Dorsalseite des Beckens und des Thorax. Symmetrische Muster wer-den ausgewählt, die die Lendenwirbelsäule in der Mitte halten. Können diese Übungen schmerzfrei ausgeführt werden, kann die Hebellänge vergrößert werden. Die Hände der Therapeutin wechseln zum Schultergürtel und an den Oberschenkel usw.
  ▸ Die Spannung soll langsam aufgebaut, etwa 7–10 s gehalten und dann langsam gelöst werden (Abb. 6.10).
  ▸ Besonders stabilisierend für die Mitte des Rump-fes wirken symmetrisch über beide Arme und Beine

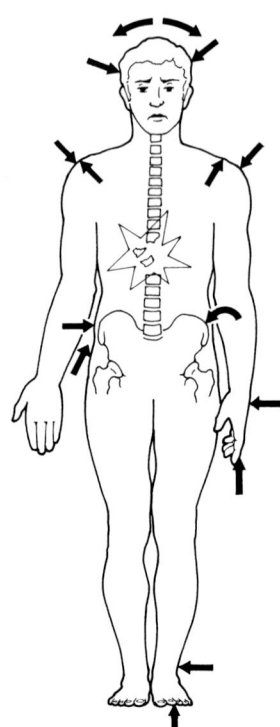

Abb. 6.10. Stabilisation bei Wirbelfraktur

<hr />

**GESICHTSPUNKTE
DER BEHANDLUNG**

Nach 6 Wochen:
9. Schulen des entlastenden Sitzes, des Bückens etc. mit Korsett,
10. Kräftigung der Rücken-, Schultergürtel- und Bauchmuskulatur,

aufgebaute Muskelspannungen. Der Kopf liegt dabei in der Mitte und wird in der Längsachse herausgestreckt. Die Muskelaktionen der Grundspannung verlaufen von distal nach proximal, von der Dorsalextension beider Füße über eine leichte Knieflexion, den Druck der Fersen gegen das Bett zur Rumpfmuskulatur. Die Arme spannen anfangs im symmetrischen Stützmuster, später gegengleich (s. Abb. 6.11 und 6.12).

▶ Übungsformen können auch als *Hausaufgabenprogramm* zusammengestellt werden (Training gegen gedachten Widerstand).

▶ Aktive Stabilisationsübungen können auch nach jedem Bewegungsübergang zwischengeschaltet werden, wenn Drehen in Seitenlage und Bauchlage vom Arzt erlaubt wurden (Abb. 6.11).

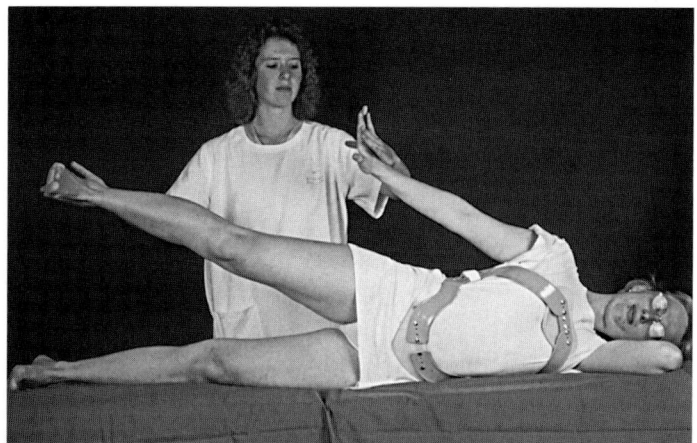

Abb. 6.11. Drehen en bloc in die gerade Seitenlage, Stabilisation

● **5. Erarbeiten einer ausgewogenen Muskelspannung von ventral und dorsal**

▶ Diagonale ventrale Muskelketten werden in der gleichen Technik geübt. Es bewährt sich, die ventrale und dorsale Muskelkette zu koordinieren, d. h. eine Kokontraktion aufzubauen. Diese Übungsmuster haben, wie schon erwähnt, Frau M. Scharll für die Skoliosebehandlung und Frau R. Brunkow für Patienten mit Rückenbeschwerden entwickelt. Sie sind auch für die Behandlung der Wirbelfrakturen gut einzusetzen.

▶ Eingeleitet werden diese Übungen über Dorsalextension der Füße und Druck der Fersen auf die Unterlage sowie über Dorsalextension der Hände und Druck der Handwurzeln auf das Bett (Abb. 6.12).

▶ Wenn die Kokontraktion von Bauch- und Rückenmuskeln aufgebaut werden soll, muß die Beinstellung exakt festgelegt werden. Bei *Wirbelfrakturen im Segment L 3–5* sollte das Hüftgelenk nur *20–30°* gebeugt sein. Als weitergeleitete Bewegung wirkt die Femurflexion im Hüftgelenk zunehmend im Sinne einer Abflachung der Lendenlordose. Dies geschieht um so mehr, je früher die Dehngrenze der ischiokruralen Muskulatur erreicht ist (Abb. 6.13).

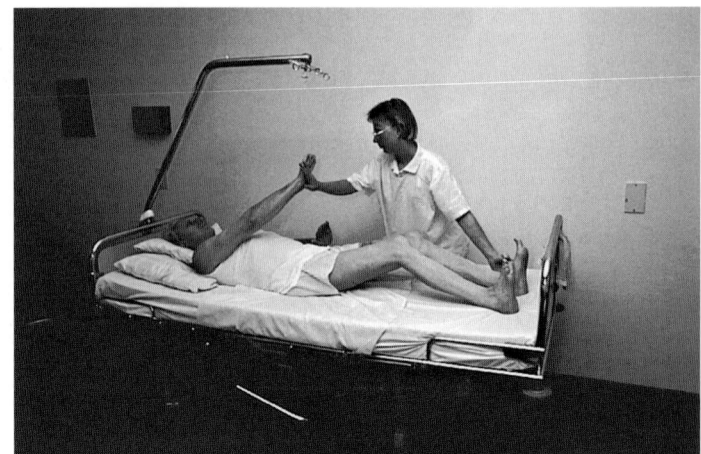

Abb. 6.12. Stabilisation der Wirbelsäule

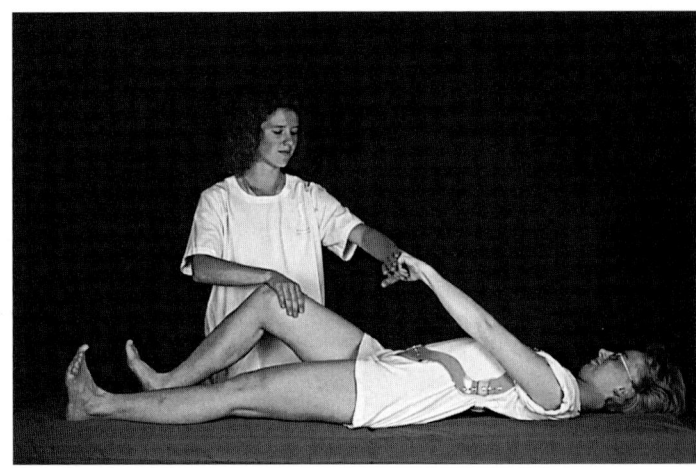

Abb. 6.13. Diagonale Wirbelsäulenstabilisation

Gesichtspunkte der Behandlung

> **!** Folgende *Regel* kann als Anhaltspunkt dienen:
> - Flexion bis 20–30° ist erlaubt bei L 3- bis L 5-Frakturen.
> - Flexion bis 60° ist erlaubt bei L 1-, L 2-Frakturen.
> - Flexion bis 90° ist erlaubt bei Th 10, 11- und -12-Frakturen.

▶ Alle Formen des Bewegens und Haltens der Hüftgelenke sollen entsprechend dieser Vorgaben aus den zugeordneten Flexionsstellungen beginnen oder dort enden.

GESICHTSPUNKTE
DER BEHANDLUNG

Da in der modernen Wirbelchirurgie lange Liegezeiten entfallen, ist eine besondere Behandlung der *Extremitäten* nicht erforderlich, es sei denn, der Patient hat noch andere Verletzungen an den Beinen oder eine Querschnittssymptomatik.

▶ Handelt es sich um eine *Brustwirbelkörperfraktur oberhalb von Th 10*, kann die Streckstellung der Brustwirbelsäule über die Skapulaextension/-adduktion, erreicht werden. Auch die Flexion/Abduktion/Außenrotation beider Arme und das Herausschieben des Kopfes verbessern die Aufrichtung der Brustwirbelsäule.

▶ *Nicht erlaubt* sind Flexions-/Anteversionsmuster der Skapula oder Flexions-/Rotationsmuster des Kopfes. Bedingt einsetzbar sind symmetrische Stützmuster der Arme, wenn sie neben dem Körper enden. Extensionsmuster der Schultergelenke leiten eine Flexion der Hals- und Brustwirbelsäule ein.

Diese Bewegungseinschränkungen gelten ebenso für die Halswirbelfrakturen.

> **!** Der Kopf soll in Nullstellung und der Schultergürtel gerade auf der Unterlage liegen bleiben!

6. Schulen von Bewegungsübergängen unter Vermeidung von Schub- und Rotationskräften.

● 6. Schulen von Bewegungsübergängen

▶ Mit Korsett dürfen sich Patienten nach einer Wirbelsäulenosteosynthese am 2. oder 3. postoperativen Tag en bloc auf die Seite drehen, dabei soll die Wirbelsäule ganz gestreckt bleiben. Das später obenliegende Bein und der Arm spannen dabei in Extension/Abduktion (s. Abb. 6.11).

▶ Zum Aufstehen aus dem Bett wird dieses entsprechend der Länge des Patienten hochgestellt. Von der geraden Seitenlage dreht sich der Patient in die Bauchlage und rutscht an die Bettkante bis die Beine nach unten abgesenkt werden können. Über den Unterarm- und Armstütz steht der Patient auf (Abb. 6.14 u. 6.15).

▶ Hat der Patient Schmerzen oder ist noch in einem schlechten Allgemeinzustand, werden ihm Gehhilfen angeboten (Gehwagen, Achsel- oder Unterarmstützen). Meistens muß man das Korsett im Stand nochmals nachziehen, damit die Pelotte fest anliegt.

▶ Patienten mit *BWK-Frakturen oberhalb von Th 10* und solche, die einen stabilen Titankorb erhalten haben, dürfen über Rotation und Unterarmstütz direkt in den Sitz kommen. Zwischen den einzelnen

Abb. 6.14. Aufstehen aus der Bauchlage

<small>**GESICHTSPUNKTE DER BEHANDLUNG**</small>

7. Schulen von biomechanisch richtigem Bewegungsverhalten für den Alltag.

Phasen der Positionswechsel können Haltephasen eingebaut werden.

● **7. Schulen von Bewegungen für den Alltag**

In den ersten postoperativen Tagen soll der Patient möglichst schnell selbständig werden, d.h. er muß lernen, sein Korsett selbst anzuziehen und den Transfer von der Rückenlage in den Stand allein auszuführen.

▶ Zum Anziehen des Korsetts soll der Patient zunächst die Bridging-Position beherrschen, damit er die Pelotte unter die LWS schieben kann.

▶ Gelingt in den ersten Tagen ein selbständiges Aufstehen nicht oder hat der Patient Teilschwächen oder Sensibilitätsstörungen, wird über das Stehbrett aufgestanden.

▶ Ein Toilettenaufsatz sowie ein Keilkissen für einen hohen Stuhl sind Hilfsmittel, die dem Patienten kurzfristig erlauben, mit dem Korsett zu sitzen.

▶ Hilfsmittel, die das Aufheben von heruntergefallenen Gegenständen erleichtern, sowie Anziehhilfen für Schuhe und Strümpfe werden über die Ergotherapeutin oder den Orthopädiemechaniker angeschafft.

▶ In seltenen Fällen muß auch ein Klinikbett für zu Hause von der Krankenkasse ausgeliehen werden.

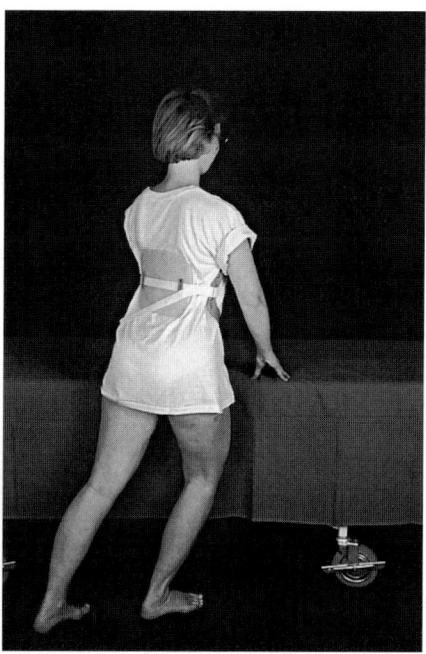

Abb. 6.15. Aufstehen
aus der Bauchlage

▶ Der Patient soll sich noch häufig am Tag hinle-
gen, dazwischen spazierengehen und seine Stabilisationsübungen als Hausaufgabenprogramm durchführen.

▶ *Das Tragen von Gewichten ist nicht erlaubt!*

● **8. Gehschulung und Bewegungsbad**

Im allgemeinen stellt das Gehen kein Problem dar;
die Patienten haben keine Schmerzen, wenn die
Osteosynthese stabil ist.

▶ Das Korsett zwingt den Patienten zu einer geraden Haltung, so daß die längsgerichteten Kräfte zur
Stabilität beitragen. Das etwas steife Gehen ohne
Rotation und mit leichter Rücklage muß in kauf
genommen werden. Die Stabilisation erfolgt über
manuellen Widerstand (Abb. 6.16–6.18).

▶ Im *Bewegungsbad* kann der Auftrieb des Wassers
genutzt werden, die Gewichtsbelastung wird reduziert. Schwimmen in ruhigem Tempo ist mit Korsett
erlaubt, ebenso stabilisierende Übungen, die unter
den gleichen biomechanischen Kriterien ausgeführt
werden sollen, wie vorab beschrieben.

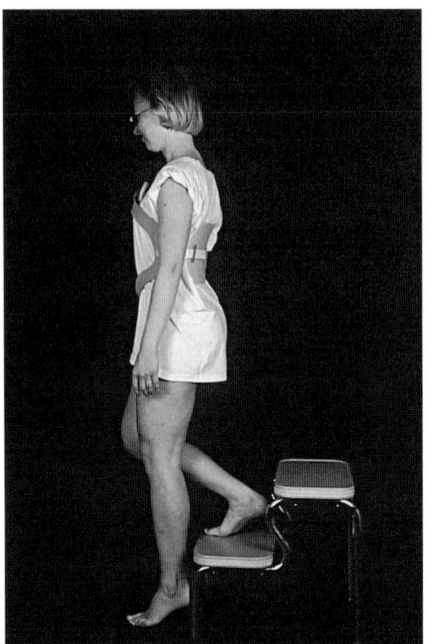

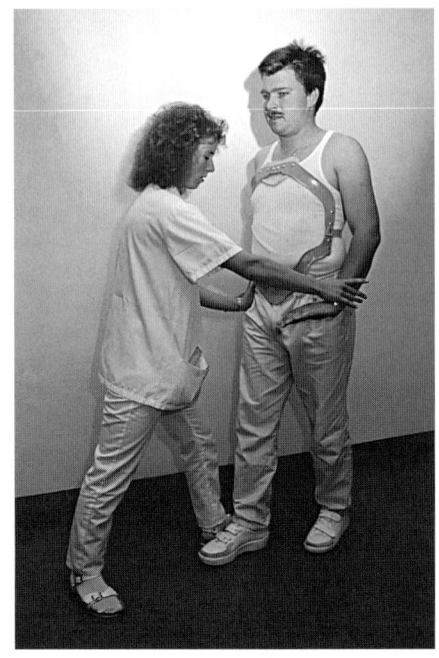

Abb. 6.16. Freies Gehen auf der Treppe

Abb. 6.17. Stabilisation in Schrittstellung von ventral

GESICHTSPUNKTE
DER BEHANDLUNG

Nach 6 Wochen:
9. Schulen des entla-
stenden Sitzes,
des Bückens etc.
mit Korsett,

Da der Mensch auch sonst nicht im Wasser lebt, hat die Behandlung im Bewegungsbad nur geringe Bedeutung für das normale Bewegungsverhalten, erhöht aber bei Schwimmbegeisterten das Wohlbefinden.

● **9. Entlastetes Sitzen, Bücken usw.**

▶ Mit dem Korsett darf nach 6 Wochen das Sitzen eingeübt werden. Der Sitz auf dem Keilkissen fördert die gewünschte gerade Sitzhaltung. Dann kann diese Position gegen angepaßten Widerstand stabilisiert werden (Abb. 6.19–6.21). Verschiedene Armhaltungen verlängern die Hebellänge und verlangen eine 4–5mal höhere Kraftleistung der Muskulatur. Wie im Liegen werden symmetrische Muster bevorzugt eingeübt.

▶ Bücken, Knien und Aufstehen aus dem hohen Sitz (Abb. 6.22) oder über Halbkniestand sind Bewegungsübergänge, die nun gut durchgeführt werden

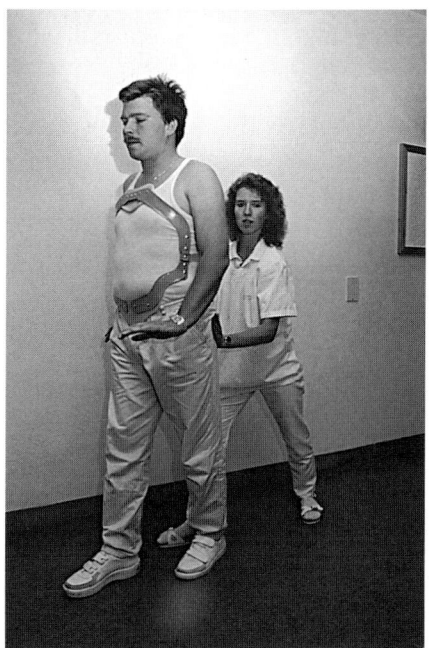

Abb. 6.18. Stabilisation in Schrittstellung von dorsal

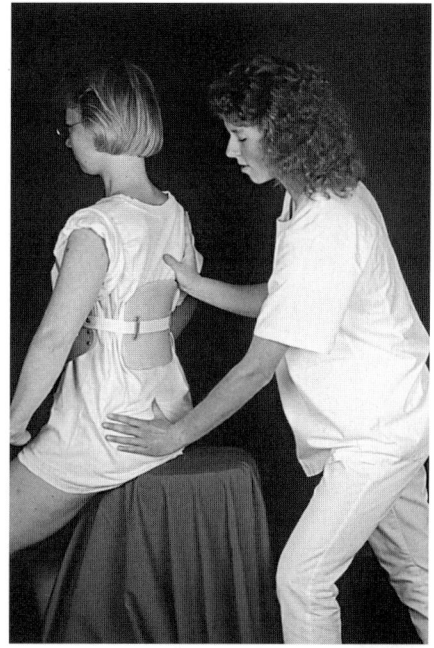

Abb. 6.19. Stabilisation im hohen Sitz von dorsal

GESICHTSPUNKTE
DER BEHANDLUNG

10. Kräftigung der
Rücken-, Schul-
tergürtel- und
Bauchmuskulatur,

können. Bewegen und Halten in der neuen Position sind relevante Techniken.

▶ Auch in diesen Stellungen sollen Kokontraktionen der ventralen und dorsalen Rumpfmuskulatur gefordert werden.

● **10. Kräftigung der Rücken-, Schultergürtel- und Bauchmuskulatur**

In den folgenden 6 Wochen besteht nach wie vor die Gefahr des Zusammensinterns der Fraktur. Das Korsett soll die vermehrt auftretenden Schub- und Rotationskräfte der Alltagsbewegungen abfangen.

▶ Kräftigung heißt deshalb, die Rumpf- und Schultergürtelmuskulatur *nur gegen die Schwerkraft* aus der Bauch- und Rückenlage zu üben. Die Ausdauer soll verbessert, die Übungszeit verlängert, die Pausen verkürzt und die dynamischen Übungen mit kleinen Handgeräten durchgeführt werden. Dosiert wird nach Befund.

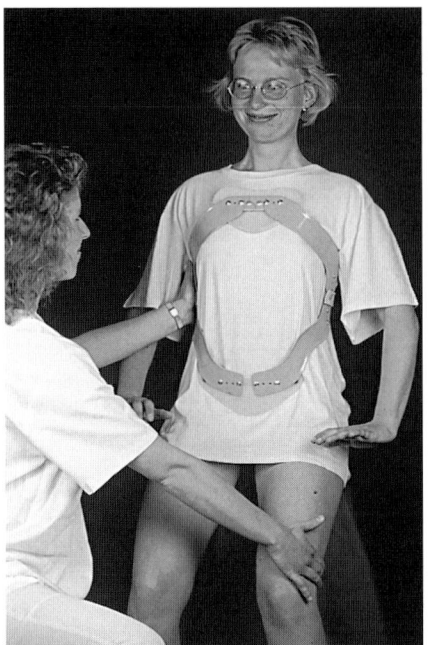

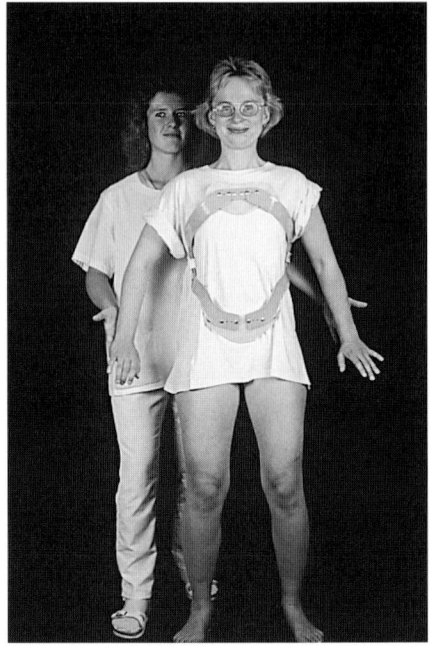

Abb. 6.20.   Stabilisation von ventral

Abb. 6.21.   Brunkow-Spannungsaufbau im Stand

11. Entspannung durch Massage der Rückenmuskulatur, Eis- oder Wärmebehandlung.

▶ Leichte Expander und Therabänder können zum Einsatz kommen, Gewichte sollen jedoch noch nicht verwendet werden.

● **11. Massage der Rückenmuskulatur**

▶ Sie wird, falls nötig, am besten in der Bauchlage durchgeführt. Zur Anwendung kommen Streichungen und alle Variationen von Knetungen. *Die Massagegriffe dürfen keine Schmerzen verursachen.*
▶ Sind extreme Verspannungen in dem Bereich des M. erector trunci im Lendenwirbelsäulenbereich vorhanden, können, je nach Verträglichkeit, Eiskompressen oder Wärmepackungen aufgelegt werden.
▶ Alle Maßnahmen dürfen nur nach der Übungsbehandlung und in Ruhezeiten durchgeführt werden, sie sollen der Entspannung dienen.

Abb. 6.22. Aufstehen vom hohen Sitz

● **12. Schulung von Alltagsbewegungen und Bewegungsübergängen ohne Korsett**

▶ Das Korsett kann langsam abtrainiert werden, die Patienten sollen nun lernen, sich *so natürlich wie möglich zu bewegen.* Da sie während der vergangenen 12 Wochen ständig darauf hingewiesen wurden, sich gerade zu halten, fällt es ihnen nun schwer, sich natürlich zu bewegen.

● **13. Schulung von physiologischen Bewegungsabläufen**

▶ Übungsformen aus der Bewegungserziehung finden nun Anwendung, dabei lernt der Patient eher spontan, sich natürlich zu bewegen.
▶ Zur Beweglichkeitsverbesserung dürfen *keine Mobilisationstechniken aus der manuellen Therapie* angewendet werden. Üben in der Gruppe ist sinnvoll und macht auch mehr Spaß.

13. Einzel- und Gruppenbehandlung zur Schulung physiologischer Bewegungsabläufe und Verbesserung der Ausdauer.

▶ Als Ergänzung kann jetzt auch das Bewegungsbad hinzugenommen werden. Im Wasser dürfen alle Bewegungen locker und ohne Leistungsdruck geübt werden.

▶ Die Ausdauerleistung kann verbessert werden durch Schwimmen oder eine Ausdauergymnastik.

▶ Als »*Hausaufgabenprogramm*« zusammengestellt und vorgeübt werden Tätigkeiten wie:

• Schuhe und Strümpfe an-/ausziehen,
• Bücken (dabei Knie und Hüftgelenke beugen),
• Ein- und Aussteigen in/aus der Badewanne,
• Ein- und Aussteigen in/aus dem Bett
• Ein- und Aussteigen in/aus dem Auto
• Verrichten von Hausarbeiten, z. B. Staubsaugen,
• Heben und Tragen von kleinen Gewichten.

SCHÜLERAUFGABE ▬▬▬▬

Überlegen Sie, wie Sie biomechanische Gesichtspunkte bei der Planung ihrer Behandlung in den einzelnen Stadien des Rehabilitationsablaufes umsetzen.

ÜBUNGSBEISPIELE

LWK 3-Fraktur mit Fixateur interne und Osteosynthese von LWK 2–LWK 4)

Ausgangsposition

Rückenlage, Brunkow-Grundstellung

ÜBUNG

▶ Stabilisation der Lendenwirbelsäule von dorsal.

Kontakt/Widerstand: Dorsal und dorsal/lateral am Becken und an der unteren Thoraxapertur.

Übungsauftrag: »Lassen Sie sich nicht verschieben – halten – langsam nachlassen!«

▶ *Dasselbe* mit wechselndem Kontakt/Widerstand von einer Seite zur anderen, auch diagonal, dann zusätzlich dorsal am Schultergürtel an Kopf, Armen oder Beinen.

▶ Zwischen jeder Übung wird die *Grundspannung gelöst* und wieder neu aufgebaut. Alle Haltephasen dauern 7–10 s.

ÜBUNG

▶ Bridging mit leicht angestellten Beinen, feste Rolle unter den Kniegelenken als Drehpunkt: assistiv, aktiv gegen die Schwere.

▶ Später nach 6 Wochen gegen Widerstand.

ÜBUNG

▶ Extension/Abduktion/Innenrotation aus PNF.
Ausgangsstellung des Beines in 30°-Flexion / Adduktion / Außenrotation,

Bewegen und Halten (auch Endstellung halten).

Kontakt/Widerstand: Lateral, dorsal an Fuß und Oberschenkel, lumbrikaler Griff.

Übungsauftrag: »Zehen, Fuß nach unten außen, Ferse nach außen drehen, gestrecktes Bein nach unten außen führen!«

ÜBUNG

▶ Extension/Abduktion/Innenrotation nach PNF des gleichseitigen Armes.

ÜBUNG

▶ Bewegungsübergang in gestreckte Seitenlage, durch Extension-/Abduktions-/Innenrotationsspannung eines Beines und gleichseitigen Armes (s. vorherige Übung), Halten in Endstellung und en bloc drehen.

Kontakt/Widerstand: Lateral/dorsal an Fußsohle und Handwurzel.

Übungsauftrag: »Stemmen Sie Fuß und Hand nach unten/außen und drehen sich mit geradem Rücken in die Seitenlage!«

ÜBUNG

▶ Stabilisation in Seitenlage.

Kontakte/Widerstand: Jeweils dorsal am Becken, am Thorax, am Schultergürtel, am Kopf, am obenliegendem Arm und Bein.

▶ *Dasselbe* auch als Kokontraktion von ventral und dorsal.

Übungsauftrag: »Bleiben Sie in der Stellung, lassen Sie sich nicht verschieben!«

▶ Erst nach 6 Wochen sollen Rotationswiderstände gesetzt werden.

ÜBUNG

▶ Bewegungsübergang Seitenlage zu Bauchlage durch Halten am Becken

und Thorax (Bewegung mit der Schwere).

Ausgangsposition

Bauchlage, Kopf mit Stirn auf Unterlage.

ÜBUNG

▶ Halten beider Arme in Außenrotation/Extension/Abduktion.

▶ *Oder* in U-Halte mit Supination der Unterarme.

Technik, Endstellung halten.

Kontakt: keiner.

Übungsauftrag: »Schieben Sie den Kopf nach oben heraus, heben Sie die Arme wenige Zentimeter von der Unterlage ab und bleiben Sie in der Stellung!«

> **Keine gestreckten Arme! Der Patient soll sich auch en bloc zurückdrehen.** **!**

ÜBUNG

▶ Bewegungsübergang von Rückenlage über Seitenlage, Bauchlage in den Stand (vorher Korsett über Bridging anziehen!).

Erster Teil wie oben.

Bett hochgestellt, Patient, in Bauchlage, rutscht mit kleinen Bewegungen mit den Beinen zur Seite, so daß er schräg auf dem Bett liegt und die Beine absenken kann. Über Unterarmstütz und Stützen kann er dann in den Stand kommen (s. Abb. 6.14 und 6.15).

Im Stand Korsett fest anziehen, anschließend Gehen mit und ohne Gehhilfen oder Stabilisation im Stand.

Rückweg zu Rückenlage in umgekehrter Reihenfolge.

Nach 6 Wochen (mit Korsett):

Ausgangsposition

Rückenlage.

ÜBUNG

▶ Extension / Abduktion / Innenrotation beider Arme mit dem Pullingformer. Jede Hand hält 2 Schlaufen, Technik der »wiederholten Kontraktion«.
Übungsauftrag: »Fassen Sie die Schlaufen, drehen Sie die Hände nach unten, spannen Sie mit beiden Händen die Feder nach unten/außen, geben Sie etwas nach, ziehen Sie wieder nach unten/außen, geben Sie etwas nach, ziehen Sie wieder nach unten/außen und drehen Sie die Hände nach unten usw.!«
▶ *Dasselbe,* ein Arm arbeitet statisch, der andere dynamisch.
▶ *Dasselbe* mit gebeugten Ellbogen.

ÜBUNG

▶ Gangmuster aus PNF: wechselweise kann Bein oder Arm dynamisch arbeiten (symmetrisches Muster).

ÜBUNG

▶ Sitz mit Korsett auf hohem Stuhl und Keilkissen mit angepaßter Rückenlehne (z.B. feststellbarer Bürodrehlstuhl), Hände evtl. noch abgestützt am Stuhlrand oder am Tisch. Stabilisation des Sitzes von ventral und dorsal, diagonal.

Nach 12 Wochen, wenn das Korsett abtrainiert werden soll:

Ausgangsposition

Bauchlage (ohne Korsett).

ÜBUNG

▶ Kopf und Schultergürtel Rotation/ Extension
Übungsauftrag: »Ziehen Sie den Kopf lang heraus, heben Sie ihn und die Schultern etwas ab, drehen Sie ihn und schauen Sie über die rechte/linke Schulter nach oben!«
▶ *Dasselbe* auch mit verschiedenen Armhaltungen.
▶ *Dasselbe* auch mit zusätzlichem Abheben des gegenseitigen Beines.
▶ *Dasselbe* mit gespanntem Seil, mit Stab, Gymnastikball, Keule usw.

Ausgangsposition

Rutschstellung mit Unterarmstütz.

ÜBUNG

▶ Stabilisation der Stellung durch Abheben eines Armes oder Beines.

Ausgangsposition

Vierfüßlerstand.

ÜBUNG

▶ Mit den Händen auf der Stelle treten.

Ausgangsposition

Tiefer Vierfüßlerstand.

ÜBUNG

▶ Ein Bein abheben oder einen Arm abheben und in der Luft halten.

Ausgangsposition

Sitz auf hohem Hocker, evtl. mit Keilkissen, Stabilisation von allen Seiten
(s. Abb. 6.19 und 6.20).

ÜBUNG

▶ Ein Bein neben dem Hocker nach
hinten abgestellt, mit gleichseitiger
Hand zur Ferse greifen (Extension/
Lateralflexion/Rotation der Wirbelsäule).

ÜBUNG

▶ Bewegen in allen Richtungen,
soweit ein gewähltes Gerät es zuläßt,
z. B. mit Reifen, Stab, 4fach gespanntem Seil usw.

**Als schmerzfreie aktive
Bewegungen können die folgenden
Übungen ausprobiert werden:**

ÜBUNG

▶Rumpfseitneige mit 4-fach gespanntem Seil über dem Kopf, Arme
in U-Halte.
▶ *Dasselbe* auch als Dreh-/Seit-
beuge.

ÜBUNG

▶ Gewicht leicht nach hinten verlagern, Rumpfrotation (Bauchmuskel-
arbeit).

ÜBUNG

▶ Umkehrbewegung aus Beckenmit-
telstellung in Beckenflexion und
zurück, dann Stabilisation der Bek-
kenmittelstellung und Erarbeiten der
freien aufrechten Haltung.

GEHSCHULUNG

▶ Gehen mit geringer Rotation, d. h.
kleinen Armbewegungen, freies Be-
wegen des Kopfes.
▶ Rhythmisches Gehen mit viel
Richtungswechsel nach Musik, Tam-
burin o. ä.
▶ Gehen mit Ballprellen, Werfen,
Rollen usw.

ÜBUNG

▶ Bücken mit gebeugten und ge-
grätschten Beinen.

ÜBUNG

▶ Aufheben von Gegenständen über
Halbkniestand.

ÜBUNG

▶ Hinsetzen auf den Boden und Aufstehen über Halbkniestand, Kniestand, Seitsitz und zurück zum Stand
mit Abstützen der Hände auf einem
Hocker.

ÜBUNG

▶ Gewichtsverlagerungen nach vorn,
hinten, zur Seite aus verschiedenen
Stellungen wie Grätsche, Schrittstellung, Schrittgrätsche und Schlußstellung.

▶ In der *Einzelbehandlung* muß auf
Haltungskorrektur geachtet werden,
die sich auf einen exakten Haltungs-
befund bezieht. Allgemeine Übungen
nach Brügger oder anderen Autoren
müssen abgeändert werden.
▶ Die *Sportfähigkeit* gibt der behan-
delnde Arzt an. In der Regel darf vor
einem Jahr nach der Osteosynthese
und 1/4 Jahr nach der Materialentfernung kein den Rücken belastender
Sport betrieben werden.

Besondere Vorsicht ist bei Ballsportarten, aber auch bei Yoga und exzessiven Gymnastiksportarten geboten.

▶ Bei Erwachsenen ist mit einer *physiologischen Beweglichkeit* des betroffenen Bewegungssegmentes nicht mehr zu rechnen. Die anderen Segmente kompensieren dies, sind aber gerade deshalb gefährdet, hypermobil zu werden und Beschwerden zu machen.

Schleudertrauma (vorübergehende Subluxation)

Die durch Auffahrunfälle häufig verursachten Schleudertraumen werden wie stabile Halswirbelfrakturen behandelt.

▶ Wir verordnen das Tragen einer weichen Schantz-Krawatte für ca. 3 Wochen. Kopfschmerzen und segmental ausstrahlende Schmerzen sind die Hauptsymptome, sie können lange anhalten.

! **Kennmuskeln überprüfen!**

▶ Im *Akutstadium* bewähren sich:
• flache Lagerung mit kleinem Kopfkissen, das die Halskrawatte hohllegt,
• Eiskrawatte,
• viel Ruhe.
Nach einigen Tagen können evtl. Entspannungstechniken für die Nackenmuskulatur über Schulterblattpattern angezeigt sein, z. B. durch Techniken nach Jacobson (1990), Schaarschuch (1985) usw.

Bei bestehenden Kopfschmerzen verlangt der Patient eigentlich nur nach Ruhe. Nach 2–3 Wochen sollen die Beschwerden abgeklungen sein.

▶ Chronische Beschwerden sind Folgen von nicht beachteten Anfangssymptomen! Sie können, je nach Befund, nach Maitland (1994) und Cyriax (1977) behandelt werden. Reagieren der Plexus brachialis und andere neuromeningeale Strukturen, soll unter Entlastung geübt werden (s. auch Kap. 7, »Schultergelenk«).

Rippenfrakturen

Einzelne Rippenfrakturen werden symptomatisch behandelt.

▶ In der Regel wird kein ruhigstellender Verband angelegt. Die Patienten sollen intensiv *Atemtherapie* durchführen mit Betonung von Einatemtechniken.

Rippenserienfrakturen treten häufig in Kombination mit schweren anderen Verletzungen auf (Polytrauma). Die Patienten liegen dann auf der Intensivstation, erhalten eine Bülau-Drainage und werden überwacht wie Patienten nach thorakalen Eingriffen.

▶ Nach Verlegung auf eine Normalstation wird eine befundbezogene *Atemtherapie* durchgeführt. Es ist in der Regel mit einer schmerzhaften Schonhaltung des Thorax zu rechnen. Die geringe Atembewegung verursacht eine schlechte Lungenbelüftung und die Entwicklung von Atelektasen (s. Kap. 3, »Prä- und postoperative physiotherapeutische Behandlung«).

Literatur

Bilow H, Beinneke H (1988) Management und Ergebnisse der konservativen Behandlung von Patienten mit Brust- und Lendenwirbelverletzungen. Aktuelle Traumatol 18: 7–17

Bold R, Gossmann A (1978) Stemmführung nach R. Brunkow. Ence, Stuttgart

Brügger A (1980) Die Erkrankungen des Bewegungsapparates und seines Nervensystems. G. Fischer, Stuttgart

Cyriax J (1977) Textbook of Orthopaedic Medicine. Ballière Tindall, London

Kapandji I (1985) Funktionelle Anatomie der Wirbelsäule, der Gelenke. Enke, Stuttgart

Koltai V (1975) Die Peitschenschlagverletzung der Halswirbelsäule, Diagnostik und Therapie. Aktuelle Traumatol 5: 265

Krämer J (1984) Bandscheibenbedingte Erkrankungen. Thieme, Stuttgart

List M (1994) Physiotherapie und Frühmobilisation nach operativ versorgten Wirbelfrakturen. Hefte zu »Der Unfallchirurg« 241: 614, Springer, Berlin, Heidelberg

Loew M, Niethard FK, Cotta H (1992) Die Deformierung bei konservativer Behandlung von Wirbelfrakturen. Z Orthop 130: 447

Ludolph E et al. (1982) Verletzung der Hals-, Brust- und Lendenwirbelsäule. Chirurg 53: 5

Nachemson AL (1992) Newest Knowledge of low back pain. Clin Orthop 6: 279

McKenzie RA (1991) McKenzie Method. In: White AH (Ed) Convervative Care of Low Back Pain. Williams & Wilkins, Baltimore

Maitland G (1994) Manipulation der Wirbelsäule, Springer, Berlin Heidelberg New York

Mow V C (1991) Basic orthopaedic biomechanics. Raven, New York

Petracic B (1983) Funktionelle konservative Knochenbruchbehandlung. Thieme, Stuttgart

Scharll M (1975) Wandlungen in der Skoliosebehandlung. Krankengymnastik 9: 304

Steffen R et al. (1993) Einfluß von Weichteilverletzungen auf die Biomechanik sagittal symmetrischer thorako-lumbaler Wirbelkompressionsfrakturen. Aktuelle Traumatol 2: 90

Triano J (1991) Standards of care. In: White AH (Ed) Conservative Care of Low Back Pain. Williams & Wilkins, Baltimore

Walker N, Schreiber A (1979) Stabile und instabile Wirbelsäulenverletzung und ihre Behandlung. Z Unfallmed Berufskr 72: 224

Weise K, Weller (1993) Verfahrenswechsel nach primärer Fixation externer Osteosynthese beim polytraumatisierten Patienten. Akt Traumatol 4: 149

White A H (1991) Conservative Care of Low Back Pain. Williams & Wilkins, Baltimore

Zusman M (1992) Central nervous system contribution to mechanical produced motor and sensory response. Australian Physiother 38: 4

7 Physiotherapeutische Behandlung nach Frakturen und Luxationen im Bereich des Schultergelenkes

Einteilung

Frakturen:
- Oberarmkopffraktur,
- Klavikulafraktur,
- Skapulafraktur.

Luxationen des Humeruskopfes:
- nach vorne unten (subkorakoidal),
- seltener nach hinten (*subglenoidal*),
- nach hinten oben (subspinal).

Bei Luxationen ist ein Abriß des Tuberculum majus eine häufige Begleiterscheinung.

Biomechanik und Anatomie

Als Kugelgelenk hat das Schultergelenk in Kombination mit den Schultergürtelgelenken eine große Beweglichkeit. Das Mißverhältnis zwischen der kleinen, flachen Pfanne und dem großen Humeruskopf wird durch die Einstellung der Pfanne auf den Humeruskopf ausgeglichen. Die dabei entstehende *Rollgleitbewegung* bedeutet eine ständige Achsenverschiebung (Abb. 7.1). Die Rotatorenmanschette stellt die Gelenkpfanne immer in Richtung der größten Humeruskopfbelastung ein, sie zentriert den Kopf.

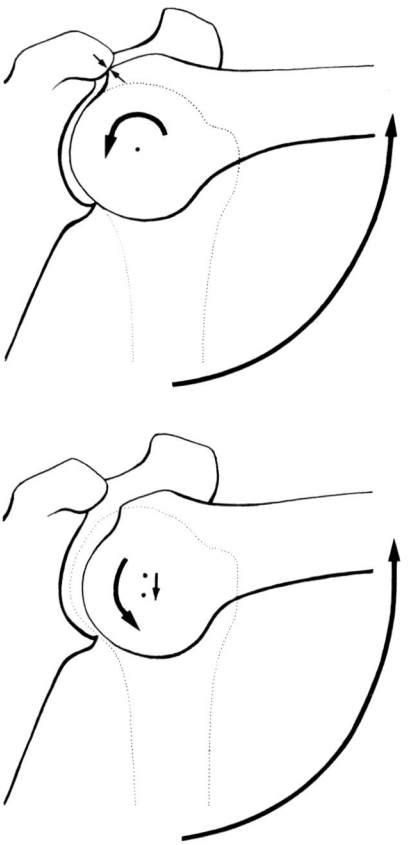

Abb. 7.1. Rollgleiten des Humeruskopfes. (Aus: Cailliet 1975)

Nach Cailliet (1975) bewegt sich bei der Armflexion oder Abduktion die Skapula jeweils um die Hälfte der Wegstrecke, die der Humerus zurücklegt (Abb. 7.2); das bedeutet z. B. eine Bewegung der Skapula nach lateral um 30°, des Humerus um 60°, wenn der Arm in 90°-Abduktion gehoben wird. Konsequenterweise soll deshalb eine passive oder aktive Fixation des Schulterblattes nicht in Nullstellung des Schultergelenkes erfolgen, wenn der Arm über die Horizontale mobilisiert werden soll.

Besondere Bedeutung für alle Verletzungen des Schultergelenkes hat die *Funktionseinheit* des Schultergelenkes und der Skapula mit dem Akromioklavikulargelenk und dem Sternoklavikulargelenk.

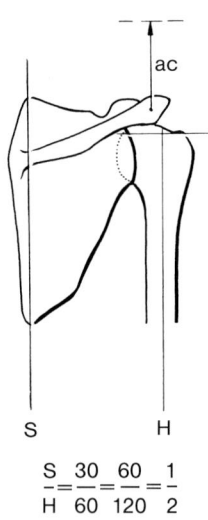

$$\frac{S}{H} = \frac{30}{60} = \frac{60}{120} = \frac{1}{2}$$

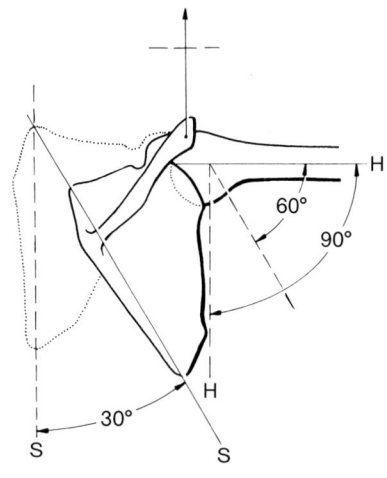

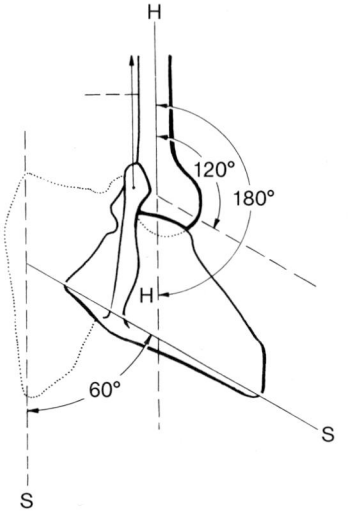

Abb. 7.2. Skapulabewegung bei Armhebung. (Aus: Cailliet 1975)

Loeweneck (1994) hat für das Akromioklavikulargelenk einen Bewegungsumfang von 40° für die Schwenkbewegung nach ventrolateral und von 45° für die Rotation angegeben.

Die Beweglichkeit des Sternoklavikulargelenkes beträgt nach ihm 55–0–5° für das Heben und Senken und 14–0–15° für das Vor- und Zurückführen. Die Klavikularotation beträgt ebenfalls 45°, wenn der Arm über 90° gehoben wird.

Cailliet (1975) beschreibt eine Kippbewegung der Klavikula um 30° bei Armhebung bis 90°, bei zunehmender Flexion bis 180° eine weitere Rotation um 30° (Abb. 7.3, s. auch Luxation des Schultereckgelenkes).

Funktionell ebenso bedeutungsvoll ist die *Außenrotationsbewegung* des Humerus bei Armhebung; dadurch kann das Tuberculum majus unter dem L. coracoacromiale durchschlüpfen. Bei Innenrotation stößt der Humeruskopf bei ca. 60° Abduktion dort an und verursacht Schmerzen der in diesem Bereich verletzten Strukturen. Auf engem Raum befinden sich dort die Bursa subacromialis, die Supraspinatussehne, ein Teil der Bizepssehne und die oberen Kapselanteile. Funktionelle Tests können exakt ermitteln, um welche Struktur es sich handelt.

Cailliet (1975) hat auch die Funktion der langen Bizepssehne untersucht und beschrieben, wie wichtig ihr Gleiten für die schmerzfreie Bewegung des Armes ist (Abb. 7.4). Sie durchläuft die Kapsel und wird deshalb bei Verletzungen des Gelenkes meist in Mitleidenschaft gezogen. Als typische Schmerzauslösung gilt das Anspannen des M. biceps in Flexion des Schultergelenkes von ca. 70–80°.

Nicht weniger wichtig für die volle Funktion des Schultergelenkes ist die *Kapsel*. Die Rotatorenmanschette mit ihren Sehnenansätzen und die wenigen schwachen Kapselbänder lassen in der Kapsel Schwachstellen entstehen, durch die der Humeruskopf leicht luxieren kann. Die schlaffe Kapsel wird durch die Sehnen der Rotatorenmanschette gestrafft.

Der kaudale Abschnitt wird bei Abduktion gespannt und begrenzt die Bewegung. Schrumpft die Kapsel durch Ruhigstellung in Adduktion des Schultergelenkes (z.B. bei länger anliegendem Gilchrist- oder Desault-Verband), entsteht eine Adduktionskontraktur.

Alle Strukturen des Schultergelenkbereiches werden aus C 4 und C 5 innerviert. Bestehende Sensibilitätsstörungen können den entsprechenden Hautdermatomen zugeordnet werden (s. Befunderhebung, Prüfung hinsichtlich Sensibilitätsstörungen, Kap. 2, S. 10–12). In letzter Zeit wird häufig über die Irritation neuromeningealer Strukturen und ihre Auswirkungen auf die Funktion des Armes diskutiert. Der Plexus brachialis (C 5–Th 1) ist von seiner Lage her bei Verletzungen im Schultergelenkbereich gefährdet, ebenso seine Äste: N. suprascapularis, N. subclavius und der N. axillaris. Wird der Plexus brachialis durch eine Luxation oder eine Fragmentdislokation unter Druck gesetzt, können auch die Armnerven N. radialis, ulnaris und medianus irritiert werden. Bestimmte Dehn- oder Entlastungsstellungen können zur Diagnostik beitragen (s. auch Befund).

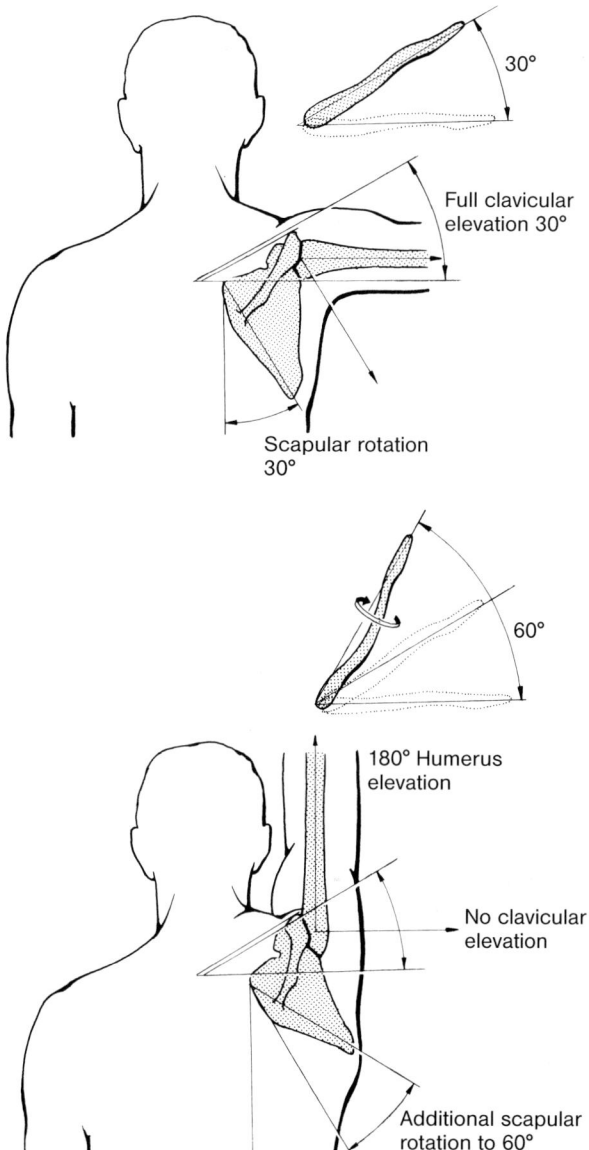

Abb. 7.3. Skapula- und Klavikulabewegung bei der Armflexion. (Aus: Cailliet 1975)

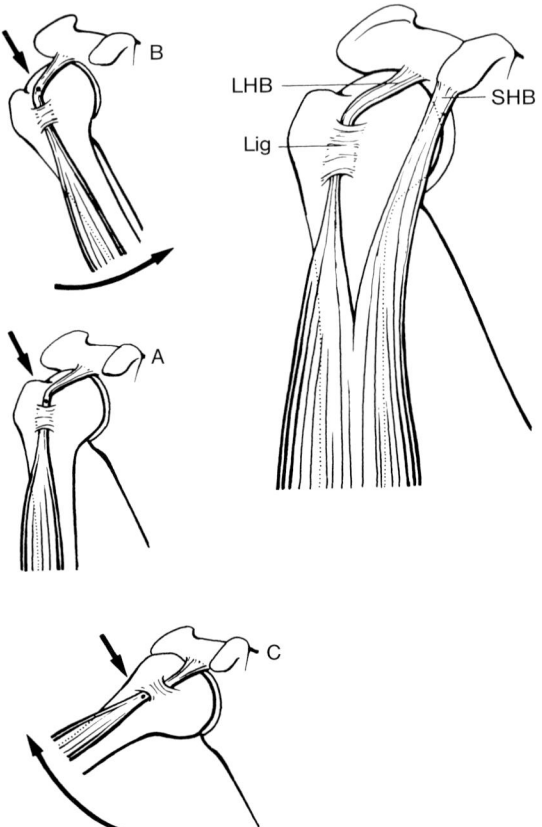

Abb. 7.4. Bizepsgleitmechanismus. (Aus: Cailliet 1975)

Luxation des Schultergelenkes

Ursachen

- Sturz auf Schulter,
- Rotation des Rumpfes bei feststehendem Arm (z.B. Skistock), im Sport bei forcierten Würfen, bei extremer Außenrotation und Abduktionsstellung des Armes.

Allgemeine Richtlinien zur Behandlung

Klinik und Röntgenbild lassen eine Luxation des Schultergelenkes ein-

deutig erkennen; der Humeruskopf luxiert am häufigsten nach vorn zwischen die Zügel des L. glenohumerale und L. coracohumerale (Abb. 7.5). Es besteht eine federnde Fixation mit starker Schmerzhaftigkeit.

Bleibt der Schmerz nach der Reposition und Ruhigstellung bestehen, sollte man an eine zusätzliche Verletzung der Rotatorenmanschette, an Verletzungen von neuromeningealen Strukturen oder an einen vorderen Pfannenrandabriß denken. Zusätzlich besteht häufig eine Abrißfraktur des Tuberculum majus.

Das therapeutische Vorgehen bei der *Erstversorgung* ist entscheidend für eine Ausheilung oder Rezidivneigung. Nach erfolgter Reposition stellen deshalb die meisten Orthopäden bei jüngeren Patienten den Arm 3–4 Wochen auf einer Abduktionsschiene ruhig (Abduktionskissen in 40°). Chirurgen neigen eher dazu, nur 8–10 Tage im Desault- oder Gilchrist-Verband ruhigzustellen.

Nicht ausgeheilte traumatische Luxationen führen zur *habituellen Luxation*. Verantwortlich dafür sind:
- eine erweiterte Kapsel,
- eine Verletzung und Abflachung des vorderen Pfannenrandes (Bankart-Läsion),
- eine Verletzung am dorsolateralen Humeruskopf (Hill-Sachs-Läsion) im Sinne einer Impressionsfraktur.

In diesen Fällen soll nach der Operation der Arm in ca. 60°-Abduktion, 30°-Anteversion und in geringer Innenrotation für 3–4 Wochen ruhiggestellt sein. Auf der Schiene kann der M. deltoideus isometrisch geübt werden.

▶ Hand- und Ellbogengelenke werden möglichst im vollen Bewegungsausmaß bewegt.

▶ Die dynamische Innenrotation wird ab der 5. Woche, die dynamische Außenrotation ab der 8. Woche geübt. Vorrangig sollen der M. deltoideus und M. biceps gekräftigt werden.

▶ *Retroversion und Extension sind nicht erlaubt bis zur Ausheilung der Kapsel.*

Schmerzen werden auch bei kurzer Ruhigstellung an der Bizepssehne, an der Supraspinatus- und Subscapularissehne, am Tuberculum majus oder

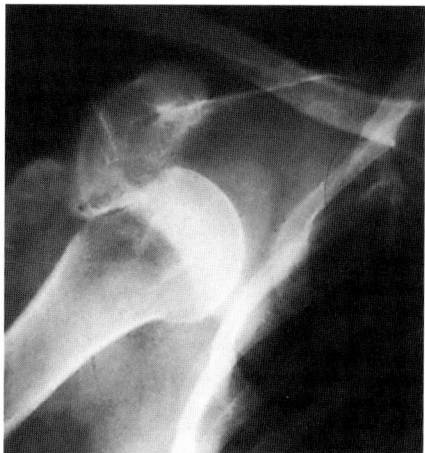

Abb. 7.5. Luxation des Humeruskopfes

der Bursa subdeltoidea angegeben. Kapselverklebungen durch Hämatom oder Mikrotraumata können als Ursache angesehen werden.

Eine *Adduktions-Extensions-Kontraktur* entwickelt sich schnell über die spontane Atrophie des M. deltoideus und der Rotatorenmanschette sowie über die Kapselschrumpfung im kaudalen Abschnitt.

Die oft auftretende *Schmerzhaftigkeit* der langen Bizepssehnen resultiert aus ihrer intrakapsulären Lage und der Verhaftung unter dem intertuberkulären Band (s. Abb. 7.4).

▶ Während der vorgegebenen Bewegungseinschränkungen muß die Physiotherapeutin sorgfältig die Ausgangs- und Endstellungen sowie die Fixationsstellungen der Skapula festlegen.

Komplikationen

- Verletzung des Plexus brachialis,
- insbesondere des N. axillaris,
- Abriß des Tuberculum majus,
- Hill-Sachs-Läsion,
- Bankart-Läsion,
- Läsion der A. und V. axillaris.

Spätkomplikationen

- Habituelle Schulterluxation,
- Periarthropathia humeroscapularis,
- Arthrose des Schultergelenkes,
- Kalzifikationen.

Befunderhebung

BEURTEILE
- Hautverfärbung.
  Sichtbares Hämatom evtl. abgesunken entlang der Muskelloge des M. biceps oder M. pectoralis major.
- Atrophie.
- Spannungserhöhungen.
- Armhaltung.
- Spontanbewegungen mit und ohne Skapulabewegungen.
- Schultergelenk-, Skapula- und Kopfstellung.

MISS
- Aktives Bewegungsausmaß des Schultergelenkes in vorgegebenem Bewegungsausmaß, Abduktion (Rotationsnullstellung). Horizontale Adduktion bis Nullstellung (Rotationsnullstellung).
- Ellbogenbewegungen: Extension, Flexion, Pro- und Supination.
- Hand- und Fingerbewegungen.
- Umfangmaße (genormte Abstände).

PRÜFE
- Schmerz bei Bewegung, in Ruhe, am Bewegungsstop, Intensität, Qualität, Lokalisation, Ausbreitung.
- Neuromeningeale Strukturen (C 5–Th 1) auf Entlastung/Annäherung und Dehnung/Schmerzauslösung oder Sensibilitätsstörung.
  - *Plexus brachialis*, Entlastung der Schulter nach kranial, ventral, Kopf in Lateralflexion und Rotation zur gleichen Seite (medialer Faszikulus), Rotation zur Gegenseite (dorsaler Faszikulus).
  - Armnerven:
    N. radialis, Entlastung durch Annäherung in Innenrotation, Ellbogenflexion, Supination, Dorsalextension.

N. ulnaris, Entlastung in Innenrotation, Ellbogen-extension, Supination und Palmarflexion.
N. medianus, Entlastung in Außenrotation, Pro-nation, Ellbogenflexion, Palmarflexion.

> **!** Das antagonistische Muster erzeugt eine Dehnung und löst u. U. einen elektrisierenden Schmerz oder andere Sensibili-tätsstörungen aus.

- Qualität und Bewegungsausmaß/Bewegungsstop.
- Muskeltest der Hand und Ellenbogenmuskulatur, insbesondere der Kennmuskeln (s. Kap. 6). M. del-toideus und M. pectoralis sollen bis zur Konsolidie-rung von Frakturen oder Heilung der Kapsel nur auf Teststufe 2 geprüft werden.
- Test nach Cyriax-Hirschfeld (s. unten auf dieser Seite).

> **!** Erlaubt sind während der ersten 6–8 Wochen nur Test 1, 2, 11 und 12.
> Rücksprache mit dem Operateur ist notwendig!

NOTIERE

- Sensibilität: Autonomgebiet des N. axillaris, Seg-ment der Armnerven (s. Funktionsbefund Kap. 2).
- Gebrauchsbewegungen im Gesichtsfeld,
- sonstige Beschwerden.

Bestehen nach Reposition einer Luxation noch Schmerzen, muß an eine Rotatorenmanschettenver-letzung, eine Hill-Sachs- oder Bankart-Läsion, an einen Tuberculum-majus-Abriß oder eine Ablösung des Labrum glenoidale gedacht werden.

Der *Cyriax-Test* beinhaltet 13 Prüfun-gen:
1. Aktive Armhebung.
2. Passive Armhebung.
3. Schmerzhafter Bogen (über Ab-duktion zur Flexion); bei ca. 70° Schmerzauslösung → Supraspi-natussehne verletzt).
4. Passive Abduktion.
5. Passive Innenrotation (nach 5 Wochen).
6. Passive Außenrotation (nach 8 Wochen).
7. Adduktion gegen Haltewider-stand.
8. Abduktion gegen Haltewider-stand.
9. Innenrotation gegen Haltewider-stand (nach 6 Wochen).
10. Außenrotation gegen Haltewider-stand (nach 8–9 Wochen).
11. Ellbogenflexion gegen Haltewi-derstand.
12. Ellbogenextension gegen Halte-widerstand.
13. Passive horizontale Adduktion.

Nach Cyriax (1971) wird eine Bewegungseinschränkung Außenrotation > Abduktion > Innenrotation als Kapselmuster interpretiert. Bei eingeschränkter Außenrotation ist konsequenterweise auch die Flexion eingeschränkt (s. Cailliet 1975, Kapandji 1984).

Alle anderen Bewegungseinschränkungen werden anderen Strukturen zugeordnet. Am häufigsten liegt eine *Innenrotations-* und Abduktionseinschränkung vor.

Bei Muskelverletzung besteht *Kontraktions-* oder *Loslaßschmerz*. Bei inkompletten Einrissen der Rotatorenmanschette tritt eine deutliche Schwäche der Außenrotation auf. Falls keine Kontraktion zu spüren ist, besteht eine komplette Ruptur; sie ist diagnostisch eindeutig, wenn keine Sensibilitätsstörungen vorliegen. Der Patient hat dann auch ein unsicheres/instabiles Gefühl im Schultergelenk.

Die Schulter steht höher, wenn es sich um eine enge Kapsel mit Hochstand des Humeruskopfes handelt, sie steht tiefer, wenn der Humeruskopf nach kaudal abgerutscht ist.

Behandlungsmöglichkeiten

GESICHTSPUNKTE DER BEHANDLUNG

1. Sicherung der Gelenkführung durch Muskelspannung (Kräftigung).
2. Beseitigung von Schmerzen.
3. Entspannung des M. trapezius, M. biceps.
4. Mobilisation des Schultergelenks (nach 6–8 Wochen) der Adduktions-/Extensionskontraktur.
5. Funktionsschulung, Gebrauchsbewegungen.

Die physiotherapeutische Behandlung richtet sich nach dem Befund der einzelnen Strukturen.

▶ Während der funktionellen Ruhigstellung im Gilchrist- oder Desault-Verband können über die Handmuskulatur und das Anspannen des M. deltoideus alle übrigen Armmuskeln stimuliert werden. In unserer Klinik wird der Gilchrist-Verband nach ca. 3 Tagen durch ein 40°-Abduktionskissen ersetzt (Abb. 7.6).

● **1. Sicherung der Gelenkführung**

▶ Vorrangig ist der Aufbau einer Muskelspannung der Muskeln, die den Kopf in der Pfanne halten können: M. deltoideus, die lange Bizepssehne, M. subscapularis, Mm. supra- und infraspinatus, M. teres minor und M. pectoralis major.

▶ Die *Kräftigung des M. deltoideus* wird aus sicherer Gelenkstellung durchgeführt, d. h. der Arm wird nicht aus dem Abduktionskissen herausgenommen. Im Liegen soll darauf geachtet werden, daß der Humeruskopf von dorsal gut unterpolstert ist. Das Abduktionskissen verrutscht in der Rückenlage leicht, deshalb verordnen manche Ärzte auch eine Abduktionsschiene.

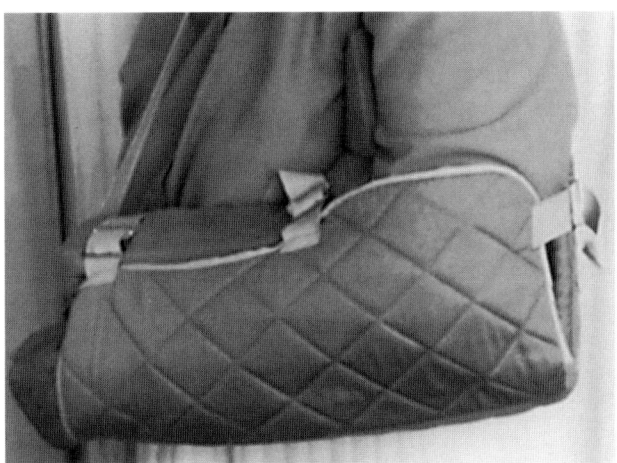

Abb. 7.6. Abduktions-
kissen

Als *Techniken* kommen zur Anwendung: isometrisches Spannen gegen Führungskontakt, später gegen angepaßten Widerstand (Abb. 7.7), Bewegen und Halten der Skapulaabduktion (s. Abb. 7.13).

▶ Das Ausnützen von Overflow-Spannungen über Widerstandsübungen des anderen Armes in Abduktionsmustern ist ebenfalls sinnvoll. Gleiches gilt für den Spannungsaufbau der Rotatorenmanschette und des M. pectoralis major. Auch wenn die dynamischen Rotationsbewegungen nicht erlaubt sind, kann über die Spannung der Hand- und Unterarmmuskulatur gegen Führungskontakt eine geringe Rotationsspannung aufgebaut werden.

▶ Dynamische und statische Übungsformen gegen angepaßten Widerstand sollen bei passiver Fixation des Oberarmes dicht oberhalb des Ellbogengelenkes die Kraft des M. biceps und M. triceps erhalten.

Zeigt der M. biceps eine deutliche Schwäche und einen Loslaßschmerz, muß an eine Mitverletzung der langen Bizepssehne gedacht werden.

▶ Die Behandlungen auf dem Abduktionskissen sind am besten im Sitz durchzuführen. Darf der Arm aus dem Abduktionskissen herausgenommen werden, ist der Sitz ebenfalls die sicherste Ausgangsposition. Dabei soll der Arm auf einem kippbaren Tischchen oder auf dem schräggestellten Kopfteil einer Behandlungsliege gelagert sein (Abb. 7.8).

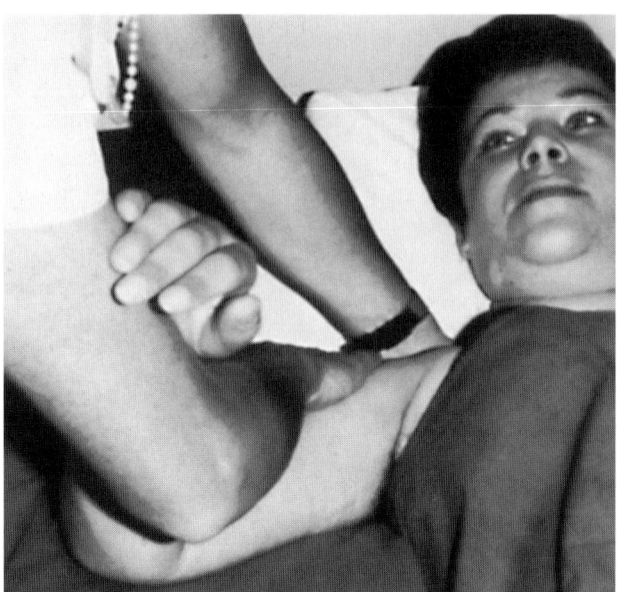

Abb. 7.7.   Spannen des M. deltoideus gegen Kontakt

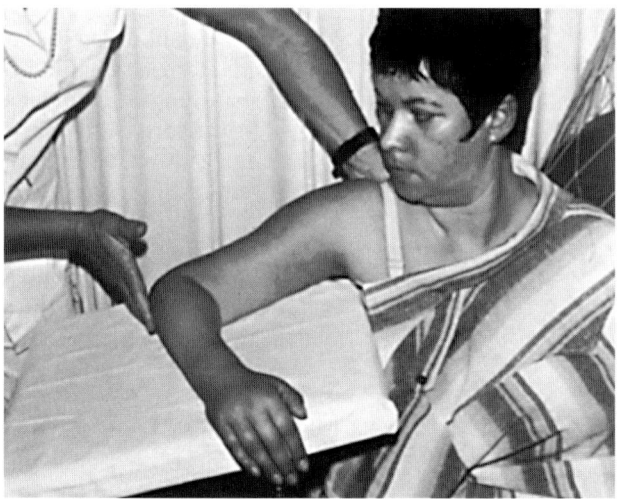

Abb. 7.8.   Lagerung auf dem Handtisch, passive Fixation der Skapula, Herausschieben des Ellbogens zur Spannung des M. deltoideus

1. Sicherung der
Gelenkführung
durch Muskelspan-
nung (Kräftigung).

▶ Wenn aus anderen Gründen die Rückenlage zwingend vorgegeben ist, soll der Arm auf einem Armkeil in 30°-Abduktion und 30°-Anteversion und in Rotationsnullstellung liegen. Der Armkeil muß dann den Humeruskopf gut unterstützen (Abb. 7.9).

Bis zur 5. Woche ist die dynamische Innenrotation, bis zur 8. Woche die dynamische Außenrotations- bewegung verboten. Ebenso kontraindiziert sind alle Bewegungen hinter die Körpermittellinie und die Bewegungseinleitungen durch Stretch. Diese Bewegungen belasten die Kapselschwachstellen erneut. Reluxationsgefahr!

▶ Nach 6 Wochen kann in der Regel das Abduk- tionskissen abtrainiert werden.
▶ Bei bestehender Plexus-brachialis-Verletzung müssen die Schwächen oder Paresen der betroffen Muskeln mit entsprechenden Techniken, z.B. Halten in Endstellung, Mentaltraining, Einsatz von Kon- traktionshilfen und Verstärkungsmustern behandelt werden.

2. Beseitigung von
Schmerzen.

● **2. Beseitigung der Schmerzen**

In der Regel bestehen nach Reposition und/oder operativer Stabilisation des Gelenkes und richtiger Ruhigstellung keine intensiven Schmerzen. Starke Schmerzen weisen auf die im allgemeinen Teil beschriebenen Nervenverletzungen hin, sie erfor- dern eine der Struktur zugeordnete Behandlung.

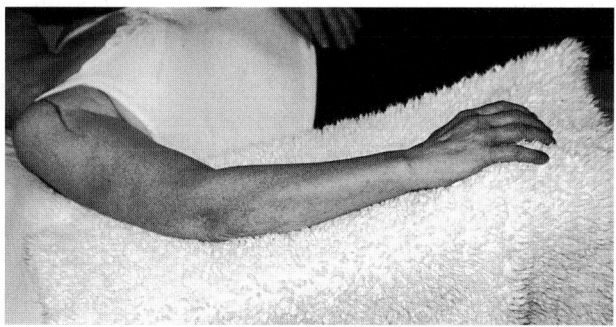

Abb. 7.9. Lagerung nach Oberarmkopffraktur auf einem Armkeil

2. Beseitigung von
Schmerzen.

Ausgeprägte Hämatome können jedoch Schmerzen verursachen, die zu Bewegungseinschränkungen führen.

▶ Die Resorption des Hämatoms kann über Eisabtupftechnik, Cool-pack-Auflage (in Baumwollkissenbezug!) in Verbindung mit Spannen im Sekundenrhythmus gefördert werden.

▶ Eine sachgerechte Lagerung des Armes ohne Belastung der verletzten Kapselstellen ist zur Vermeidung von Schmerzen besonders wichtig. Insbesondere muß die schmerzhafte Retroversions- und Innenrotationsstellung vermieden werden.

▶ Die Hand soll immer höher als der Ellbogen liegen. Vor allem nachts muß die Lagerung schmerzfrei sein.

▶ Bestehen Zeichen der *Irritation neuromeningealer Strukturen*, soll in Richtung der Entlastung dieser Strukturen vorsichtig passiv/aktiv unterstützt bewegt werden. Immer müssen die Angaben des Patienten über Schmerzverbesserung oder -verschlechterung beachtet werden. Reflektorische Abwehrspannungen verstärken in der Regel die Schmerzen und lassen einen Circulus vitiosus entstehen. Es muß auch eine Halswirbelsäulenbehandlung durchgeführt werden.

▶ Frühzeitiges Bewegen des Schultergelenkes im vorgegebenen Bewegungsausmaß (0–0–60 < 90° Abduktion) und unter minimaler Traktion verhindert schmerzhafte Kontrakturen. Zur Anwendung kommen langsame Umkehrbewegungen und Bewegen und Halten gegen Führungskontakt, in Kombination mit Eisbehandlungen. Immer werden Skapulabewegungen vorgeschaltet. Alle Bewegungen müssen kurz vor dem Schmerzbeginn beendet werden.

Chronische Schmerzen, die über viele Wochen bestehen und zu erheblichen Bewegungseinschränkungen führen, müssen Behandlungsfehlern in der Frühbehandlung zugerechnet werden.

> **!** Schmerzhafte Schultergelenkbewegungen sollen spielerisch bewegt und nicht forciert mobilisiert werden.

Die auf S. 97 beschriebenen Testverfahren sowie Röntgenkontrollbilder ermitteln die Strukturzugehörigkeit und bestimmen die Behandlungstechnik. Diese Patienten werden meistens in orthopädischen Fachpraxen behandelt.

● **3. Entspannung der Mm. trapezius und biceps brachii**

Die reflektorische Spannungserhöhung des M. trapezius, der den Schultergürtel zur Entlastung des Schultergelenkes und seiner Strukturen hochzieht, wirkt sich ungünstig auf die Funktion der Schultergelenkmuskulatur aus. Die Schulter erscheint verschmälert, der Muskelrand tritt als Strang hervor. Ziehende Schmerzen behindern den Patienten.

▶ Zunächst muß aber die *Schmerzursache* erkannt und behandelt werden. Techniken, die Schmerzen abbauen, werden auch die reflektorische Abwehrspannung verringern. Eine Eiskrawatte, um den Nacken gelegt, die beidseits bis zum Akromion reichen soll, kann diese Spannung reduzieren.

▶ Kopf- und Schulterblattbewegungen gegen Führungskontakt bei liegender Eiskrawatte können die geeigneten Maßnahmen sein (Abb. 7.10–7.13).

▶ Manche Patienten sind jedoch kälteempfindlich und sprechen auf weiche Massagegriffe, warme Kompressen oder eine heiße Rolle besser an.

▶ Alle Bewegungen sollen bis kurz vor die Dehnschmerzgrenze ausgeführt werden, wenngleich die bestmögliche Bewegungsamplitude angestrebt werden soll.

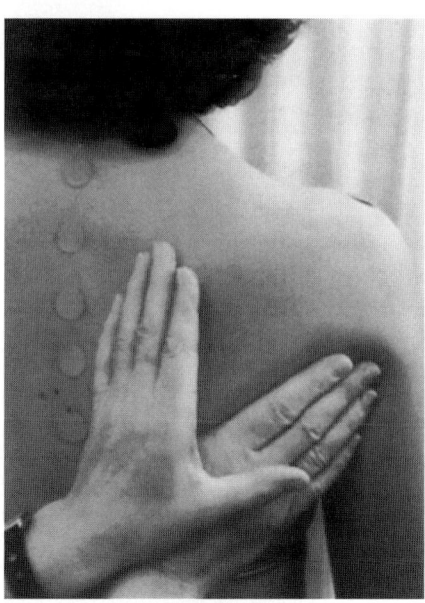

Abb. 7.10. Schulterblattpattern: Extension/Retroversion

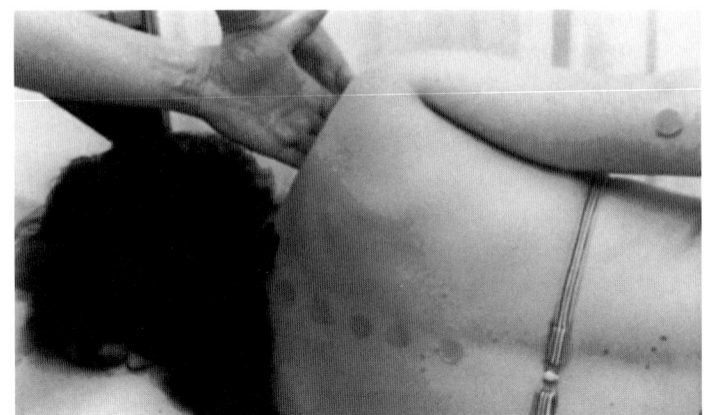

Abb. 7.11. Schulterblatt-pattern: Flexion/Ante-version

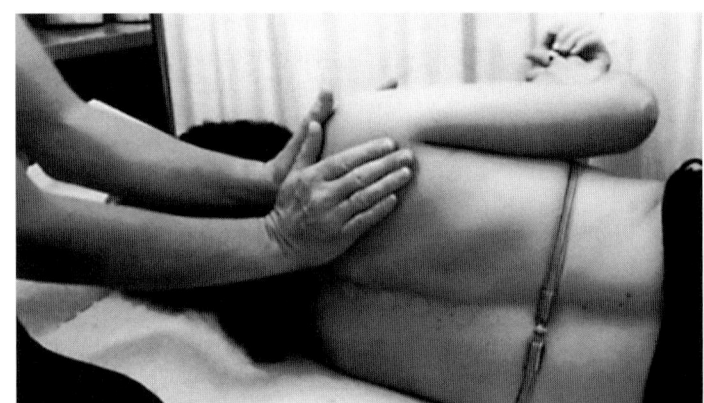

Abb. 7.12. Schulterblatt-pattern: Flexion/Adduktion

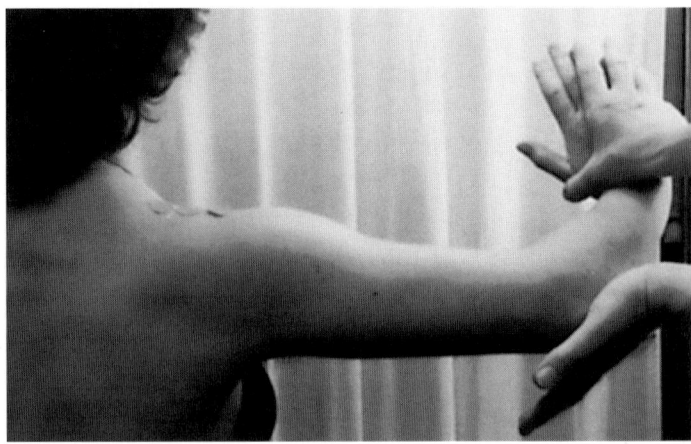

Abb. 7.13. Schulterblatt-abduktion

3. Entspannung des
   M. trapezius,
   M. biceps.

4. Mobilisation des
   Schultergelenks
   (nach 6–8
   Wochen) der
   Adduktions-/
   Extensionskon-
   traktur.

Die reflektorische Abwehrspannung des M. biceps muß in Zusammenhang mit der Einengung seiner langen Sehne oder der Verhaftung im Sulcus intertubercularis gesehen werden.

▶ Aktive Entspannungstechniken nach PNF, insbesondere die »rhythmische Stabilisation – Entspannen – aktives Weiterziehen«, sind effektiv einsetzbar. Steht der Humeruskopf zu hoch unter dem Akromion, kann mit einer minimalen Traktion nach kaudal/dorsal eine Entlastung der Bizepssehne erreicht werden (Maitland-Technik).

Ob diese Techniken eingesetzt werden dürfen, muß mit dem behandelnden Arzt besprochen werden.

● 4. Mobilisation des Schultergelenkes

Entsprechend der 6wöchigen Armstellung auf dem Abduktionskissen und der vorgegebenen Bewegungsgrenze entsteht eine Adduktions-Extensions-Kontraktur mit zusätzlicher Einschränkung der Rotationen.

▶ Bis zu diesem Zeitpunkt war die Mobilisation des Schultergelenkes kein vorrangiges Behandlungsziel. Ist die Bewegungseinschränkung auf *Muskelverkürzungen* zurückzuführen (s. Befund nach Cyriax), werden aktive Entspannungstechniken in verschiedenen Dosierungsstufen eingesetzt.

▶ Unseres Erachtens bewährt es sich, wenn zunächst die Abduktion, dann die horizontale Adduktion und anschließend die Flexion mit der Außenrotation über die Horizontale hinaus erarbeitet wird.

> ❗ Flexion/Außenrotation erst ab der 8. Woche

▶ Bei allen Mobilisationstechniken muß die Stellung der Skapula und deren passive Fixation beachtet werden. Das Prinzip der PNF-Entspannungstechniken kann Anwendung finden; die Originalbewegungsmuster müssen jedoch verändert werden.

▶ Handelt es sich um ein *Kapselmuster* und einen *zähen oder festen Bewegungsstop,* werden Techniken aus der manuellen Therapie angewendet (Cyriax, Maitland, Frisch, z.B. Abb. 7.14).

▶ Der gewonnene Bewegungsweg soll anschließend aktiv ausgenützt werden durch weiche, aktive

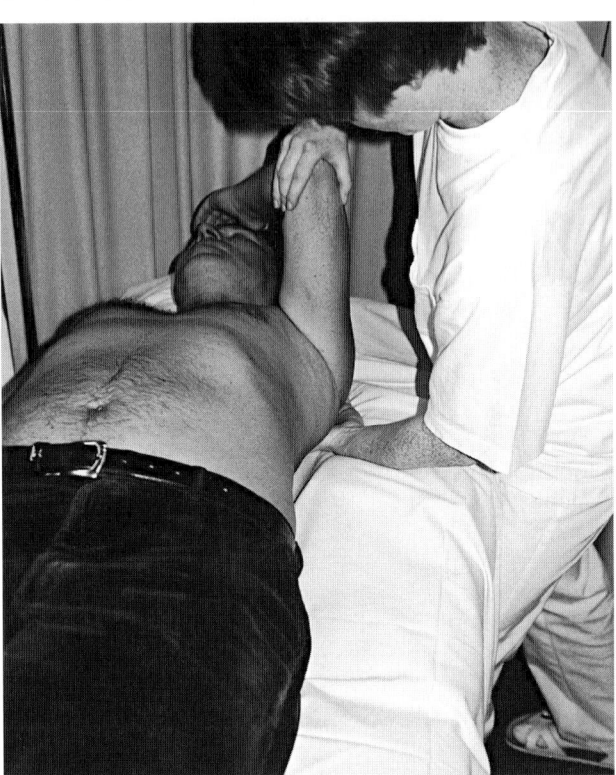

Abb. 7.14. Manuelle Therapie

4. Mobilisation des Schultergelenks (nach 6–8 Wochen) der Adduktions-/ Extensionskontraktur.

Umkehrbewegungen (Abb. 7.15 und 7.16), im Sinne unterstützter und/oder hubfreier Bewegungen. Dies kann auch in abgewandelten PNF-Mustern geschehen.

▶ Als Hausaufgabenprogramm können kleine Pendelbewegungen aus der lotrechten Armstellung Verwendung finden. Der Patienten beugt sich im Rumpf nach vorn, bis der Arm senkrecht nach unten hängt und pendelt leicht aus der Lotstellung heraus. Zeigen von verschiedenen Punkten auf dem Boden aus dem Lot heraus ist ebenfalls eine gute Übung (Abb. 7.17) *Pendel- oder Schwungübungen aus dem aufrechten Stand sind kontraindiziert.*

▶ Mobilisationstechniken werden aus dem Sitz oder der Rückenlage des Patienten ausgeführt, weil sowohl eine leichte Traktion wie die Skapula- und Wirbelsäulenausweichbewegungen kontrolliert werden können.

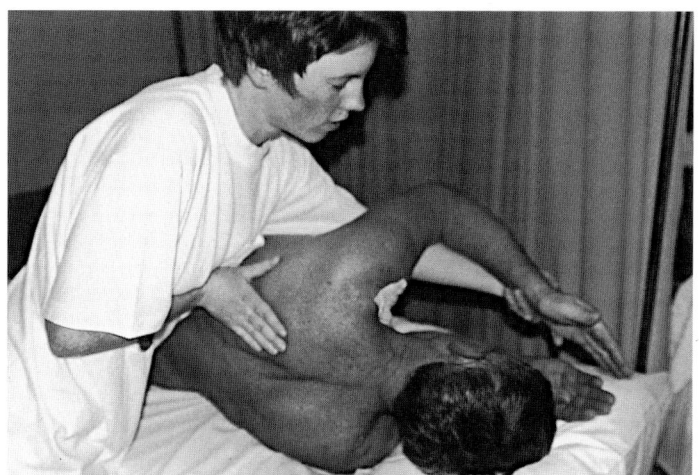

Abb. 7.15. Hubarmes Bewegen bei aktiver Fixation der Skapula

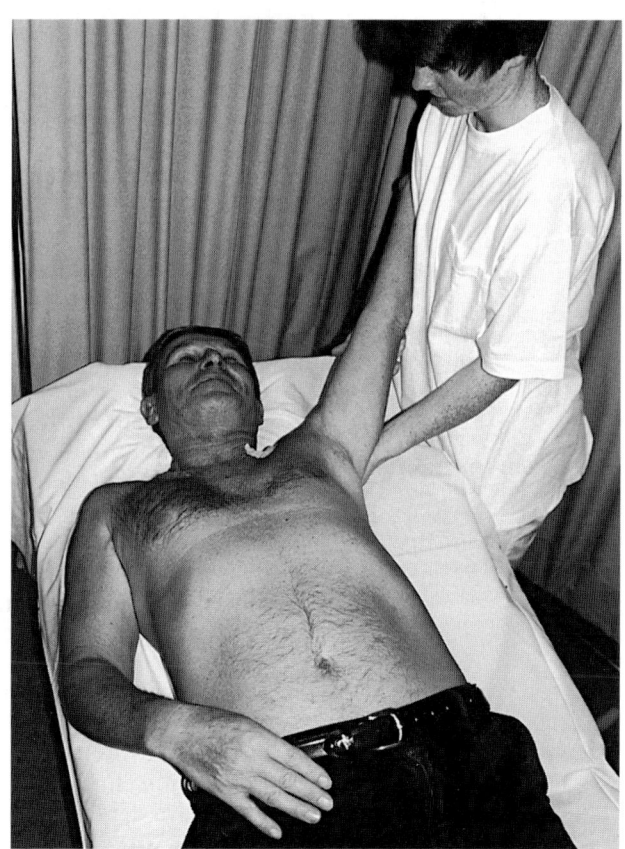

Abb. 7.16. Aktive, unterstützte Umkehrbewegung nach der manuellen Therapie

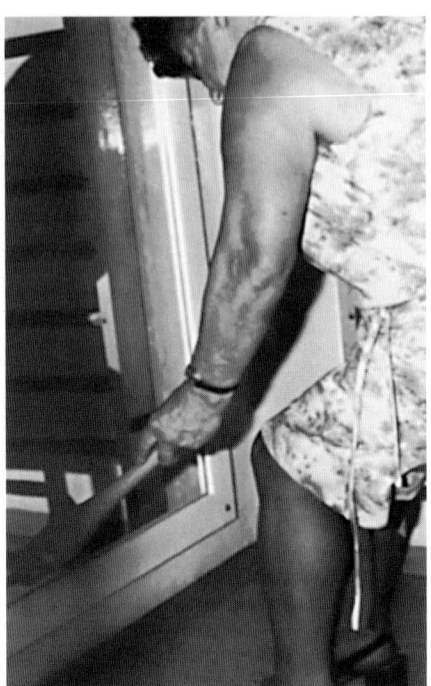

Abb. 7.17. Zeigen auf verschiedene Punkte nach Luxationsfraktur des linken Humeruskopfes

GESICHTSPUNKTE
DER BEHANDLUNG

4. Mobilisation des Schultergelenks (nach 6–8 Wochen) der Adduktions-/Extensionskontraktur.

▶ Zunächst soll der Versuch der aktiven Fixation der Skapula unternommen werden. Wenn dies mißlingt, muß passiv oberhalb der Spina scapulae oder am lateralen Skapularand fixiert werden. Immer wieder kann in möglicher Abduktions- oder Flexionsstellung des Armes die Skapulabewegung nach kaudal-medial zur Wirbelsäule dynamisch gefordert werden, als Technik des Vertauschens von Punctum fixum und mobile (Abb. 7.18 und 7.19).

▶ Bei richtiger Lagerung des Oberarmes in Nullstellung können Skapulabewegungen auch aus der Seitenlage durchgeführt werden.

▶ Zu vorgeschriebener Zeit kann die Innenrotation und Außenrotation in der 90°-Abduktionsstellung mobilisiert werden. Die auszuwählende Technik richtet sich nach der Qualität des Bewegungsstops; es können »rhythmische Stabilisation – Entspannen mit aktivem, evtl. aktiv – passivem Weiterziehen«, langsame Umkehr – Halten – Entspannen oder Techniken aus der manuellen Therapie wirkungsvoll sein.

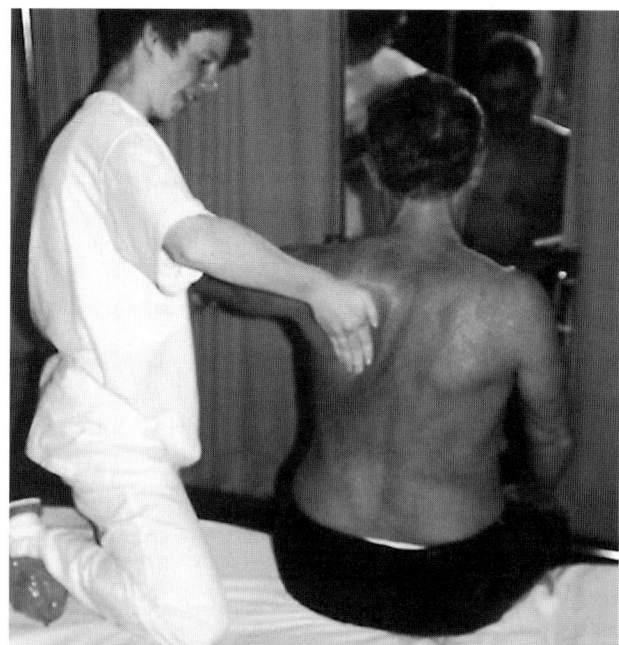

Abb. 7.18. Aktive Skapulabewegung nach medial-kaudal bei fixierter Abduktionsstellung

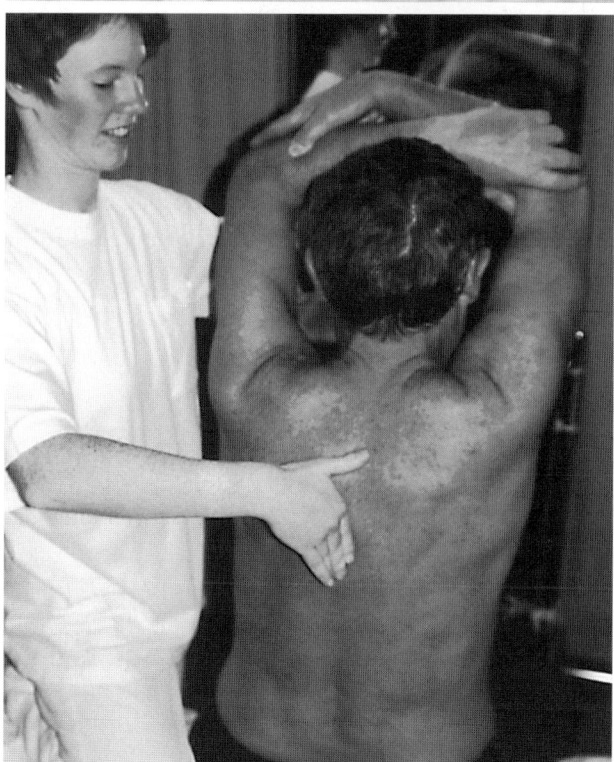

Abb. 7.19. Aktive Skapulakorrektur vor dem Spiegel

● 5. Funktionsschulung

Das Schultergelenk ist in seiner Funktion abhängig von dem Zusammenspiel der 3 Schultergürtelgelenke und der Koordination aller dort wirksamen Muskelgruppen. Das Üben in komplexen Bewegungsmustern ist deshalb nach dem Erreichen der freien Beweglichkeit einzelner Gelenke sinnvoll.

▶ Handelt es sich um *Kraftdefizite,* werden die PNF-Übungen gegen angepaßten Widerstand mit Techniken der wiederholten Kontraktion ausgeführt.

▶ Geht es eher um das *Erlernen geschickter Bewegungsabläufe,* werden Umkehrbewegungen mit und ohne leichte Geräte, wie Stab, Keule, Ball, Seil, Tücher und Säckchen verwendet (Abb. 7.20 – 7.22).

> **!** Häufig wird Schwimmen verordnet, was u. E. kritisch bewertet werden sollte. Rückenschwimmen mit Armbewegungen neben dem Körper kann empfohlen werden. Dagegen sind Brustschwimmen, Vorwärts- oder Rückwärtskraulen gefährliche Schwimmstilarten.

▶ Die volle Funktion des Armes wird am besten im *alltäglichen Gebrauch* geschult. Alle Bewegungen, die dem Patienten Probleme bereiten, z. B. Kämmen, Haarewaschen, Rasieren, Krawatte oder Schürze binden, in den Ärmel schlüpfen usw. sollen vorgeübt werden.

▶ Berufsbezogene Bewegungsmuster sollen ebenfalls erfragt und vorgeübt werden. Insbesondere müssen Arbeitshaltungen überdacht werden.

▶ *Über die Sportfähigkeit entscheidet der Arzt.*

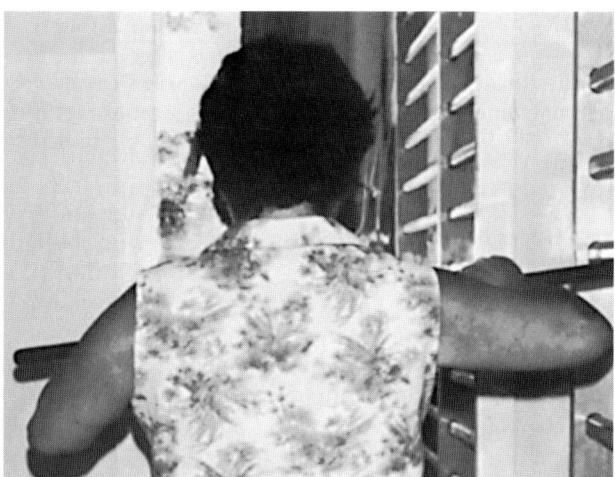

Abb. 7.20. Versuch, den
linken Arm zu abduzieren

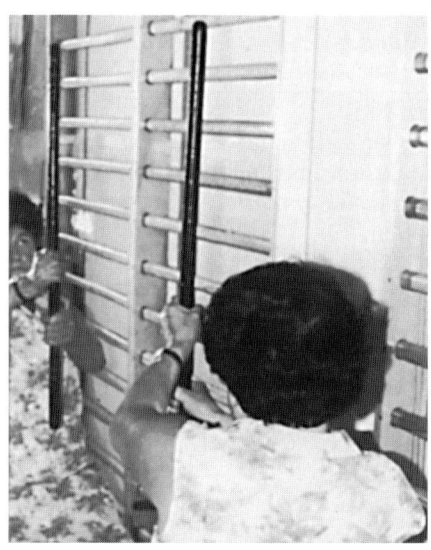

Abb. 7.21. Versuch, den Stab hochzuführen

Abb. 7.22. Das 4fach gespannte Seil in Fle-
xion/Adduktion führen

ÜBUNGSBEISPIELE

Schulterluxation (ohne neuromeningeale Irritationen)

Ausgangsposition

Sitz. Arm in Abduktionskissen oder auf Tisch (s. Abb. 7.8).

ÜBUNG

▶ Skapulaabduktion. Schieben des Ellbogens in Verlängerung des Oberarmes weg vom Ohr (s. auch Abb. 7.8).
Kontakt: Am Olekranon.
Aktive Fixation: Am Angulus inferior der Skapula.
Passive Fixation: Oberhalb der Spina scapulae.
Übungsauftrag: »Bleiben Sie mit dem Schulterblatt an meiner Hand und schieben den Ellbogen gegen meine Finger nach unten, halten.«

ÜBUNG

▶ Langsame Umkehrbewegung Ellbogenflexion – Extension im schmerzfreien Bewegungsausmaß.
Kontakt: Wechselnd richtungsweisend am jeweiligen Bewegungsstop.
Übungsauftrag: »Drehen Sie die Hand nach oben und beugen Sie den Ellbogen soweit möglich, drehen Sie den Ellbogen zurück und strecken Sie den Arm usw.«

Wenn die Abduktionsschiene abgenommen werden darf:

Ausgangsposition

Rückenlage/Sitz.

ÜBUNG

▶ Schulterblattabduktion. Oberarm in 30°-Abduktion und -Anteversion,
Armschwere durch Therapeutin gehalten. *Kontakt* und *Übungsauftrag:* s. oben.

ÜBUNG

▶ Schulterblattmuster aus PNF-Programm (1. Diagonale), Extension/Retroversion (Abb. 7.10).
▶ *Dasselbe* auch mit wiederholten Kontraktionen.
Kontakt: Medial, kaudal am unteren Schulterblattwinkel.
Übungsauftrag: »Ziehen Sie das Schulterblatt an die Wirbelsäule, geben Sie etwas nach, ziehen Sie wieder usw.!«

ÜBUNG

▶ PNF-Schulterblattmuster (2. Diagonale), Extension/Abduktion (s. Abb. 7.13)

ÜBUNG

▶ Isometrisches Spannen, Armabduktion, Endstellung halten
Aktive Fixation der Skapula s. oben.
Kontakt: Über dem M. deltoideus oder lateral distal am Oberarm, die Schwere des Unterarmes wird abgenommen (Abb. 7.7)
Übungsauftrag: »Schieben Sie den Ellenbogen lang heraus und lehnen Sie den Oberarm gegen meine Hand.«
▶ *Dasselbe* als Bewegen und Halten gegen Führungskontakt.
▶ *Dasselbe* mit gestreckten Ellbogen.
▶ *Dasselbe* mit Verstärkung über die kontralaterale Seite durch Spannen des Armes in Extension, Abduktion, Innenrotation bei gestrecktem Ellbogen gegen die Unterlage.

ÜBUNG
▶ Rhythmische Stabilisation. Skapula in der 2. PNF-Diagonale mit nachfolgender langer Entspannung.

ÜBUNG
▶ Sitz, Rumpfvorbeuge, Arm senkrecht hängen lassen und mit der Hand auf einzelne Punkte am Boden zeigen (Pendel!).

ÜBUNG
▶ Sitz, Rumpfseitbeuge, Arm senkrecht hängen lassen und leicht aus dem Lot nach lateral pendeln.

ÜBUNG
▶ Horizontale Adduktion bei ausgeschalteter Schwere (aus Sitz) oder gegen die Schwere aus Rückenlage, mit gebeugtem Ellbogen;
Kontakt: Medial proximal oder distal am Oberarm.
Übungsautrag: »Ziehen Sie den Arm zur anderen Schulter, halten!« Dabei kann der Patient mit seiner anderen Hand die Unterarmschwere halten.

Nach 5 Wochen:

ÜBUNG
▶ Dynamische Innenrotation aus Rotationsnullstellung, auch Bewegen und Halten, Endstellung halten.
▶ Dasselbe mit Extension/Abduktion und Extension/Adduktion.

Nach 7 Wochen:

ÜBUNG
▶ Dynamische Außenrotation, Bewegen und Halten, auch rhythmische Stabilisation mit Betonung der aktiven Rotation.

ÜBUNG
▶ PNF-Übungen in 1. und 2. Diagonale mit Betonung der Rotation.

ÜBUNG
▶ Flexion gegen Führungskontakt. Die Physiotherapeutin steht dabei am Kopfende und hat den Unterarm des Patienten auf ihrem Arm, Beginn bei 90°.
Kontakt: richtungsweisend.
Fixation: Skapula von lateral bei ca. 30°.
Übungsauftrag: »Ziehen Sie den Arm in Richtung Ohr!«

ÜBUNG
▶ Langsame Umkehr – Halten – Entspannen und aktives Weiterziehen; evtl. aktiv-passives Weiterziehen. Im Anschluß an die Mobilisationstechnik soll die gewonnene Flexion gehalten werden.
▶ Da der Rückweg zur Nullstellung oft einen deutlichen Bizepsschmerz auslöst, sollte möglichst gegen Führungskontakt und unter Zug in die Ausgangsstellung zurückgegangen werden.

> Innerhalb des Übungsprogramms können immer wieder die beschriebenen Entspannungsmaßnahmen für den M. trapezius eingeschoben werden. Eisumschläge oder Eiskompressen, um das Schultergelenk gelegt, ergänzen die Mobilisationstechniken.
> Bei bestehendem Kapselmuster werden Techniken wie Traktion und Gleiten nach lateral, dorsal und kaudal aus der manuellen Therapie angewendet.

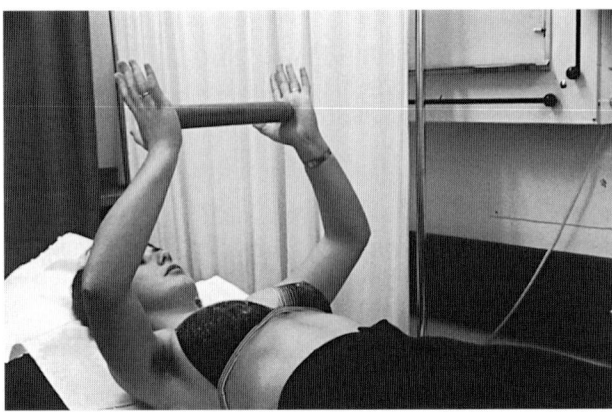

Abb. 7.23. Symmetrische Abduktion beider Arme mit dem kleinen Stab

Funktionsschulungen können am besten im Sitz vor dem Spiegel durchgeführt werden.

▶ Mit einem Kleiderbügel können in entsprechender Höhe Abduktions- und Flexionsbewegungen geübt werden (der kann auch am Bett am »Galgen« eingehängt werden).

▶ Vor dem Körper können auch PNF-Übungen mit Geräten ausgeführt werden. Variationen mit kleinem Stab (Abb. 7.23), Seil oder Ball sind vielfältig möglich und garantieren durch das Festhalten beider Hände am Gerät, daß die Bewegungen *nicht hinter die Körpermittellinie* führen.

 Alle Bewegungsformen, die eine **extreme Außenrotation beinhalten, sind zu vermeiden. Dies gilt auch für die meisten Ballsportarten.**

Luxation des Schultereckgelenkes

Ursachen

- Stauchungsmechanismus,
- Sturz auf die Schulter,
- Motorrad-/Fahrradunfälle, Sportunfälle.

Biomechanik, Symptomatik und ärztliche Maßnahmen

Das Akromioklavikulargelenk (ACG) ist funktionell gesehen ein Kugelgelenk, das, wie schon beschrieben, eine Rotations- und Schwenkbewegung bei der Armflexion und -abduktion ausführt. Eine horizontale Parallelverschiebung ist ebenfalls möglich (s. Abb. 7.3).

Die Führung des Gelenkes, das keine knöcherne Begrenzung besitzt, haben die Ligg. acromioclavicularia und das Lig. coracoclaviculare.

Mit zunehmender Gewalt auf das Akromion und die Klavikula reißen die Ligg. acromioclavicularia, wenn die Skapula um den Fixpunkt Korakoid rotiert. Als Folge können die

Ligg. coracoclavicularia reißen, so daß es zur Luxation des Akromioklavikulargelenkes kommt. Die Klavikula wird durch den M. sternocleidomastoideus und den M. trapezius nach kranial gezogen, die Schwere des Armes zieht nach kaudal, das AC-Gelenk wird disloziert (Abb. 7.24).

Üblich ist heute die Einteilung nach Tossy:

- *Tossy I* ist die Distorsion des ACG, sie wird konservativ versorgt.
- *Tossy II* ist die Subluxation der ACG.
- *Tossy III* beschreibt die komplette Luxation, sie wird heute immer operativ versorgt.

Bei *Tossy-I-Verletzungen* kann die aktive Beweglichkeit des Armes frei und schmerzlos sein, die passive Abduktion ist jedoch am Ende der Bewegungsbahn schmerzhaft. In dieser Situation beginnt die Rotation der Klavikula. Der Schmerz bleibt lokal.

Besteht eine *Tossy-III-Verletzung* des ACG, so ist eine Stufe zu tasten, das sog. »Klaviertastenphänomen«, die Klavikula steht zu weit oben.

Ein Röntgenbild unter einer Gewichtsbelastung von 15 kg und eine Sonographie werden zur Objektivierung der klinischen Diagnose durchgeführt. Bei seitlicher Armhebung ist die Bewegung bis ca. 60° frei, dann beginnen die Beschwerden bei zunehmender Skapula- und Klavikularotation (Abb. 7.3).

Tossy-I- und -II-Verletzungen werden *konservativ* behandelt, in Frage kommen entlastende Verbände, Heftpflasterverbände, evtl. Abduktionsschienen in 40- bis 60°-Stellung für 2–3 Wochen.

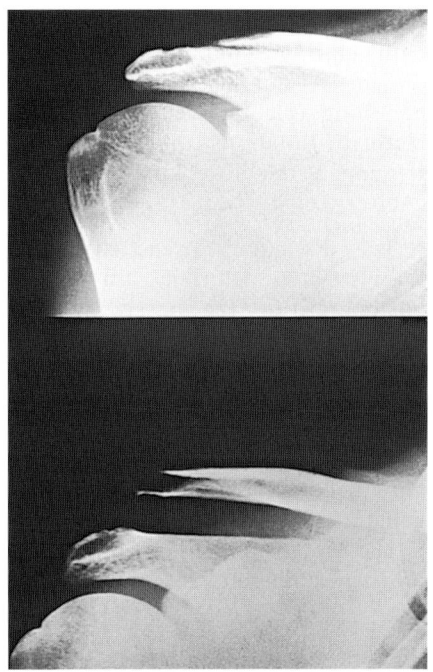

Abb. 7.24.   Dislokation des ACG

Die angegebenen *operativen Verfahren* für die Behandlung der *Tossy-III-Verletzung* sind vielfältig. Zur Anwendung kommen

- Bandnähte,
- Zuggurtungsverfahren,
- Bandersatzoperationen sowie
- Platten und Haken.

Die Anwendung der Balser-Platte wird heute kritisch diskutiert; sie konnte die biomechanischen Erwartungen nicht erfüllen. Die notwendige Bewegungsbegrenzung für die Schultergelenkabduktion und -flexion bis zur Entfernung der Platte wurde vielfach nicht eingehalten. Kalzifikationen und Frakturen der Klavikula, Plattenbrüche und entsprechende Funktionseinbußen waren die Folge.

Rahmanzadeh (Voigt 1994) hat deshalb eine Gelenkplatte entwickelt, die eine frühfunktionelle Übungsbehandlung erlaubt, weil die Gelenkplatte die Rotations- und Schwenkbewegungen der Klavikula mitmacht (Abb. 7.3).

▶ Die Patienten brauchen keine Ruhigstellung, dürfen am ersten postoperativen Tag passiv bis 90° bewegen (sie dürfen z. B. aus dem im Lot hängenden Arm kleine Bewegungen ausführen). Bis zur Fädenentfernung (10–14 Tage) soll der Arm nicht über 90° abduziert/flektiert werden, anschließend soll die freie Beweglichkeit erarbeitet werden.

Die Metallentfernung soll nach 12 Wochen durchgeführt werden.

Die vielfach durchgeführte Zuggurtungsosteosynthese wird in der Literatur ebenfalls positiv beurteilt, sie ist technisch einfacher. Ruhigstellungen im Thoraxabduktionsgips zeigen keine Vorteile, Winkler (1994) gibt eine Ruhigstellung im Desault-/Gilchrist-Verband von 4–7 Tagen an.

▶ Wir befürworten dies, halten aber anschließend eine Bewegungsbegrenzung bis zu 90°-Abduktion für 6 Wochen ein.

Komplikationen

- Schultergelenkkontraktur,
- Arthrose,
- dauerhafter Kraftverlust durch bestehende Instabilität,
- Kalzifikation,
- Infektion.

Befunderhebung

(Allgemeines: s. »Luxation des Schultergelenkes.«)

BEURTEILE

- Röntgenbild bei Gewichtsbelastung mit 15 kg.
- Postoperatives Röntgenbild.

PRÜFE

Spezielle Tests nach *Frisch* (1990):
1. Schultern aktiv hochziehen, Ellbogen in 90°-Stellung gebeugt, passive Abduktion beider Arme, Skapulaschwenkung seitengleich 10–12 cm nach kranial.
2. Schultern senken, beide Skapulae nach unten schieben: seitengleiche Bewegung um ca. 10–12 cm nach kaudal.
3. Patient sitzt mit krummen Rücken, Schultern nach vorn ziehen, beide Skapulae passiv nach vorn schieben: seitengleiche Bewegung um ca. 5 cm.
4. Aufrechter Sitz, Schultern zurücknehmen, passiv Skapulae nach medial drücken: seitengleiche Bewegung um ca. 5 cm.

5. Schmerzhaftes Schulterblattkrachen am Ansatz der Mm. levator scapulae und rhomboidei.

6. Passive Bewegungen der Schulter in alle Richtungen mit Palpation des ACG und Sternoklavikulargelenk (StCG), dasselbe auch bei 90° abduziertem Arm: keine Stufe, schmerzfreie seitengleiche Beweglichkeit.

7. Translatorische Bewegung im StCG, kraniokaudales Gleiten bei passiv aufgerichteter Wirbelsäule.

8. Palpation der Muskulatur auf Schmerzhaftigkeit und Spannung (M. trapezius, M. levator scapulae).

9. Palpation des Plexus brachialis zwischen den Mm. scaleni bei Lateralflexion des Kopfes und Rotation zur Gegenseite und maximaler Inspiration.

10. Schultergelenkbeweglichkeit:
    – Abduktion bis 90° bei Außenrotation,
    – Abduktion bis 60° bei Innenrotation.

11. Tests nach Hirschfeld-Cyriax nach 6 Wochen.

Bleibt der Schmerz lokal (C 4) und strahlt nicht in den Arm aus, deutet dies auf eine *Schultereckgelenkverletzung* hin. Eine Schmerzerleichterung tritt bei flektiertem Unterarm und Abnahme der Armschwere ein.

Behandlungsmöglichkeiten

GESICHTSPUNKTE DER BEHANDLUNG

1. Aktivieren der Schultergelenkmuskulatur unter Vermeidung von Zug- oder Druckbelastung des Schultereckgelenkes.

Beispiel: Nach Osteosynthese

● **1. Aktivierung der Schultergelenkmuskulatur**

▶ Zur Entlastung des Schultereckgelenkes wird bis zu 6 Wochen unter Abnahme der Schwere oder ausgeschalteter Schwere geübt. Das Bewegungsausmaß soll Abduktion 90-0-0° nicht überschreiten.

▶ Ausgangsposition kann der Stand mit Rumpfbeuge nach vorn oder zur Seite sein, der Sitz oder die Rückenlage (Abb. 7.25–7.27). Die Armschwere wird durch die Physiotherapeutin gehalten, bei Übungen mit Rumpfbeuge hängt der Arm im Lot.

▶ Geübt werden die Abduktion/Außenrotation und die horizontale Adduktion bis zur Nullstellung mit der Technik »unterstütztes Bewegen und Halten gegen Führungskontakt«.

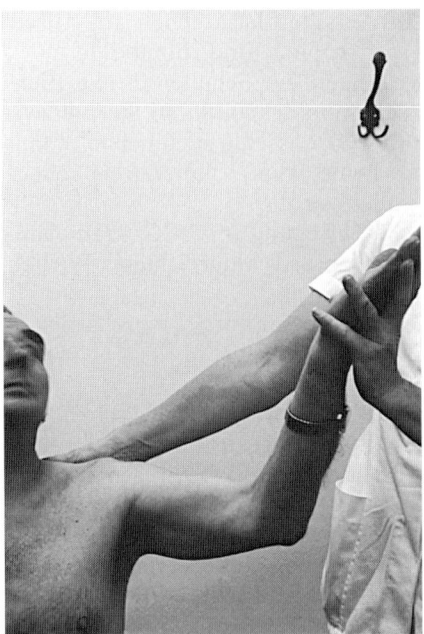

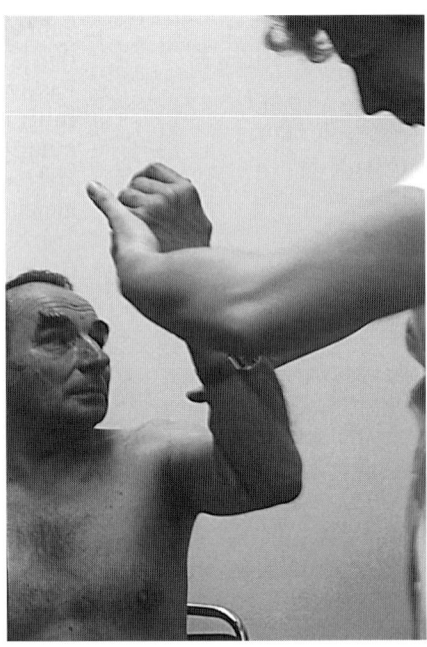

Abb. 7.25. Flexion/Abduktion gegen Führungkontakt bis zur vorgegebenen Bewegungsbegrenzung

Abb. 7.26. Flexion/Adduktion/Außenrotation
bis zur vorgegebenen Bewegungsgrenze

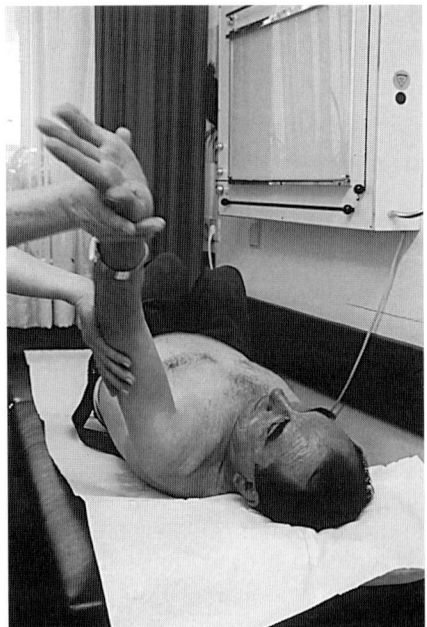

Abb. 7.27. Flexion/Abduktion/Außenrotation
mit gestrecktem Ellbogen bis zur vorgegebenen
Bewegungsgrenze

GESICHTSPUNKTE
DER BEHANDLUNG

1. Aktivieren der
Schultergelenk-
muskulatur unter
Vermeidung von
Zug- oder Druck-
belastung des
Schultereckgelen-
kes.
2. Durchblutungsver-
besserung.
3. Verbesserung der
Beweglichkeit des
Schultergelenkes
und der Skapula.
4. Lösen von Adhä-
sionen.
5. Funktionsschulung
der Hand-, Ellbo-
gen- und Schulter-
gelenke im Zusam-
menspiel mit den
Schultergürtelge-
lenken.

> Bewegungen über die Nullstellung hinaus in Richtung horizontaler Adduktion und Retroversion sind nicht erlaubt bis zur 7. Woche.
> Bei Abduktion mit Innenrotation soll entsprechend der Biomechanik des Schultergelenkes die Bewegung bei 60° begrenzt werden.
> Ab der 7. Woche besteht in der Regel keine Bewegungsbe-grenzung mehr.

Die bereits erwähnten kleinen Pendelbewegungen aus der Lotstellung des Armes können nach ventral, lateral und als kleine Kreisbewegungen erweitert werden.

Die Pendelbewegungen sollen nicht aus dem auf-rechten Stand oder Sitz angewendet werden.

▸ Patienten mit einer *Gelenkplattenosteosynthese* nach Rahmanzadeh dürfen nach ca. 2 Wochen ihren Arm ohne Bewegungsbegrenzung aktiv bewegen. Widerstandsübungen sind jedoch nicht erlaubt.

● **2. Durchblutungsverbesserung**

▸ In der postoperativen Zeit können Eiskompres-sen zur Resorption von Hämatomen aufgelegt wer-den.
▸ Die Durchblutung des M. trapezius, M. levator skapulae, Mm. rhomboidei etc. wird am besten durch Entspannungstechniken und dynamische oder statische Muskelarbeit erreicht (z. B. Kopfmu-ster nach PNF).

● **3. Verbesserung der Beweglichkeit**

▸ Bindegewebige Verklebungen können, wenn, nötig, durch Cyriax-Techniken, Friktionen, Quer-dehnungen und Griffe aus der Bindegewebsmassage sowie durch Techniken aus der manuellen Therapie gelöst werden. Sie kommen *erst nach 6 Wochen* zur Anwendung.

● **4. Lösen von Adhäsionen**

▸ Kontrakturen des Schultergelenkes werden heute selten beobachtet, wenn das Schultergelenk kompli-kationslos in den ersten 6 Wochen bis 90° passiv und aktiv abduziert werden kann.

GESICHTSPUNKTE
DER BEHANDLUNG

4. Lösen von Adhä-
sionen.

▶ Die Skapulabewegungen dürfen im schmerzfreien Bereich passiv und aktiv ausgeführt werden,
wenn der Arm in kapselentlastender Stellung gelagert ist (30° Abduktion und Anteversion).

▶ Die *Gleitfähigkeit* der Skapula wird meistens
durch langsame Umkehrbewegungen in PNF-
Mustern gut erhalten. Bis zur 7. Woche werden PNF-
Armübungen bis zur 90°-Abduktions- und 90°-Fle-
xionsstellung begrenzt:

Diagonale von der Armstellung neben dem Körper bis zur Flexions/Adduktions-Nullstellung mit
aktueller Außenrotation und zurück;

Diagonale aus Armstellung neben dem Körper
bis zur 90°-Flexion/geringe Abduktionsstellung mit
aktueller Außenrotation und zurück. Der Ellbogen
kann gebeugt werden.

▶ Können die aktiven Bewegungenn nicht
schmerzfrei ausgeführt werden, kommen Techniken
aus der manuellen Therapie (Frisch, Maitland) zur
Anwendung.

5. Funktionsschu-
lung der Hand-,
Ellbogen- und
Schultergelenke
im Zusammen-
spiel mit den
Schultergürtelge-
lenken.

● **5. Funktionsschulung**

Der natürliche Gebrauch des Armes und der Hände
im Alltag muß nach ACG-Luxationen selten geübt
werden. Wenn durch Komplikationen chronische
Beschwerden auftreten, werden sie wie zuvor
beschrieben behandelt.

Klavikulafraktur

Biomechanik, Symptomatik und ärztliche Maßnahmen

Die Klavikulafraktur betrifft am meisten jugendliche Patienten. Sie wird
unter den gleichen biomechanischen
Gesichtspunkten wie die Akromio-
klavikulargelenkluxation behandelt.
Die Unfallmechanismen sind die
gleichen. An Stelle der Bandzerrei-
ßung bricht die Klavikula meistens
im lateralen Drittel.

Sie ist röntgenologisch und klinisch kaum zu übersehen (Abb. 7.28).
Das laterale Fragment wird der Armschwere folgend nach unten verschoben, das mediale Fragment wird
durch den Zug des M. sternocleidomastoideus und M. trapezius nach
oben gezogen. Eine Stufe ist sowohl
sicht- wie tastbar. Gleichzeitig steht
der Arm in Adduktion und Innenrotation, da der Stützpfeiler als Gegen-
kraft für den M. pectoralis fehlt.

Geringgradig dislozierte Frakturen
werden *konservativ* mit einem Rucksackverband für 3–4 Wochen behandelt. Dieser hat jedoch nur seine Wirkung, wenn der Patient überwiegend
sitzt, steht oder geht. Der Verband muß
ca. alle 2 Tage nachgezogen werden.

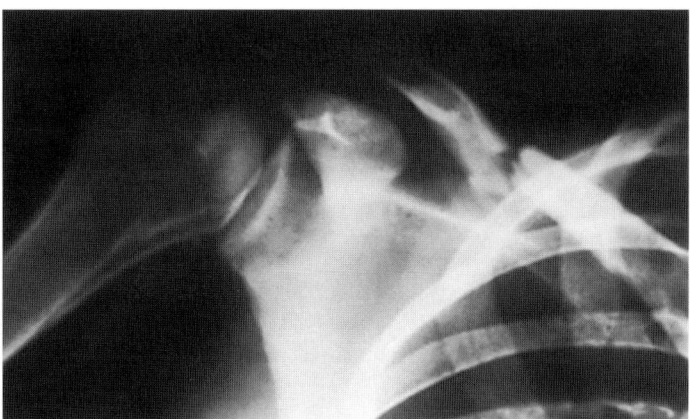

Abb. 7.28. Klavikulafraktur

Als *operative Verfahren* kommen AO-Platten (Abb. 7.29), Zuggurtungen, resorbierbare Biofixstifte oder die Gelenkplatte nach Rahmanzadeh in Frage. Zwingende Indikation zur Operation sind eine Gefäß- oder eine Plexus-brachialis-Verletzung.

▶ Nach übungsstabiler Versorgung kann am 2. postoperativen Tag mit aktiven Schulterblattpattern (s. Abb. 7.10–7.13) und der isolierten Abduk-

tionsbewegung des Schultergelenkes unter Abnahme der Armschwere begonnen werden. Die Behandlung gleicht der Behandlung der ACG-Luxation (Tossy III). Alle Bewegungen werden ebenfalls bei 90°-Abduktion bis zur 7. postoperativen Woche begrenzt (s. Abb. 7.30 und 7.31). Anschließend sind die Bewegungsbegrenzungen aufgehoben (s. Abb. 7.32 und 7.33).

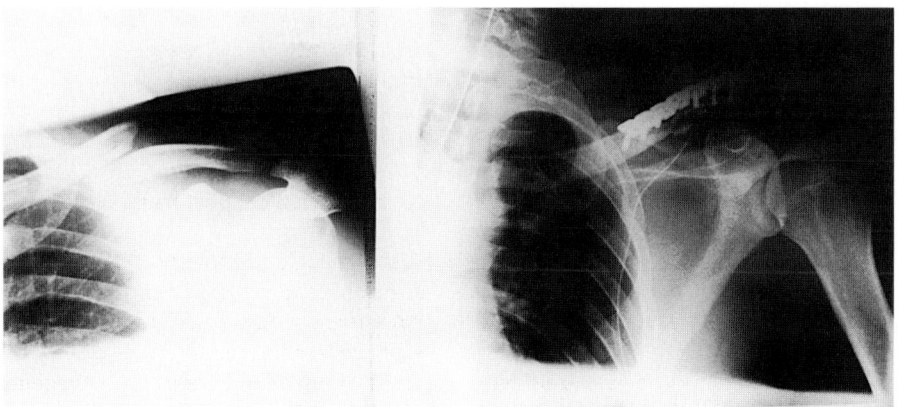

Abb. 7.29. Klavikulafraktur, Plattenosteosynthese

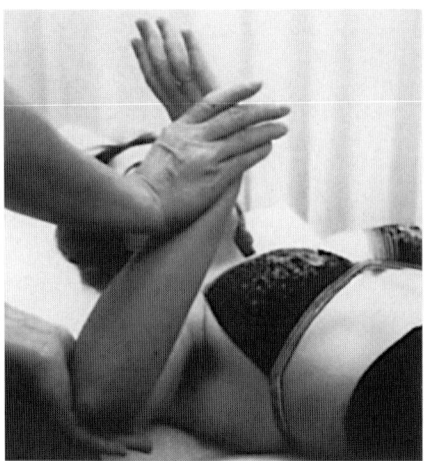

Abb. 7.30.   Abduktion des Armes bei 90°

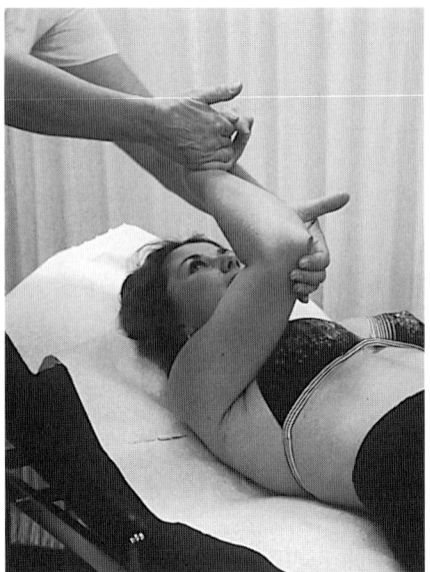

Abb. 7.31.   Extension/Adduktion zum gebeugten Ellbogen statisch gegen Führungskontakt

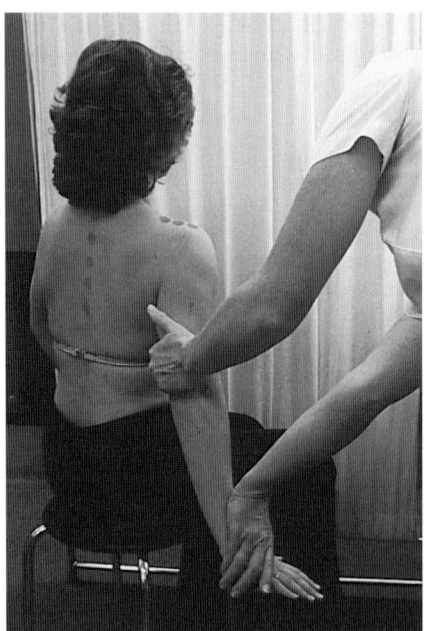

Abb. 7.32.   Extension/Abduktion neben dem
Körper

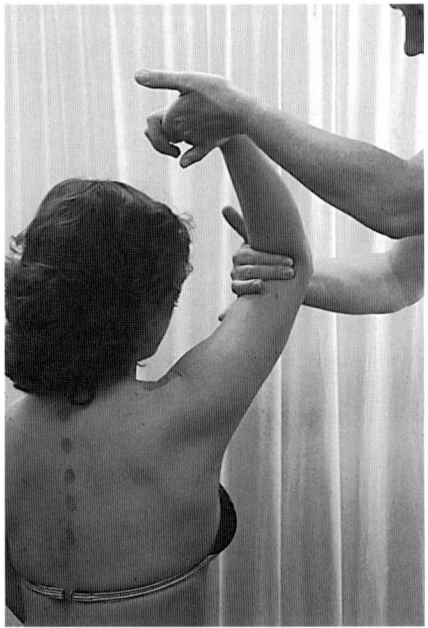

Abb. 7.33.   Flexion/Adduktion/Außenrotation
nach 6 Wochen

Skapulafraktur

Die funktionelle Bedeutung der *freien Beweglichkeit der Skapula* in 3 Ebenen und ihre Stabilisation durch die Schultergürtelmuskulatur ist für das Schultergelenk besonders groß. Frakturen, die in die Gelenkfläche hineinreichen, sind deshalb funktionell besonders ernst zu nehmen (Abb. 7.34 und 7.35).

Das AO-Kleinfragmentinstrumentarium kann eine Stabilisation dieser Frakturen erreichen; i. allg. werden gelenkferne Frakturen an der Skapula nicht weiter beachtet, da sie kaum behandlungszugänglich sind.

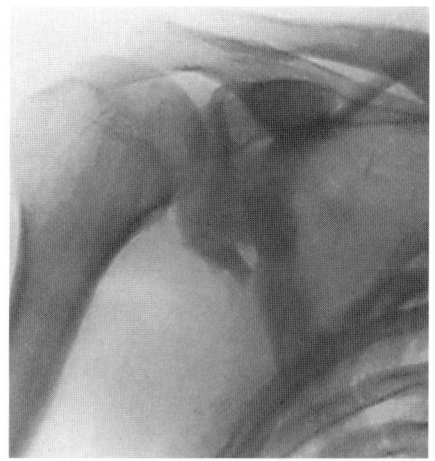

Abb. 7.34. Skapulafraktur

▶ Funktionelle Einschränkungen des Schultergelenkes müssen entsprechend dem physiotherapeutischen Befund symptomatisch behandelt werden.
▶ Die Gleitfähigkeit der Skapula kann erhalten werden, wenn keine Stufe vorhanden ist. Passive und aktive Skapulaumkehrbewegungen werden so früh wie möglich durchgeführt.

Oberarmkopffraktur

Die Oberarmkopffraktur kommt am häufigsten bei älteren Menschen in Höhe des Collum chirurgicum vor.

Ursachen

Hauptursachen sind Stürze auf die Schulter, den Ellbogen oder die

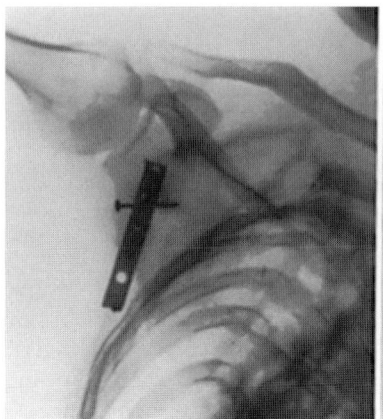
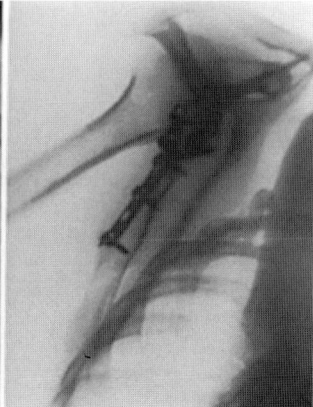

Abb. 7.35. Osteosynthese der Skapulafraktur

Hand. Bei massiver Stauchung mit einer Drehung kommt es nicht selten zum Abriß des Tuberculum majus und einer Luxation des Humeruskopfes. Man spricht dann von ei-

ner *Luxationsfraktur* (Abb. 7.36–7.39). *Pathologische Frakturen* sind heute keine Seltenheit mehr. Sie können mit einer Humeruskopfprothese behandelt werden (Abb. 7.40 und 7.41).

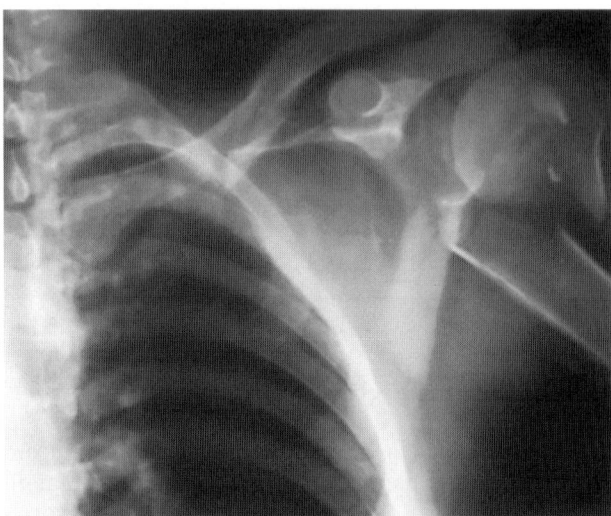

Abb. 7.36. Oberarm-kopffraktur mit Luxation

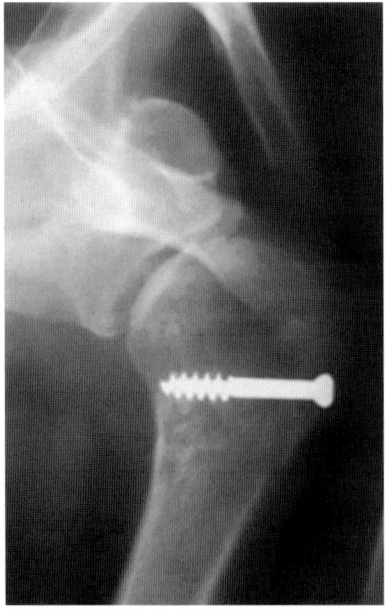

Abb. 7.37. Osteosynthese nach Oberarmkopffraktur

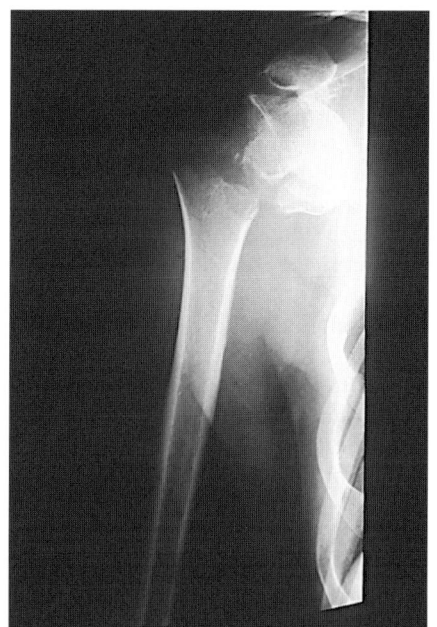

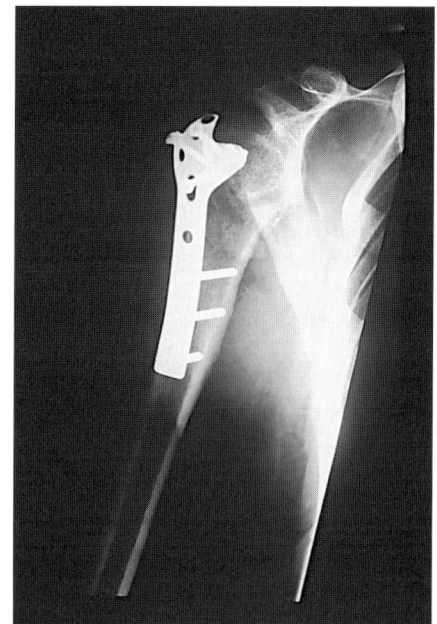

Abb. 7.38.   Humeruskopffraktur

Abb. 7.39.   Osteosynthese

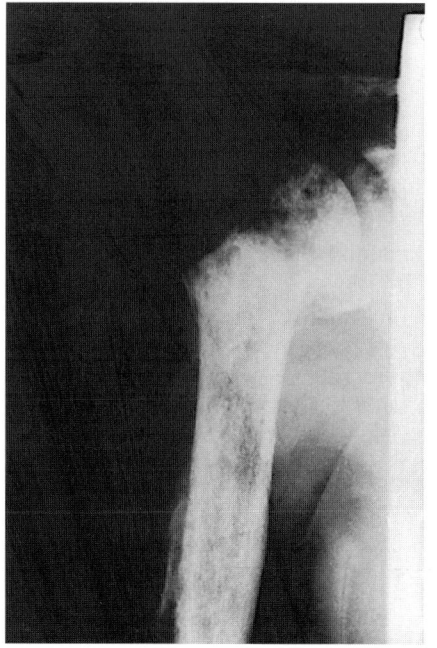

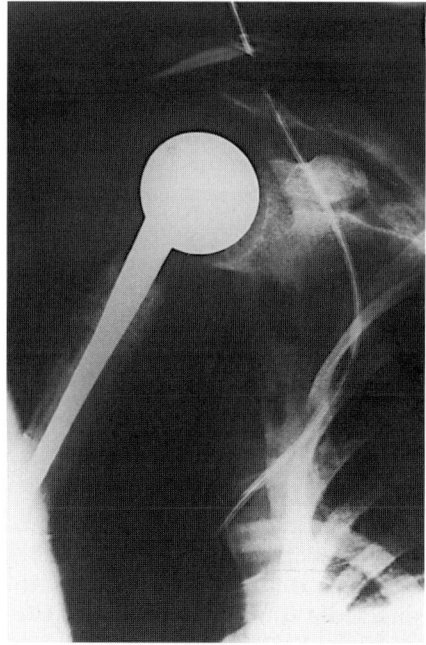

Abb. 7.40.   Osteolyse des Humeruskopfes

Abb. 7.41.   Humeruskopfprothese

Symptomatik und ärztliche Maßnahmen

Eingestauchte Humeruskopffrakturen werden *konservativ* behandelt. In Frage kommen der Gilchrist- oder Desault-Verband.

▶ Patienten über 60 Jahre sollen nur ca. 8–10 Tage ruhiggestellt werden, da sie vermehrt zu Kontrakturen im Schultergelenk neigen.

▶ Jüngere Patienten werden ca. 3 Wochen lang ruhiggestellt.

▶ Von der Verwendung eines genormten Schaumstoffabduktionskissens, wie wir es bei der Behandlung der Schultergelenkluxation oder Humerusschaftfraktur verwenden, sind wir abgekommen. Auch die Abduktionsschiene kann den Frakturbereich nicht unterstützen, sie wirkt eher als Drehpunkt. Es entstehen Hebelwirkungen an der Fraktur. Wir verlängern deshalb das Abduktionskissen mit einem Schaumstoffkeil.

Jüngere Patienten werden vielfach *operativ* versorgt, z. B. mit T- und L-Platten- oder Schraubenosteosynthesen. In den letzten Jahren werden auch Biofixstäbe aus resorbierbarem Material verwendet.

▶ Die operierten Patienten benötigen keine Ruhigstellung; die Osteosynthesen sind übungsstabil.

In den Tagen nach der Verletzung haben Patienten, die *konservativ* behandelt werden, große Schmerzen. Probleme bereitet auch die Lagerung. Vor allem nachts klagen die Patienten über Schlafstörungen wegen zu großer Schmerzen im Frakturbereich. Der häufigste Grund dafür ist das Absinken des Humerus nach dorsal (Retroversion). Die Fraktur ist im Verband nicht ausreichend stabilisiert.

Ältere Patienten leiden an Atembeschwerden, wenn der Unterarm zu fest an den Thorax fixiert ist. Die Thoraxbewegung ist dann eingeengt. Das ausgeprägte Hämatom und Ödem sind zusätzliche Ursachen für Schmerzen. Das Hämatom sinkt entlang der Muskellogen ab und wird nach einigen Stunden am Thorax, an der Innenseite des Oberarmes und sogar am Unterarm sichtbar. Zusätzlich entwickelt sich sehr bald eine ausgeprägte Atrophie des M. deltoideus, der Rotatorenmanschette und der Oberarmmuskulatur.

Patienten mit einer *übungsstabilen Osteosynthese* haben in der Regel kaum Schmerzen und weniger Probleme mit dem Hämatom und der Lagerung des Armes.

Pathologische Frakturen werden nach Tumorexstirpation auch mit einer Humeruskopfprothese versorgt (Abb. 7.41).

▶ Die Patienten erfordern, entsprechend ihrer Grundkrankheit, eine vorsichtige Dosierung der Bewegungstherapie. Es besteht, mechanisch gesehen, Übungsstabilität.

Komplikationen

- Sekundärer Plexusschaden (selten),
- Bleibende Kontraktur, Arthrose (häufig),
- Pseudarthrose, Kopfnekrose.

Befunderhebung

BEURTEILE
- Röntgenbild auf Frakturstellung und Konsolidierung.
- Lagerung des Armes, Stellung des Schultergürtels, des Kopfes.
- Hämatom.
  (Sonst s. Schulterluxation).

MISS
- Umfang.
- Ellenbogen- und Handbeweglichkeit, nach Abnahme des Gilchrist-Verbandes.
- Aktive Schultergelenkbeweglichkeit, wenn erlaubt.

PRÜFE
- Muskeltest bis Stufe 3 der Hand- und Ellbogenmuskulatur bei passiver Fixation der Fraktur.
- Qualität des Bewegungsstops.
- Test der neuromeningealen Strukturen.

  Kein Testen nach Hirschfeld-Cyriax!

NOTIERE
- Qualität und Lokalisation von Schmerzen.

Behandlungsmöglichkeiten

GESICHTSPUNKTE DER BEHANDLUNG

1. Erzielung größtmöglicher Schmerzfreiheit.

- **1. Schmerzfreiheit**

Die *Lagerung* des Armes ist in der posstraumatischen oder postoperativen Zeit ein wichtiger Behandlungspunkt zur Linderung der Schmerzen (s. allgemeiner Teil). Wenn das Abduktionskissen getragen werden muß, gestaltet sich die Lagerung im Bett schwierig.

▶ Der Oberarm muß in ganzer Länge (bis unter den Humeruskopf!) mit einem kleinen Schaumstoffkeil so weit unterlagert werden, bis der Ellbogen mit dem Kissen etwas höher als der Rumpf liegt. In manchen Fällen ist eine Schmerzlinderung nur durch den entlasteten Sitz im Bett möglich. Dieser soll jedoch nicht als Dauerlösung gewählt werden (Schwellung, Hämatom!).

GESICHTSPUNKTE
DER BEHANDLUNG

1. Erzielung größt-
   möglicher
   Schmerzfreiheit.
2. Resorption des
   Hämatoms.
3. Sicherung der
   Fraktur/Osteosyn-
   these durch aktive
   Muskelspannung.
4. Kräftigung des
   M. biceps, M. tri-
   ceps; M. deltoideus,
   M. pectoralis und
   Mm. supra- und
   -infraspinatus
   (gegen Widerstand
   erst nach 6
   Wochen).
5. Mobilisation des
   Schultergelenkes,
   Entspannung des
   M. trapezius.
6. Funktionserhal-
   tung der Ellenbo-
   gen-, Hand- und
   Fingergelenke.
7. Funktionsschulung
   des Schultergelen-
   kes.

▶ Nach einiger Zeit, wenn die akuten Schmerzen nachlassen, lagern wir den Arm nachts auf einen Schaumstoffkeil (30° Abduktion und 30° Anteversion). Diese Lagerung wird auch für die operierten Patienten empfohlen.

▶ Tagsüber muß von den konservativ behandelten Patienten das Abduktionskissen jedoch für insgesamt 6 Wochen getragen werden.

▶ Bei der Lagerung auf dem Armkeil kann zusätzlich ein Fell unter den Unterarm gelegt werden, das das Olekranon freilegt und am Ende zusammengerollt wird, so daß die Hand locker über einer Rolle liegt.

● **2. Resorption des Hämatoms**

Diese Hochlagerung trägt zur Resorption der Schwellung und des Hämatoms bei. Eiskompressen oder Umschläge mit kühlen Tüchern sowie Spannungsübungen im Sekundenrhythmus werden zusätzlich angewendet.

▶ Massagetechniken werden heute kritisch bewertet; jedoch kann nach einigen Wochen und nach Rücksprache mit dem Arzt bei konservativ behandelten Patienten eine sog. manuelle Lymphdrainage durchgeführt werden.

● **3. Sicherung der Fraktur/Osteosynthese**

Die physiotherapeutische Übungsbehandlung muß in den ersten 6 Wochen die *muskuläre Sicherung* der Fraktur erreichen. Geeignete Techniken dazu sind »Halten in Endstellung« und Bewegen und Halten gegen Führungskontakt bei »abgenommener Armschwere«.

▶ Kann der Arm bei ausgeschalteter Schwere abduziert werden, wird gegen die Schwere geübt. Der Schwerpunkt liegt bei der Erarbeitung der Teststufe 3 für den M. deltoideus. Es bewährt sich, mit Skapulabewegungen zu beginnen (2. Diagonale, s. auch »Behandlung der Schultergelenkluxation«).

● **4. Kräftigung des M. biceps und M. triceps**

▶ Sie wird bei passiver Fixation der Fraktur distal am Oberarm mit der PNF-Technik »wiederholte Kontraktionen« gegen angepaßten Widerstand oder anderen Formen des Bewegens und Haltens durchgeführt.

4. Kräftigung des
M. biceps, M. triceps; M. deltoideus,
M. pectoralis und
Mm. supra- und
-infraspinatus
(gegen Widerstand
erst nach 6
Wochen).
5. Mobilisation des
Schultergelenkes,
Entspannung des
M. trapezius.

▶ Bei schmerzhafter Bizepsspannung und -dehnung muß eine Entspannungstechnik vorgeschaltet werden. Dies kann durch die PNF-Technik »Rhythmische Stabilisation – Entspannen – Drehpunkt Ellbogengelenk« geschehen.

▶ Die Kräftigung des M. deltoideus und der Schultergelenkrotatoren gegen angepaßten Widerstand darf erst nach 6 Wochen erfolgen, wenn das Röntgenbild eine »Teilbelastung« erlaubt.

● **5. Mobilisation des Schultergelenkes**

Die *typischen Bewegungseinschränkungen* nach Humeruskopffrakturen zeigen Abb. 7.42 und 7.43 (s. auch die dazu gehörenden Röntgenbilder, Abb. 7.38 und 7.39). Mit der Einschränkung der Außenrotation kann auch die Flexion nicht erreicht werden. Während hier ein gutes Ergebnis erwartet werden kann, ist das Bewegungsausmaß des Patienten mit der Humeruskopfprothese nicht mehr wesentlich zu verbessern (Abb. 7.44 und 7.45).

Abb. 7.42. Einschränkung der Außenrotation links

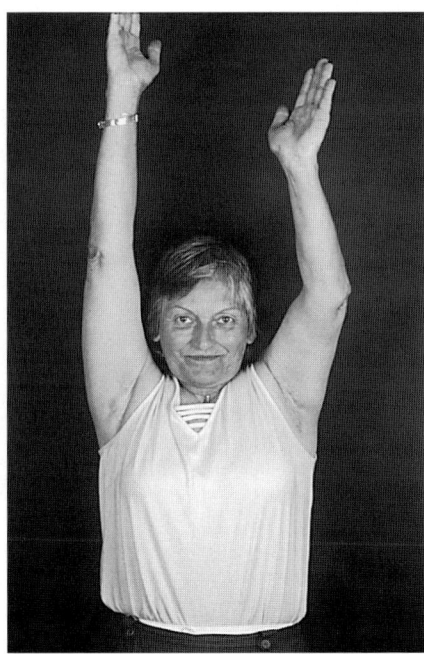

Abb. 7.43. Einschränkung der Flexion/Außenrotation links

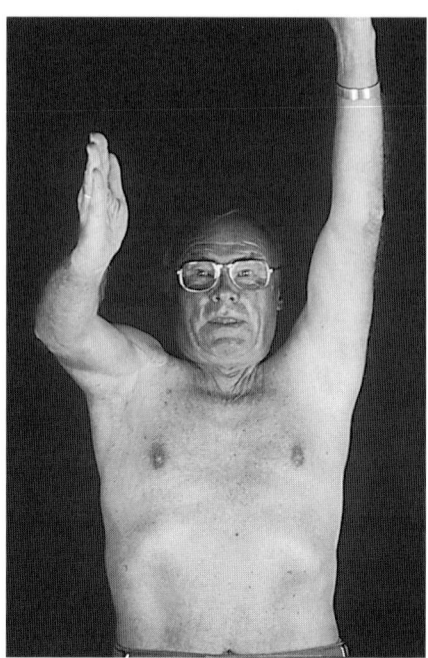

Abb. 7.44.   Einschränkung der Armflexion
nach Einsetzen einer Humeruskopfprothese

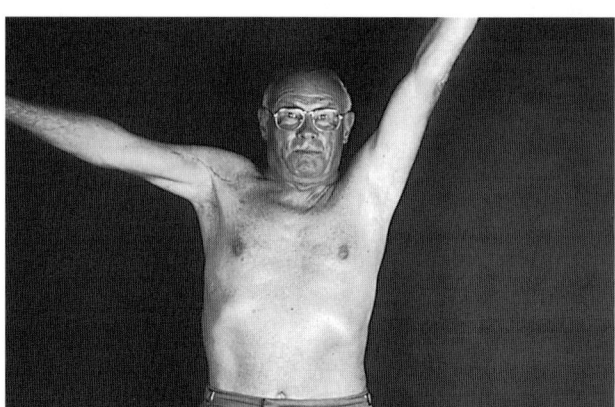

Abb. 7.45.   Einschränkung der Abduktion

5. Mobilisation des
   Schultergelenkes,
   Entspannung des
   M. trapezius.

▶ Die Ausweichbewegungen der Skapula müssen zugunsten der Funktion toleriert werden.

Die *aktive oder passive Fixation* der Skapula ist Voraussetzung für eine erfolgreiche Mobilisation des Schultergelenkes. Häufig wird die Abduktion des Schultergelenkes nur durch vorzeitiges Schwenken der Skapula nach lateral vorgetäuscht. Bei alten Menschen wird man jedoch zugunsten der Funktion Kompromisse schließen und nicht hartnäckig auf der exakten Skapulastellung beharren.

▶ Als *Techniken* kommen in Frage:
»Chirurgische Technik« (PNF),
»rhythmische Stabilisation, Entspannen, Weiterziehen ohne Rotation« oder
»langsame Umkehrbewegung – Entspannen – aktiv Weiterziehen« in Rotationsnullstellung.

▶ Zunächst wird die Abduktion, dann die horizontale Adduktion und dann erst die Flexion mit der Außenrotation mobilisiert.

> **!**
> Wichtig ist die *Grifftechnik:*
> Die Führungskontakt gebende Hand der Physiotherapeutin soll *so dicht wie möglich unterhalb des Akromion* liegen. Eventuell müssen beide Hände den Humeruskopf umfassen. Auf passive Schulterblattfixation kann eher verzichtet werden.
> Werden *Schmerzen* an der Fraktur angegeben, muß die Physiotherapeutin darauf reagieren durch *Änderung des Griffes* oder der *Armstellung.* Vorsichtige Traktion kann eine Erleichterung bringen (Maitland-Technik).

▶ Die zuvor beschriebenen kleinen Pendelbewegungen aus dem Lot können ebenfalls zur Anwendung kommen, wenn der Arm im Lot hängen kann. Diese Übungen sollen nicht durchgeführt werden, wenn der M. bizeps verkürzt ist und ein lockeres Hängen des Armes verhindert.

▶ Erst nach Konsolidierung der Fraktur dürfen passive oder aktiv-passive Techniken zur Mobilisation angewandt (s. auch Behandlung der Schulterluxation).

▶ Beruht die Bewegungseinschränkung nicht auf einer muskulären Verkürzung, sondern auf einer *Kapselschrumpfung,* kommen Techniken der manuellen Therapie zur Anwendung (Abb. 7.46–7.48). Die Konsolidierung der Fraktur und die Interpretation des Befundes geben die Auswahl der Mobilisations-

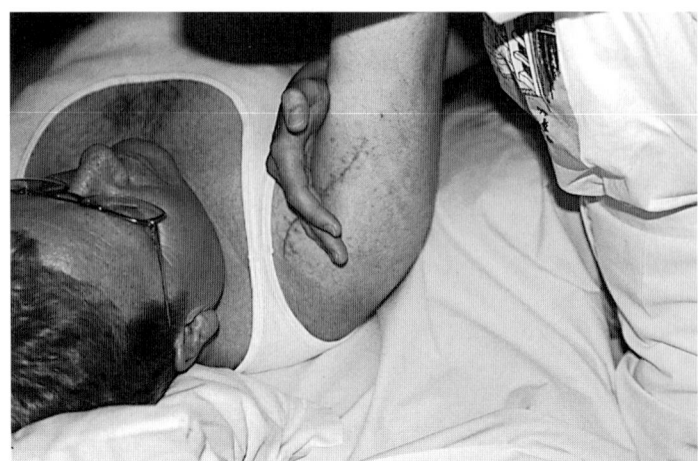

Abb. 7.46. Manuelle Therapie: Traktion nach lateral

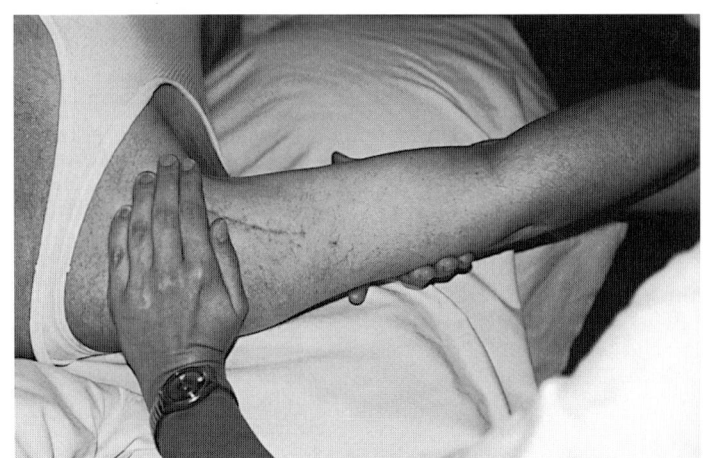

Abb. 7.47. Manuelle Therapie: Kaudalgleiten

GESICHTSPUNKTE
DER BEHANDLUNG

5. Mobilisation des Schultergelenkes, Entspannung des M. trapezius.

techniken an (s. auch Befunderhebung und Behandlung bei der Schulterluxation). Eigene Erfahrungen mit resorbierbaren Osteosynthesen lassen den Schluß zu, daß diese Patienten sehr behutsam physiotherapeutisch behandelt werden müssen.

▶ Eine sorgfältige Kontrolle der Symptome und Dosierung der Maßnahmen ist notwendig. Die Behandlung ähnelt eher der Behandlung der nichtoperierten Patienten.

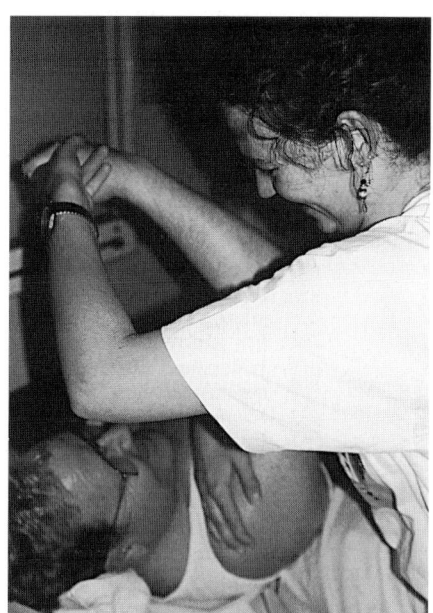

Abb. 7.48. Ausnutzen der gewonnenen Bewegung durch aktive Umkehr im PNF-Muster

● **6. Funktionserhaltung der Ellenbogen-, Hand- und Fingergelenke**

▶ Diese Gelenke sollen bei passiver Fixation der Fraktur in allen Bewegungsrichtungen von Anfang an mit manuellen Techniken endgradig geübt werden, später können auch kleine Handgeräte wie Stab, Keule, Ball etc. dazugenommen werden. Voraussetzung für den Einsatz von Geräten ist, daß gegen Eigenschwere des Armes geübt werden darf.

● **7. Funktionsschulung des Schultergelenkes**

▶ Sind die Einzelbewegungen des Schultergelenkes fast frei, können komplexe Bewegungen in PNF-Mustern oder deren Abwandlungen nach Klein-Vogelbach geübt werden. Variiert werden die komplexen Bewegungsmuster mit Seil, Stab, Keule oder Ball.

▶ Die Patienten können nun auch in Gruppen zusammengefaßt werden. Ältere Menschen werden dadurch oft sehr positiv zu größerer Eigenaktivität motiviert.

GESICHTSPUNKTE
DER BEHANDLUNG

7. Funktionsschulung
des Schultergelen-
kes.

▶ Gebrauchsbewegungen und ein einfach ausgear-
beitetes Übungsprogramm zum Selbstüben müssen
exakt vorgeübt und kontrolliert werden. Die im
Abschnitt »Schulterluxation« angegebenen Übungs-
beispiele können übernommen werden, wenn die
Grifftechnik geändert wird und sie in entsprechender
Reihenfolge den Gesichtspunkten der Behandlung
von Oberarmkopffrakturen untergeordnet werden.

> **!** Zu beachten ist, daß der richtungsweisende Führungskon-
> takt bis zur 6. Woche *so dicht am Schultergelenk wie mög-
> lich* sein soll. Ein distal von der Fraktur angesetzter
> Widerstand darf erst nach Konsolidierung der Fraktur
> gegeben werden.
> *Schmerzen* im Bereich der Fraktur sind ein Zeichen von
> Instabilität, verbunden mit Rötung, Überwärmung und
> Schwellung ein Hinweis auf eine beginnende Infektion.

▶ Alte Menschen haben weniger Kraft, Ausdauer
und Koordination als junge. Ihre Behandlung muß
deshalb entsprechend dosiert werden. Statische
Muskelarbeit kann nicht im gleichen Umfang wie
bei anderen Trainingsprogrammen gefordert werden.

▶ Patienten, die nach den Prinzipien der AO
mechanisch übungsstabil versorgt werden konnten,
können das Schultergelenk ab dem 2. postoperativem Tag aktiv dynamisch üben. Die Beweglichkeit
des Schultergelenkes wird dadurch sehr viel schneller zurückgewonnen. Jedoch darf das die Physiotherapeutin nicht dazu verleiten, vorzeitig Widerstand
unterhalb der Fraktur zu geben.

▶ Jede Form der Belastung ist auch bei diesen
Patienten erst nach der Knochenheilung erlaubt.

▶ Bei *Kombinationsverletzungen,* z.B. Luxationsfraktur mit Beteiligung des N. axillaris oder Plexus
brachialis, werden entlastende Verbände oder das
individuell angepaßte Abduktionskissen angelegt.
Geht die Schwellung nicht zurück, muß ein Arm-
stützstrumpf angepaßt werden.

▶ Auch bei *röntgenologisch schlechtem Befund* kann
das funktionelle Ergebnis einer Oberarmkopffraktur
durchaus befriedigend werden. Eine ausgedehnte,
fachgerechte physiotherapeutische Behandlung hat
deshalb ihre Berechtigung und sollte nicht zu früh
abgebrochen werden.

GESICHTSPUNKTE
DER BEHANDLUNG

SCHÜLERAUFGABE ■

Werten Sie Ihr Vorgehen bei den unterschiedlichsten Kontrakturformen des Schultergelenkes
nach Schulterluxation, Humeruskopffraktur oder
einer ACG-Sprengung.

Literatur

Bäuerle E (1975) Die funktionelle Behandlung der schultergelenknahen Oberarm-
brüche. Krankengymnastik 12: 436

Boszotta H (1993) Ergebnisse nach arthro-
skopischer ventraler Limbus-Kapsel-Refi-
xation. Aktuelle Traumatol 8: 239

Burri et al. (1974) Unfallchirurgie. Heidelberger Taschenbücher. Springer, Berlin
Heidelberg New York, S 107–110

Cailliet R (1975) Shoulder Pain. Davis, Philadelphia, pp 78–84

Cyriax J (1971) Textbook of orthopedic
medicine. Cassel, London

Frisch H (1990) Programmierte Untersuchung des Bewegungsapparates, 4. Aufl.
Springer, Berlin Heidelberg New York

Heisel J (1982) Behandlungsergebnisse nach
frischer, traumatischer Schulterluxation.
Aktuelle Traumatol 4: 195

Jäger M, Wirth CJ (1978) Kapselbandläsionen. Thieme, Stuttgart, S 82–96

Kapandji (1984) Funktionelle Anatomie der
Gelenke, obere Extremität. Enke, Stuttgart

Kohlfahl J et al. (1984) Die traumatische
Schulterluxation. Aktuelle Traumatol 14:
164

List M (1984) Untersuchungen und Behandlung von Schultergürtel und Schultergelenk. Krankengymnastik 7: 424

Loeweneck H (1994) Funktionelle Anatomie
für Krankengymnasten, 2. Aufl. Pflaum,
München

Müller KH (1984) Die Entwicklung zur habituellen Schulterluxation. Aktuelle Traumatol 14: 121

Renne J (1976) Kritische Überlegungen zur
operativen Behandlung von Schultereck-
gelenkssprengungen. Aktuelle Traumatol
6: 125

Schmidt-Neuerburg K (1982) Konservative
Therapie und Behandlungsergebnisse der
Klavikulafrakturen. H Unfallheilkunde
160: 55

Reisensburger Workshop, 18.22. 2. (1982)
Verletzungen des Schultergürtels. H
Unfallheilkd 160. Springer, Berlin

Voigt C (1994) Die Behandlung der akro-
mioklavikulären Luxation mit der
Gelenkplatte nach Rahmanzadeh. Aktuelle Traumatol 24: 128

Winkler H (1994) Die Behandlung der Akro-
mioklavikulargelenksverrenkung durch
Zuggurtung und Bandnaht. Aktuelle
Traumatol 24: 133

8 Physiotherapeutische Behandlung nach Oberarmschaftfrakturen

Einteilung

- Rotationsbrüche,
- Biegungsbrüche,
- Trümmerbrüche.

Ursachen

- Sturz auf den Ellbogen, auf die Hand oder direkter Schlag (Autounfall).
  Auch pathologische Frakturen werden zunehmend beobachtet.

Symptomatik und ärztliche Maßnahmen

Die Oberarmschaftfraktur wird in der Regel *konservativ* behandelt. Als ruhigstellende Maßnahmen kommen in Frage:
- Gilchrist- oder Desault-Verband kurzzeitig,
- Abduktionskissen (s. Abb. 7.6),
- Abduktionsschiene 6–8 Wochen,
- Sarmiento-Brace (seltener: »hanging cast«) 6–8 Wochen.

Achsenfehlstellungen von bis zu 10° und Rotationsfehler werden toleriert.

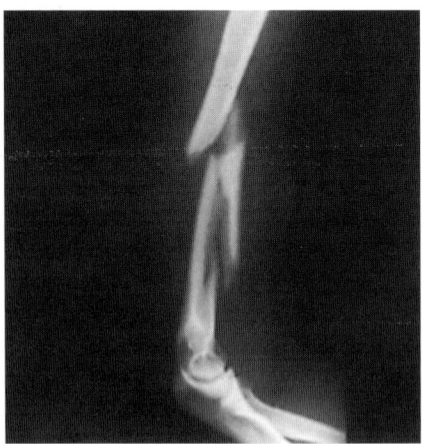

Abb. 8.1. Oberarmschaftfraktur

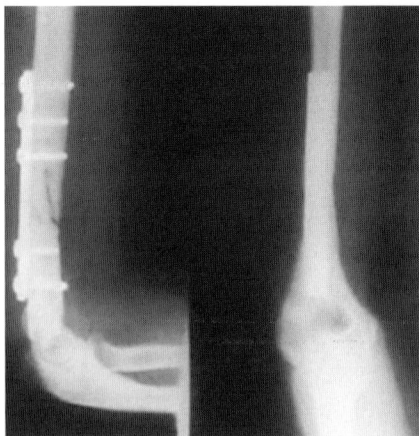

Abb. 8.2. Osteosynthese nach Oberarmschaftfraktur

Bei bestehender Nervenläsion oder wenn die Fragmente *operativ* besser zu reponieren sind, wird eine Osteosynthese mit einer DC-Platte oder neuerdings auch eine Verriegelungsnagelung durchgeführt (Abb. 8.1–8.3).

Bei *pathologischen Frakturen* besteht zwingende Indikation zur Operation. Nach Ausräumung des Tumors wird eine Humerusschaftprothese eingesezt (Abb. 8.4 und 8.5).

Komplikationen

* N. radialis-Schädigung (primär oder sekundär),
* A. brachialis-Verletzung,
* Pseudarthrose,
* Infekt.

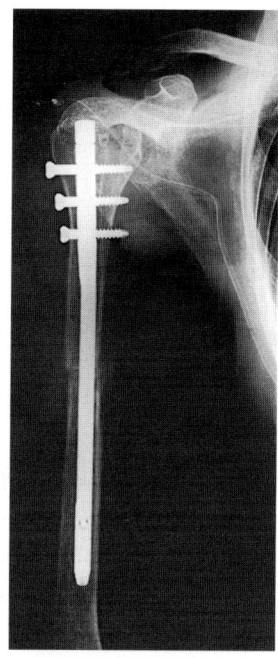

Abb. 8.3.   Oberarmschaftfraktur: Osteosynthese mit Verriegelungsnagel

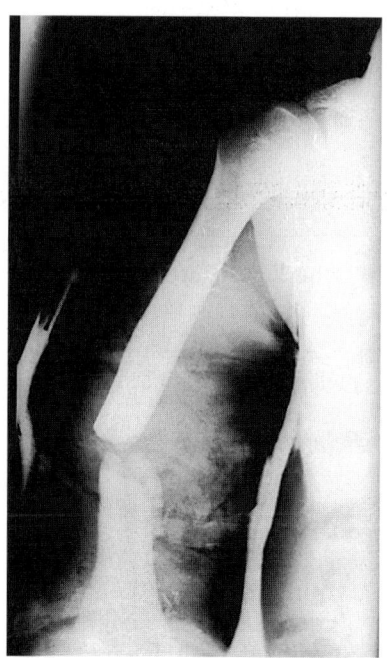

Abb. 8.4.   Pathologische Humerusschaftfraktur

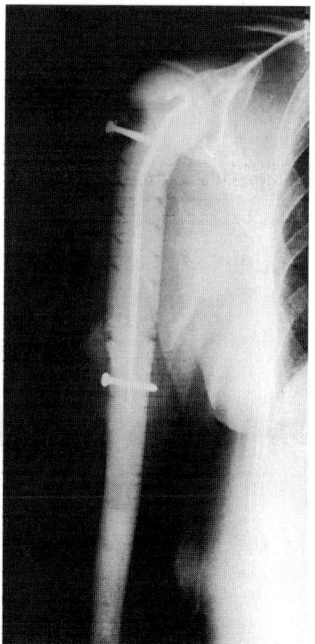

Abb. 8.5.   Humerusschaftprothese

Befunderhebung

BEURTEILE
- Hautverfärbung (Hämatom).
- Atrophie des M. biceps, M. triceps, M. deltoideus.
- Schwellung und Temperatur.
- Muskuläre Spannungserhöhung.
- Gelenkstellung und Kontur des Schulter- und Ellbogengelenkes.
- Röntgenbild: Frakturstellung, Osteosynthese und Konsolidierung.

MISS
- Aktives Bewegungsausmaß des Schulter- und Ellbogengelenkes.
- Umfangmaße an Ober- und Unterarm.

PRÜFE
- Muskeltest bis Teststufe 2, bei Osteosynthesen bis Stufe 3.
- Sensibilität im Versorgungsgebiet des N. radialis (täglich!).
- Kontraktionsfähigkeit der vom N. radialis versorgten Muskulatur (täglich!).
- Qualität des Bewegungsstops in Schulter- und Ellbogengelenk.
- Puls.
- Gebrauchsbewegungen.

NOTIERE
- Qualität, Intensität und Lokalisation von Schmerzen und sonstigen Beschwerden.

Behandlungsmöglichkeiten

GESICHTSPUNKTE DER BEHANDLUNG

1. Sicherung der Fraktur durch gleichmäßige Muskelspannung.

- **1. Sicherung einer Oberarmschaftfraktur/Osteosynthese oder Prothese**

Sie ist vorrangiges Ziel der frühfunktionellen Behandlung. Dabei spielt es keine Rolle, welche ärztliche Behandlungsform gewählt wurde. Lediglich der *Zeitpunkt des Behandlungsbeginns* ist unterschiedlich.

▶ Konservativ versorgte Patienten müssen ca. 6–8 Wochen lang ruhiggestellt werden (s. oben).

▶ Plattenosteosynthesen sind übungsstabil, ebenso die zementierte Schaftprothese. Diese Patienten dürfen nach Entfernung der Redon-Drainage aktiv/unterstützt statisch und dynamisch üben. Ziel ist das freie Halten und Bewegen gegen die Schwere.

1. Sicherung der Fraktur durch gleichmäßige Muskelspannung.
2. Resorptionsförderung von Schwellungen und Hämatomen.
3. Entspannung verspannter Muskulatur.
4. Erhalten der freien Gelenkbeweglichkeit, wenn nötig, Mobilisation der Schulter- und Ellbogenkontrakturen.
5. Kräftigung der Oberarmmuskulatur, der Unterarm- und Handmuskulatur.
6. Schulung von Gebrauchsbewegungen.

▶ Der Muskeltest gibt Aufschluß über die Spannungsqualität des M. biceps, M. triceps, M. brachialis, M. deltoideus etc. Die schwächeren Muskelgruppen müssen schwerpunktmäßig »auftrainiert« werden, bis alle Muskeln gleiche Kontraktionsfähigkeit im Sinne der *Muskelteststufe 3* zeigen.
▶ Sicheres Fixieren der Fraktur ist dabei ebenso wichtig wie die exakte Lagerung des ganzen Oberarmes auf einer geraden und festen Unterlage (Abb. 7.9).
▶ Hebelwirkungen an der Fraktur entstehen, wenn ein Teil des Oberarmes nicht unterlagert ist, der Ellbogen tiefer als das Schultergelenk liegt (Innenrotation) oder die Hand der Therapeutin nicht sicher genug den distalen Oberam hält.

> **!** Schmerzauslösung an der Frakturstelle beachten!

Ist das Schultergelenk frei beweglich, kann auf dem Handtisch geübt werden (s. Abb. 7.8). Ist es dagegen eingeschränkt, empfiehlt es sich, die Rückenlage als Ausgangsstellung zu wählen.
▶ Als Technik wird bei *Teststufe 2* »Endstellung halten gegen Führungskontakt« und unterstütztes Bewegen und Halten gewählt. Kontraktionshilfen und Verstärkungsmuster über die kontralaterale Seite verbessern die Spannung der schwachen Muskeln. Freies Halten und Bewegen des Unterarmes wird angestrebt.

● **2. Resorptionsförderung von Schwellungen und Hämatomen (s. Kap. 7)**

● **3. Entspannung verspannter Muskulatur**

Durch die nahe Lage zur Fraktur, aber auch durch die Haltung des Armes während der Ruhigstellungszeit entsteht eine M. biceps-Kontraktur, weniger ausgeprägt auch eine M. triceps-Kontraktur. Sie können den *schmerzbedingten muskulären Kontrakturen* zugeordnet werden. Bei Verletzung des N. radialis und einer Parese des M. triceps wird der M. biceps besonders schnell kontrakt.

Dann ist es besonders wichtig, frühzeitig mit der Bewegungstherapie und weichen, unterstützten Umkehrbewegungen zu beginnen, die den M. biceps schmerzfrei bis kurz vor die Bewegungsgrenzen annähern oder dehnen.

▶ Zusätzlich können Eiskompressen über der gesamten Länge des M. biceps aufgelegt werden.
▶ Entspannungstechniken aus dem PNF-Programm kommen ebenfalls zur Anwendung, z. B. die rhythmische Stabilisation gegen Führungskontakt – Entspannen – aktiv Weiterziehen oder die »chirurgische Technik« (s. auch PNF-Techniken).
▶ In der Regel ist die *M. biceps-Kontraktur* behandlungszugänglich, wenn die Physiotherapeutin auf Schmerzen Rücksicht nimmt, und wenn der Patient es vermeidet, den Arm mit gebeugtem Ellbogen hängen zu lassen. Als typischer Antigravitationsmuskel muß der M. biceps in dieser Stellung ständig Haltearbeit leisten.
▶ Gleiche Techniken und Maßnahmen werden für die *M. triceps-Kontraktur* verwendet.
▶ *Reflektorische Verspannungen* der Schultergürtelmuskulatur können, wie in Kap. 7 unter »Schulterluxation« beschrieben, behandelt werden.
▶ Techniken aus dem Schaarschuch-Haase-Programm oder der »progressiven Muskelrelaxierung« nach Jakobson können auch lokal zur Muskelentspannung eingesetzt werden. Wichtig ist, daß der Patient selbst wahrnimmt, wann die Muskulatur ge- oder entspannt ist. Die Technik »Stop and go« gibt dem Patienten selbst die Entscheidung, wann er bereit ist weiterzuziehen.
▶ Massagegriffe an der Schultergürtelmuskulatur sind möglich, an der Oberarmmuskulatur müssen sie sehr vorsichtig eingesetzt werden.

> **!** Alle natürlichen Bewegungen und Armstellungen sind richtig; der Patient darf zu keiner schmerzhaften Bewegung gezwungen werden.

● **4. Erhalten der freien Gelenkbeweglichkeit**

Einschränkungen der Beweglichkeit im *Schultergelenk* kommen bei konservativen Behandlungen und Osteosynthesen mit einer Schaftprothese vor (Abb. 8.6 und 8.7).
▶ Wenn ältere Menschen mit pathologischen Frakturen sich ausreichend bewegen können, wird man keine intensive Mobilisationstechnik durchführen, sondern sie ermuntern, ihre alltäglichen Arbeiten soweit wie möglich selbständig zu erledigen.

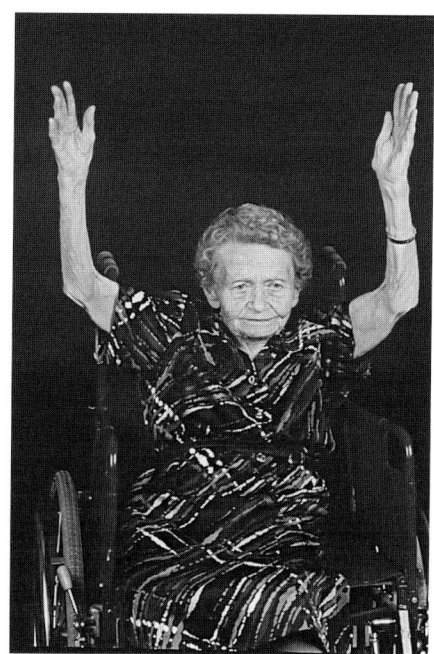

Abb. 8.6.   Funktion nach Einsetzen einer
Humerusschaftprothese

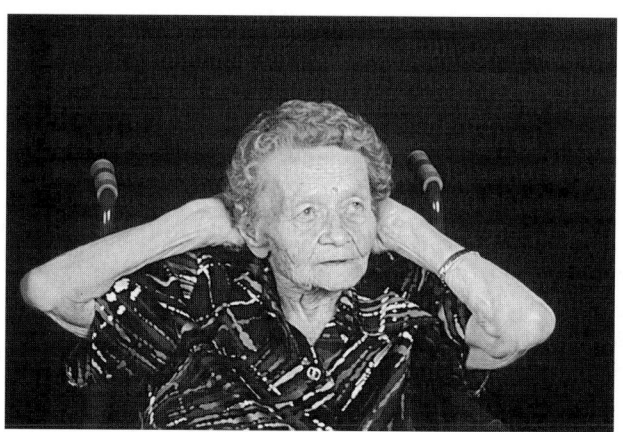

Abb. 8.7.   Funktion
nach Einsetzen einer
Humerusschaftprothese

4. Erhalten der freien Gelenkbeweglichkeit, wenn nötig, Mobilisation der Schulter- und Ellbogenkontrakturen.

▶ Bei anderen Patienten erfolgt die Mobilisierung des Schultergelenkes anfangs unter Abnahme der Armschwere. Der richtungsweisende Kontakt liegt zwischen Fraktur und Schultergelenk.

▶ Wir empfehlen, zuerst die Beweglichkeit der Abduktion zu verbessern, anschließend wird die horizontale Adduktion und zuletzt die Flexion mit Außenrotation mobilisiert.

▶ Da erst nach ca. 6–8 Wochen intensiv mobilisiert werden darf, ist mit einer *Kapseleinschränkung* zu rechnen. Die Techniken der manuellen Therapie (nach Maitland und Frisch) bieten dann die besten Möglichkeiten, das Gelenk freizubekommen durch Traktion und Gleiten nach lateral, kaudal und dorsal (s. auch Kap. 7).

> **Röntgenbild beurteilen, Arzt fragen!**

Gleiches gilt für das *Ellbogengelenk*.

▶ Soll das Ellbogengelenk aktiv mobilisiert werden, wird bei aufliegendem Oberarm die Fraktur passiv fixiert. Als angenehm wird es der Patient empfinden, wenn das Olekranon frei gelagert ist und nicht durch die fixierende Hand gegen die Unterlage gedrückt wird. Nach Rücksprache mit dem Patienten kann auch von unten fixiert werden.

▶ Techniken aus dem PNF-Programm und aus der manuellen Therapie bewähren sich gut. Entsprechend der Qualität des Bewegungsstops wird die Mobilisationstechnik ausgewählt und ihre Wirkung bewertet. Bleibt das Gelenk reizlos und gewinnt es an Beweglichkeit, war die Technik richtig.

Das Ellbogengelenk ist ein sehr empfindliches Gelenk; es verträgt keine harten Mobilisationstechniken!

5. Kräftigung der Oberarmmuskulatur, der Unterarm- und Handmuskulatur.

● **5. Kräftigung**

Ein gewonnener Bewegungsweg läßt sich auf die Dauer nur halten, wenn die *schwächere Muskulatur* im Anschluß an eine Mobilisationstechnik intensiv gekräftigt wird. Erfahrungsgemäß ist der M. triceps der schwächere und muß deshalb vorrangig geübt werden.

▶ Die Technik »wiederholte Kontraktionen mit wechselnden Drehpunkten« aus dem PNF-Pro-

GESICHTSPUNKTE
DER BEHANDLUNG

gramm sowie alle Formen des Bewegens und Haltens gegen angepaßten Widerstand sind nach Konsolidierung der Fraktur das richtige Mittel.

▶ Es bieten sich vielfältige Möglichkeiten mit Geräten wie Stab, Expander, Therabänder, Pullingformer etc. an. Häufiges Testen der Oberarmmuskulatur wird die Übungsauswahl und die Dosierung für die Beuge- und Streckmuskulatur bestimmen.

▶ Anfangs werden Verstärkungsmöglichkeiten über die kontralateralen Muskelketten ausgenützt.

▶ Im weiteren Verlauf der Behandlung wird die Anforderung an den zu kräftigenden Muskel isoliert gestellt. Die Übungsserien werden verlängert, die Pausen verkürzt und der Patient zu einem Hausaufgabenprogramm verpflichtet.

6. Schulung von
Gebrauchsbewe-
gungen.

● **6. Schulen von Gebrauchsbewegungen**

Gebrauchsbewegungen können in komplexen Bewegungsmustern mit Umkehrbewegungen vorgeübt werden. Bewegungen, die die Körperpflege, Essen und Trinken betreffen, sind ebenso wichtig wie das Holen und Abstellen von Geräten und das Umgehen mit Werkzeugen.

> Ziel physiotherapeutischer Bemühungen muß die *Selbständigkeit* des Patienten im häuslichen und beruflichen Alltag sein.
> Gutes Vorüben und Kontrollieren der notwendigen Bewegungsmuster werden es dem Kranken erleichtern, erfolgreich selbst weiterzuüben.

SCHÜLERAUFGABE ■■■■■■■■■■

Bewerten Sie die Effektivität Ihres Übungsprogramms für die Funktion der Oberarmmuskulatur nach einer Humerusschaftfraktur.

Literatur

Bandi W (1979) Probleme der Indikationsstellung zur Osteosynthese von Oberarmschaftbrüchen. H Unfallheilkd 148: 372–379

Burri C et al. (1974) Unfallchirurgie. Springer, Berlin Heidelberg New York, S 69

Daniels L (1974) Muskelfunktionsprüfung. Fischer, Stuttgart

Knott M (1970) Komplexbewegungen (PNF), 2. Aufl. Fischer, Stuttgart

Loeweneck H (1994) Funktionelle Anatomie für Krankengymnasten. Pflaum, München

Mentzel H (1982) Oberarmschaftfrakturen und Oberarmschaftpseudarthrosen. Aktuelle Traumatol 12: 229–234

Wiedemann M, Braun W, Rüter A (1992) Leitfaden der Unfallchirurgie. Urban & Schwarzenberg, München

9 Physiotherapeutische Behandlung nach ellbogennahen Frakturen und nach Ellbogenluxation

Einteilung

- Olekranonfrakturen,
- Radiusköpfchenfrakturen,
- Humeruskondylenfrakturen,
- suprakondyläre Frakturen.

Letztere reichen häufig bis in die Gelenkfläche hinein und sind als schwere Verletzungen anzusehen.

Ursachen

- Direkte oder indirekte Gewalteinwirkung,
- Sturz auf den Ellbogen,
- Arbeitsunfälle oder Verkehrsunfälle.

Allgemeine Richtlinien, Biomechanik, Symptome und ärztliche Maßnahmen

Das Ellbogengelenk setzt sich aus 3 Teilgelenken zusammen und ist funktionell ein Scharnierdrehgelenk. Seine Bänder werden bei allen Bewegungen in Teilbereichen angespannt. Das Ellbogengelenk ist ein sehr empfindliches Gelenk, dessen Knochenführung gering ist. Sein Bewegungsumfang (Extension 0–0–150°, Supination 80–0–80°) ist von der Bänder- und Muskelführung abhängig. Aus diesem Grund sind Reizzustände

mit nachfolgenden Kalzifikationen besonders funktionseinschränkend.

Für die Beurteilung des Ellbogengelenkes ist das *Hueter-Dreieck* von Bedeutung. In Streckstellung befindet sich der Epicondylus medialis humeri, der Epicondylus lateralis humeri und die Olekranonspitze auf einer Linie. Bei Beugung bilden die 3 Eckpunkte ein gleichschenkeliges Dreieck.

Bei *Epikondylen-* und *Olekranonfrakturen* verändert sich die Form des Dreiecks (Abb. 9.1).

Ellbogengelenknahe Frakturen werden heute *operativ* behandelt (Abb. 9.2 a, b, 9.3 a–c, 9.4 a, b). Ihre anatomische Reposition ist besonders wichtig. Zu den schwersten Verletzungen gehören die *Ellbogenluxationen* (Abb. 9.5 a, b). Für die Frakturstabilisationen kommen in Frage: Zuggurtungs-, Platten- und Schraubenosteosynthesen mit und ohne Spickdrähte.

Bei *Luxationen* werden Bandnähte oder -plastiken durchgeführt. Vor der Osteosynthese distaler Humerusfrakturen muß das Olekranon durchsägt werden, um an die Fraktur heranzukommen. Dies erfordert eine zusätzliche Zuggurtungsosteosynthese am Ende der Operation.

Radiusköpfchenfrakturen können verschraubt oder mit Biofixstäben

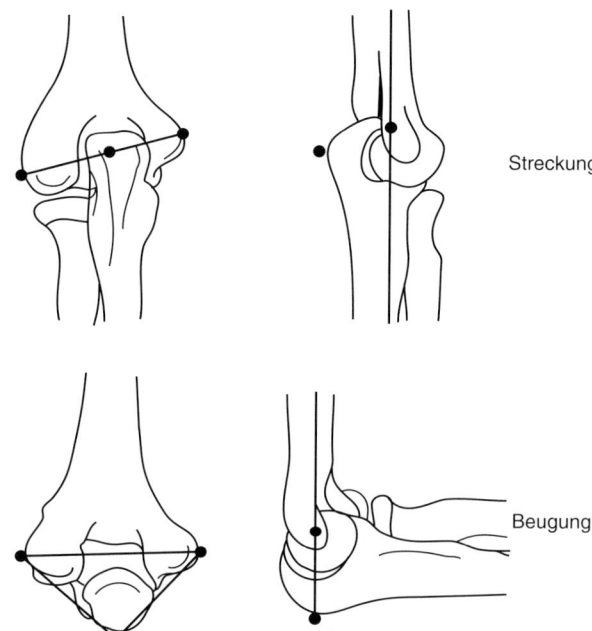

Abb. 9.1.   Hueter-Dreieck

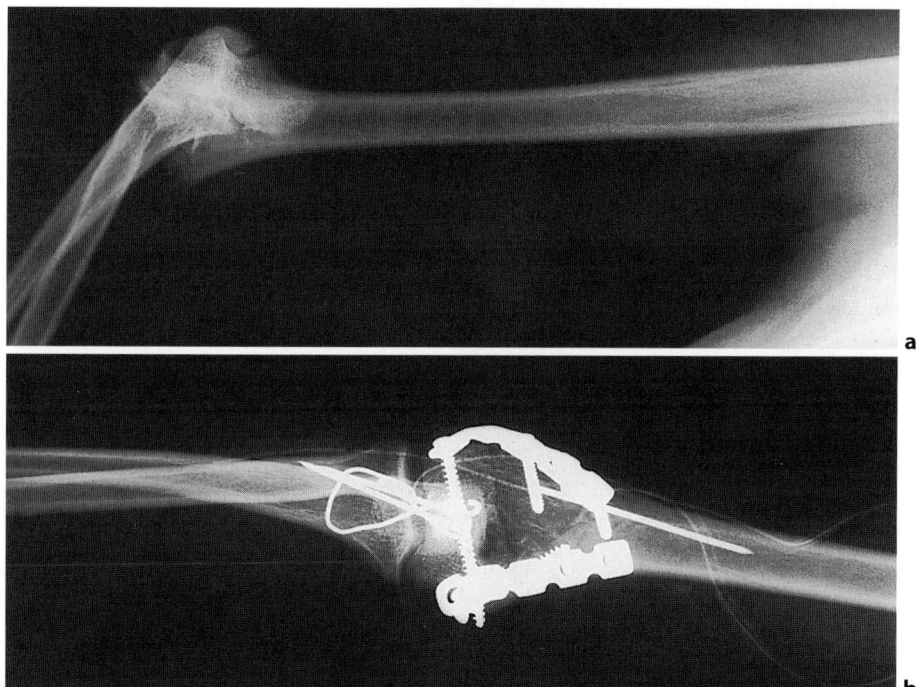

Abb. 9.2.   **a** Ellbogenfraktur, **b** Osteosynthese

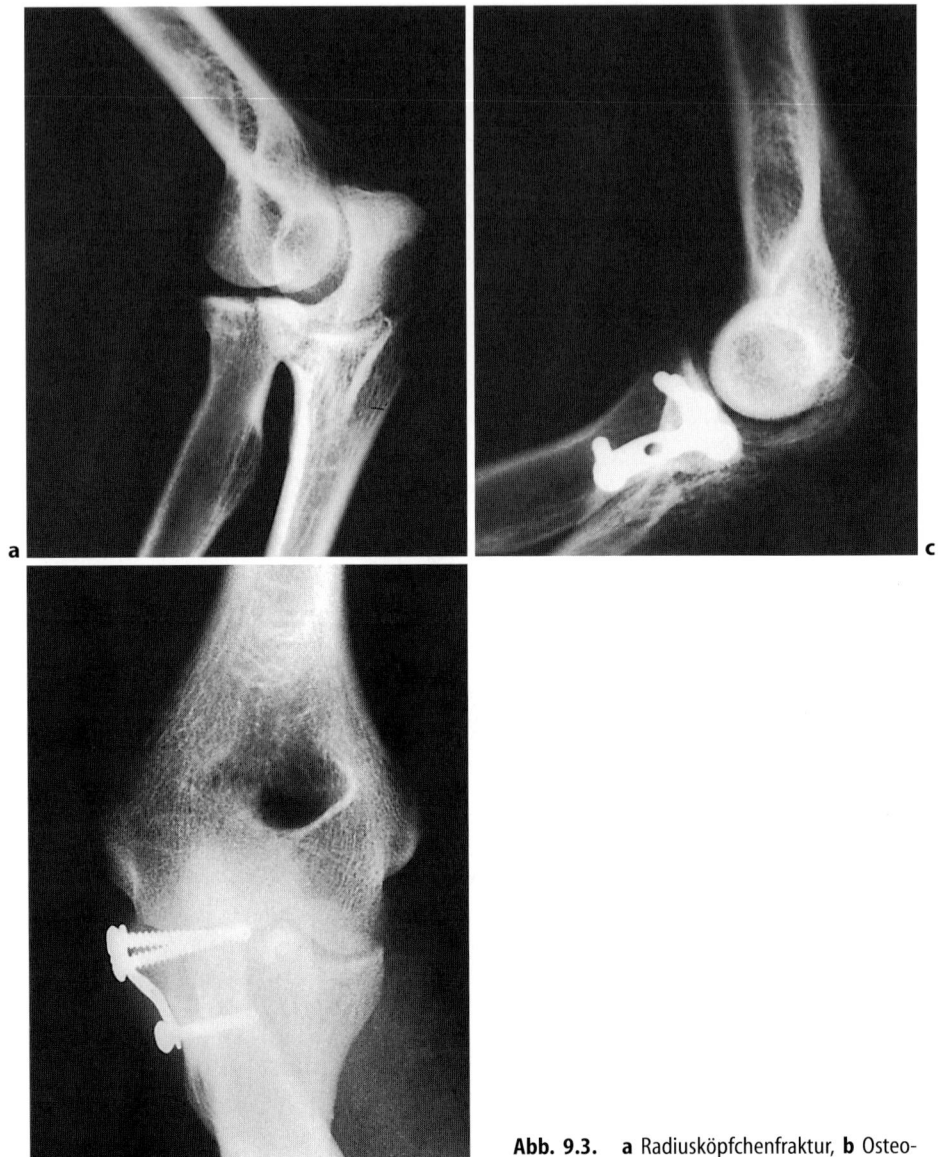

Abb. 9.3. **a** Radiusköpfchenfraktur, **b** Osteo-synthese, **c** Seitenansicht

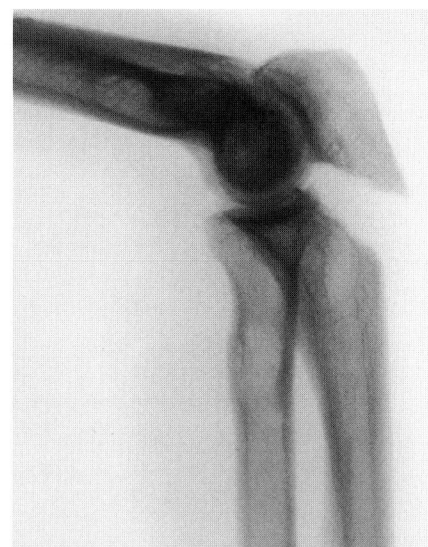

a

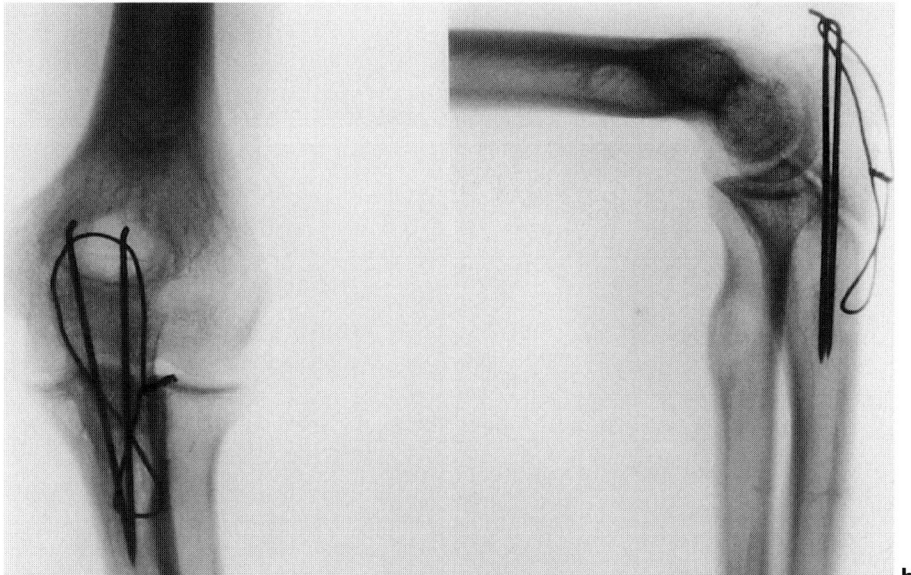

b

Abb. 9.4.   **a** Olekranonfraktur, **b** Zuggurtungsosteosynthese

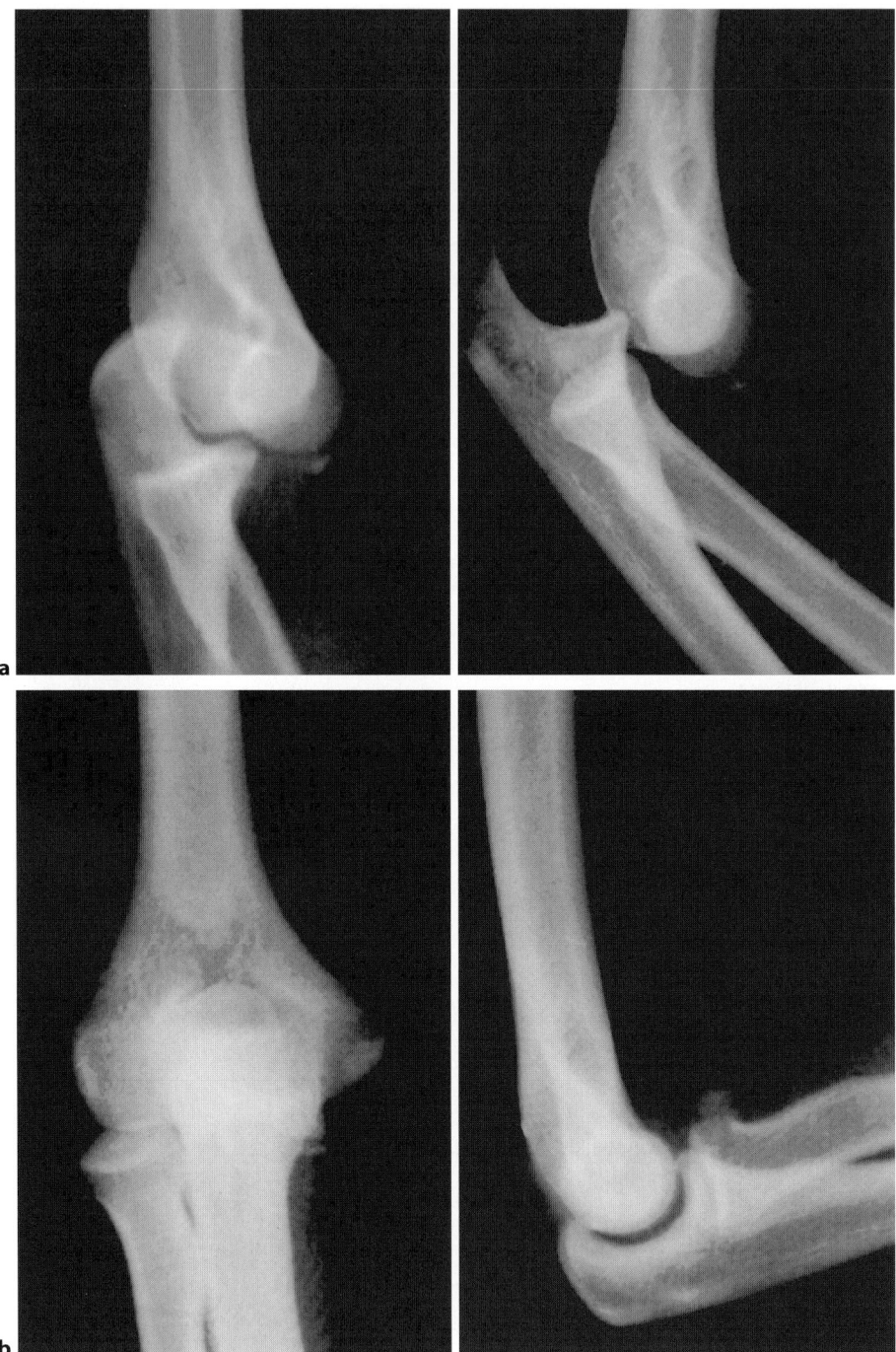

Abb. 9.5.   **a** Ellbogenluxation, **b** Reposition

stabilisiert werden. Gelingt es nicht, eine gute Stellung des Fragmentes zu halten, wird es reseziert. Nicht selten muß der N. ulnaris verlegt werden.

Für die *physiotherapeutische Behandlung* ist die erreichte Stabilität der Osteosynthese und eine anatomische Wiederherstellung des Gelenkes von Bedeutung.

▶ Nach der Osteosynthese wird der Arm für 3–4 Wochen auf einer lateralen Oberarmschiene (Gips oder Prothera) ruhiggestellt, aus der heraus evtl. aktiv ohne Pro-/Supinationsbewegungen gebeugt und gestreckt werden darf.

Die Literatur ist bezüglich der Nachbehandlung uneinheitlich. Es herrscht jedoch z. Z. die Meinung vor, daß frühfunktionelle Behandlungen unter feinsten Dosierungen bessere Ergebnisse erbringen.

Dies setzt voraus, daß die Physiotherapeutin eine *exakte Befunderhebung* des Ellbogengelenkes vornimmt und sie bei jeder Behandlung wiederholt.

> Jede Schwellungszunahme, Überwärmung, verbunden mit zunehmender Schmerzhaftigkeit, sind ernstzunehmende Symptome. Sie erfordern Rücksprache mit dem Arzt und eine Rücknahme der Dosierung.

Leider zeigen viele Patienten nach einigen Wochen deutliche Kalzifikationen, die evtl. hätten vermieden werden können bei einfühlsamerer physiotherapeutischer Behandlung (Abb. 9.6).

Insbesondere das frühzeitige Bewegen auf der »continuous passive motion« (CPM)-Motorschiene sowie die Anwendung von passiven Manipulationen sind *mögliche Gründe*

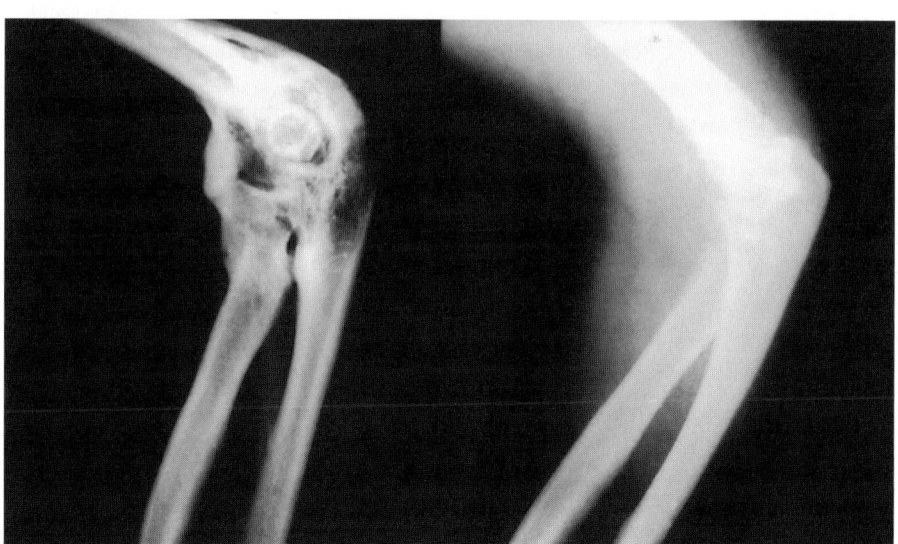

Abb. 9.6.   Kalzifikation nach Polytrauma und Ellbogenfraktur

für Kalzifikationen. **Wie bereits erwähnt, zählt das Ellbogengelenk zu den empfindlichsten Gelenken.**

Maitland (1977) hat Techniken angegeben, die ein wesentlich feinfühligeres Umgehen mit dem Gelenk ermöglichen.

Komplikationen

- Dermatomyositis, Myositis ossificans,
- ischämische Kontraktur, A. brachialis-Verletzung,
- arthrogene Kontraktur,
- Arthrose,
- Infektion,
- N. ulnaris-Kompressionssyndrom

Befunderhebung

BEURTEILE
- Röntgenbild, Stufenbildung, Osteosynthesenlage, Hueter-Dreieck, proximales Radioulnargelenk-Handgelenkstellung.
- Operationsnaht.
- Hautduchblutung, Schwellung, Hämatom.
- Hauttemperatur.
- Gelenkstellung.

MISS
- Aktives Bewegungsausmaß (ohne Pro-/Supination, wenn kontraindiziert).
- Umfang.

PRÜFE
- Muskeltest unterschiedlich bei einzelnen Frakturen, bis Stufe 2 oder bis Stufe 3.
- Rotationsbewegungen sind nur nach Erlaubnis durch den Arzt zu testen.
- Die passive anguläre Gelenkbeweglichkeit ist bei den Humeruskondylen- und suprakondylären Frakturen nicht vor der 5. postoperativen Woche erlaubt (nach Röntgenkontrolle!).
- Sensibilität, v. a. N. ulnaris-, N. medianus-Bereich.
- Tests der neuromeningealen Strukturen (nach Rücksprache mit dem Operateur, evtl. nicht vor der 5. Woche).
- Qualität des Bewegungsstops in Beugung und Streckung.

NOTIERE

Qualität, Intensität und Lokalisation von Schmerzen.

Bei den Radiusköpfchenfrakturen und -luxationen wird die Supinations- und Pronationsbewegung für ca. 4 Wochen nicht erlaubt. Dies ist auch bei der Befunderhebung zu berücksichtigen.

Besondere Bedeutung für die Behandlung erhält die Qualität der *M.-biceps-Funktion* und seine Schmerzhaftigkeit bei Kontraktion oder Dehnung. Die Funktion des Humeroradialgelenkes ist abhängig von der anatomischen Reposition des Radiusköpfchens und seiner Drehfähigkeit im L. anulare radii. Eigene Ergebnisse über die mit Biofixstäben versorgten Radiusköpfchenfrakturen sind noch nicht aussagekräftig genug, um diese Methode zu befürworten.
► Besonders vorsichtiges Bewegen während der ersten 4 postoperativen Wochen erscheint uns aber empfehlenswert. Jede Reizerscheinung muß beachtet werden, die Behandlung sollte dann niedriger dosiert, aber nicht zwingend abgebrochen werden.

> **!** Die physiotherapeutische Behandlung der Ellbogengelenkfrakturen gehört unbedingt in die Hand erfahrener Physiotherapeutinnen.

Als unproblematischer erweist sich die Behandlung der *isolierten Olekranonfraktur*.
► Es dürfen alle Bewegungsrichtungen der Ellbogengelenke aktiv getestet und ihre Muskulatur bis zur Teststufe 3 geprüft werden. Besondere Bedeutung erhält die Qualität der *M.-triceps-Funktion* bei Kontraktion und Dehnung.
► Zu vermeiden ist jedoch eine passive Dehnung des M. triceps sowie ein Üben aus der maximalen Ellbogenbeugestellung gegen Widerstand.

Wurde eine anatomische Reposition und Fixation durch die Zuggurtungsosteosynthese erreicht, kann eine Restitutio ad integrum erwartet werden.

Behandlungsmöglichkeiten

GESICHTSPUNKTE
DER BEHANDLUNG
(KONDYLEN- UND
SUPRAKONDYLÄRE
FRAKTUREN)

1. Verbesserung der
   Durchblutung.
2. Spannungsabbau.
3. Verbesserung der
   Beweglichkeit.
4. Verbesserung der
   Muskelkraft, Aus-
   dauer und
   Geschicklichkeit.
5. Verbesserung der
   Funktion.

▶ Die Olekranonfraktur und die Radiusköpfchenluxation oder -fraktur werden nach gleichem Schema, aber mit unterschiedlichen Schwerpunkten behandelt.

In jedem Fall gibt der funktionelle Befund die Zielsetzung und Dosierung der Behandlung an.

Beispiel: Kondylen- und suprakondyläre Frakturen

● **1. Verbesserung der Durchblutung**

▶ Günstige Maßnahmen, die Schwellung zu resorbieren und die Temperatur zu senken, sind die Eisabtupftechnik, die Eiskompresse oder der Eiswasserumschlag. Letzterer kann nur nach Entfernung der Fäden Anwendung finden.

▶ *Wärme ist im Bereich des Ellbogengelenkes kontraindiziert;* sie vergrößert die Reizempfindlichkeit. Während der Eisbehandlung können Spannungsübungen gegen Führungskontakt im Sekundenrhythmus für die Oberarmmuskulatur durchgeführt werden.

▶ Das Ellbogengelenk reagiert in der postoperativen Phase positiv auf weiche, eher »spielerische« Umkehrbewegungen, welche die Schmerzgrenze nicht überschreiten sollen.

● **2. Entspannung**

Entsprechend der Frakturlokalisation werden unterschiedliche Muskeln eine reflektorische Abwehrspannung zeigen. *Supra- und perkondyläre Humerusfrakturen* sowie die Radiusköpfchenfraktur lassen eine deutliche Abwehrspannung des M. biceps erkennen (s. auch Kap. 8).

Olekranonfrakturen lassen den M. triceps in Abwehrspannung geraten, er zieht das proximale Fragment deutlich nach kranial. Nach der Osteosynthese ist deshalb mit einer vermehrten Abwehrspannung in beiden Muskelgruppen zu rechnen.

▶ Parallel zu aktiven Entspannungstechniken wird eine Langzeiteisbehandlung durchgeführt (wechselnde Eiskompressenauflage auf den zu entspannenden Muskel, je nach Verträglichkeit 10–15 min).

▶ Als Entspannungstechniken können verwendet werden: PNF-Techniken, Techniken nach Schaar-

GESICHTSPUNKTE
DER BEHANDLUNG
(KONDYLEN- UND
SUPRAKONDYLÄRE
FRAKTUREN)

2. Spannungsabbau.

schuch (1979) und Jacobson (1990) und spielerisches Bewegen bis kurz vor die Schmerzgrenze.

▶ Bewußtes Anspannen und Entspannen mit bewußtem Nachspüren der Hand- und Armstellung kann ebenfalls ausprobiert werden. Der Patient soll selbst die Spannungslage der Armmuskulatur erspüren.

Häufig kommt es nur darauf an, wie man mit dem Patienten umgeht, damit er selbst lernt zu entspannen.

▶ Die Technik des »Stop and go« kann ebenfalls sehr wirkungsvoll angewendet werden. Dabei vereinbart die Physiotherapeutin mit dem Patienten ein Zeichen (z. B. Anheben des Zeigefingers der anderen Hand) oder eine Äußerung, wenn die Bewegung in den Bereich des Schmerzes gelangt. Die Physiotherapeutin muß das Zeichen wahrnehmen und die Bewegung sofort wieder ein Stückchen zurücknehmen. Der Patient entscheidet dann, wann er weiterbewegen möchte. Für die Entspannung ist auch die Lagerung wichtig (Abb. 9.7).

3. Verbesserung der Beweglichkeit.

● **3. Verbesserung der Beweglichkeit**

Kann die betroffene Muskulatur erfolgreich entspannt werden, wird sich die Beweglichkeit der Ellbogengelenke spontan verbessern, es sei denn, knöcherne oder kapsuläre Einschränkungen lassen dies nicht zu.

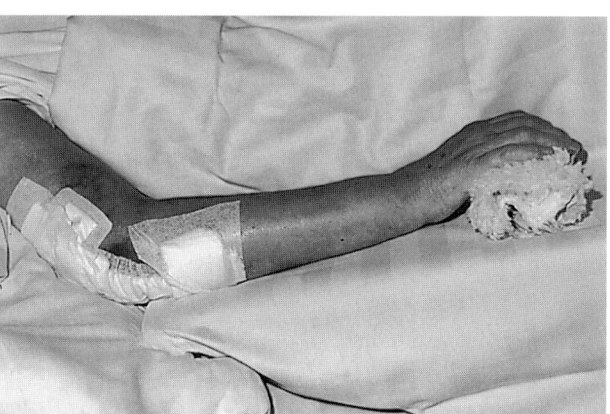

Abb. 9.7. Lagerung nach Ellbogenfraktur und Osteosynthese

3. Verbesserung der
Beweglichkeit.

▶ Folgende *PNF-Techniken* können empfohlen werden, um eine vorangegangene Spannung und Entspannung auszunützen:
- rhythmische Stabilisation gegen Führungskontakt – Entspannung – aktives Weiterziehen, weil sie feine Rotationsbewegungen im Ellbogen zuläßt,
- »Chirurgische Technik« ohne Rotation mit aktivem, geführten Weiterziehen,
- dynamisches Bewegen mit vertauschtem Punctum mobile und Punctum fixum (Rumpf-/Oberarmbewegungen).

Nach mehrmaliger Ausführung der gewählten Technik soll eine Kräftigung der schwächeren Muskelgruppe erfolgen, z.B. durch Endstellung – Halten gegen Führungskontakt (7–10 s). Diese Dosierungsstufen gelten für die ersten 4–6 postoperativen Wochen (Abb. 9.8–9.10).
▶ Die Pro- und Supinationsbewegungen müssen bei den einzelnen Frakturtypen ärztlicherseits erlaubt sein, sonst müssen alle Bewegungsformen in Rotationsnullstellung des Ellbogengelenkes durchgeführt werden. Die Supinationsbewegung ist häufig besonders eingeschränkt (Abb. 9.11).

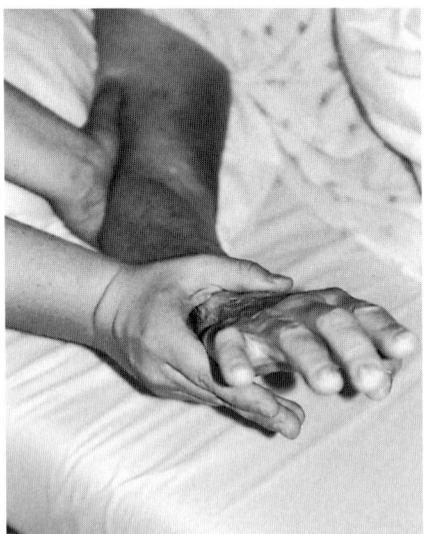

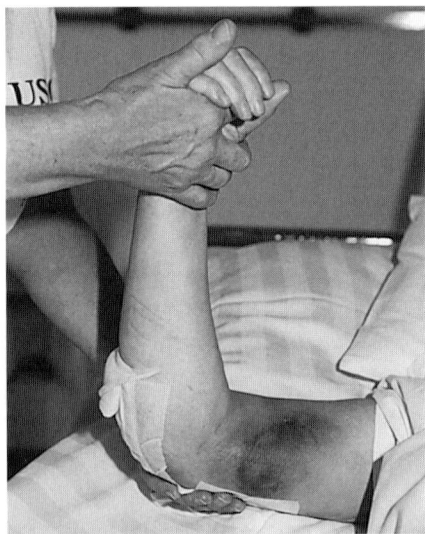

Abb. 9.8. Ellbogenextension gegen Führungskontakt

Abb. 9.9. Üben gegen Führungskontakt bei passiver Fixaton

GESICHTSPUNKTE
DER BEHANDLUNG
(KONDYLEN- UND
SUPRAKONDYLÄRE
FRAKTUREN)

▶ In der sich anschließenden Behandlungszeit kommen je nach Befund folgende Techniken zur Anwendung:
- Kapseltechniken nach Maitland und Frisch,
- PNF: langsame Umkehr – Halten – Entspannen mit aktiv/passivem Weiterziehen,
- zusätzlich evtl. die CPM-Schiene.

▶ Werden diese Mobilisationstechniken von einer Langzeiteisbehandlung begleitet, müssen sie besonders *sorgfältig dosiert* werden. Der analgetische Effekt der Eiskompresse nimmt dem Patienten den Schmerz als Schutzsymptom gegen zu starkes Mobilisieren. Es kann zu Mikrotraumen in der Kapsel oder im Muskel kommen.

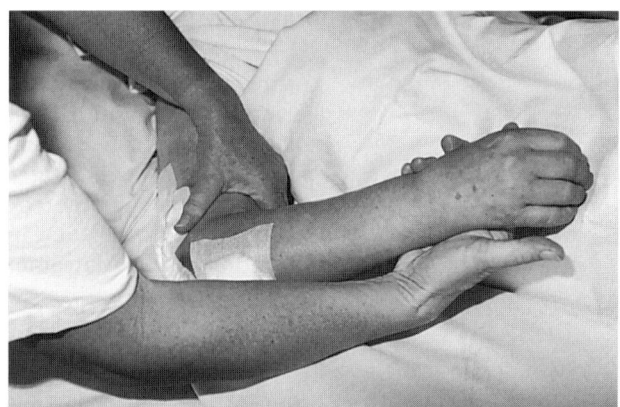

Abb. 9.10. Üben der Flexion in Pronationsstellung gegen Führungskontakt

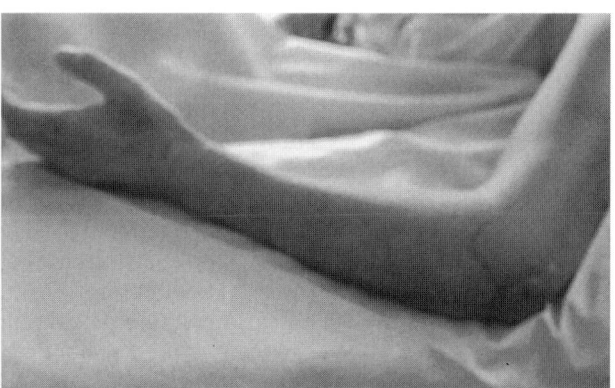

Abb. 9.11. Einschränkung der Supination

GESICHTSPUNKTE
DER BEHANDLUNG
(KONDYLEN- UND
SUPRAKONDYLÄRE
FRAKTUREN)

3. Verbesserung der
Beweglichkeit.

▶ Die Mobilisation der Ellbogengelenke kann auch über dynamisches Bewegen und Halten durch Vertauschen des fixierten und sich bewegenden Hebels erfolgen (Wechsel von Punctum fixum und Punctum mobile).

▶ Bei *Humeruskondylenfrakturen* wird der Oberarm fixiert und der Unterarm zum bewegenden Hebel, bei der Olekranon- oder Radiusköpfchenfraktur wird der Unterarm aktiv ruhiggehalten, und der Oberarm bewegt sich. Die Schlußstreckung des Ellbogengelenkes kann über Innenrotation und Anteversion des Oberarmes, die Beugung/Supination über Retroversion und Innenrotation des Oberarmes erreicht werden.

> **!** Die verletzten Gelenkanteile müssen immer passiv oder aktiv fixiert werden!

Nicht nur bei polytraumatisierten Patienten entstehen in den ersten Monaten nach dem Unfall *Kalzifikationen* in der Kapsel und im M. biceps. Ihre Entfernung muß besonders sorgfältig geplant werden. Die Verlegung des N. ulnaris muß evtl. in Betracht gezogen werden. Günstig wäre das Abwarten bis zur möglichen, aber vorgezogenen Materialentfernung. Anschließend muß die physiotherapeutische Behandlung noch behutsamer, aber konsequent durchgeführt werden.

In der Regel kann das Material nach 9 Monaten entfernt werden.

4. Verbesserung der
Muskelkraft, Aus-
dauer und
Geschicklichkeit.

● **4. Verbesserung der Muskelkraft, Ausdauer und Geschicklichkeit**

▶ Die Muskelkraft wird durch Anpassen des manuellen Widerstandes an die Muskelkraft bei allen Übungsformen verbessert. Die Spannungszeiten müssen mindestens 7–10 s dauern, die Übungsanzahl wird erhöht, die Pausendauer zwischen den einzelnen Übungen gekürzt.

▶ Bei Reizlosigkeit des Gelenkes kann der Widerstand gesteigert werden. Bei Kondylen- oder suprakondylären Frakturen muß bis zur Knochenausheilung passiv über der Fraktur gut fixiert werden. Bei Olekranon- und gelenknahen Radiusfrakturen muß die Widerstand gebende Hand in Frakturhöhe liegen, also ganz nah am Ellbogengelenk (s. Abb. 9.8).

GESICHTSPUNKTE
DER BEHANDLUNG
(KONDYLEN- UND
SUPRAKONDYLÄRE
FRAKTUREN)

▶ An Techniken kommen aus dem PNF-Programm zur Anwendung:
• wiederholte Kontraktionen gegen Widerstand,
• Verstärkungstechniken,
• »Techniken mit wechselndem Drehpunkt« gegen Widerstand,
• alle Formen des Bewegens und Haltens in einer Bewegungsrichtung gegen Widerstand.

▶ Alle Widerstandsübungen sollen unter leichter Traktion ausgeführt werden. Statische Muskelarbeit gegen Widerstand verstärkt den Druck auf die Ellbogengelenke ungünstig.

▶ Zur Verbesserung der Ausdauer und Geschicklichkeit werden komplexe Bewegungsmuster zusammengestellt, die mit geringerem Widerstand und höherer Übungszeit geplant werden.

5. Verbesserung der Funktion.

• **5. Verbesserung der Funktion**

▶ Komplexes Üben in PNF- oder in anderen Gebrauchsmustern sollen die Bewegungen vorüben, die der Patient im Alltag in seinem Beruf oder für seine Sportfähigkeit braucht.

▶ Armbewegungen mit Geräten, wie Stab, das gespannte Seil, Theraband, Ball, Keule etc., bieten Möglichkeiten, ein vielseitiges Übungsprogramm zusammenzustellen.

▶ *Zu vermeiden* sind ruckhafte, unkontrollierte oder schwunghafte Bewegungen, die zu Ausweichbewegungen im Schultergelenk oder in den Schultergürtelgelenken führen.

▶ Der Patient sollte lernen, seinen Ellbogen so natürlich wie möglich zu gebrauchen. Tragen von schweren Gegenständen sowie Stützen und Schieben sollten bis zur Ausheilung vermieden werden (*Röntgenkontrolle, Arztentscheidung abwarten!*).

SCHÜLERAUFGABE ▬▬▬▬▬

Werten Sie typische Symptome nach ellbogennahen Frakturen und erarbeiten Sie ein geeignetes Behandlungskonzept für die ersten 4 Wochen nach der Osteosynthese.

ÜBUNGSBEISPIELE

Suprakondyläre Humerusfraktur

2 Wochen postoperativ, Protheraschiene als Schutz:

Ausgangsposition

Rückenlage oder Sitz an einem kippbaren Tisch. Oberarm und Unterarm müssen ganz aufliegen, das Olekranon soll frei gelagert sein.

▶ Üben aus der Schiene ist erlaubt, die Schiene muß anschließend wieder angelegt werden.
▶ Die 1. Behandlung wird möglichst in der gewohnten Schienenposition des Armes begonnen, entsprechend müssen die Tischfläche gekippt oder Lagerungspolster aufgebaut werden.

ÜBUNG:

▶ Isometrisches Spannen gegen Führungskontakt im Sekundenrhythmus für M. biceps, M. triceps und M. deltoideus.
Kontakt: Richtungsweisend am Oberarm lateral/medial, proximal der Fraktur.
Übungsauftrag: »Lehnen Sie den Oberarm gegen die Hand!«

ÜBUNG

▶ Umkehrbewegung im schmerzfreien Bewegungsumfang gegen Führungskontakt.

TECHNIKEN

• Extension – Flexion in Rotationsnullstellung,
• Flexion/Supination – Extension/Pronation,
• Flexion/Pronation – Extension/Supination.

Passive Fixation: Über der Fraktur mit dem Zeigefinger so nah am Ellbogengelenk wie möglich, Daumen ist abgespreizt und greift weich, aber sicher bis unter den Epicondylus ulnaris.
Kontakt: Entsprechend distal am Unterarm oder an der Hand.

> **Kein Widerstand, kein Stretch, nur minimale Traktion!** !

Übungsauftrag: »Strecken Sie den Ellbogen, beugen Sie wieder usw. 3- bis 4mal«.
Oder: »Strecken Sie den Ellbogen und drehen Sie dabei die Hand nach unten, beugen Sie wieder und drehen Sie die Hand nach oben usw.«
Oder: »Strecken Sie den Ellbogen und drehen Sie die Hand nach oben, beugen Sie wieder und drehen Sie die Hand nach vorn.«
▶ *Bei Beugekontraktur:* Rhythmische Stabilisation – Entspannen – aktives Weiterziehen gegen Führungskontakt.
Fixation: s. oben.
Kontakt: Distal am Unterarm, wechselnd lateral und medial.
Übungsauftrag/Ausführung: »Strecken Sie den Ellenbogen bis kurz vor die Schmerzgrenze« (Griffwechsel distal), »lehnen Sie den Unterarm ganz weich gegen meine Hand an und drehen Sie dabei die Hand ganz gering nach außen« (Griffwechsel distal). »Nun drehen Sie die Hand ein wenig nach innen und lehnen den Unterarm gegen meine Hand in Richtung Streckung usw.« Wiederholung, dann folgt eine lange Entspannungsphase und der Versuch, ein wenig in Richtung Streckung weiterzuziehen.

Anschließend Endstellung halten gegen Führungskontakt in Streckstellung.

► *Alternative Ausgangsposition:* Arm auf dem Tisch vor dem Körper abgelegt, Bewegen des Rumpfes nach hinten.

TECHNIK
► »Chirurgische Technik« (PNF); Eiskompresse liegt über M. biceps.
  Fixation: Über der Fraktur passiv.
  Kontakt: Unterarm distal/ulnar dann radial.
  Übungsauftrag: »Strecken Sie den Ellbogen so weit wie möglich (Griffwechsel), spannen Sie kurz und weich in Richtung Beugung, lange lockerlassen (Griffwechsel), und nun versuchen Sie ein wenig weiter zu strecken usw.!«
Anschließend Endstellung halten in der möglichen Streckstellung oder Bewegen und Halten.

ÜBUNG
► Schaarschuch-Entspannungstechnik.
  Übungsauftrag: »Spüren Sie nach, ob der Schultergürtel locker aufliegt, der Oberarm ganz aufliegt, der Unterarm bequem liegt usw.«
► *Dieselbe* Technik zugeordnet für eine M.-triceps-Kontraktur.

ÜBUNG
►Mit der Schiene: PNF-Schultergelenkübungen in beiden Diagonalen.

Nach ca. 4–6 Wochen:

ÜBUNG
► Wiederholte Kontraktion (PNF) für M. bicps und M. triceps gegen angepaßten Widerstand mit Betonung der der Supination/Pronation.
  Kontakt: Radial, palmar für M. bizeps, ulnar/dorsal (Hand) für M. trizeps.
  Übungsauftrag: »Finger und Hand beugen, Hand nach oben drehen, Ellbogen beugen und bei ca. $^2/_3$ des Weges anhalten, bis zum Ende weiterziehen, etwas nachgeben, wieder beugen, etwas nachgeben, wieder beugen usw.«

ÜBUNG
► Schultergelenkbewegungen (PNF) gegen Widerstand proximal von der Fraktur und Führungskontakt distal an der Hand.

TECHNIK:
Wiederholte Kontraktion, Bewegen und Halten.
• *1. Diagonale:*
  Extension – Abduktion – Innenrotation mit neutralem Ellbogen, Flexion – Adduktion – Außenrotation mit neutralem Ellbogen.
• *2. Diagonale:*
  Flexion – Abduktion – Außenrotation mit neutralem Ellbogen, Extension – Adduktion – Innenrotation mit neutralem Ellbogen.

MANUELLE THERAPIE
► Traktion, Radius translatorisch verschieben.

Ausgangsposition

Sitz auf Hocker vor dem Spiegel.

Übungen

Mit 4fach zusammengelegtem Seil:
► Vor dem Körper das Seil waagrecht spannen und vom Körper aus nach vorn bewegen, bis größtmögliche Ellbogenstreckung erreicht ist.

Übung

► Technik der wechselnden Drehpunkte, Ellbogengelenk zunächst aktiv, dann gegen angepaßten Widerstand bewegen.

Übung

► Gespanntes Seil so nah an das Brustbein heranziehen wie möglich.

Übung

► Gespanntes Seil waagerecht durch Strecken des einen Armes, dann des anderen Armes nach rechts und links verschieben.

Übung

► Gespanntes Seil senkrecht vor dem Körper drehen.

Übung

► Mit gespanntem Seil größtmögliche Figuren, z. B. eine 8, einen Kegel, beschreiben.

Literatur

Burri C et al. (1974) Unfallchirurgie. Springer, Berlin Heidelberg New York, S. 70

Burri C (1976) Ergebnisse bei 182 operativ versorgten distalen intraartikulären Humerusfrakturen. Aktuelle Traumatol 6: 105

Jacobson E (1990) Progressive Relaxation in Theorie und Praxis. Pfeiffer, München

Jacobson E (1995) Entspannungstraining, in Bernstein D (Hrsg) Handbuch der progressiven Muskelentspannung. 7. Aufl. Pfeiffer, München. S 19

Knott M (1970) Komplexbewegungen, 2. Aufl. Fischer, Stuttgart, S 86–90

Koppelmann J (1971) Zur konsvervativen Behandlung und Anwendung der Kryotherapie bei posttraumatischen und postoperativen Gelenkkontrakturen. Mschr Unfallheilk 74: 544–549

Loeweneck H (1994) Funktionelle Anatomie für Krankengymnasten, 2. Aufl. Pflaum, München

Rehm K (1994) Bericht der Arbeitsgruppe Biodegradable Implantate. Aktuelle Traumatol 4: 70

Schaarschuch A (1979) Der atmende Mensch. 4. Aufl. Turm, Bietigheim

Weller W (1974) Konservative oder operative Behandlung von suprakondylären Oberarmfrakturen. Aktuelle Traumatol 4: 79

Weller S (1978) Die Ellenbogenluxation. Aktuelle Traumatol 8: 95

Wiedemann M, Braun W, Rüter A (1992) Leitfaden Unfallchirurgie. Urban & Schwarzenberg, München

10 Physiotherapeutische Behandlung nach Unterarm- und distaler Radiusfraktur

Unterarmfrakturen

Einteilung

Unterarmschaftfrakturen kommen an beiden Unterarmknochen isoliert und kombiniert vor.
- In Verbindung mit einer Luxation des Radiusköpfchens heißt die Ulnaschaftfraktur *Monteggia-Fraktur* (Abb. 10.1 und 10.2).
- In Verbindung mit einer Luxation des distalen Ulnaköpfchens wird die Radiusschaftfraktur als *Galeazzi-Fraktur* bezeichnet (Abb. 10.3 und 10.4).
- Die isolierte Ulnaschaftfraktur nennt man *Parierfraktur* (Abb. 10.5a, b). Hier besteht zusätzlich eine Sprengung des Radioulnargelenkes und eine Handwurzelluxation.

Häufig brechen beide Unterarmknochen (Abb. 10.6).

Ursachen

- Indirekte Gewalteinwirkung, z. B. Sturz auf die Hand,
- direkte Gewalteinwirkung, z. B. Schlag, Autounfall.

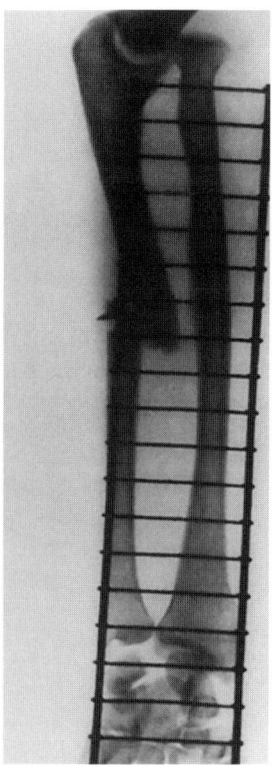

Abb. 10.1.
Monteggia-Fraktur

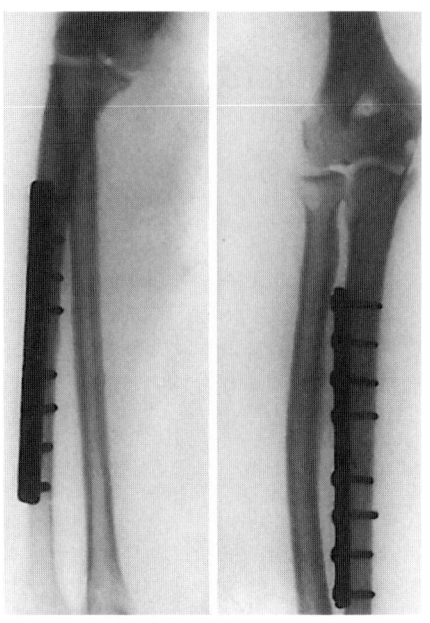

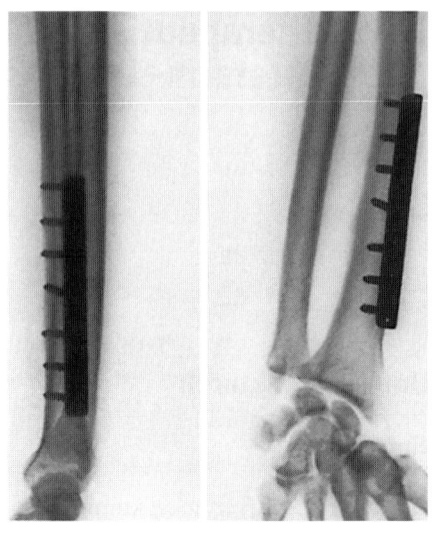

Abb. 10.4.   Osteosynthese nach Galeazzi-
Fraktur

Abb. 10.2.   Osteosynthese   nach   Monteggia-
Fraktur

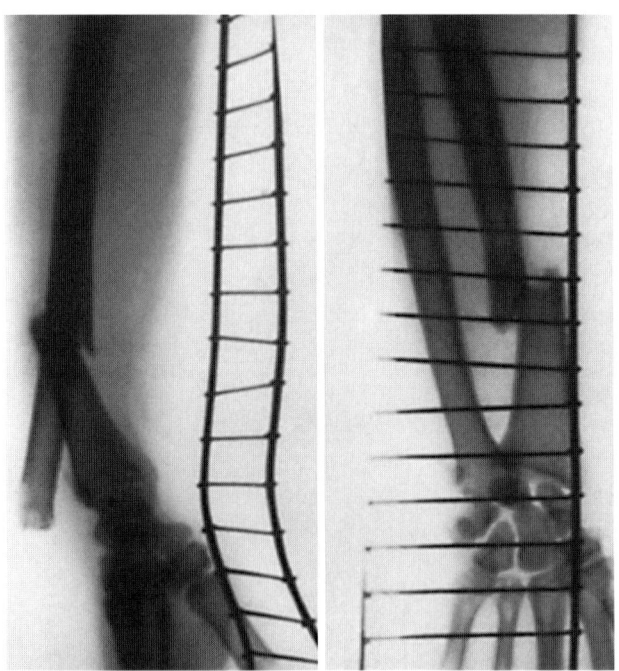

Abb. 10.3.   Galeazzi-Fraktur

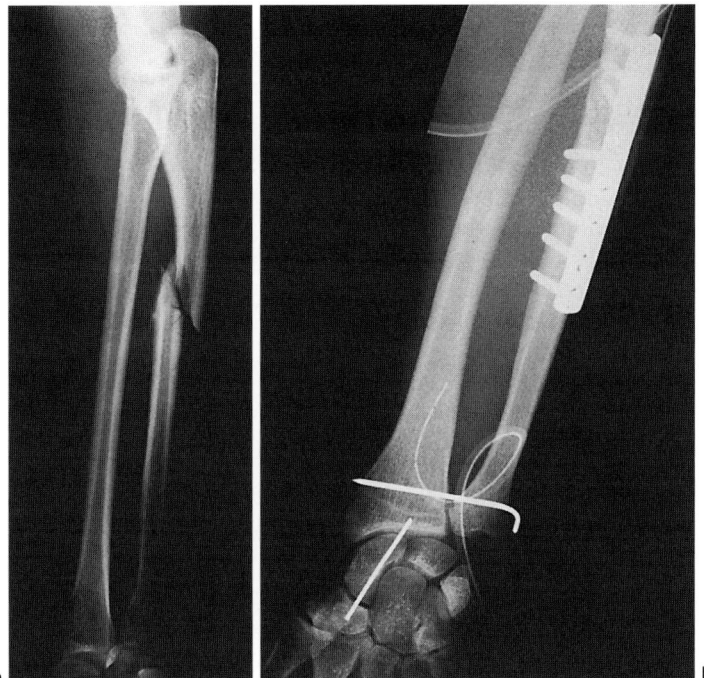

a   b

Abb. 10.5.   a Parierfraktur bei Luxation des distalen Radioulnargelenkes.
b Plattenosteosynthese, Spickung bei Radioulnargelenksprengung und perilunä-
rer Luxation

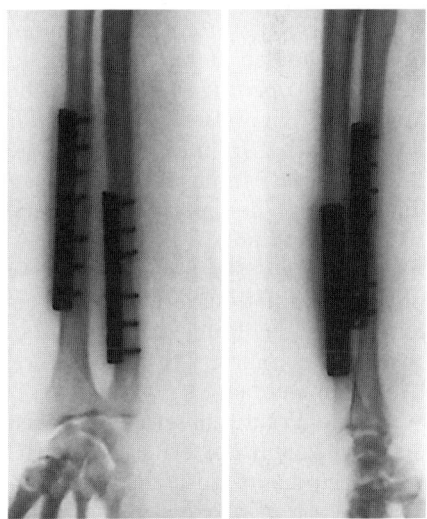

Abb. 10.6.   Übungsstabile Osteosynthese nach
Unterarmfraktur

Symptomatik, Biomechanik und ärztliche Maßnahmen

Die Funktion der Hand ist in besonderem Maß abhängig von der intakten *Umwendbewegung*. Pro- und Supination sind Bewegungen der beiden Radioulnargelenke, sie erlauben die exakte Einstellung der Hand für differenziertes Greifen der vielfältigsten Gegenstände.

Die Umwendbewegungen werden mit den Handgelenk- und Ellbogengelenkbewegungen funktionell kombiniert. Bei Pronation dreht sich der Radius um die Ulna und beschreibt das Segment eines Kegels. Seine Längsachse verläuft dann schräg nach vorn. In der Pronationsendstellung bilden die Ober- und Unterarmachse dann eine gerade Linie. Frakturen der Unterarmknochen und Luxationen der Radioulnargelenke bewirken eine gravierende Funktionsstörung. Pronationsbewegungen können über eine Schultergelenkabduktion ausgeglichen werden, durch Außenrotation und Adduktion des Schultergelenkes wird eine fehlende Supination vorgetäuscht.

Unterarmfrakturen im mittleren und proximalen Bereich werden in der Regel *operativ* behandelt. Die Stabilität der Osteosynthese der Unterarmschaftfrakturen und die Kapsel- bzw. Bandläsion bestimmen den Beginn der physiotherapeutischen Behandlung.

▶ Die stabile Plattenosteosynthese ohne Kombinationsverletzungen erfordert keine Ruhigstellung (Abb. 10.6). Sie kann frühfunktionell behandelt werden.

▶ Offene Frakturen erhalten meist einen Fixateur externe, auch sie benötigen keine zusätzliche Ruhigstellung.

▶ Bei zusätzlichen Luxationen des Radius oder der Ulna wird evtl. eine Oberarm-, Prothera- oder Gipsschiene für 3–4 Wochen angelegt. Die Schiene darf zum Üben abgenommen werden. Jedoch darf nur aktiv gebeugt und gestreckt, aber nicht supiniert oder proniert werden.

Von besonderer Bedeutung für die Wiederherstellung der vollen Hand- und Ellbogengelenkfunktion ist die *anatomische Reposition* des proximalen Handgelenkes und des humeroradialen Gelenkes.

▶ Die Physiotherapeutin muß die Gelenkstellungen klinisch und röntgenologisch beurteilen und bewerten. Bei bestehendem Radius- oder Ulnavorschub ist die Handgelenkfunktion arthrogen eingeschränkt (s. auch Abschn. »Distale Radiusfraktur«, Kap. 10, S. 171).

Wurde eine stabile Osteosynthese erreicht und die anatomische Länge der Ulna oder des Radius wiederhergestellt, reponiert sich das Radiusköpfchen oder das Ulnaköpfchen von selbst.

▶ Die *physiotherapeutische Behandlung* beginnt am postoperativen Tag, dynamische Bewegungsformen werden erst nach der Entfernung der Redondrainagen eingesetzt. Bei Unterarmschaftfrakturen ohne proximale oder distale Luxationen wird die Osteosynthese als übungsstabil gewertet, eine Bewegungseinschränkung besteht nicht.

Patienten mit einer Monteggia- oder Galeazzi-Fraktur dürfen in den ersten 3–4 Wochen keine dynamischen Umwendbewegungen durchführen.

Folgende *Symptome* werden erwartet:

- postoperatives Ödem,
- geringe lokale Temperaturerhöhung,
- geringer Wundschmerz,
- Einschränkung der Beweglichkeit mit weichem Bewegungsstop,
- bei Radiusköpfchenluxation ein schmerzhafter, festelastischer Bewegungsstop im Ellbogengelenk.

Komplikationen

- Nervenverletzung, z. B. des N. radialis in Form von Teil- oder kompletter Parese der Hand- und Fingerstreckmuskulatur,
- Infektion nach offenen Frakturen,
- Pseudarthrose,
- Brückenkallus,
- sympathische Reflexdystrophie.

Befunderhebung

BEURTEILE

- Narben/Operationswunden.
- Hautdurchblutung.
- Schwellung/Hämatom.
- Unterarmachse und Hand-Ellbogen-Stellung.
- Atrophie.
- Röntgenbild: Frakturstellung, Osteosynthesestabilität, proximales Handgelenk auf Radius- bzw. Ulnavorschub, Radiusköpfchenstellung.

MISS

- Aktive Gelenkbeweglichkeiten.
- Umfang in festgelegten Abständen vom Olekranon aus.

PRÜFE

- Muskeltest auf Teststufe 3 von allen Handbeugern- und -streckern; von Pro-/Supinatoren nur, wenn erlaubt.
- Qualität des Bewegungsstops des Ellbogen- und der Handgelenke.
- Sensibilität.
- Beweglichkeit des Schultergelenkes.
- A.-radialis-Puls.
- Tinel-Zeichen, Phalen-Test (s. Abb. 10.10 u. 10.11).

NOTIERE

- Schmerzen, deren Qualität, Intensität und Lokalisation.
- Andere Auffälligkeiten.

Behandlungsmöglichkeiten

● **1. Verbesserung der Durchblutung, Resorption des Ödems**

▶ Nach Knutsson (1969) wird die *Kontraktionsbereitschaft* eines Muskels nach Kurzzeiteisanwendung angeregt, z. B. durch Abtupfen mit dem Eisbeutel oder Abreiben mit einem Eisball. Die Kontraktionsbereitschaft kann sehr günstig ausgenützt werden, um über Pumpbewegungen die Ödemresorption zu fördern und den Muskelstoffwechsel anzuregen.

▶ Wir verbinden deshalb isometrisches Spannen im Sekundenrhythmus oder Pumpbewegungen der Hand mit einer Eisbehandlung. Beide Techniken können in der Hochlagerung des Armes zur Ödemresorption angewendet werden.

▶ Diese Übungen und Umlagerungen nach Ratschow (Ehrenberg 1987) sollen als Hausaufgabenprogramm vom Patienten mehrmals am Tag selbständig durchgeführt werden.

▶ Die früher vielfach verordneten warmen Bäder gehören der Vergangenheit an.

● **2. Sicherung der Frakturen durch aktive Muskelspannung**

▶ Plattenosteosynthesen an Ulna und/oder Radius sind übungsstabile Osteosynthesen, das bedeutet, die Unterarmmuskulatur darf aktiv gegen Eigenschwere, nicht aber gegen Widerstände arbeiten.

▶ Sind Umwendbewegungen erlaubt, sollen die Ellbogenbewegungen mit kleinen Drehbewegungen kombiniert werden. Dies entspricht den physiologischen Bewegungsmustern der Ellbogengelenke. Geeignete *Techniken* sind:

• langsame Umkehr mit und ohne Halt gegen Führungskontakt,
• Endstellung halten gegen Führungskontakt,
• aktive »wiederholte Kontraktionen« aus dem PNF-Programm ohne Kontakt, evtl. mit Widerstand am Oberarm,
• aktive Stabilisation des Unterarmes und dynamisches, aktives Bewegen des Oberarmes (Vertauschen von Punctum fixum und mobile).

▶ Alle Übungen beginnen mit einer distalen Grundspannung von der Hand aus. Die Führungs-

GESICHTSPUNKTE
DER BEHANDLUNG

3. Verbesserung der
Gelenkbeweglich-
keit.

kontakte sollen proximal von der Frakturhöhe angelegt werden. Der Oberarm wird aktiv oder passiv
fixiert (wie auch der Unterarm bei dynamischer
Bewegung des Oberarmes).

● **3. Verbesserung der Beweglichkeit**

Selten kommt es bei isolierten Unterarmschaftfrakturen zu manifesten *Kontrakturen*. Die vorab ange-
wendeten Techniken reichen in der Regel aus, um
die Gelenke frei zu halten. Die Monteggia- und die
Galeazzi-Fraktur erfordern jedoch eine *befundbezogene Behandlung*.

Bei der *Monteggia-Fraktur* besteht eher eine Kontraktur für die Umwendbewegung.
▶ Feine translatorische Gleitbewegungen aus der
manuellen Therapie können die Verklebungen der
Kapsel des humeroradialen Gelenkes lösen und eine
anschließend durchgeführte aktive Technik vorbereiten. Zur Anwendung kommen die »chirurgische
Entspannungstechnik« und »rhythmische Stabilisation – Entspannen« aus dem PNF-Programm, aber
auch alle unter (1.) angeführten Bewegungen, wenn
sie unter leichter Traktion endgradig ausgeführt
werden.

Bei der *Galeazzi-Fraktur* handelt es sich eher um
eine Einschränkung der Dorsalextension und je
nach Ulna- oder Radiusvorschub um eine Einschränkung der Ulna- oder Radialabduktion. In beiden Fällen ist die Supinationsbewegung behindert.
▶ Traktion und translatorische Gleitbewegungen
am proximalen Handgelenk müssen anhand des
Röntgenbildes und des klinischen Befundes festgelegt werden. Dabei wird der Unterarm immer passiv
nahe am Handgelenk fixiert.
▶ Im Anschluß an die manuelle Therapie sollen
aktive Techniken, wie vorab beschrieben, zur
Anwendung kommen.
  Eisanwendungen werden immer wieder zwischengeschaltet.
▶ Der gewonnene Bewegungsweg soll gehalten wer-
den. So hat es sich bewährt, im Anschluß an die
Mobilisationstechnik »Endstellung halten« gegen
Führungskontakt durchzuführen.

3. Verbesserung der Gelenkbeweglichkeit.

4. Verbesserung der Muskelkraft, Ausdauer und Geschicklichkeit.

An dieser Stelle soll auch noch einmal davor gewarnt werden, Eiskompressen oder Beutel ohne Kontrolle über eine längere Zeit auf das Ellbogengelenk aufzulegen. Die Folge kann eine Ischämie und ausgeprägte Analgesie sein. Forciertes Mobilisieren ist dann evtl. möglich, setzt aber neue Traumen und Kontrakturen und/oder Kalzifikationen.

> **!** Langzeiteisbehandlungen müssen vom Pflegepersonal, Kolleginnen oder dem Patienten selbst kontrolliert werden.

▶ Vor Beginn des Kälteschmerzes wird die Packung weggenommen, sie kann dann wieder nach einigen Minuten neu aufgelegt werden.

● **4. Verbesserung der Muskelkraft, Ausdauer und Geschicklichkeit**

Training eines Muskels oder einer Muskelgruppe bedeutet die Verbesserung der Ausdauer, der Kraft und des ökonomischen Einsatzes der Hand für Alltagsverrichtungen.

▶ Erreichbar ist dieses Ziel durch wiederholtes Üben, durch systematische Steigerung des Widerstandes, Verlängerung der Spannungszeiten und durch Einüben von methodisch aufgebauten komplexen Bewegungsmustern.

▶ Bis zur Konsolidierung der Fraktur darf *keine Hebelwirkung* an ihr erfolgen, sie würde den Heilungsablauf stören. Der Widerstand muß deshalb für die Ellbogenbewegungen zwischen Ellbogen und Fraktur plaziert werden. Bei Handbewegungen muß zwischen Fraktur und proximalem Handgelenk passiv fixiert werden. Ist dies z.B. bei einer Fixateur-externe-Osteosynthese nicht möglich, muß auf distalen Widerstand verzichtet werden.

▶ Wie bei allen Techniken muß die Dosierung des Widerstandes abgestimmt sein auf den aktuellen Muskel- und Gelenkbefund. Schmerzen, Muskelzittern, Nichterreichen des möglichen Bewegungsausmaßes und Ausweichbewegungen zwingen zu einer Dosierungsänderung.

GESICHTSPUNKTE
DER BEHANDLUNG

▶ Übungen zur Ausdauerverbesserung sollen mit niedrigem Widerstand, jedoch höherer Übungszahl und geringen Pausen ausgeführt werden. Ein adäquates Hausaufgabenprogramm ist unerläßlich.

5. Schulung der Funktion für den Alltag, Beruf und Sport.

● **5. Funktionsverbesserung**

▶ Das Üben mit kleinen Handgeräten darf nach ca. 4–6 Wochen post operationem begonnen werden, wenn die Fraktur/Luxation ausreichend geheilt ist (*Röntgenkonrolle, Erlaubnis durch Arzt!*)
▶ Kleine Handgeräte, wie Tücher, Seil, Ball, Stab, Therabänder etc., können für alle Formen des Greifens eingesetzt werden. Schwerpunktmäßig sollen in spielerischer Form Umwendbewegungen ausgeführt werden.
▶ Festes Umgreifen der Geräte bewirkt eine Kokontraktion aller Unterarmmuskeln, die sich positiv als achsiale Druckspannung auf die Fraktur auswirken kann.
▶ Alle Übungen werden vorgeübt und dann als Hausaufgabenprogramm zusammengestellt.

ÜBUNGSBEISPIELE

Übungsstabil versorgte Unterarmschaftfraktur

Ausgangsposition

Sitz. Oberarm, Unterarm und Hand auf gekipptem Handtisch in bestmöglicher Streckung.

ÜBUNG

▶ Isometrisches Spannen des M. triceps, Endstellung halten.
Kontakt: Lateral und proximal der Fraktur.
Fixation: Aktiv, distal/medial am Oberarm.
Übungsauftrag: »Lehnen Sie den Ellbogen gegen die Hand des Therapeuten, halten und lockerlassen!«
▶ *Dasselbe* mit vorherigem aktivem Strecken und Spreizen der Finger.

ÜBUNG

▶ Bewegen – Halten, Bewegen – Halten – Bewegen,
Kontakt: s. oben.
Fixation: s. oben.

ÜBUNG

▶ Ellbogenextension mit wiederholten Kontraktionen gegen Führungskontakt, nach 4 Wochen evtl. angepaßter Widerstand.
Kontakt: lateral und proximal der Fraktur.
Fixation des Oberarmes passiv.
Übungsauftrag: »Strecken Sie den Ellbogen – halten – weiterstrecken – etwas nachgeben – wieder strecken usw.!«

Ausgangsstellung

Im freien Raum.

ÜBUNG

▶ PNF: Extension – Abduktion – Innenrotation zur Ellbogenextension, mit wechselndem Drehpunkt Ellbogengelenk, wiederholte Kontraktion.
Kontakte: Lateral/dorsal distal am Oberarm und proximal am Unterarm.
Übungsauftrag: Richtungsweisend von den Fingern beginnend.

ÜBUNG

▶ PNF: Flexion – Abduktion – Außenrotation zur Ellbogenextension.

ÜBUNG

▶ PNF: Flexion – Adduktion – Außenrotation zum gestreckten Ellbogen (Trizepsstoßbewegung) in Abänderung des Originalmusters mit Handgelenk- und Fingerstreckung (s. Abb. 10.17 a, b).
Kontakt: Medial/distal am Oberarm, proximal am Unterarm. Therapeutin steht auf der anderen Seite des Patienten.

ÜBUNG

▶ Unterarm auf Tisch, Oberarm zieht in Adduktion Außenrotation gegen Führungkontakt bis zur möglichen Streckung.

Ausgangsposition

Arm auf gekipptem Handtisch (s. oben).

ÜBUNG

▶ Isometrisches Spannen der Ellbogenbeuger in bestmöglicher Beugestellung als Endstellung halten.
Kontakt: medial und proximal der Fraktur.
Fixation: aktiv, distal/lateral am Oberarm.
Übungsauftrag: s. oben.
▶ *Dasselbe* mit vorgezogenem aktivem Faustschluß.

ÜBUNG

▶ Ellbogenflexion, Bewegen – Halten – Bewegen, Bewegen und Halten gegen Führungskontakt.
Kontakt: s. oben.
Fixation: s. oben.

ÜBUNG

▶ Ellbogenflexion mit wiederholten Kontraktionen gegen Führungskontakt.
Kontakt: Medial und proximal der Fraktur.
Fixation: s. oben.
Übungsauftrag: »Beugen Sie den Ellbogen, halten Sie, ziehen Sie weiter, geben Sie etwas nach, ziehen Sie weiter usw.«

ÜBUNG

▶ Ellbogenflexion mit Supination und Fingerflexion bei aufliegendem Oberarm.

ÜBUNG

▶ Ellbogenflexion mit Pronation und Fingerextension bei aufliegendem Oberarm.

▶ Unterarm auf Tisch liegend, Oberarm zieht gegen Führungskontakt in Abduktion/Retroversion bis zur möglichen Beugung.

Ausgangsposition

Frei im Raum.

▶ PNF: Flexion – Adduktion – Außenrotation zur Ellbogenbeugung, wiederholte Kontraktion, nach 4 Wochen auch gegen angepaßten Widerstand.
Kontakt: medial/ventral, proximal am Unterarm und distal am Oberarm.
Übungsauftrag: »Beugen Sie Finger und Hand, beugen Sie den Ellbogen, halten Sie, ziehen Sie, halten Sie weiter, geben Sie etwas nach, ziehen Sie weiter usw.«

▶ PNF: Flexion – Abduktion – Außenrotation zur Ellbogenbeugung, wiederholte Kontraktion.
Kontakt: lateral/ventral, proximal am Unterarm und distal am Oberarm.
Übungsauftrag: »Strecken Sie Finger und Hand, beugen Sie den Ellbogen, halten Sie, ziehen Sie weiter usw.«

Ausgangsposition

Unterarm flach auf einen gerade gestellten Tisch mit dem Handgelenk an der Kante legen.

▶ Handdorsalextension, Palmarflexion, Radial- und Ulnarabduktion, Fingerflexion, -extension.
Kontakt: richtungsweisend.
Fixation: passiv dicht oberhalb des Handgelenkes.
Übungsauftrag: Entsprechend der Technik.
▶ Bewegen und Halten, wiederholte Kontraktion.

▶ »Chirurgische Technik«, »langsame Umkehr – Halten – Entspannen«, »rhythmische Stabilisation – Entspannen« aus dem PNF-Programm entsprechend dem vorliegenden Bewegungsstop.

4–6 Wochen post operationem:

▶ Traktion am proximalen Radius, Gleiten nach ventral/kaudal, Extension des Unterarms in submaximaler Beugung, anschließend weiche Umkehrbewegungen.

Mit Handgeräten, spielerischer Umgang mit Ball, Tüchern, Seil, Bändern etc. mit Betonung der Umwendbewegungen.

Nicht stützen, prellen oder hart fangen!

Distale oder »klassische« Radiusfraktur

Ursache

• Fall auf die ausgestreckte Hand.

Allgemeine Richtlinien, Biomechanik, Symptomatik und ärztliche Maßnahmen

Die beiden Handgelenke sind funktionell gesehen ein Eigelenk. Das *proximale Handgelenk* besteht aus der Gelenkfläche des Radius und dem Os scaphoideum des Os lunatum und dem Os triquetrum. Das *distale Handgelenk* besteht aus der proximalen und distalen Reihe der Handwurzelknochen.

Die Bewegungen der beiden Handgelenke als gemeinsame Funktion sind Dorsalextension/Palmarflexion, Radial- und Ulnarabduktion.

- *Dorsalextension* (80/85–0–80/85°): Nach Lanz (1959) ist bei der Dorsalextension das distale Handgelenk mit ca. 50°, das proximale mit ca. 35° beteiligt.
- *Palmarflexion:* Hier ist es umgekehrt; das proximale Handgelenk ist mit 45–50°, das distale mit 30–35° beteiligt.
- *Radialabduktion* (20–0–45°): Nach Lanz (1959) dreht sich bei Dor-

salextension/Radialabduktion die proximale Handwurzelreihe um ihre eigene Achse. Das Skaphoid wird bei der Radialabduktion nach palmar, bei Ulnarabduktion nach dorsal verschoben. Die Handwurzelreihe gleitet in entgegengesetzter Richtung zur Handbewegung. Bei eingeschränkter Dorsalextension besteht häufig auch eine Kontraktur in Richtung Radialabduktion.

- *Ulnarabduktion:* Die Bewegung geschieht bevorzugt im proximalen Handgelenk und ist häufig eingeschränkt, wenn die Palmarflexion nicht frei ist.

Pro- und Supination finden in den Radioulnargelenken und im Humeroradialgelenk statt, sie werden durch die straffen Bänder auf die Hand übertragen. Der Bewegungsumfang ist bei Supination 80–0–80°.

Für die Beurteilung der Radiusfraktur wird der sog. *Basiswinkel* und der *dorsale Kippwinkel* anhand des Röntgenbildes ausgemessen (Abb. 10.7a, b und 10.8a, b).

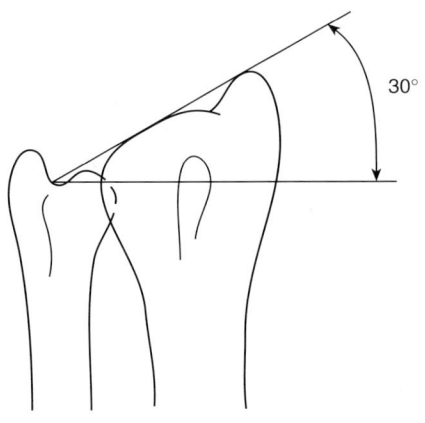

30°

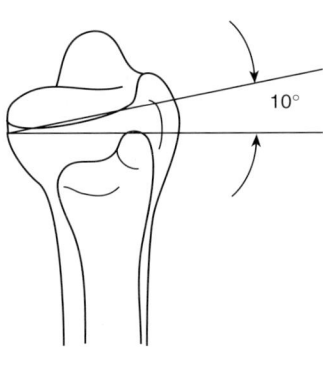

10°

a

b

Abb. 10.7a, b.   Beurteilung des Basiswinkels und des dorsalen Kippwinkels

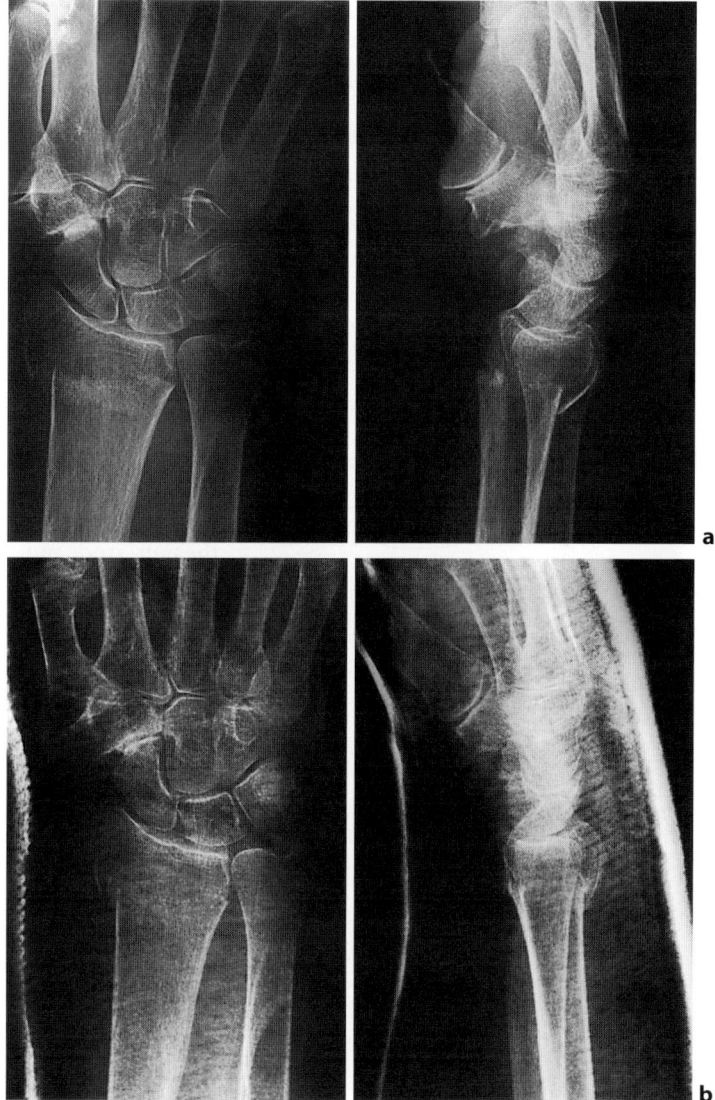

Abb. 10.8.   a Radiusfraktur, **b** konservative Behandlung im Gips

Die Gefäßversorgung der Hand geschieht überwiegend aus der A. radialis, von besonderer Bedeutung ist der oberflächliche und tiefe *Hohlhandbogen.* Im Zusammenhang mit einem zu engen Gips bei Radius- oder Skaphoidfrakturen kann der oberflächliche und tiefe Hohlhandbogen abgedrückt werden; aus dieser Situation kann eine *sympathische Reflexdystrophie* entstehen.

Das venöse und lymphatische Gefäßnetz wird von volar nach dorsal abgeleitet, Ödeme und venöse Stau- ungen werden deshalb besonders am Handrücken sichtbar.

Die gelenknahe Radiusfraktur kann über ihre typische Dislokation (Four- chette-, Bajonettstellung, Abb. 10.9 a–c) oder einen zu engen Gips zu Stauungen und Druckbelastungen des N. medianus und der Gefäße im Bereich des Retinaculum flexorum führen. Die daraus entstehenden Beschwerden werden auch als *trau- matisches Karpaltunnelsyndrom* be- zeichnet. Kraftvolles Greifen ist dann nicht möglich, die Daumen- und Kleinfingermuskulatur atrophiert, die Bewegungen der Handgelenke sind schmerzhaft, es kann zu Paräs- thesien und motorischen Ausfällen der durch den N. medianus versorg- ten Muskulatur kommen (s. auch Tinel-Test, Abb. 10.10, Phalen-Test, Abb. 10.11). Ein totaler Ausfall der Sensibilität ist nicht zu erwarten, da zwischen den einzelnen Nerven zahl- reiche Anastomosen bestehen.

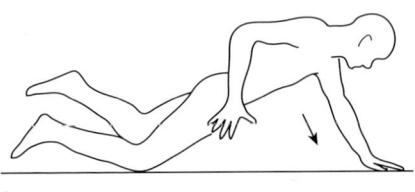

a

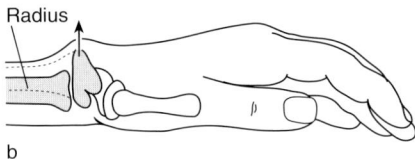

b

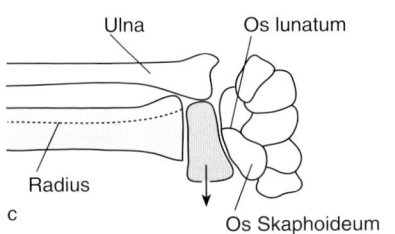

c

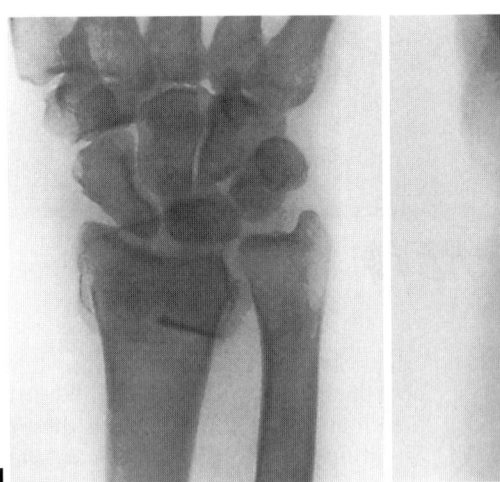

d

Abb. 10.9.   **a–c** Mechanismus der Dislokation

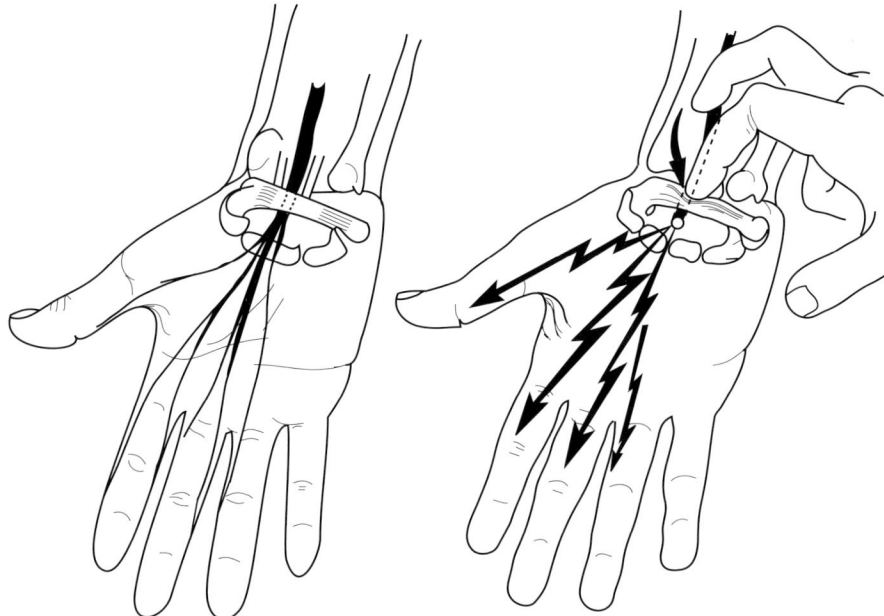

Abb. 10.10.   Karpaltunnelsyndrom: Tinel-Test

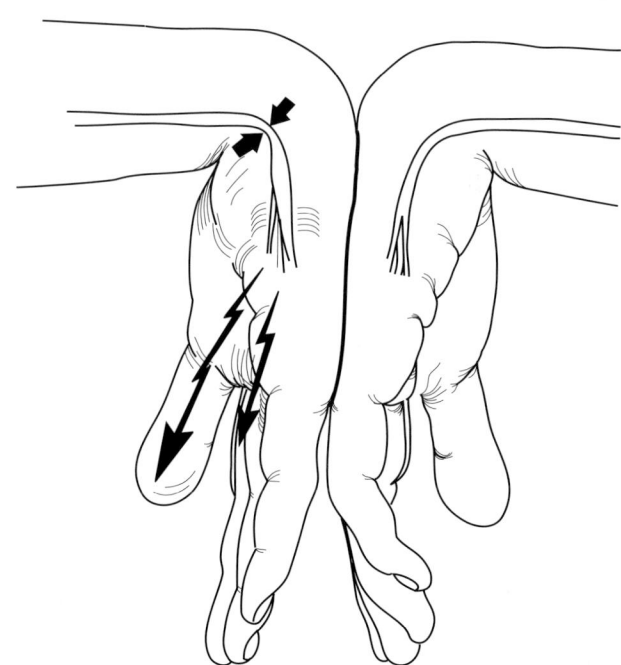

Abb. 10.11.   Phalen-Test
zur Ermittlung des Karpaltunnelsyndroms

Die *biomechanischen Besonderheiten* der Handgelenke und die *Pathologie der Verletzung* müssen sowohl bei der Frakturversorgung der distalen Radiusfraktur als auch bei der sich anschließenden ärztlichen und physiotherapeutischen Behandlung besondere Beachtung finden (s. auch Kap. 4).

Der distale Radius bricht am häufigsten im Bereich der ehemaligen Epiphysenfuge. Das distale Fragment kippt in typischer Weise nach dorsal und radial und verursacht die bereits erwähnten *Bajonett-* und *Fourchettestellungen* (s. Abb. 10.9). Werden die Fragmente nicht korrekt reponiert, drücken sie den Inhalt des Karpaltunnels gegen das straffe Retinaculum flexorum. Auf diese Weise kann, wie bereits erwähnt, ein Karpaltunnelsyndrom, aber auch eine sympathische Reflexdystrophie entstehen.

Eine bleibende Fehlstellung der Fragmente verursacht außerdem eine Inkongruenz im Radioulnargelenk mit nachfolgender Einschränkung der Pro- und Supinationsbewegung. Calliet (1975) gibt eine Drucksteigerung bei jeder Dorsalextension auf den Karpaltunnel um das 3fache an, bei Fehlstellungen der Radiusgelenkfläche erhöht sich dieser Wert um ein Vielfaches.

Die Radiusfraktur wird auch heute noch überwiegend *konservativ* behandelt. Nach Reposition der Fraktur wird die Hand in leichter Palmarflexion und Ulnarabduktion ruhiggestellt. Zunächst wird eine palmare Gipsschale angelegt, die dann nach Abschwellung in einen zirkulären Gips oder »light cast« vervollständigt wird. Der Daumen kann bis zum Grundgelenk mit eingegipst sein. Die Gipszeit beträgt ca. 4–5 Wochen, bei jüngeren Patienten etwas weniger.

> **!** Besondere Kontrolle und Sorgfalt sollte bei der Anlage von Unterarmgipsen gelegt werden, die Mittelhand darf nicht zusammengedrückt werden. Alle Fingergrundgelenke und das Ellbogengelenk sollen frei bleiben.

Der Gips darf nie zu eng sein. Auch heute gilt der zu enge Gips als Hauptursache für die Entstehung einer SRD (s. auch Kap. 4, »Sympathische Reflexdystrophie«). Engmaschige Röntgenkontrollen sind nötig, um ein Abrutschen der Fraktur früh zu erkennen (2mal wöchentlich).

Gelingt eine zufriedenstellende Frakturstellung nicht, wird eine Fixierung mit Kirschner-Pins vorgenommen. In seltenen Fällen wird eine Osteosynthese mit einer T-Platte durchgeführt (Abb. 10.12). Trümmerfrakturen mit Zerstörung der Gelenkfläche und Spongiosaimpression (»Pilon-radial-Fraktur« sowie offene Frakturen werden mit einem Fixateur externe behandelt (Abb. 10.13 a, b und 10.14 a, b).

▶ Die gipsfrei behandelten Patienten können umgehend nach der Osteosynthese aktiv üben, die Osteosynthese ist übungsstabil.

Die zusätzliche Gipsruhigstellung bei einer Kirschner-Drahtspickung dauert 4–6 Wochen, dann können die Pins entfernt werden.

▶ Erst nach Entfernung der Pins darf mit Pro- und Supinationsbewegungen begonnen werden.

Osteosynthesen mit Fixateur externe sind gelenkübergreifende Osteosynthesen.

▶ Geübt werden dürfen nur die freien Fingergelenke und die Beuge-/Streckbewegungen des Ellbogengelenkes. *Pro- und Supinationsbewegungen sind untersagt.*

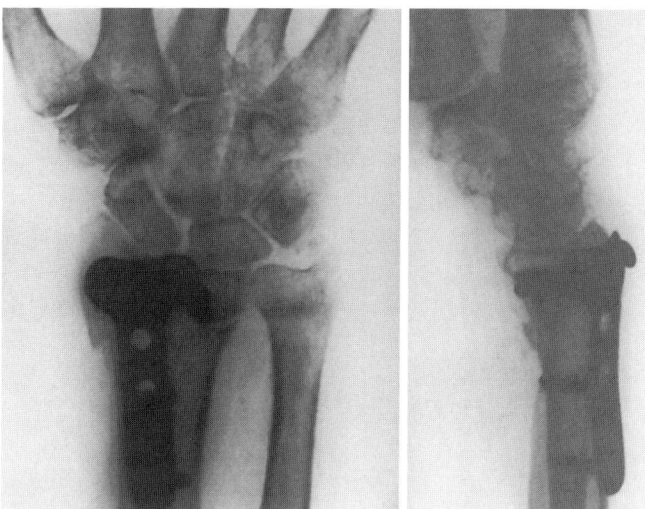

Abb. 10.12.   Osteosynthese
nach Radiusfraktur

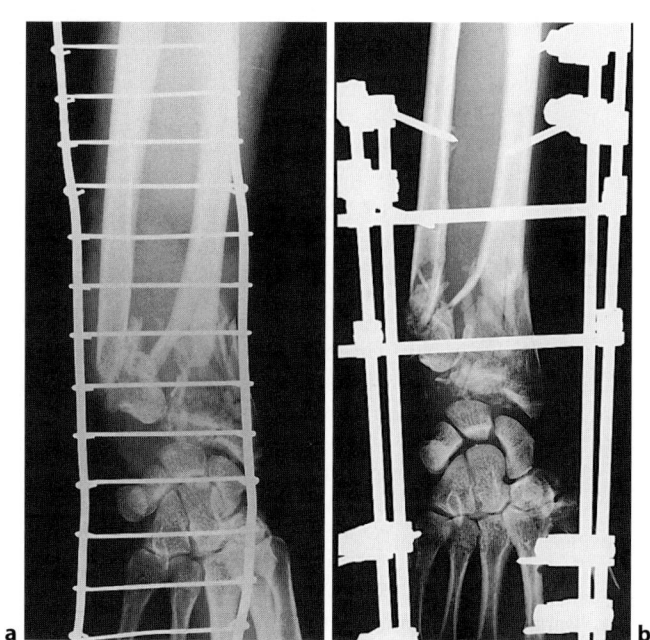

Abb. 10.13.   **a** Radiusfraktur »pilon radial«, **b** Osteosynthese mit Fixateur externe

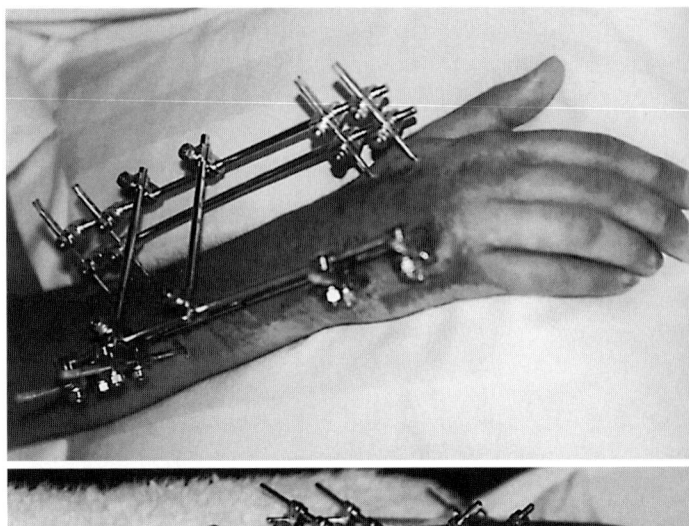

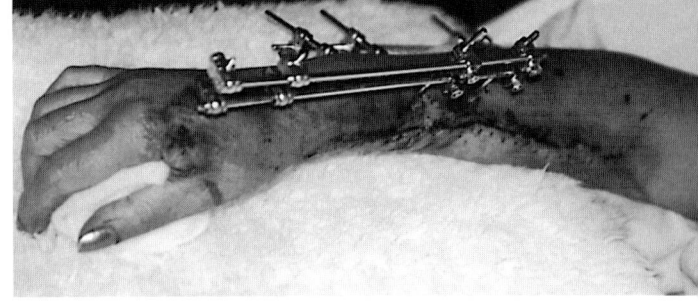

Abb. 10.14.   a Radiusfraktur mit Fixateur
externe, **b** Lagerung

▶ Wir empfehlen zusätzlich das Anlegen einer leichten palmaren Schiene, die zum Üben abgenommen werden kann. Die kleinen, nicht gefaßten Fragmente rutschen leider schnell ab.

Der Fixateur externe kann nach 4–6 Wochen entfernt werden.

Die Behandlung des *Karpaltunnelsyndroms* geschieht über eine Spaltung des Retinaculum flexorum. Eine vorherige Abklärung, ob die Sensibilitätsstörungen nicht durch ein Halswirbelsäulensyndrom hervorgerufen sind, ist unbedingt erforderlich.

Behandlungsmöglichkeiten

GESICHTSPUNKTE
DER BEHANDLUNG

Die Auswahl der physiotherapeutischen Techniken richtet sich nach der ärztlichen Behandlung und dem Befund. Sie können zu unterschiedlichen Zeiten Anwendung finden. Der *Behandlungsbeginn* kann am 2. postoperativen Tag oder erst nach 4–6 Wochen sein.

GESICHTSPUNKTE
DER BEHANDLUNG

1. Verbesserung der Durchblutung.
2. Spannungsaufbau der die Fraktur sichernden Muskulatur.
3. Entspannen der Handbinnenmuskulatur.
4. Mobilisation der Handgelenke.
5. Verbesserung der Muskelkraft, Ausdauer und Geschicklichkeit.
6. Funktionsschulung.

▸ *Während der Gipsbehandlung* kann auch eine Gruppenarbeit durchgeführt werden, die darauf zielt, die freien Gelenke voll funktionstüchtig zu erhalten, Durchblutungsstörungen zu vermeiden und Komplikationen frühzeitig abzufangen.

▸ Bei Verdacht auf eine *sympathische Reflexdystrophie* soll die Stellung der Fraktur überprüft und ggf. operativ behandelt werden. Eine Sympathikusblockade kann diskutiert werden. Die Physiotherapie muß mit ihren Mitteln versuchen, die Druckläsion zu vermindern und die Handgelenkstellung zu verbessern.

● **1. Verbesserung der Durchblutung**

(Siehe Abschnitt »Unterarmfraktur«, S. 161).

● **2. Spannungsaufbau**

Da das proximale und distale Handgelenk an allen 4 Bewegungsrichtungen der Hand beteiligt sind, soll die Spannung möglichst komplex aufgebaut werden.

▸ Die Fraktur wird am besten gesichert durch eine Kokontraktion der langen Fingerbeuger mit den Handgelenkstreckern (Abb. 10.15 und 10.16). Die Palmarflexion wird entsprechend mit der Extension der Finger ausgeführt.

▸ An *Techniken* kommen in Frage: Endstellung halten, Bewegen und Halten in allen Variationen mit Faustschluß oder gestreckten Fingern.

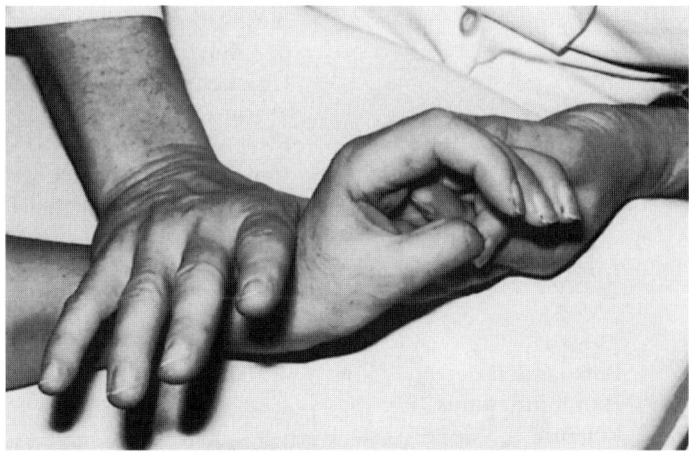

Abb. 10.15. Dorsalextension des Handgelenkes bei Flexion der Finger

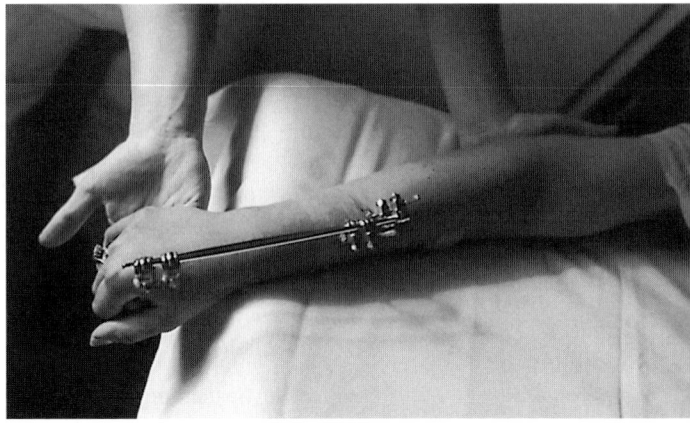

Abb. 10.16. Versuch der komplexen Spannung der Fingerbeuger mit dem M. triceps

2. Spannungsaufbau der die Fraktur sichernden Muskulatur.

▶ Die Dosierungsstufe ist Führungskontakt, es muß passiv dicht neben dem proximalen Handgelenk am distalen Unterarm fixiert werden.

▶ Übungen aus dem PNF-Programm mit wechselndem Drehpunkt der Handgelenke sind abzuwandeln, dann aber eine willkommene Abwechslung:

– Die sog. »Trizepsstoßbewegung« (Abb. 10.17 a, b) wird in der 1. Diagonalen original mit einer radialen Dorsalextension und Fingerextension angegeben. Läßt man die Finger zur Faust beugen, wird diese Übung zu einer wertvollen Übungsform bei der Behandlung der Radiusfraktur. Das Handgelenk kann dann aktive wiederholte Kontraktionen ausführen.

– Eine Änderung der PNF-Übung Flexion – Abduktion – Außenrotation und Extension – Abduktion – Innenrotation in gleicher Weise ist möglich (s. Abb. 10.17).

– Entsprechend werden alle PNF-Muster, die mit Palmarflexion des Handgelenkes geplant sind, mit Fingerextension eingeleitet.

3. Entspannen der Handbinnenmuskulatur.

● **3. Entspannen der Handbinnenmuskulatur**

Jede Form der Ruhigstellung bewirkt eine Schrumpfung der Kapseln, Bänder und Muskeln an der Hand. Nur eine *gipsfreie Behandlung* und eine ent-

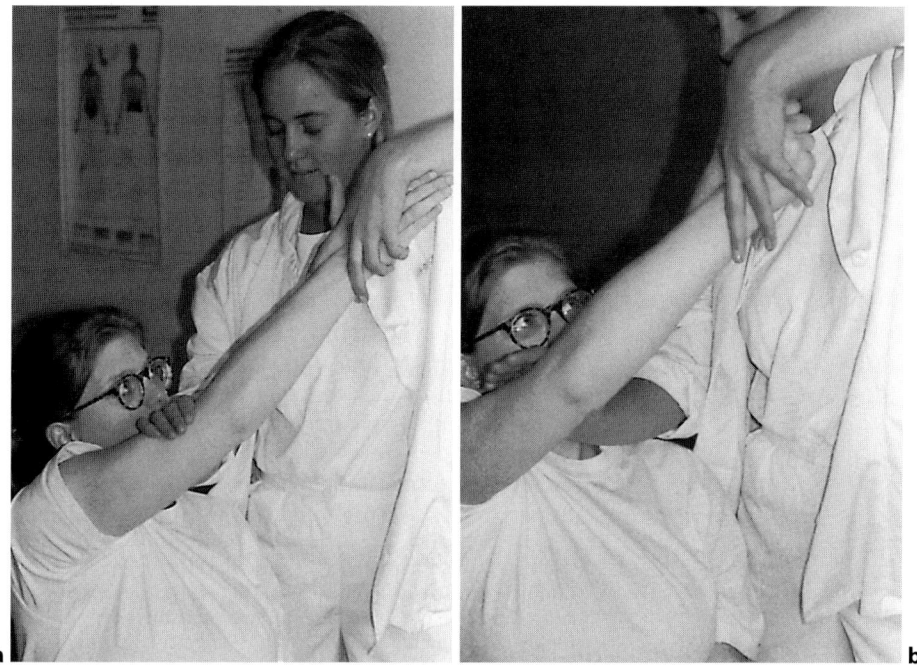

a   b

Abb. 10.17.   **a** Trizepsstoßbewegung nach PNF, **b** Abwandlung zu Faustschluß und Dorsalextension der Hand

Gesichtspunkte der Behandlung

sprechende Möglichkeit, die Finger von Anfang an frei bewegen zu können, bewahrt die Hand vor einer Kontraktur der Mm. lumbricales und interossei. Sie atrophieren schnell und geben Anlaß für einen vermehrten Druck auf den tiefen Hohlhandbogen mit nachfolgender Minderdurchblutung der Hand.

Auch die häufig geübte primäre Behandlung der Radiusfraktur mit einem Fixateur externe zeigt die gleiche Symptomatik.

▶ Physiotherapeutinnen sollen deshalb besonderen Wert auf die *Funktion der Binnenmuskulatur* legen.

▶ Das Entspannen der Mittelhandmuskulatur ist aktiv, aber auch durch minimale Gleitbewegungen der Mittelhandknochen zu erreichen. Diese können jedoch erst nach Entfernung der Ruhigstellung (Gips oder Fixateur externe) angewendet werden.

▶ Kurzes Eintauchen in ein Eisbad kann diese Techniken unterstützen.

GESICHTSPUNKTE
DER BEHANDLUNG

4. Mobilisation der
Handgelenke.

● **4. Mobilisation**

Grundsätzlich gilt das gleiche wie im vorangehenden Kapitel beschrieben.

▶ Zu beachten ist die besondere Beteiligung der beiden Handgelenke an den eingeschränkten Funktionen. Selten ist das Endgefühl weichelastisch, dann sollen aktive PNF-Entspannungstechniken gewählt werden.

▶ In der Regel ist der Bewegungsstop, vor allem für die Dorsalextension und Radialabduktion, fest. Techniken nach Maitland und Frisch sind dann die geeignete Technik. Translatorisches Verschieben des Os scaphoideum, des Os lunatum und der übrigen Handwurzelknochen des distalen Handgelenkes werden nach entsprechender Untersuchung vorgenommen. Weiche Umkehrbewegungen unter Traktion verbessern ebenfalls die Handfunktion.

> **!** Die Physiotherapeutin muß anhand des Röntgenbildes und des klinischen Befundes entscheiden, wo sie gezielt ansetzt und ob ein bestehender Ulnarvorschub oder eine Bajonettstellung die Funktion der Handgelenke bleibend einschränkt.

Die Mobilisation der Pro- und Supination soll zum Schutz der Fraktur *immer mit Faustschluß* vorgenommen werden.

▶ Mobilisationstechniken, die den Patienten an dem Vorgang des Spannens und Entspannens beteiligen, haben den Vorzug. Schmerzhafte Verspannungen dürfen nicht überspielt werden.

▶ Zur Mobilisation der Umwendbewegungen eignen sich die bereits erwähnten Techniken »rhythmische Stabilisation – Entspannen« mit Betonung der Rotation, wenn die Frakturheilung es zuläßt, sowie die Techniken nach Maitland und Frisch.

▶ Die Beweglichkeit von Schultergelenk, Skapula und Halswirbelsäule soll immer überprüft und prophylaktisch in endgradigen PNF-Mustern geübt werden.

Kontraindiziert sind Wärmeanwendungen!

● **5. Verbesserung der Muskelkraft**

▶ Geeignet zum Training der geschwächten Unterarmmuskulatur sind die folgenden *Techniken:*
– Endstellung halten,
– Bewegen und Halten in allen Variationen und
  gegen angepaßten Widerstand sowie
– die PNF-Techniken »wiederholte Kontraktion mit
  Drehpunkt Handgelenk«.

▶ Dosierungsmöglichkeiten ergeben sich aus der
Zahl der Wiederholungen der Widerstandsstärke,
der Spannungs- und der Pausendauer.
▶ Anzustreben ist die Stabilisation des Handgelenkes in leichter Dorsalextension als Voraussetzung
für kraftvolles Greifen der Finger.

● **6. Funktionsschulung**

Alle Formen des Greifens sind von einer vollen
Funktionsfähigkeit der Hand- und Ellbogengelenke
abhängig. Der geschickte Gebrauch der Finger ist
sowohl von der Gleitfähigkeit der elastischen Strukturen wie der Stabilisation der einzelnen Gelenke
abhängig.
▶ Greifen und Halten von Gegenständen aller Art
kommen als Kombinationsbewegungen vor. Kleine,
leichte Geräte, wie z. B. Seil, kurzer Stab, Keule, kleiner Ball, Tuch oder Knetmasse können frühzeitig in
der Physiotherapie eingesetzt werden.
▶ Federhanteln, Geräte mit elastischen Zügen oder
Hanteln können erst nach Ausheilung der Fraktur
zur Anwendung kommen.
▶ Auch gilt hier, daß die Hand möglichst natürlich
im Alltag eingesetzt werden soll. *Das Tragen von
schweren Gegenständen und Abstützen* sind bis zur
Ausheilung der Fraktur (ca. 8 Wochen) *nicht erlaubt*
(s. auch »Handchirurgie«, Kap. 11).
▶ Das Röntgenbild, der klinische Befund und die
ärztliche Erlaubnis bestimmen das Vorgehen.

> **!** Wenn Gehen mit Stützen erforderlich ist, Achselstützen
> verwenden!

SCHÜLERAUFGABE ■■■

> Überlegen Sie, welche Möglichkeiten der Behand-
> lung Sie haben, um eine SRD nach Radiusfraktur
> im akuten Stadium zu behandeln.

ÜBUNGSBEISPIELE

Distale Radiusfraktur

Ausgangsposition

Sitz. Unterarm und Hand flach auf dem gekippten Handtisch gelagert, Hand leicht höher als Ellbogen. Bei polytraumatisierten Patienten Rückenlage.

ÜBUNG

▶ Aktive Dorsalextension des Handgelenkes unter Faustschluß mit Endstellung halten.
Kontakt: Proximal am Handrücken.
Fixation: Passiv dicht oberhalb des proximalen Handgelenkes.
Übungsauftrag: Machen Sie eine Faust, heben Sie die Hand hoch und halten.«
▶ *Dasselbe* als Bewegen – Halten – Bewegen.
Kontakt: s. oben.
Fixation: s. oben.
Übungsauftrag: »Ziehen Sie die Faust hoch, halten Sie, geben Sie etwas nach, ziehen Sie wieder hoch, usw.«

ÜBUNG

▶ Aktive Haltearbeit der Handextensoren, dynamische Umkehrbewegung der Daumenabduktion und -extension, der Fingerflexion und -extension.
Kontakt: Keiner.
Fixation: Passiv dicht oberhalb des proximalen Handgelenkes.
Übungsauftrag: »Ziehen Sie die Faust hoch, bleiben Sie in der Stellung, bewegen Sie den Daumen weg von der Hand und wieder heran (spreizen Sie die Finger und beugen Sie sie wieder) usw.«

ÜBUNG

▶ Radialabduktion, Endstellung halten.
Kontakt: An der Radialseite des Handgelenkes.
Fixation: s. oben.
Übungsauftrag: »Halten Sie Daumen und Hand in dieser Stellung«.
▶ *Dasselbe* gilt für die Ulnarabduktion.

ÜBUNG

▶ Kontraktion für Radialabduktion/Dorsalextension.
Kontakt: dorsal/radial proximal am Handgelenk.
Fixation: s. oben.
Übungsauftrag: Faust nach innen oben, ziehen Sie ein Stück weiter, geben Sie ein wenig nach, ziehen Sie wieder usw.

In den Übungspausen wird Eisabtupftechnik/Reiben mit dem Eisball über der zu beanspruchenden Muskulatur durchgeführt.

Ausgangsposition

Handgelenk in Nullstellung, Kleinfingerseite liegt auf etwas niedriger gestelltem Handtisch.

ÜBUNG

▶ Supination mit aktivem Faustschluß, Bewegen und Halten.
Kontakt: Unterarm medial, proximal, kein Kontakt an der Hand.
Fixation: Oberarm distal, passiv oder aktiv.
Übungsauftrag: »Machen Sie eine Faust und drehen Sie nach oben, Halten!«

▶ *Dasselbe* mit rhythmischer Stabilisation, wiederholten Kontraktionen etc.

▶ *Dasselbe* für Pronation mit aktivem Faustschluß.

Ausgangsposition

Hand flach auf dem Tisch an der Tischkante oder in Unterarmnullstellung.

ÜBUNG

▶ Palmarflexion und Fingerstreckung, Bewegen – Halten, Endstellung halten.

Kontakt: Palmar an den Handwurzelknochen mit 2 Fingerkuppen.

Fixation: Passiv, s. oben.

Übungsauftrag: »Strecken Sie die Finger und beugen Sie die Hand, halten (oder entsprechend).«

▶ *Dasselbe* auch als wiederholte Kontraktion nach PNF.

Ausgangsstellung

Arm in Extension – Abduktion – Innenrotation, gebeugter Ellbogen, Handgelenk gebeugt, Finger gestreckt.

ÜBUNG

▶ Trizepsstoßbewegung (abgeändert), die Physiotherapeutin steht auf der Gegenseite.

Kontakt: medial, distal am Oberarm, medial, proximal am Unterarm.

Fixation: keine.

Übungsauftrag: »Machen Sie eine Faust, nehmen Sie das Handgelenk zurück, strecken Sie den Ellbogen in Richtung Gegenschulter, halten!«

▶ *Dasselbe* mit wiederholten Kontraktionen, Drehpunkt: Handgelenk.

ÜBUNG

▶ Extension – Adduktion – Innenrotation zum gebeugten oder gestreckten Ellbogen mit Fingerextension und Palmarflexion.

Kontakt: medial, dorsal am distalen Oberarm und proximalen Unterarm.

Übungsauftrag: »Strecken Sie die Finger, beugen Sie die Hand, bewegen Sie den Arm in Rechtung gegenseitiges Hüftgelenk, halten!«

▶ *Dasselbe* mit wiederholten Kontraktionen; Drehpunkt: Handgelenk.

Es darf kein Stretch und kein Widerstand gegeben werden, wenn die Fraktur noch nicht durchgebaut ist.

TECHNIK

▶ Zur Mobilisation der Palmarflexionskontraktur (anfangs evtl. Faustschluß beibehalten) langsame Umkehr – Halten – Entspannen.

Kontakt: Auf dem Handrücken dicht neben dem Gelenk, nach Wechsel palmar über Handwurzelknochen, Zug ansetzen!

Fixation: dicht oberhalb des proximalen Handgelenkes.

Übungsauftrag: »Ziehen Sie die Hand hoch, soweit es geht« (dann erfolgt Kontaktwechsel nach palmar), »lehnen Sie die Hand nach unten an und lassen Sie locker« (dann erfolgt Kontaktwechsel), »und nun ziehen Sie weiter hoch usw.!«

▶ *Befundbezogen alternativ:* »rhythmische Stabilisation – Entspannung« und »chirurgische Technik«.

Ausgangsposition

Oberarm liegt auf dem Tisch, Unterarm senkrecht aufgestellt und in Rotationsnullstellung.

▶ Mobilisation der Pronationskontraktur mit Faustschluß »Rhythmische Stabilisation« aus PNF.

Fixation: Passiv distal am Oberarm.

Kontakt: Proximal der Fraktur, z. B. in der Mitte des Unterarmes.

Übungsauftrag: »Machen Sie eine Faust und drehen Sie den Unterarm nach außen, lehnen Sie den Unterarm entsprechend dem Handwechsel gegen meine Hand und drehen Sie die Hand nach außen/innen, (nach 4- bis 5mal) Spannung lösen und weiter in Supination ziehen, Wiederholung.«

▶ *Dasselbe* gilt für die eingeschränkte Pronation.

Nach ca. 6 Wochen:

Alle Übungen können nun gegen angepaßten manuellen Widerstand ausgeführt werden. Die *Supinations-/Pronationsbewegungen* sollen betont werden; anfangs können Verstärkungstechniken Anwendung finden, bei zunehmender Kraftverbesserung wird ohne Kontraktionshilfen geübt.

▶ Präzisionsgriffe, Kraftgriffe mit kleinen Geräten, z. B. Knetmasse, kleinem Ball, Münzen, Wäscheklammern usw. Dabei soll das Handgelenk aktiv fixiert werden.

Literatur

Blauth W (1982) Arthrolysen bei posttraumatischen Ellbogenstreifen. Aktuelle Traumatol 6: 246

Erdweg W (1982) Zur Behandlung der Flexionsfrakturen am distalen Radius. Aktuelle Traumatol 5: 205

Frisch H (1990) Programmierte Untersuchung des Bewegungsapparates. 4. Aufl. Springer, Berlin Heidelberg New York

Hertel P et al. (1974) Die Ergebnisse nach operativer Behandlung von 48 frischen Monteggia-Verletzungen. Aktuelle Traumatol 4: 147

Kaps H (1982) Radiusköpfchenresection als wiederherstellende Maßnahme am Ellbogengelenk. Aktuelle Traumatol 6: 12

Knutsson E (1969) Effects of local cooling on monosynaptic reflexes in man. Scand J Rehabil Med I: 126

Lanz v T, Wachsmuth W (1959) Praktische Anatomie. Bd. 1/3, Arm. Springer, Berlin, Heidelberg

Loeweneck H (1994) Funktionelle Anatomie für Krankengymnasten, 2. Aufl. Pflaum, München

Maitland G (1996) Manipulation der peripheren Gelenke. 2. Aufl. Springer, Berlin Heidelberg New York

Pannike A (1973) Frakturen des distalen Radiusendes: Indikation und Technik operativer Behandlung. Langenbecks Arch Chir (Kongreßbericht 1973) (Springer 334

Pannike A (1973) die Osteosynthesen epiphysennaher Frakturen einschließlich der Korrektureingriffe. Aktuelle Traumatol 3: 93

Schicker N (1982) Zur Behandlung distaler Radiusfrakturen. aktuelle Traumatol 3: 129

Tscherne H (1974) Konservative oder operative Behandlung bei kompletten Unterarmfrakturen. Aktuelle Traumatol 5: 85

11 Physiotherapeutische Behandlung in der Handchirurgie

Einteilung der Verletzungen der Hand

- Frakturen,
- Luxationen,
- Sehnenverletzungen,
- Muskelverletzungen,
- Nervenverletzungen,
- Gefäßverletzungen,
- Kombinationsverletzung von Knochen, Sehnen, Nerven und Gefäßen, z.B. bei Fingerabtrennung oder Quetschverletzung (Abb. 11.1).

Ursachen

- Traumen: Schnitt-, Quetsch- und Rißverletzungen, Verbrennungen, Kreissägen-, Maschinen-, Glasscherbenverletzungen,
- Erkrankungen: Dupuytren-Faszienfibrose, sympathische Reflexdystrophie.

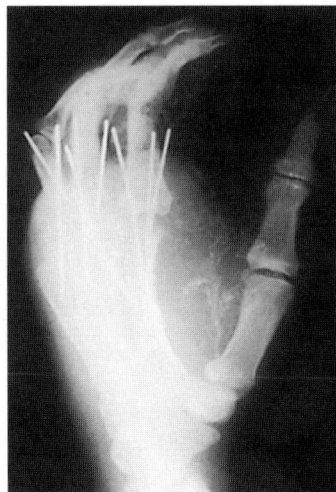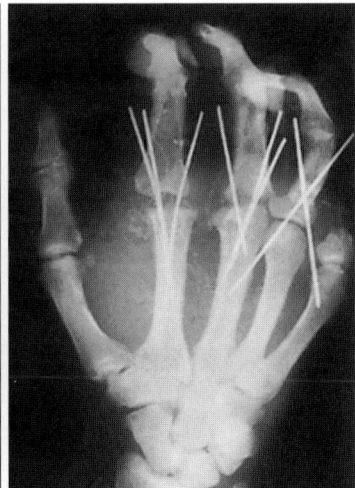

Abb. 11.1. Kreissägenverletzung mit Fingerabtrennung, Replantation und Osteosynthese mit Kirschner-Drähten

Biomechanik, Symptomatik, ärztliche Maßnahmen und allgemeine Richtlinien

Die Hand ist ein sehr differenziertes Instrument des Menschen, um feine und grobe *Greifformen* auszuführen. Nach zur Verth (Loeweneck u. Liebenstund 1994) werden sie eingeteilt in
• den Schlüsselgriff
• den lumbrikalen Griff und
• den Tragegriff.

Napier (Loeweneck u. Liebenstund 1994) teilt die Greifformen ein in
• Präzisionsgriffe und
• Kraftgriffe (Abb. 11.2 – 11.7).

Bei allen Greifformen spielt der *Daumen* eine wichtige Rolle. Seine Bewegungsmöglichkeiten im Sattelgelenk sind Opposition, Reposition, Ab- und Adduktion sowie eine Innenrotation des Os metacarpale I bei der Oppositionsbewegung von ca. 30°.

Um die *Fingergreifformen* im Raum und auf das Objekt optimal einstellen zu können, muß die Hand sowohl dorsal-/palmarflektiert, pro- und supiniert wie auch ulnar- und radialabduziert werden können.

In *Ruhestellung* ist die Hand normalerweise proniert und ulnarabduziert, beim *Tragen* von Objekten ist sie eher supiniert und radialabduziert. Zum *Greifen* eines Gegenstandes wird die Hand nach Kapandji (1984) in ca. 40°-Dorsalextension und 15°-Ulnarabduktion eingestellt, um den Mm. flexores digitorum eine optimale Zugfähigkeit durch Vordehnung zu ermöglichen. Funktionell ist es deshalb von Bedeutung, daß das distale Radioulnargelenk, die Handgelenke und das proximale Radioulnargelenk koordiniert eingesetzt werden können.

Die Funktion der langen Fingerbeuger ist von ihrer Gleitfähigkeit in den Sehnenscheiden (osteofibröse Kanäle) und dem Spannungszustand der Kollateralbänder abhängig. Adhäsionen, die durch Narbenbildung nach Verletzungen entstehen, verhaken die Sehnen und behindern die Zugkraft.

Während sich der Zeigefinger gerade zum Handgelenk in einer sagittalen Achse beugt, bewegen sich die anderen 3 Finger bei Beugung in Richtung zum Daumen, sie können also etwa opponieren.

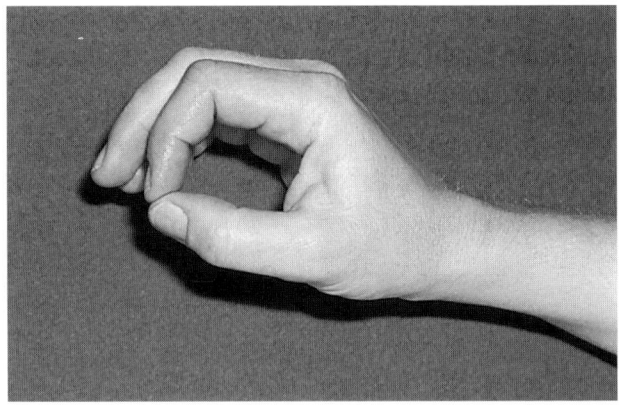

Abb. 11.2.   Spitzgriff

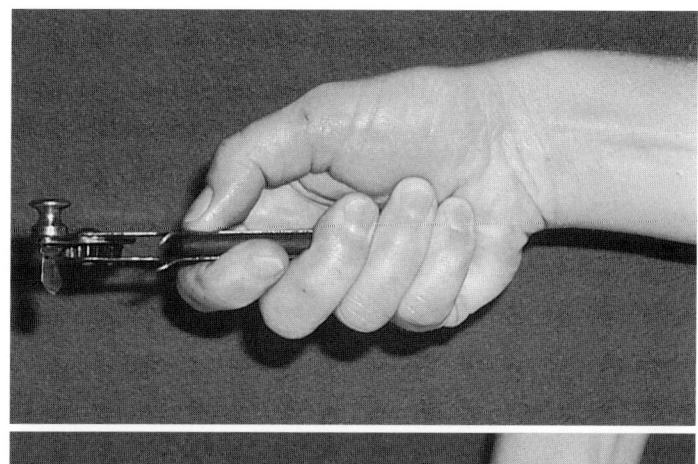

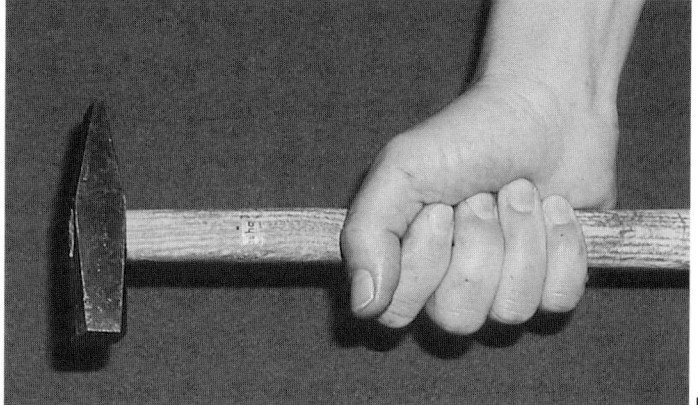

Abb. 11.3. **a** Schlüsselgriff, **b** Grobgriff

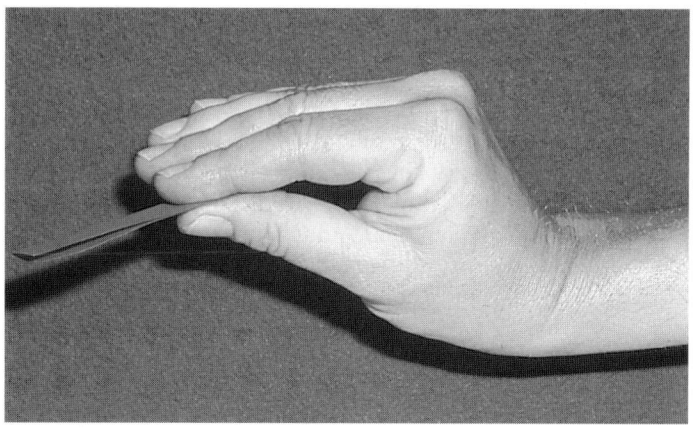

Abb. 11.4. Lumbrikaler
Griff

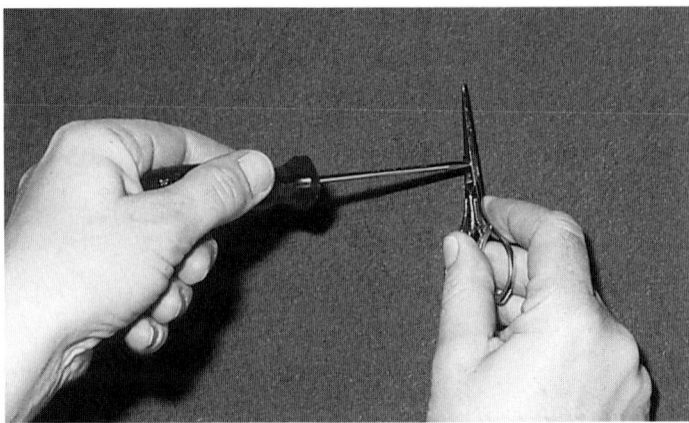

Abb. 11.5.   Präzisionsgriff

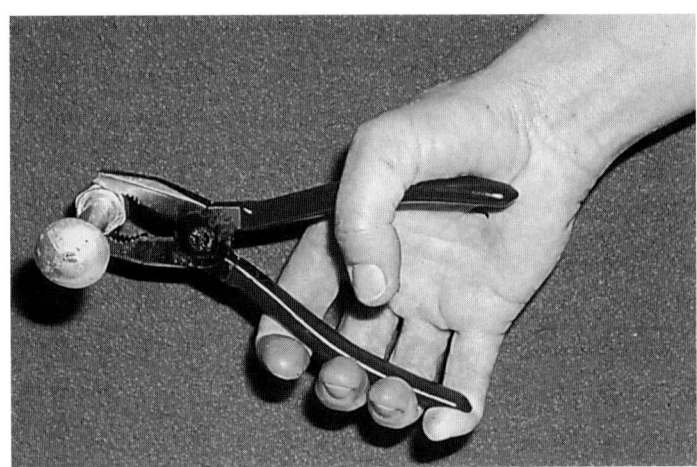

Abb. 11.6.   Tragegriff/
Grobgriff

Die *Hohlhand* und ihre *Gewölbekonstruktion* wird durch die Handwurzel- und Mittelhandknochen geformt und stabilisiert. Während die Mm. interossei die Mittelhandknochen verspannen, hält das Retinaculum flexorum die ulnaren und radialen Handwurzelknochen zusammen.

Bedeutung hat die Handarchitektur bei der Behandlung von Handverletzungen und deren *Ruhigstellung.* Ein enger Gips verändert die Stellung der Metakarpalköpfchen und zerstört die feinen Bewegungsmöglichkeiten zwischen Karpus und Metakarpalia.

In dem engen Karpaltunnel verlaufen die Aa. radialis und ulnaris und der N. medianus. Strukturen, die in diesen beiden Hohlräumen liegen, können bei Verletzungen und der nachfolgenden Ruhigstellung einer zusätzlichen Druckläsion ausgesetzt

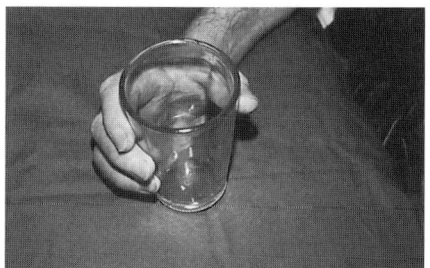

Abb. 11.7. Greifen eines Glases

sein (*Karpaltunnelsyndrom, sympathische Reflexdystrophie*, s. auch Radiusfraktur).

Der Bezug der Binnenmuskulatur zum arteriellen, tiefen und oberflächlichen Hohlhandbogen und das vorab beschriebene Handgewölbe spielen eine Rolle für die Heilung jeder Verletzung, insbesondere bei der Entstehung der *sympathischen Reflexdystrophie (Sudeck-Symptomenkomplexes)*. Der erhöhte Druck behindert die arterielle Durchblutung und den Abfluß des Ödems und Hämatoms auch aus dem Knochen. Patienten geben ein »Klammergefühl« an der Hand an, das bildhaft die entstandene Ischämie und Dystrophie beschreibt.

▶ Physiotherapeutinnen müssen ruhigstellende Verbände daraufhin kontrollieren und ggf. ändern, ihre Fixationsgriffe so wählen, daß sie die Mittelhand *nicht* zusammendrücken oder die seitlich an den Langfingern verlaufenden Gefäße abschnüren.

Frakturen und Luxationen

Zu den wichtigsten Frakturen und Luxationen der *Handwurzel* gehören die Skaphoidfraktur (Abb. 11.8), die Lunatumluxation und die perilunäre

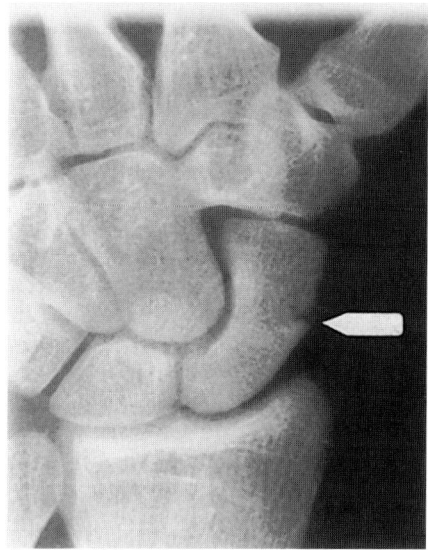

Abb. 11.8. Skaphoidfraktur

Luxation. Im Bereich der *Metakarpalia* und *Phalangen* gibt es alle Frakturtypen, die auch sonst an Röhrenknochen vorkommen. Schwierig zu behandeln sind die *Gelenkfrakturen*, insbesondere die Bennett- oder Rolando-Fraktur des Os metacarpale I.

Bei den *Fingerluxationen oder -subluxationen* hat die Luxation des Daumen-MP-Gelenkes besondere Bedeutung. Sie wird auch als »Skidaumen« bezeichnet.

Frakturen an der Hand sind häufig offene Frakturen mit einem ausgeprägten Hautdefekt. Die Verletzungen anderer Strukturen als Begleiterscheinung zu den Frakturen geben den Schweregrad der Verletzung an. Die ärztliche Behandlung von Frakturen an der Hand muß deshalb individuell entschieden werden. Einige *Richtlinien* lassen sich jedoch aufstellen.

Os-scaphoideum-Fraktur

Die Skaphoidfraktur wird häufig bei den ersten Röntgenaufnahmen übersehen. Bei Verdacht auf eine Skaphoidfraktur sollte deshalb nach 3 Tagen eine spezielle Serie von Röntgenaufnahmen in verschiedenen Winkeleinstellungen vorgenommen werden.

Skaphoidfrakturen entstehen durch Sturz auf die Hand. Alle Bewegungen der Handgelenke irritieren die Fraktur. Bewegungen in Richtung Palmarflexion lassen den Bruchspalt dorsal klaffen, in Richtung Dorsalextension wird der Bruch volar auseinandergezogen (Abb. 11.9 und 11.10).

Bei Ulnarabduktion werden die Fragmente distrahiert, bei Radialabduktion wird das Skaphoid gedreht, die Fragmente rutschen aneinander vorbei.

In der Regel wird die Skaphoidfraktur *konservativ* behandelt. Es besteht jedoch erhöhte *Pseudarthrosegefahr,* wenn die Fraktur nicht exakt und lange genug in Mittelstellung ruhiggestellt wird. Das Daumengrundgelenk muß mit eingegipst sein (evtl. Gips nach Rehbein, s. Wiedemann et al. 1992). Die Ruhigstellung soll mindestens 12 Wochen betragen.

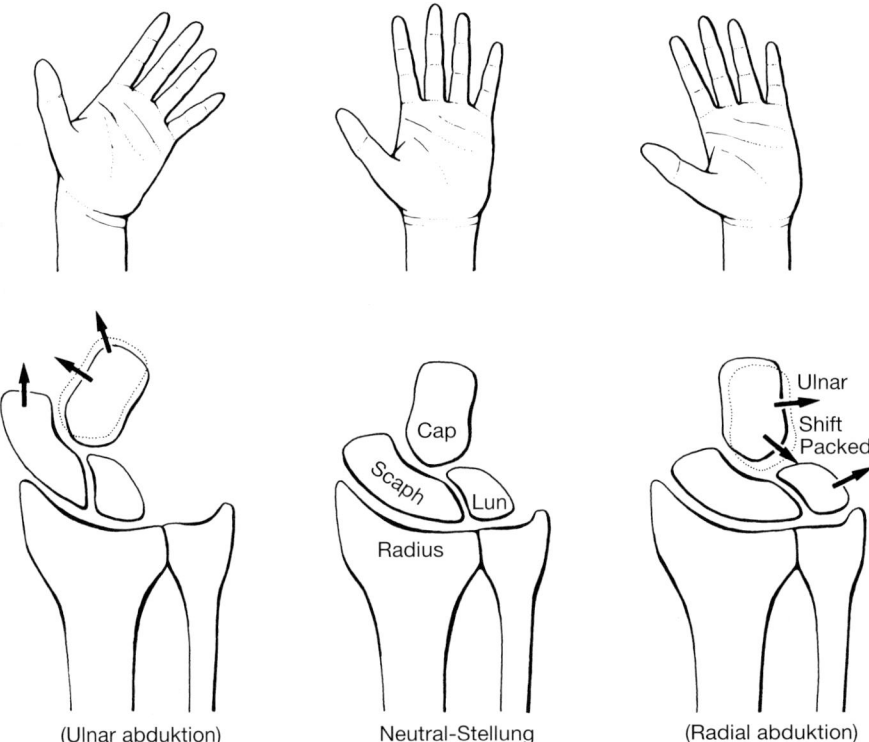

Abb. 11.9. Gleitbewegung des Skaphoids bei Handgelenkab- und -adduktion. (Aus: Cailliet 1971)

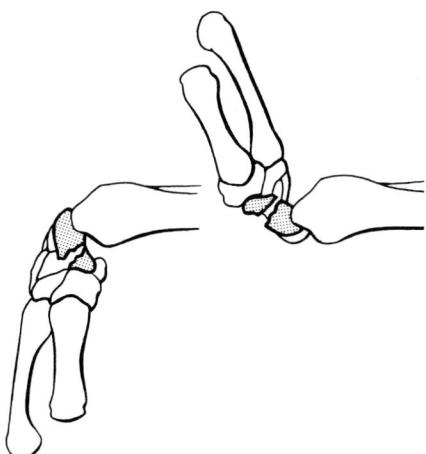

Abb. 11.10.   Klaffen des Bruchspaltes bei Dorsal- und Volarflexion

Operatives Vorgehen mit einer Schraubenosteosynthese ist möglich, ebenfalls eine Verblockung mit einem kortikospongiösen Span. Die Ruhigstellung dauert im letzteren Fall 16 Wochen. Das Hauptproblem besteht nicht in der Stabilisation der Fraktur, sondern in der arteriellen Versorgung des Skaphoids mit nur einer Endarterie. Die Gefahr der Bildung einer Knochennekrose ist groß.

Sekundäre Osteosynthesen mit einer Spongiosaplastik sind deshalb keine Seltenheit (Operation nach Matti-Russe).

Die *physiotherapeutische Behandlung* ähnelt der nach einer Radiusfraktur.

▶ Nach der langen Ruhigstellungszeit der konservativ behandelten Skaphoidfraktur steht die Mobilisation im Vordergrund. Zur Anwendung kommen dann befundbezogene Techniken aus der manuellen Therapie (Tests und Techniken nach Maitland und Frisch). Die Funktionsschu-

lung wird, wie im allgemeinen Teil beschrieben, symptomatisch durchgeführt.

Os-lunatum-Luxation

Die Luxation des Os lunatum geschieht meistens nach palmar bei Sturz auf die gestreckte Hand. Es besteht eine zwingende *Operationsindikation,* mit sofortiger Reposition und Ruhigstellung für 2–3 Wochen. Auch bei der Os-lunatum-Luxation besteht die *Gefahr einer Nekrose.* Bei der perilunären Luxation wird in gleicher Weise vorgegangen (s. Abb. 10.5 b, Kombinationsverletzung).

Frakturen der Metakarpalia

Am häufigsten brechen die Metakarpalia II, III und V bei *Schlagverletzungen;* bei *Quetschverletzungen* können alle Metakarpalia brechen.

Gelingt eine Achsenausrichtung (besonders wichtig: Metakarpale III), kann die Behandlung *konservativ* mit einem Gips für 3–6 Wochen durchgeführt werden.

Eine Ausnahme bilden die Metakarpale-I-Frakturen, die *Bennett-* oder die *Rolando-Fraktur.* Die Bennett-Fraktur betrifft die Basis des Metalkarpale I mit einer Abscherung eines medialen Knochenecks, die Rolando-Fraktur beschreibt die Y-förmige Frakturlinie an der Basis des Metakarpale I. Beide Frakturen erfordern eine *Schraubenosteosynthese* (Abb. 11.11 a, b und 11.12 a, b).

Gelingt die Osteosynthese, wird sie als übungsstabil gewertet, eine weitere Ruhigstellung ist nicht nötig.

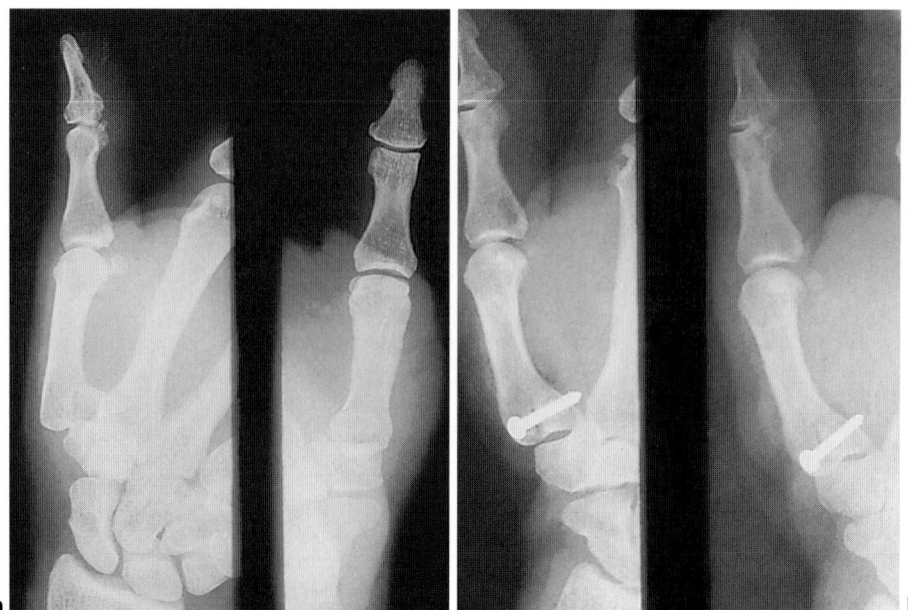

Abb. 11.11.   **a** Bennett-Fraktur, **b** Schraubenosteosynthese

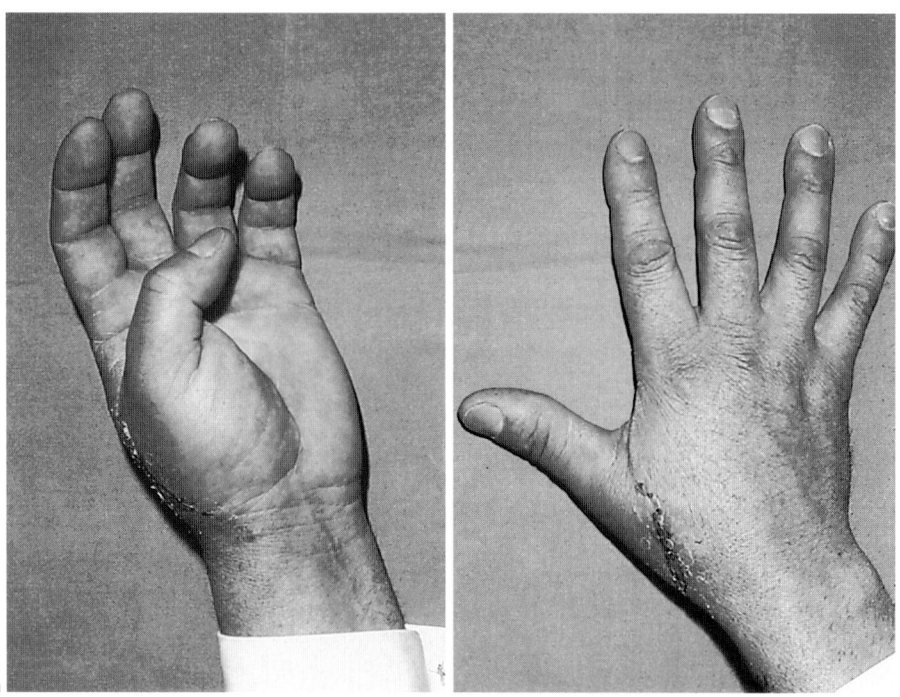

Abb. 11.12 a, b.   Funktion nach der Osteosynthese

Die *physiotherapeutische Behandlung* wird wie bei einer Plattenosteosynthese einer Radiusfraktur durchgeführt mit aktiven Techniken gegen Führungskontakt.

▶ Insbesondere finden Techniken Anwendung, die die Handwurzelreihe aktiv ruhighalten und eine dynamische Bewegung des Radius fordern.

Der sog. Skidaumen kann *konservativ* oder *operativ* mit einer Bandnaht/Plastik behandelt werden. In der Regel wird anschließend ein Gips für 4–6 Wochen angelegt.

Frakturen der Grund- und Mittelphalangen

Sie sind oft disloziert und werden mit Spickdrähten lagerungsstabil fixiert. Eine Schienenruhigstellung ist für 3–4 Wochen nötig (s. Abb. 11.1).

Sehnenverletzungen

Beugesehnenverletzungen

Entsprechend ihrer Funktion werden Beugesehnen besonders häufig bei *Schnittverletzungen* durchtrennt. Der Schweregrad der Beugesehnendurchtrennung ist abhängig von der Lokalisation und der Mitverletzung der ring- und kreuzförmigen Haltebänder sowie der Sehnenscheiden.

Im Bereich der Handwurzel und Metakarpalia fehlen i. allg. die Sehnenscheiden. Beugesehnendurchtrennungen werden in dieser Höhe deshalb primär genäht.

Eine durchgehende Sehnenscheide besitzt der Daumen und der Kleinfinger; dies hat klinische Bedeutung bei einer *Phlegmone*. Die Infektion kann sich von einem Finger zum anderen ausbreiten.

Bei einem *Riß* der oberflächlichen Beugesehne sind die Funktionen der langen Beuger geschwächt, aber möglich. Bei Ausfall beider Sehnen können das PIP- und das DIP-Gelenk nicht mehr gebeugt werden (Abb. 11.13). Entsprechend kann das Grund- und Endgelenk des Daumens nicht mehr gebeugt werden, wenn die Sehne des M. flexor pollicis longus gerissen ist.

Die Hauptprobleme der Behandlung der Beugesehnendurchtrennung liegen bei der Verhaftung der Naht-

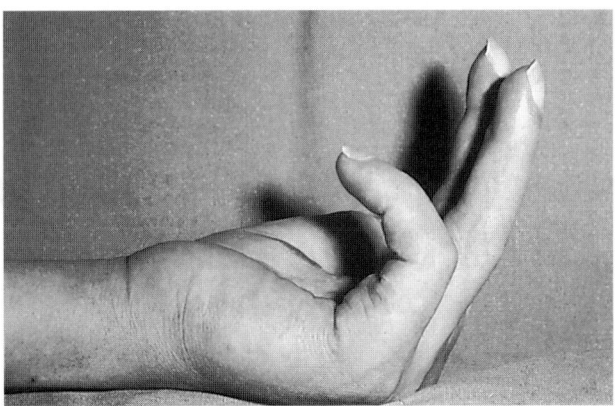

Abb. 11.13. Durchtrennung der Beugesehen D2–D4

stellen im Sehnenscheidenbereich. Handchirurgen bemühen sich deshalb um ein *operatives Vorgehen*, welches das Gleiten der Sehne ohne Zugbelastung frühzeitig erlaubt.

Üblich ist heute die Versorgung nach Kleinert: Nach einer Durchflechtungsnaht nach Bunnell oder einer Sehnenplastik wird eine Gipsschiene in 60°-Handgelenkflexion, 70°-Grundgelenkbeugung und gestreckten Mittel- und Endgelenken angelegt. Gummizügel werden zwischen den Fingerkuppen und der

Palmarseite des proximalen Handgelenkes am Gips oder Verband befestigt und garantieren die gewünschte Entlastungsstellung der Sehnennaht (Abb. 11.14–11.16). Nach 3 Wochen kann die Annäherung aufgegeben werden, der Gips wird abgenommen und ein Verband für weitere 2 Wochen angelegt.

▶ Während der ersten 5 Wochen darf nur passiv gebeugt werden, die Streckung der Fingergelenke wird aktiv gegen die Gummizügel geübt.

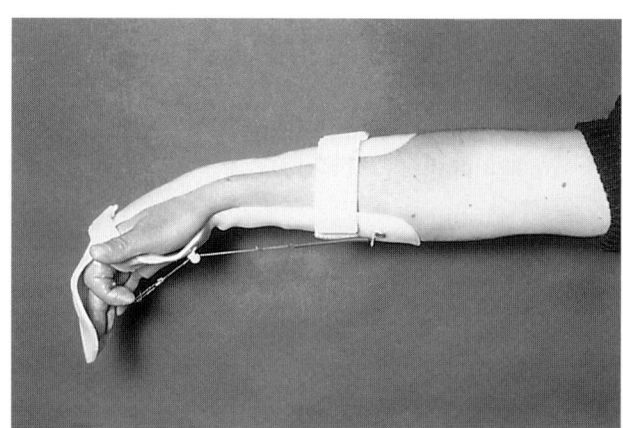

Abb. 11.14. Kleinert-Gips passive Beugung D2 durch Zügel

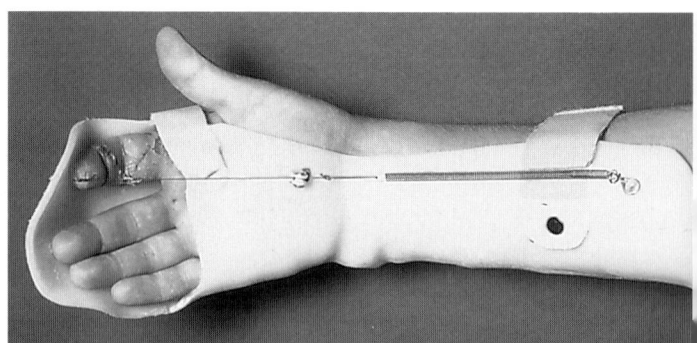

Abb. 11.15. Kleinert-Gips nach Beugesehnennaht D2, aktive Streckung

▶ Nach 5 Wochen wird mit der aktiven Beanspruchung der Beugesehne begonnen (Abb. 11.17) und langsam die Nullstellung aller Gelenke erreicht. Nach 6 Wochen ist dies i. allg. möglich.

▶ Wegen der Adhäsionsgefahr der Sehnennarbe muß auch bei dieser Methode mit einer 2. Operation nach ca. 3 Monaten gerechnet werden. Die Sehne wird dann aus ihrem Umfeld gelöst.

Nach Tendolysen muß *sofort physiotherapeutisch behandelt* werden.

▶ Aktives Üben gegen Führungskontakt und vorsichtiges Mobilisieren muß v. a. während der kritischen Zeit zwischen dem 7. und 15. (bis 20.) Tag mehrmals täglich durchgeführt werden (Abb. 11.18). In dieser Zeit besteht *erhöhte Rißgefahr*.

▶ Je weicher und behutsamer mit der Hand umgegangen wird, um so schneller wird sie zu natürlichen Bewegungen zurückfinden.

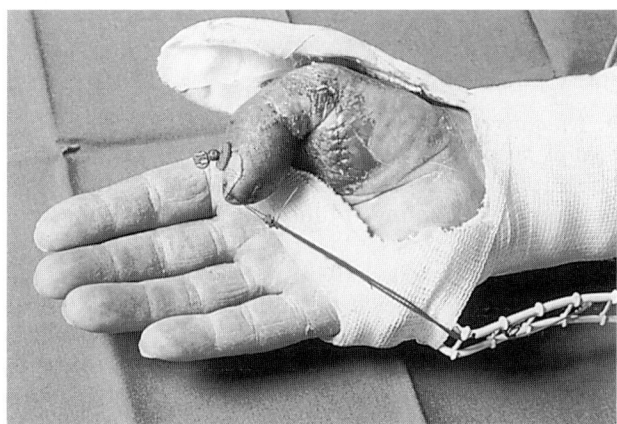

Abb. 11.16. Kleinert-Gips nach Daumenbeugesehnennaht

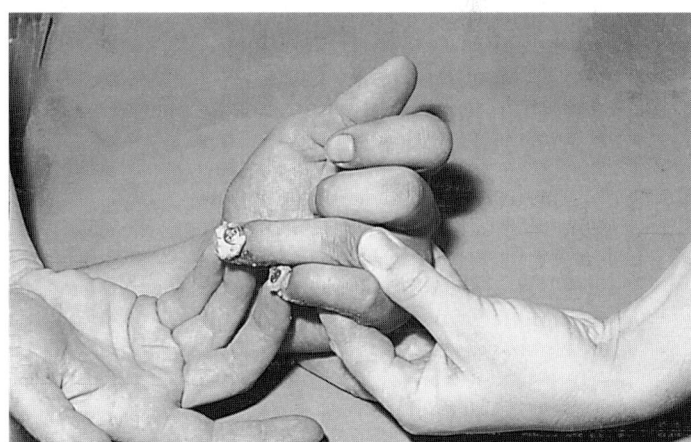

Abb. 11.17. Halten in Annäherung der Beugesehnen D4, D5 nach Sehnenplastik als erster Kontraktionsversuch

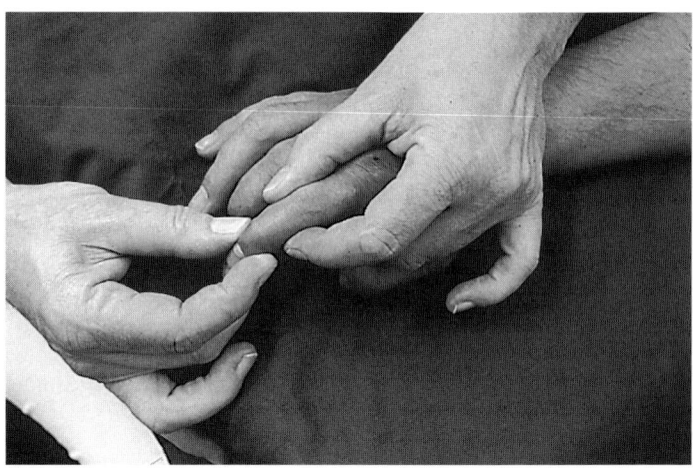

Abb. 11.18. Vorsichtige
Mobilisation D2 DIP

▶ *Niemals darf gegen Schmerzen rigoros passiv behandelt werden.* Jede Härte wird zu neuer Abwehrspannung und Verklebungen führen.

Der Vollständigkeit halber sei erwähnt, daß im Bereich des Bunnel-Niemandslandes bis vor wenigen Jahren, wegen der Adhäsionsgefahr von Sehnennähten keine primären Nähte gemacht wurden. Man entschied sich für eine zweizeitige Sehnenplastik. In der ersten Operation wurden die Sehnenscheide reseziert, die Sehnenstümpfe markiert und ein Silikonschlauch eingezogen. Nach ca. 10 Wochen post operationem hatte sich eine Ersatzsehnenscheide gebildet, und das Transplantat (z. B. Palmarislongus-Sehne) konnte eingesetzt werden. Im Bereich der Hohlhand wurde eine Durchflechtungsnaht gesetzt, am Endglied wurde das Transplantat mit einem Ausziehdraht befestigt.

In jüngster Zeit werden die Transplantate sofort eingezogen und die anschließende Behandlung wird, wie bereits beschrieben, mit einem Funktionsgips nach Kleinert fortgesetzt.

Die Stellung des Kleinert-Gipses ist auch die Ausgangsposition für die erste *physiotherapeutische Behandlung* nach der Gipsentfernung.
▶ Zur Anwendung kommen dann alle Techniken, die eine Förderung der Kontraktionsbereitschaft bewirken (Abb. 11.19 und 11.20), wie manueller Kontakt, Setzen von Kontraktionshilfen nach PNF oder Verstärkungstechniken (Abb. 11.21).

> Auch hier gilt: Weiches Bewegen ist effektiver als hartes Mobilisieren! **!**

Strecksehnenverletzungen

Streckensehnenverletzungen kommen am häufigsten als *Sehnenabriß am Endgelenk*, z. B. beim Bettenmachen oder bei Ballsportarten wie Basketball, Volleyball oder Handball vor.

Da die Strecksehnen sich breitflächig auf der Dorsalseite der Gelenkkapseln verankern, kommt es bei der distalen Abrißverletzung nur zum Streckdefizit des Endgelenkes. Diese

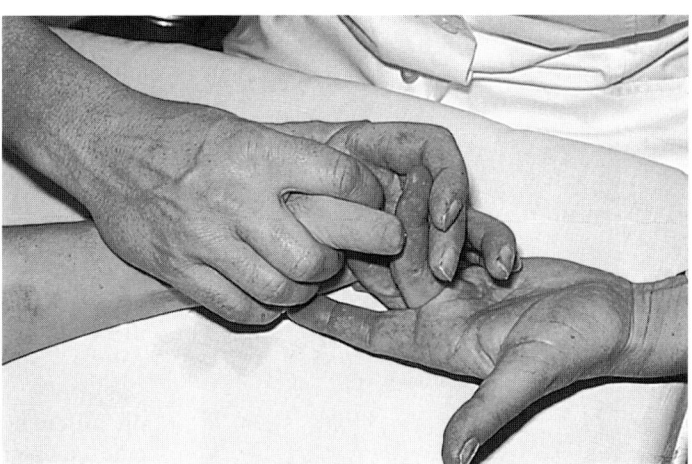

Abb. 11.19. Kontraktionsschulung der Beugesehnen

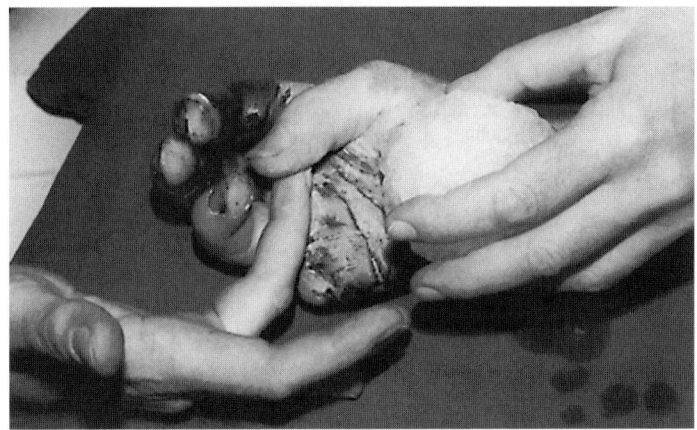

Abb. 11.20. Reiben mit dem Eisball zur Durchblutungsförderung und
Stimulation

Verletzungen werden in einer Staak-
oder Winterstein-Schiene für 6 Wochen in Überstreckung des Endgelenkes ruhiggestellt.

Strecksehnendurchtrennungen im
Bereich der *Grundgelenke, Mittelhand oder der Handgelenke* werden
genäht, die Gelenke werden mit
Kirschner-Drähten vorübergehend fixiert und die Hand in einer Gipsschiene ruhiggestellt. Dabei sollen
die PIP- und DIP-Gelenke in Nullstellung, die Grundgelenke in 60- bis
70°-Beugestellung und die Handgelenke in maximaler Dorsalextension
stehen.

Je distaler die Verletzung der
Strecksehnen, um so länger ist die

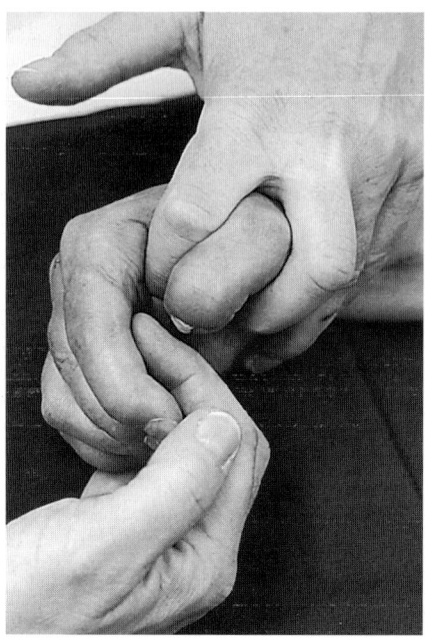

Abb. 11.21. Verstärkung über Spannung der Daumenbeugesehnen

Ruhigstellungszeit. Als Mittelwerte gelten:
• Verletzungen in Handgelenkhöhe: 3 Wochen.
• Verletzungen in Mittelhandhöhe: 4 Wochen.
• Verletzungen in Grundgelenkhöhe: 4–5 Wochen.
• Verletzungen am Endgelenk oder distal: 6 Wochen.

Anschließend beginnt die *Physiotherapie.* Der klinische Befund ist Grundlage für die Behandlungsdosierung.
▶ Erst nach 10–12 Wochen ist mit einer vollen Belastbarkeit der Hand für einen handwerklichen Beruf zu rechnen.

Muskelverletzungen

Muskelverletzungen gibt es durch Schnitt-, Quetsch- oder Rißverletzungen an der *Handbinnen-,* der *Kleinfingerballen-* und der *Daumenballenmuskulatur.* Sie können Begleitverletzungen von Frakturen und Luxationen sein. Die Funktionen der betroffenen Muskulatur können nicht mehr ausgeführt werden.

Operatives Vorgehen ist zwingend, die offenen Verletzungen erfordern eine schnelle Wundversorgung. In Kombination mit Frakturen wird eine Ruhigstellung mit einem Fixateur externe vorgenommen.

Nervenverletzungen

Bei schweren Schnitt-, Riß- oder Quetschverletzungen können auch der *N. medianus* und/oder der *N. ulnaris* gezerrt oder durchtrennt werden. Als Folge entstehen:

• Sensibilitätsverlust für Berührung, Zweipunktdiskriminierung, Warm-/Kaltempfinden),
• Ausfall der Motorik für Binnen-, Daumenballen- und Kleinfingerballenmuskulatur bei Schäden im Karpaltunnelbereich oder distal davon,
• trophische Störungen, Atrophie.

Primäre Paresen der Handmuskulatur müssen nicht immer zu einem totalen Ausfall der entsprechenden Muskulatur führen. Es gibt viele Anastomosen oder Lageveränderungen der Nerven an der Hand, die eine Teilfunktion noch ermöglichen. Liegen keine zwingenden Gründe vor, z. B. wegen Verletzungen anderer Strukturen, *muß nicht sofort operiert werden.* Nach einem Intervall von ca. 4 Wochen kann ein EMG oder eine Prüfung der Nervenleitgeschwindigkeit den Nervenausfall besser abgrenzen. In der Regel werden sekundäre Nervennähte etwa 6 Monate nach dem Unfall durchgeführt.

Nach einer Naht *motorischer Nerven* ist eine Ruhigstellung für 3–4 Wochen einzuhalten, bei Verletzung von *sensiblen Nerven* reicht eine Ruhigstellung von 14 Tagen bis 3 Wochen in Annäherung der betroffenen Nerven.

Ist operatives Vorgehen auch an anderen Handstrukturen notwendig, werden Nervennähte primär in gleicher Sitzung durchgeführt.

▶ Nach Ruhigstellung in entlastender Stellung des Nervs beginnt die *Physiotherapie* mit Techniken zur Schulung der Kontraktionsbereitschaft der paretischen Muskulatur (s. auch Kap. 7 »Neuromeningeale Strukturen und ihre Behandlung«).

Die ersten sensiblen *Reinnervationen* sind etwa 4 Monate nach der Naht, die motorischen 6–9 Monate postoperativ zu erwarten.

Gefäßverletzungen

Bei jeder ausgeprägten Handverletzung kommt es zu arteriellen und venösen Gefäßverletzungen wichtiger Hand- und Fingerarterien. Quetschverletzungen bieten die größte Gefahr von *Hohlhandbogenzerreißungen* und nachfolgender *Ischämie* der Finger.

Mikroskopische Nähte des oberflächlichen und tiefen Hohlhandbogens werden meist nur in handchirurgischen Spezialabteilungen vorgenommen, bei Fingerreplantation ist das Gelingen der Operation entscheidend davon abhängig, ob die Fingerdurchblutung erreicht werden kann. Drittgradige Hautdefekte und Mangeldurchblutung der Hand können zu Nekrosen, SRD und Infekten führen, die schwerwiegende Folgen für die Funktion der Hand haben.

Die ruhigstellenden Verbände müssen locker sein und täglich kontrolliert werden. Jede Form des Drucks von außen, aber auch von innen durch Nachbluten oder ein Ödem, muß vermieden werden. Bei prallem Hämatom muß die Nahtstelle etwas geöffnet und das Hämatom entleert werden (*Gefahr des Kompartmentsyndroms!*).

Kombinationsverletzungen

Kombinationstraumen aller Strukturen an der Hand sind oft eine Folge schwerer Arbeits- oder Verkehrsunfälle.

Meist sind es offene, sehr verschmutzte Verletzungen mit totaler oder teilweiser Abtrennung von Fingern (s. Abb. 11.20). In der *Erstversorgung* wird zunächst die Wunde behandelt, ausgeschnitten und, wenn möglich, geschlossen. Die Frakturen werden notfallmäßig mit Kirschner-Drähten oder mit einem Fixateur externe versorgt (s. Abb. 11.1). Die Finger 1–4 werden, falls abgetrennt, evtl. replantiert. Wenn dies technisch nicht möglich ist, werden Teilamputationen vorgenommen. In den folgenden Tagen wird unter Antibiotikaschutz vorrangig die Wunde behandelt.

▶ Der Beginn der *physiotherapeutischen Behandlung* muß individuell mit dem Operateur abgestimmt werden. Das entscheidende Kriterium ist die Durchblutung der Hand (s. auch »Gefäßverletzungen«). Müssen sekundäre Hautverpflanzungen nach vorheriger Abdeckung mit Epigard vorgenommen werden, wird in der Regel die Hand 8–10 Tage lang nicht behandelt. Nach dem ersten Verbandswechsel entscheidet der Operateur, ob mit der *Bewegungstherapie* begonnen werden darf.

Verbrennungen

Bei *Verbrennungen 2. Grades* wird meistens nach Reinigung der Wunde feucht behandelt, z. B. mit Betaisadonna.
▶ Nach 2–3 Tagen kann der Patient selbständig in einem eher kühlen Handbad üben, wenn nötig unter Anleitung und Weiterführung durch die Physiotherapeutin.

Bei *Verbrennungen 3. Grades* wird die Wunde unter sterilen Bedingungen und unter Narkose gesäubert. Manchmal ist dies mehrfach nötig. Entsprechend der Kombinationsverletzung mit anderen Strukturen wird individuell entschieden, wann die *Physiotherapie* beginnen soll und welche Behandlungsschwerpunkte gesetzt werden sollen.
   Bei *großflächigen drittgradigen Verbrennungen* werden die Patienten notfallmäßig auf der Intensivstation behandelt.

▶ Intensive Atemtherapie und Thromboseprophylaxe stehen dann im Vordergrund.
▶ Pflegepersonal und Physiotherapeutinnen müssen aseptische Verhältnisse beachten. In der Spätbehandlungsphase können Hauttransplantationen erforderlich werden.
▶ Kelloide und Narbenkontrakturen zwingen Physiotherapeutinnen zu individuellem Vorgehen (Narbenmassage, Querdehnungen, spezielle Mobilisationstechniken).

Dupuytren-Faszienfibrose

Im strengen Sinn gehört die Behandlung der Dupuytren-Kontraktur nicht in den Fachbereich der Traumatologie, jedoch zum Fachgebiet der Handchirurgie (Abb 11.22). Aus diesem Grund soll hier die physiotherapeutische Behandlung aufgezeigt werden.

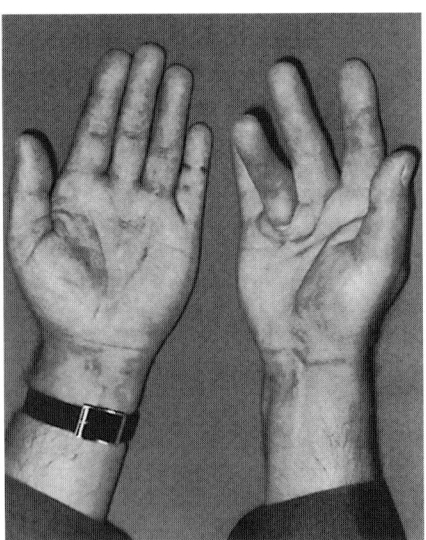

Abb. 11.22. Dupuytren-Faszienfibrose

Einteilung

Man unterscheidet *4 Schweregrade* der Dupuytren-Faszienfibrose:
* *Stadium 1:* Knötchenbildung in der Palmaraponeurose,
* *Stadium 2:* plus Kontraktur im Bereich der Grundgelenke,
* *Stadium 3:* plus Kontraktur im Bereich der Grund- und Mittelgelenke (MP, PIP),
* *Stadium 4:* zusätzliche Überstreckbarkeit der Endgelenke (DIP).

Die fibrösen Veränderungen an der Palmaraponeurose verhindern je nach Schweregrad die Streckung der Fingergelenke.

Allgemeine Richtlinien

Die *chirurgische Behandlung* ist zwingend. Die totale Aponeurektomie ist das Mittel der Wahl. Zusätzlich werden manchmal Z-Plastiken oder eine Hauttransplantation notwendig.

In der Regel beginnt die *physiotherapeutische Behandlung* nach Entfernung der Redondrainage. Nicht selten entsteht eine Nachblutung. Wenn das Hämatom nicht ausreichend abfließen kann, muß eine Nahtstelle aufgemacht werden.
▶ Einschränkungen im Sinn einer verordneten Bewegungsbegrenzung bestehen nicht. Die Übungsbehandlung muß individuell dosiert und eine Belastung der Naht vermieden werden. Der Funktionsbefund gibt die Behandlung an.

▶ *Schwerpunkte* der krankengymnastischen Behandlung sind:
* Resorption des Hämatoms und postoperativen Ödems.
* Entspannung der verspannten Handbinnenmuskulatur.
* Verbesserung der Gleitfähigkeit der Beugesehnen.
* Schulung der Hand- und Fingerstreckmuskulatur sowie der Beugemuskulatur.
* Funktionsschulung.

Aponeurektomien im Stadium 1 und 2 haben eine gute Prognose, die Patienten erreichen nach wenigen Behandlungen ihre volle Handfunktion zurück. Langzeitig bestehende Kontrakturen des Typs 3 und 4 haben hingegen eine schlechte Prognose.

Die PIP- und DIP-Gelenke zeigen oft *harte Kontrakturen,* die schwer zu mobilisieren sind. Nicht selten entwickelt sich auch aus der übermäßig gespannten Binnenmuskulatur ein Dauerdruck auf den Hohlhandbogen. Als Folge kann eine *sympathische Reflexdystrophie* auftreten.
▶ Bei diesen Patienten muß die Physiotherapeutin besonders sorgfältig und einfühlsam behandeln. Rezidive, wie sie bei allen Kollagenosen vorkommen, sind durch physiotherapeutische Behandlungen nicht zu vermeiden.

Komplikationen

* Wundheilungsstörung,
* Infektion,
* Nekrosen,
* Pseudarthrosen,
* sympathische Reflexdystrophie (s. Abb. 4.1),
* Paresen, Sensibilitätsverlust.

Befunderhebung

Siehe Befundbogen (Abb. 2.5 und 2.7).

Bei den einzelnen Verletzungen und ihrem unterschiedlichen Behandlungsbeginn werden auch die Befunderhebungen zu unterschiedlichen Zeiten vorgenommen.

BEURTEILE

- Narben und Operationswunden.
- Hautdurchblutung.
- Beschaffenheit von Haut und Nägeln.
- Schwellung am Handrücken und den Fingern.
- Hand- und Fingerstellung (besonders im Gips).
- Atrophie, Thenar-, Hypothenar-, Binnenmuskulatur.
- Röntgenbild: Verletzung, Reposition, Osteosynthese.

MISS

- Aktive Gelenkbeweglichkeit der Finger- und Handgelenke.
- Umfang der Mittelhand, des Handgelenkes.
- Fingerkuppen-Hohlhand-Abstand.

PRÜFE

- Muskeltest der Fingerbeuger, -strecker, der Mm. interossei und lumbricales, der Thenar- und Hypothenarmuskulatur auf Teststufe 2, evtl. 3.
- Sensibilität.
- Qualität des Bewegungsstops. Im Seitenvergleich kann der physiologische Bewegungsstop bei Dorsalextension der Handgelenke schmerzfrei und evtl. hart-elastisch, bei den anderen Hand- und Fingergelenkbewegungen eher fest-elastisch sein.
- Translatorische Gelenktests nach Frisch.
- Greifformen (wenn erlaubt): Präzisionsgriffe, Kraftgriffe.
- Druckschmerzhaftigkeit in der Tabatière (zwischen der Sehne des M. abductor pollicis longus und der Sehne des M. extensor pollicis longus; darunter liegt das Skaphoid und reagiert schmerzhaft bei Fraktur).
- Druckschmerzhaftigkeit des Ramus profundus des N. ulnaris in der »loge de Guyon« zwischen Retinaculum flexorum und Muskeln des Kleinfingers.

NOTIERE

- Schmerzen, deren Intensität, Lokalisation und Zeitpunkt.
- Andere Beschwerden und Behinderungen. z.B. HWS-, Schultergelenkprobleme.

Behandlungsmöglichkeiten

<small>GESICHTSPUNKTE
DER BEHANDLUNG</small>

1. Verbesserung der Durchblutung.
2. Entspannung der Handmuskulatur.
3. Aktivierung der inaktiven Muskulatur.
4. Verbesserung der Gelenkbeweglichkeit.
5. Schulen der Muskelkontraktionsbereitschaft nach Paresen oder Transplantationen.
6. Verbesserung der Kraft, Ausdauer und Geschicklichkeit.
7. Funktionsschulung.
   Hinzu kommt:
8. Erhaltung der Beweglichkeit der proximalen Gelenke, Ellbogen-, Schultergelenk, Skapula und der Funktion der Armmuskulatur.

▶ Die frühestmögliche physiotherapeutische Behandlung vermeidet Durchblutungsschäden und erhält die Elastizität der Sehnen und Muskulatur. Dies ist für die Greiffunktion der Hand ebenso wichtig wie eine intakte Sensibilität. Gleichermaßen muß eine Störung des Heilungsverlaufes vermieden werden.

> Entscheidend ist, wie die Physiotherapeutin mit dem Patienten und seinen Problemen umgeht: Sie soll auftretende Schmerzen beachten, analysieren und keinesfalls rigoros darüber hinwegbehandeln. Dies gilt für jede Technik.

● **1. Verbesserung der Durchblutung**

Die intakte Durchblutung an der Hand bestimmt weitgehend den Heilungsverlauf. Entgleisungen der Durchblutung haben schwere Funktionsschäden zur Folge und werden als *sympathische Reflexdystrophie* bezeichnet (s. Kap. 4).

Zur Anwendung kommen alle in Kap. 10, »Unterarmfraktur und distale Radiusfraktur« beschriebenen Maßnahmen.

▶ Bei Anwendung von Eis soll darauf geachtet werden, daß die Hand vor jeder Eisanwendung warm ist. Die gewünschte Eigenregulation der Hautgefäße kann nur ausgelöst werden, wenn ein Temperaturgefälle vorhanden ist (Abb. 11.20).

▶ Ist die Hand zu Beginn der Behandlung kühl, muß zunächst aktiv geübt werden.

▶ Wenn die Wunden es zulassen, kann mit feuchter Kälte gearbeitet werden, z.B. mit Kompressen, die in ein Eiswasser getaucht wurden.

▶ *Langzeitanwendungen mit Cool packs in einem Baumwollbezug sollen an der Hand nicht vorgenommen werden.* In der Spätbehandlungszeit kann ein Eistauchbad zur Anwendung kommen.

Vorsicht ist geboten bei Patienten mit *replantierten Fingern.*

Bis zum 10. Tag darf kein Eis angewendet werden. Da meist nur ein Gefäß rekonstruiert werden konnte, muß die Revaskularisierung erst abgewartet werden.

GESICHTSPUNKTE
DER BEHANDLUNG

1. Verbesserung der
   Durchblutung.

▶ Die Verbesserung der Durchblutung der transplantierten Finger bei diesen Patienten ist schwierig, weil aktive Techniken über längere Zeit nicht eingesetzt werden können.

▶ Die Kirschner-Draht-Osteosynthesen sind nur lagerungsstabil. Aktives Üben ist in der Regel bis zur 6. Woche nicht erlaubt.

▶ Die transplantierten Finger dürfen nur sehr vorsichtig *passiv* in den angrenzenden Gelenken und bis zur Bewegungsgrenze bewegt werden. Erst nach Entfernung der Kirschner-Pins kann *aktiv* geübt werden.

▶ Zur Ödemresorption soll die Hand intermittierend hochgelagert werden. Eine Dauerhochlagerung ist ebenso falsch wie ein andauerndes Hängenlassen der Hand.

2. Entspannung der
   Handmuskulatur.

● **2. Entspannen der Handmuskulatur**

Nach Handverletzungen klagen Patienten häufig über die Funktionslosigkeit der Hand und ein unangenehmes Spannungsgefühl an der Hand. Sie haben das Gefühl, ihre Hand sei »von einem Eisenring umklammert«. Die Finger kleben aneinander, der Handteller ist verschmälert, ein lockeres Ablegen der Hand ist nicht möglich (Abb. 11.23). Die physiotherapeutischen Maßnahmen zur Entspannung der Hand verbessern auch deren Durchblutung. Insbesondere muß die Handbinnenmuskulatur ihre Abwehrspannung abbauen, um den Hohlhandbogen zu entlasten.

▶ Es können allgemeine Entspannungstechniken, wie z. B. das bewußte Entspannen und Nachempfinden von Hand- und Armpositionen nach Schaar-

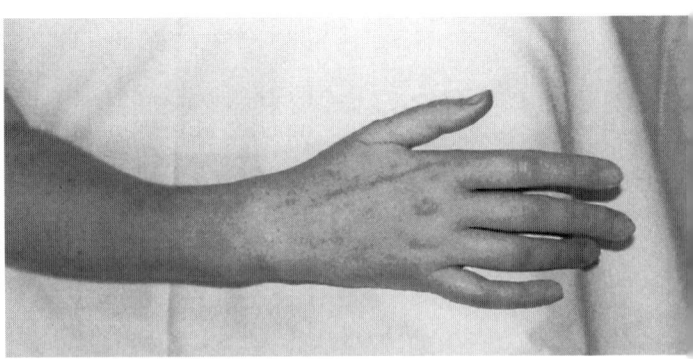

Abb. 11.23. Atrophie und Kontrakturen als Spätschaden

schuch angewendet werden, aber auch Techniken aus dem PNF-Programm, die »progressive Muskelrelaxation« (nach Jakobson 1995) sowie Formen der konzentrativen Entspannung (nach Wilda-Kiesel 1993). Die meisten Techniken nützen den Effekt der bewußten Anspannung und der anschließenden bewußten Wahrnehmung der Spannungslösung aus.

▶ Milde Kälteanwendungen können den Effekt der Entspannungstechniken unterstützen; an der Hand werden sie mit kühlen Tüchern und nicht als Langzeitanwendung durchgeführt.

▶ Eine bequeme Lagerung ist Voraussetzung für jede Entspannungsmaßnahme (s. Abb. 7.9).

▶ Da Schmerz und Spannung der Muskulatur sich gegenseitig verstärken, muß der therapeutische Ansatz zur Entspannung die schmerzfreie Behandlung sein.

> **!** Als ein vermeidbarer Schmerzauslöser kann festes Greifen der Physiotherapeutin angesehen werden. Die Physiotherapeutin muß exakt fixieren – dies soll aber *weich* erfolgen. Griff sofort ändern, wenn er Schmerzen auslöst!

▶ Die Physiotherapeutin muß eher spielerisch mit der Hand umgehen und geduldig warten, bis ein Muskel seine Spannung lösen kann. Im Schnellverfahren ist dies nicht möglich. Der Patient muß darüber hinaus über die Behandlungsform unterrichtet sein und *aktiv* daran teilnehmen.

▶ Letztendlich muß der Patient lernen, mit seiner Hand selbst umzugehen, damit er sie wieder natürlich einsetzen kann.

▶ Wichtig ist in diesem Zusammenhaang auch eine *schmerzfreie Lagerung*. Patienten mit Handverletzungen (Ausnahme: Fingertransplantationen) sollen ihre Hand leicht erhöht ablegen. Nachts liegt der Arm günstig auf einem Keilkissen. Zur Behandlung kann der kippbare Operationshandtisch gute Dienste leisten.

▶ Zur Kontrolle und zur Spannungslösung können intakte Mittelhandknochen weich gegeneinander bewegt werden. *Kontraindiziert* ist dieser Griff jedoch bei Frakturen der Metakarpalknochen und Kirschner-Draht-Osteosynthesen.

▶ Schmerzfreies oder schmerzarmes Behandeln heißt auch, daß der Patient sich äußern kann, wenn Schmerzen auftreten. Die Physiotherapeutin soll darauf reagieren, z. B. mit einem Griffwechsel, einer

GESICHTSPUNKTE
DER BEHANDLUNG

anderen Technik, einer Übungspause oder einer anderen Handstellung.

> Die Meinung einiger Therapeutinnen, daß »gut ist, was schmerzt«, kann für die Behandlung von Handverletzten nicht akzeptiert werden.

> Schmerzen bedeuten immer eine Störung des Heilungsverlaufes. Eine Überdosierung an der Hand führt zu Mikrotraumen, zur sympathischen Reflexdystrophie und zu schweren Funktionsstörungen.

3. Aktivierung der inaktiven Muskulatur.

● 3. Aktivierung der inaktiven Muskulatur

Auch wenn Handchirurgen heute versuchen, die verletzte Hand nicht einer längeren Ruhigstellung auszusetzen, kommt es an einem nicht gebrauchsfähigen Arm zu Atrophien der gesamten Unterarm- und Handmuskulatur.

▶ Üben in Muskelketten, welche den Gebrauchsbewegungen entsprechen, können Overflowreaktionen ausnützen. Die stärkeren proximalen Muskeln sollen statisch gegen Widerstand spannen, dynamische Übungsformen werden von den schwächeren Muskeln mit Techniken der wechselnden Drehpunkte aktiv oder gegen Führungskontakt gefordert.

▶ Dabei bewähren sich die bekannten Greifmuster. Fingerflexoren erfahren Verstärkung über die Haltearbeit des M. deltoideus, M. biceps, M. supinator, M. extensor carpi radialis gegen Widerstand. Eine Vordehnung der Mm. flexor digitorum longus und superficialis durch die Handdorsalextensoren wirkt sich günstig für das Kraftmoment der Fingerbeuger aus (Abb. 11.24).

▶ Ebenso sinnvoll werden Bewegungsmuster vorgeübt, die das Schreiben oder Maschineschreiben oder Aufnehmen von Gegenständen betreffen. Das Pronations-, Ulnarabduktions- und das Beugemuster soll ebenfalls mit einer geringen Dorsalextension der Hand für die kraftvolle Fingerbeugung kombiniert werden (abgewandeltes PNF-Muster).

▶ Nicht zu unterschätzen ist die Supination für alle Handaktivitäten des Tragens und Heranführens von Gegenständen zum Gesicht.

▶ Die Kontraktionsverbesserung der Fingerstrecker erreicht man über eine intensive Muskelarbeit des M. triceps gegen Widerstand (Abb. 11.25).

Abb. 11.24. Greifen mit Verstärkung über Handdorsalextension

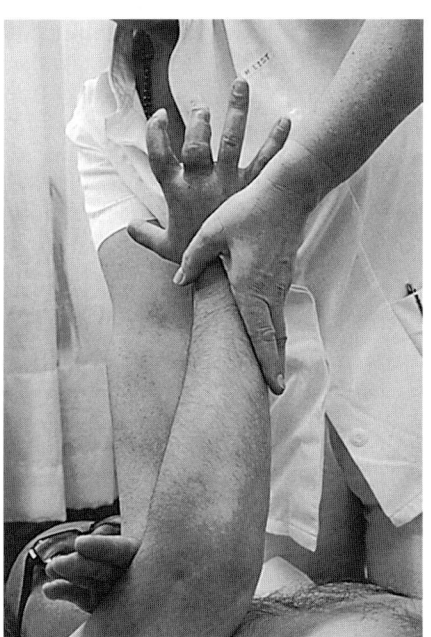

Abb. 11.25. PNF-Trizepsstoßbewegung zur Verbesserung der Hand- und Fingerstrecker

GESICHTSPUNKTE
DER BEHANDLUNG

▶ Längeres Üben einer Bewegungsrichtung in vielen Variationen ist effektiver als wechselnde Übungsformen für antagonistische Muskelgruppen.
▶ Entsprechend wichtig ist auch ein geordnetes Hausaufgabenprogramm.

4. Mobilisation

▶ Die Verbesserung der Gelenkbeweglichkeit resultiert aus dem *Spannungsabbau* der Hand- und Unterarmmuskulatur. Erst dann kann aktiv oder aktiv-passiv die Bewegungsgrenze erweitert werden. Die Pausen zwischen den einzelnen Spannungsphasen sollen möglichst lang sein.

▶ Eine milde Kälteanwendung ist gleichzeitig möglich (s. auch Kap. 10) »Unterarmfraktur und distale Radiusfraktur«).

▶ In der akuten postoperativen Zeit muß auf passive Manipulationen und auf jegliche Form von Wärmeanwendung verzichtet werden.

▶ Bei übungsstabilen Versorgungen darf sofort aktiv geübt oder weich bis zum aktuellen Bewegungsstop bewegt werden. Vorbereitend wird eine minimale Traktion (Maitland-Technik) angewendet.

▶ Translatorisches Gleiten und therapeutische Traktionen über die erste Stufe hinaus dürfen erst nach klinischer Heilung der Struktur Anwendung finden.

▶ Schwellungen, Schmerzen und lokale Temperaturerhöhung sind Reaktionen, die die Dosierung bestimmen. Zur Anwendung kommen hier alle PNF-Entspannungstechniken, wenn sie ohne Rotation für die Fingergelenke, mit gelenknaher Fixation und gezielt an dem jeweilig betroffenen Gelenk angesetzt sind (s. Abb. 11.18).

▶ Bei der Mobilisation der Grundgelenke ist auf die konvergierende Bewegungsrichtung der ulnaren Finger zu achten. Wichtig ist es auch, die vorgegebene temporäre *Bewegungsbegrenzung* des Handgelenkes oder der Fingergelenke einzuhalten, wenn es sich um Sehnen- oder Nervenverletzungen handelt.

5. Schulen der Muskelkontraktionsbereitschaft

Nach Paresen oder Fingertransplantationen muß die Kontraktionsfähigkeit der betroffenen Muskulatur intensiv geschult werden.

▶ Da mit langen Zeiträumen bis zur normalen Kontraktionsfähigkeit gerechnet werden muß, werden Nachtschienen in Funktionsstellung der Hand und Finger, evtl. in korrigierter Stellung oder in Annäherung der paretischen Muskulatur angefertigt (Abb. 11.26). Sie werden zum Üben abgenommen

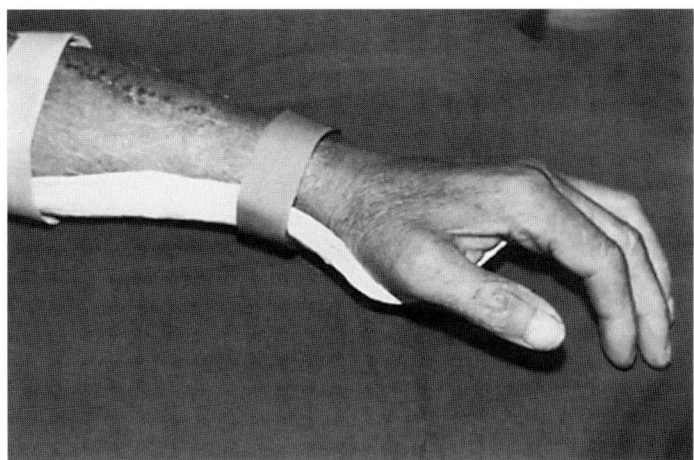

Abb. 11.26. Funktions-
schiene aus Gips

Gesichtspunkte
der Behandlung

und können aus Gips, Lightcast, Orthoplast oder
ähnlichen Materialien hergestellt sein.

▶ In der Regel darf vorsichtig aus der Gelenkmittel-
stellung bis zur Muskelannäherung passiv bewegt
werden.

▶ Keinesfalls sollten Sehnen- und Nervennähte vor
ihrer Ausheilungszeit gedehnt werden.

▶ Nach 6 Wochen darf bei Muskeltestwerten 2 Reiz-
strom zur Anwendung kommen. Die Ausgangsposition für den Spannungsversuch ist die Muskelannäherung (Endstellung).

▶ Als *Kontraktionshilfen* können eingesetzt werden:
• Eisabtupf- oder Eisabreibetechnik über der pareti-
schen Muskulatur,
• Tapping über der Muskulatur, wenn in diesem
Bereich keine Fraktur vorhanden ist,
• Streichen über dem dazugehörenden Hautbezirk,
• Streichen über der Sehne,
• Greifen in den Muskel,
• Bürsten mit der Rood-Technik,
• Statisches Spannen der Nachbarfinger in die glei-
che Bewegungsrichtung (Abb. 11.27 und 11.28 a, b;
s. auch Abb. 11.21).

▶ Folgende Muskeln können die Kontraktionsfähigkeit der Fingerbeuger unterstützen: Mm. extensor carpi radialis und ulnaris, M. opponens, M. flexor pollicis.

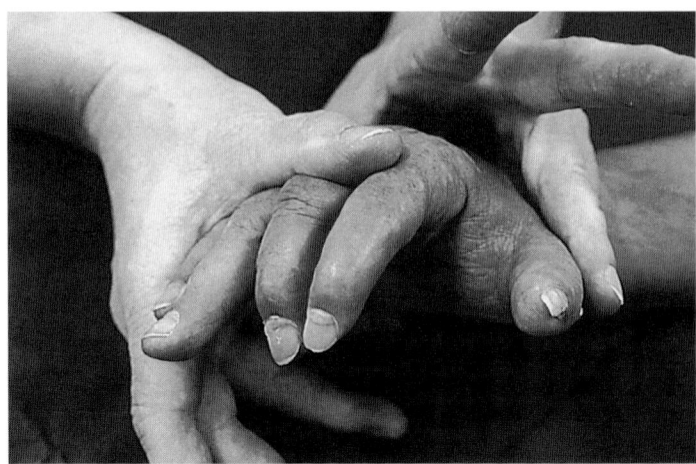

Abb. 11.27. Üben der Fingerextensoren

GESICHTSPUNKTE
DER BEHANDLUNG

5. Schulen der Muskelkontraktionsbereitschaft nach Paresen oder Transplantationen.

Die Spannung des M. abductur pollicis, der Mm. interossei und die Mm. extensores radialis und ulnaris fördern die Langfingerstreckung (s. Abb. 11.28 b).

Eine Besonderheit stellt die *Behandlung replantierter Finger* dar; sie wird bis zur 4. postoperativen Woche überwiegend passiv durchgeführt.

▶ Das sog. mentale Training kann eine große Hilfe zur Wiederherstellung der Kontraktionsfähigkeit sein. Der Patient soll die kontralaterale Muskulatur fest anspannen oder sich das Greifen von gewohnten Gegenständen intensiv vorstellen und immer wieder bewußt machen.

▶ Vojta (Peters 1980) gibt Techniken an, die den peripheren Muskel zur Kontraktion bringen können; sie beruhen auf einer maximalen Overflowreaktion gegen gezielt angesetzten Druck.

▶ Die Behandlungen von paretischen Muskeln sind sehr ermüdend für die betroffene Hand. Deshalb empfiehlt es sich, 2mal täglich 20–30 min zu üben.

▶ Da das Bewegungsgefühl häufig verlorengegangen ist, wird der Patient zur optischen Kontrolle der Bewegung aufgefordert. Das symmetrische Mitüben der kontralateralen Seite erleichtert die Kontraktion. Die Übungsaufträge sollen kurz, klar und stimulierend sein.

▶ Das Einbeziehen paretischer Muskeln in eine Komplexbewegung kann im Sinn der Verstärkungs-

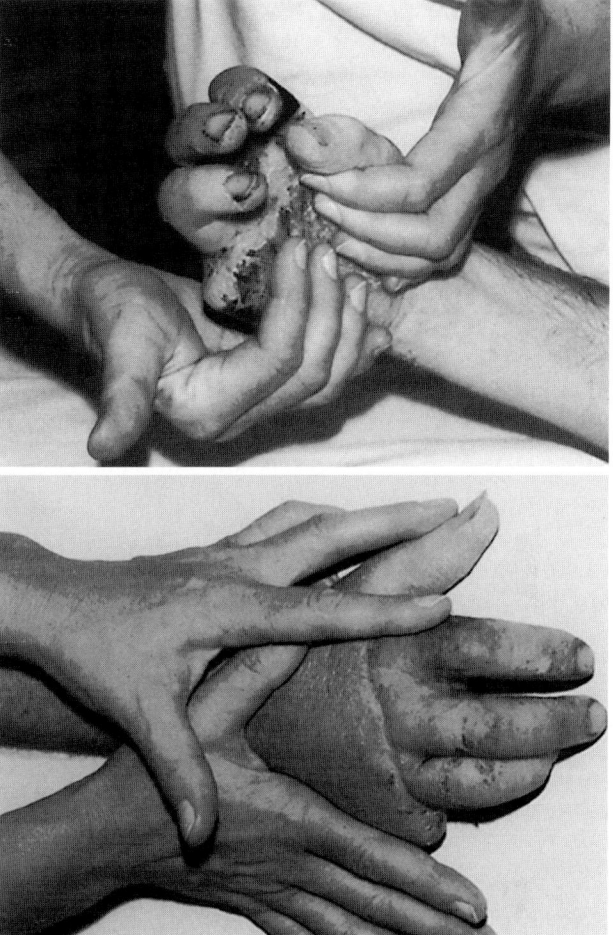

Abb. 11.28.   **a** Vorspannen der Daumenballen- und Kleinfingerballen-muskulatur zur Stimulation der Langfingerbeuger. **b** Vorspannen des Daumens und Kleinfingerstumpfes zur Stimulation der Fingerstreckung

GESICHTSPUNKTE DER BEHANDLUNG

techniken nach der PNF-Methode günstig ausge-nützt werden. Der Erfolg der Behandlung ist um so besser, je größer die Reizsummation ist.

▶ Anwendbar sind auch die Antagonistentechniken aus dem PNF-Programm: »Langsame Umkehr und langsame Umkehr mit Halt«. Zu beachten ist dabei jedoch, *daß das Bewegen in Dehnstellungen der betroffenen Muskulatur vermieden wird.*

GESICHTSPUNKTE
DER BEHANDLUNG

▶ Erst wenn die Muskelstufe 3 fast erreicht ist, kann aus der Dehnstellung mit Stretch geübt werden. Dies sollte auch erst nach Rücksprache mit dem Arzt geschehen.

▶ Möglichst frühzeitig sollte das Fühlen geschult werden, durch Bewußtseinslenkung auf verschiedene Materialien (Abb. 11.29) sowie durch den Handkontakt der Physiotherapeutin und die Berührung der eigenen Finger. Eine Hand, die nicht *fühlt*, wird nie voll gebrauchsfähig sein, denn sie wird niemals unbewußt eingesetzt werden.

6. Verbesserung der Kraft, Ausdauer und Geschicklichkeit.

● **6. Verbesserung der Kraft, Ausdauer und Geschicklichkeit**

▶ Unter der Zielsetzung der Verbesserung der Muskelkraft, Ausdauer und Geschicklichkeit werden Übungsfolgen gegen angepaßten Widerstand eingesetzt (Abb. 11.30).

▶ Dies setzt voraus, daß die verletzte Struktur ausreichend belastbar ist. Die Verbesserung der Muskelkraft kann über Verstärkungstechniken und komplexe Bewegungsmuster gegen angepaßten Widerstand erreicht werden.

▶ Die vorher genannten Hand- und Armstellungen für das Greifen, Tragen und Stützen werden als Bewegungsmuster gewählt. Als *Techniken* kommen kon- und exzentrische sowie statische Kontraktionskombinationen mit 3- bis 5maliger Wiederholung in Frage.

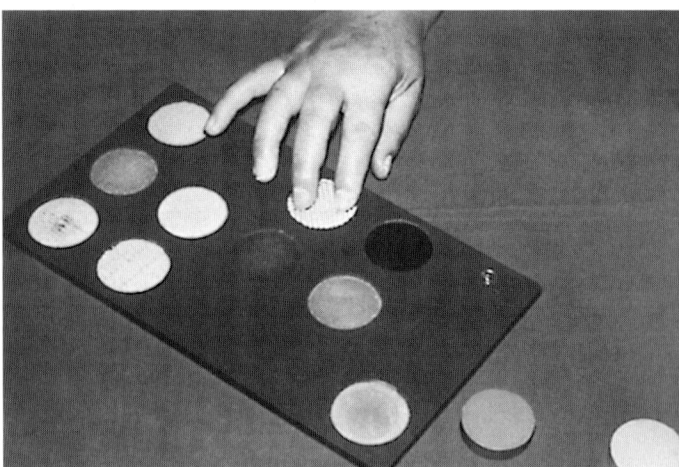

Abb. 11.29. Erkennen verschiedener Materialien mit den Fingerkuppen

▶ Die Gesamtspannungszeit jeder Sequenz sollte 7–10 s nicht unterschreiten. Anschließend erfolgt die Erholungspause. Eine Dosierungssteigerung wird angestrebt über längere Übungszeiten, Verkürzungen der Pausen und Erhöhung des Widerstandes, z. B. auch durch Geräte (Abb. 11.31).

▶ Sinnvollerweise wird die Hand in mäßiger Dorsalextension aktiv fixiert, wenn kraftvolles Greifen gefordert wird (Abb. 11.32–11.34).

> **!** Die Ausdauer wird verbessert über längere Übungsserien bei geringerem Widerstand.

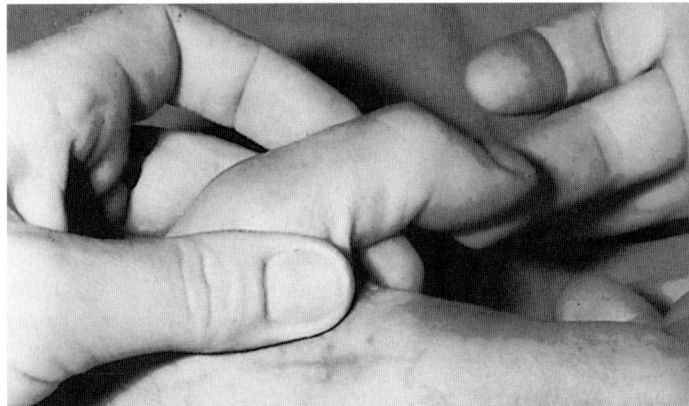

Abb. 11.30.   M. Flexor pollicis longus: wiederholte Kontraktion mit wechselndem Drehpunkt DIP D1

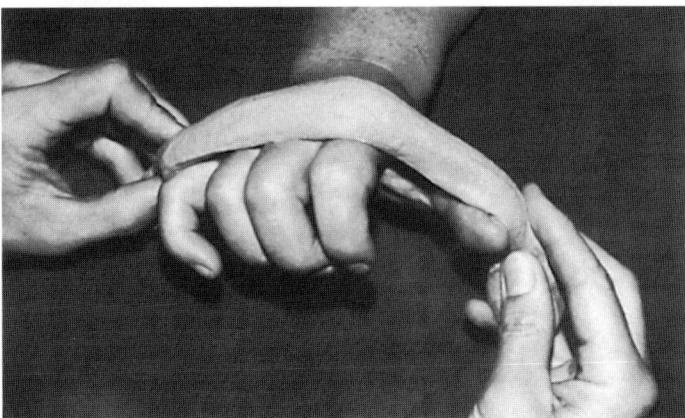

Abb. 11.31.   Üben gegen Widerstand: Finger- und Daumenextension/-abduktion mit der Knetmasse

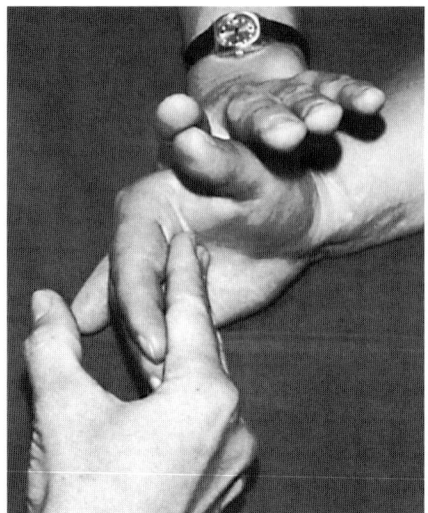

Abb. 11.32. Schulung der Mm. lumbricales bei aktiver Fixation des Handgelenkes

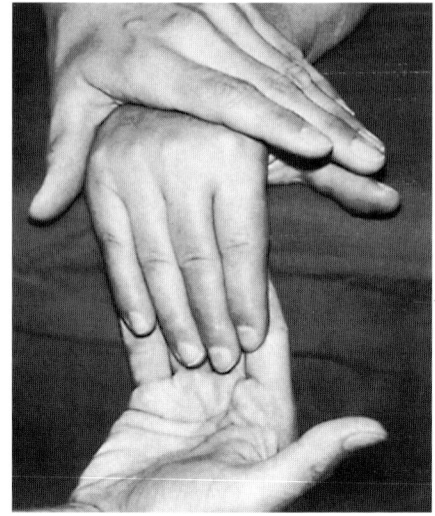

Abb. 11.34. Schulung des lumbrikalen Griffes an der Tischkante

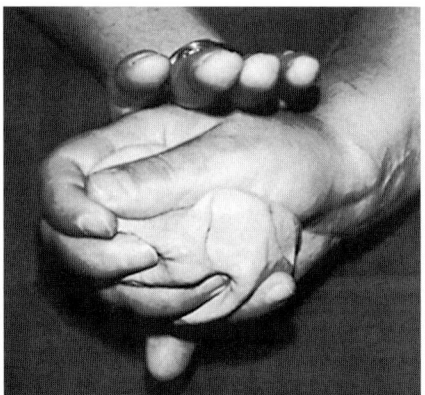

Abb. 11.33. Üben des Grobgriffes mit der Knetmasse bei aktiver Fixation des Handgelenkes

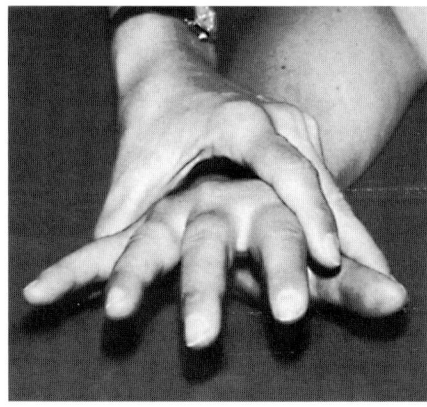

Abb. 11.35. Schulung der Mm. interossei und Fingerextensoren

▶ Geschicktes Greifen und ökonomisches Einsetzen der Hand kann am besten durch den Gebrauch der Hand im Alltag und im Beruf wiedergewonnen werden.

● 7. Funktionsschulung

▶ Ein Vorüben der unterschiedlichsten Greifformen setzt voraus, daß sich die Physiotherapeutin über das berufliche Tätigkeitsfeld des Patienten informiert. Die Probleme können sich sehr unterschiedlich darstellen für einen Handarbeiter, einen Künstler, eine Sekretärin oder eine Hausfrau. Für einen EDV-Arbeiter bedeutet eine unzureichende Pronationsfähigkeit ein großes Problem, ein Kellner hingegen kann ohne freie Supinationsbewegung seinen Beruf nicht ausüben.

▶ *Vorüben* heißt, daß alle Arm- und Schultergürtelbewegungen entsprechend der geplanten Handfunktion Beachtung finden. Es bedeutet, daß unterschiedliche Techniken angewendet werden müssen bezüglich des Haltens und Bewegens. Nicht immer ist ein kraftvolles Greifen sinnvoll, feine Präzisionsgriffe erfordern eine lockere Handfunktion.

▶ Eine verletzte Hand kann erst nach längerer Schulung *differenzierte Greifformen* mit selektivem Einsatz der Finger ausführen. Fehlverhalten entsteht über mangelndes Vorüben und ungenügende Bewegungsanalyse.

▶ Grobes Greifen wird zunächst eingeübt, dann folgen je nach Patient spezielle Greifformen mit entsprechend ausgewählten Geräten.

▶ Eine ergänzende Behandlung mit der *Ergotherapeutin* sollte gemeinsam geplant werden. Auch hier gilt, daß Arbeitstätigkeiten vor- oder eingeübt werden sollten.

▶ *Selbständiges Üben* ist sinnvoll, wenn der Patient keine Ausweichbewegungen macht und bezüglich seiner Leistungsfähigkeit richtig eingestellt ist. Die Physiotherapeutin muß Übungszeiten, Pausen und zu beobachtende Ermüdungszeichen genau mit dem Patienten besprechen.

SCHÜLERAUFGABE ▬▬▬▬▬▬

Erarbeiten Sie ein Übungsprogramm, das Tätigkeiten einer Sekretärin vorübt.

ÜBUNGSBEISPIELE

Zur Durchblutungsverbesserung:

Ausgangsposition

Unterarm und Hand auf dem Handtisch in schmerzfreier Position abgelegt.

ÜBUNG

▸ Isometrisches Spannen der Handbeuger und -strecker gegen manuellen Führungskontakt im Sekundenrhythmus mit zwischengeschaltetem Eisabtupfen.
Kontakt: Palmar oder dorsal proximal an der Hand.
Übungsauftrag: »Lehnen Sie die Hand kurz gegen meine Hand!«

ÜBUNG

▸ Bewegen und Halten gegen angepaßten Widerstand für M. biceps und M. triceps.
Kontakt: Richtungsweisend am distalen Unterarm.
Übungsauftrag: Entsprechend.

Zur Entspannung der Binnenmuskulatur:

ÜBUNG

▸ Kurzes, deutliches Anspannen des M. triceps und M. extensor carpi ulnaris gegen angepaßten Widerstand mit nachfolgendem Entspannen und Bewußtmachen der Auflagefläche (u. U. auch von Schultergürtel- und Oberarmmuskulatur).
Kontakt: Lateral, Metacarpale V und distaler Unterarm.
Übungsauftrag: »Lehnen Sie Arm und Hand gegen meine Hand fest an und lösen Sie die »Spannung, prüfen Sie jetzt, wie der Unterarm und die Hand aufliegen.«

ÜBUNG

▸ Radial- und Ulnarabduktion gegen manuellen Widerstand und aktives Spreizen der Finger, bewußtes Entspannen.
Aktive Fixation: Entsprechend distal am Unterarm.
Kontakt: Radial am Metacarpale I, bzw. ulnar am Metacarpale V.
Übungsauftrag: »Ziehen Sie das Handgelenk nach innen, entsprechend nach außen, halten Sie, spreizen Sie die Finger und lassen Sie locker!«

ÜBUNG

▸ Schließen der Finger mit nachfolgendem bewußten ausführlichen Entspannen und Bewußtmachen der Auflagefläche. Bei vorgegebener Bewegungseinschränkung müssen die Übungen entsprechend *abgewandelt* werden.
▸ Zwischengeschaltet werden minimale passive Bewegungen der Metakarpalia gegeneinander (nicht bei Metalkarpalfrakturen!) und milde Eisanwendungen.
▸ Einsetzen von Techniken nach Jakobson, Schaarschuch und anderen Autoren.

Zur Aktivierung der inaktiven Muskulatur:

ÜBUNG

▸ Wiederholte Kontraktion (PNF), wechselnder Drehpunkt: Ellbogengelenk in allen 4 Eckpunkten der Diagonalen.
Kontakte: Distaler Unterarm und distaler Oberarm entsprechend richtungsweisend.

ÜBUNG

▶ Handgelenkdorsalextension, Bewegen und Halten in allen Variationen.

Kontakt: Dorsal, proximales Handgelenk.

Aktive Fixation: Palmar, distal am Unterarm.

Zur Mobilisation:

TECHNIKEN

▶ »Chirurgische Technik« aus PNF, kurzes Anspannen des kontrakten Muskels gegen Führungskontakt – Entspannen – aktives Weiterziehen.

Passive Fixation des anderen Gelenkpartners, gelenknah.

▶ *Anschließend:* Endstellung halten am gewonnenen Bewegungspunkt.

▶ *Zu gegebener Zeit:* Langsame Umkehr – Halten – Entspannen« oder »Rhythmische Stabilisation – Entspannen«.

▶ Manuelle Therapie, Traktion und translatorisches Gleiten entsprechend der eingeschränkten Bewegungsrichtung (Abb. 11.36).

> Die Auswahl der Technik richtet sich nach der Qualität des Bewegungsstops und der Festigkeit der betroffenen Struktur. **!**

> Im Anschluß an jede Mobilisation soll die gewonnene Bewegung gehalten werden (Endstellung halten oder langsame Umkehr). **!**

Zur Schulung der Muskelkontraktionsbereitschaft:

ÜBUNGEN

▶ Kontralaterales Spannen der gleichen Muskulatur gegen Widerstand bei dem Versuch, die Endstellung der paretischen Muskulatur zu halten.

▶ Versuch, eine Position der Finger zu halten, nach Setzen einer Kontraktionshilfe.

▶ Versuch, eine Position der Finger zu halten bei maximaler Anspannung der synergistischen Muskelkette (Kombination mit Dorsalextensionsmustern, z.B. abgewandelte PNF-Übung, 1. Diagonale).

▶ Versuch, Position eines Fingers zu halten bei maximaler Anspannung der Nachbarfinger.

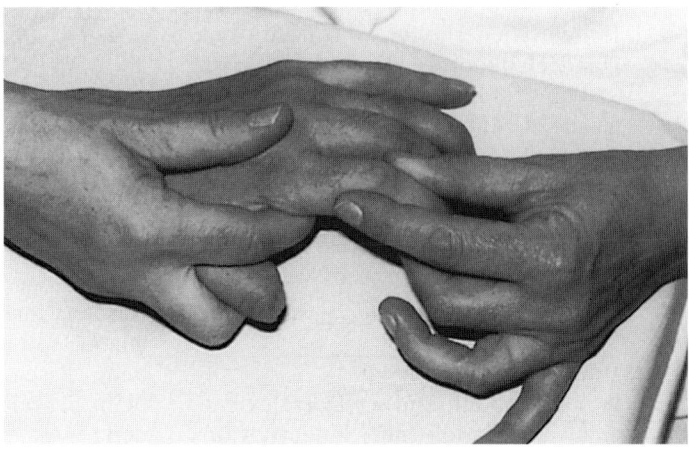

Abb. 11.36.   Traktion
zur Mobilisation MP2

Zur Verbesserung der Kraft und Ausdauer:

ÜBUNG
▶ Spreizen aller Langfinger und des Daumens gegen manuellen Widerstand (Abb. 11.35).
Widerstand: Grundglied D1, D2, D5.
Übungsauftrag: »Spreizen Sie alle Finger weit auseinander, halten Sie die Spannung und lassen Sie dann locker«.
▶ *Dasselbe* gegen Knetmasse (Abb. 11.31).

ÜBUNG
▶ Fingerextensoren gegen Widerstand, Bewegen und Halten.
Widerstand: Grundglieder D2–D5 und für aktive Stabilisation des Handgelenkes.
Übungsauftrag: »Lehnen Sie die Hand gegen meine Hand, strecken Sie die Fingergrundgelenke, halten und lockerlassen!«
▶ *Dasselbe* als wiederholte Kontraktion.

ÜBUNG
▶ Greifen einzelner oder aller Finger gegen Widerstand, Bewegen und Halten, wiederholte Kontraktion bei Handgelenkdorsalextension.
Widerstand: palmar entspr. an Grund-, Mittel- oder Endgelenken und proximal dorsal an der Hand.
Übungsauftrag: »Lehnen Sie sich mit der Hand gegen meine Hand, beugen Sie die Finger, halten, weiterziehen, etwas nachgeben, weiterziehen usw.!«

ÜBUNG
▶ Radialabduktion – Dorsalextension, Supination mit Fingerflexion der ersten 3 Finger, Bewegen und Halten, wiederholte Kontraktion.
Widerstand: Haltewiderstand am proximalen Handgelenk radial/dorsal und palmar an den Fingern.

ÜBUNG
▶ Ulnarabduktion – Dorsalextension, Pronation mit Fingerflexion der ulnaren Finger.
Widerstand: Haltewiderstand ulnar/dorsal am proximalen Handgelenk und palmar an den Fingern.

ÜBUNG
▶ Aktive wiederholte Kontraktionen der Finger 10- bis 12mal bei Stabilisation des Handgelenkes gegen Widerstand in verschiedenen Positionen.

ÜBUNG
▶ Aktive wiederholte Kontraktion einzelner Finger bei Stabilisation des Daumens oder eines Nachbarfingers gegen Widerstand.

Zur Funktionsschulung:

ÜBUNGEN
▶ Das Greifen von Geräten, die grobes Greifen erfordern, soll mit Dorsalextensionsstellung der Hand und in Palmarstellung für feines Greifen eingeübt werden. Armbewegungen und Stellungen werden in komplexen Mustern für verschiedene Greifformen vorgeübt.
▶ Tätigkeiten, die der Patient im Alltag und Berufsleben selbständig durchführen muß, können situationsbezogen eingeübt oder simuliert werden. Insbesondere muß die verletzte Hand beim An- und Ausziehen, beim Essen, bei der Körperpflege, beim Schreiben usw. eingesetzt werden.

▶ Hilfestellungen und die Verwendung von Hilfsmitteln müssen individuell ermittelt und ausprobiert werden.

Literatur

Cailliet R (1971) Hand pain and impairment. Davis, Philadelphia

Ehrenberg H (1970) Über die Lösungs- und Atemtherapie von A. Schaarschuch Krankengymnastik 22: 176

Honigmann M (1977) Krankengymnastische Behandlungsschwerpunkte nach traumatischen Sehnen- und Nervenverletzungen. Krankengymnastik 4: 208

Kapandji I (1984) Funktionelle Anatomie der Gelenke, obere Extremität. Enke, Stuttgart

List M (1970) Zur krankengymnastischen Behandlung nach Beugesehnentransplantation. Krankengymnastik I 1: 325

List M (1977) Knochen- und Weichteilverletzungen der Hand aus der Sicht des Lehrenden. Krankengymnastik 4: 196

List M (1978) Eisbehandlung in der Krankengymnastik. Broschüre Zentralverband KC, München

List M (1984) Untersuchung des Handgelenkes und Behandlung mit PNF-Techniken, KG 7. Pflaum, München

Loeweneck H (1977) Anatomie der Hand. Krankengymnastik 4: 186

Loeweneck H, Liebenstund I (1994) Funktionelle Anatomie für Krankengymnasten, 2. Aufl. Pflaum, München

Millesi H (1976) Unfallschäden peripherer Nerven. In: Chirurgie der Gegenwart, Bd IV. Urban Schwarzenberg, München

Mumenthaler M (1973) Läsionen peripherer Nerven. Thieme, Stuttgart

Nigst H (1976) Chirurgie der Beugesehnen. Handchir Mikrochir Plast Chir 8: 225

Pannike A, List M (1971) Erfahrungen und Wiederherstellungsresultate bei einzeitigem und zweizeitigem Beugesehnenersatz. Unfallheilkd 74: 211

Pannike A (1973) Finger- und Mittelhandverletzungen. Therapiewoche 23: 18–31

Pannike A (1973) Zur Technik und Histologie des zweizeitigen Beugesehnenersatzes im »Niemandsland«. Aktuelle Traumatol 3: 121

Pannike A (1974) Die Osteosynthesen epiphysennaher Frakturen einschließlich der Korrektureingriffe. Osteosynthesen im Hand- und Fingergelenkbereich. Aktuelle Traumatol 4: 93

Peters A (1980) Die Entwicklung der Bewegungstherapie nach Vojta. Krankengymnastik 32, 1: 8

Scharitzer E (1979) Finger- und Handwurzelluxationen. Unfallheilkd 82: 427–434

Scharitzer E (1982) Die Beurteilung des Kahnbeinbruches der Hand. Aktuelle Traumatol 312: 134–139

Scharitzer E (1981) Die Makroanatomie der Beugesehnen. Aktuelle Traumatol 311: 75–80

Spier W (1977) Moderne Technik der Versorgung frischer Handverletzungen. Krankengymnastik 4: 190

Stellbrink G (1974) Die Rolle von Anatomie, Form und Funktion in der Rehabilitation der Hand. Krank Gymn 10: 306

Stober R (1984) Die Verwendung volarer Venen zur Fingerreplantation. Aktuelle Traumatol 14: 215

Voss D, Ionta M, Myers B (1988) PNF. Fischer, Stuttgart

Wilda-Kiesel A (1993) Die konzentrative Entspannung. Lau-Ausbildungssysteme, Reinbek

Wiedemann M, Braun W, Rüter A (1992) Leitfaden der Unfallchirurgie. Urban & Schwarzenberg, München

12 Physiotherapeutische Behandlung nach Beckenfrakturen

Ursachen

- Verkehrsunfälle,
- Bauunfälle.

Allgemeine Richtlinien

Die Zunahme schwerer Verkehrs- und Bauunfälle führt auch häufiger als früher zu Beckenfrakturen (Abb. 12.1 a, b). Sie zeigen eine Vielfalt von Bruchformen, von denen diejenigen, die in die Hüftgelenkpfanne hineinreichen, als schwere Gelenkfrakturen gelten (Abb. 12.2 und 12.3; s. auch Kap. 21, »Polytrauma«). Da das Becken Kraftüberträger zwischen den unteren Extremitäten und dem Rumpf ist, haben Frakturen, die den geschlossenen Beckenring unterbrechen, wesentliche statische Bedeutung.

In vielen Fällen erlitten die Patienten eine *Polytraumatisierung* mit zusätzlichen Verletzungen wie:
- Schädel-Hirn-Traumen,
- Thoraxtraumen,
- Wirbelsäulen- und Extremitätenverletzungen.

Die Beckenfrakturen werden nach Tile (Felenda 1993) eingeteilt in:
- *Typ A:*   *Stabil, gering disloziert.*
  - A1:   Randfraktur.
  - A2:   Ringfraktur ohne Dislokation, Astfraktur einseitig, beidseitig.
  - A3:   Querfraktur Sakrum.
- *Typ B:*   *Rotationsinstabil, vertikal stabil.*
  - B1:   »Open book«.
  - B2.1: Lateral compression, ipsilateral
    - overriding,
    - locked symphysis,
    - tilt fracture.
  - B2.2: Lateral compression, contralateral
    - bucket handle.
  - B3:   Lateral compression, bilateral
    - straddle fracture.
- *Typ C:*   *Rotations- und vertikal instabil.*
  - C1:   Unilateral, transiliakale Fugenläsion, transsakral.
  - C2:   Bilateral.

Computertomographien sind heute das Mittel der Wahl, um eine Instabilität des Beckens exakt abzuklären (2- oder 3dimensionale Computertomogramme).

Azetabulumfrakturen und Beckenfrakturen mit Stabilitätsverlust werden *operativ* versorgt. Anwendung

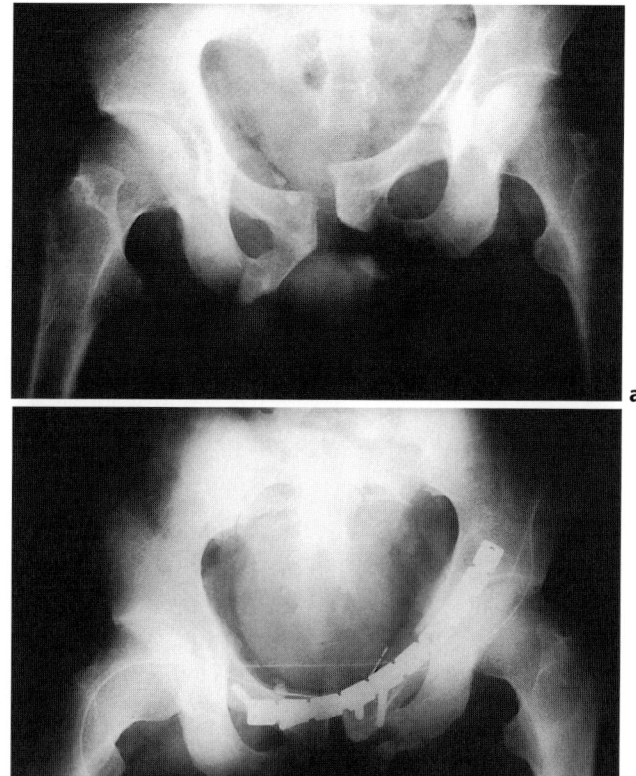

Abb. 12.1. **a** Beckenfraktur, **b** Osteosynthese

finden der Fixateur externe (Zwischenlösung), Platten- und Schraubenosteosynthesen (s. Abb. 12.1).

Insbesondere die dorsale Instabilität des Beckenringes findet heute eine größere Beachtung. Ventrale und dorsale Stabilisierungsverfahren stehen zur Verfügung, um eine anatomische Rekonstruktion zu gewährleisten. Nur dann kann eine *frühe Mobilisation* des Patienten erfolgen (s. auch Abb. 21.15 und 21.16).

Folgende *Entlastungszeiten* werden angegeben:

▶ Nach Weise und Weller (1987) können alle Frakturen mit stabilen Osteosynthesen in der 2.–4. postoperativen Woche schrittweise belastet werden.

▶ Bei vertikalen Beckenfrakturen mit stabilen Osteosynthesen werden 8–10 Tage Bettruhe empfohlen, dann Bewegungsbad. Der Beginn der Teilbelastung richtet sich nach Schmerzsituation und Muskelfunktion.

▶ Bei Beckenfrakturen mit Azetabulumverletzung und Osteosynthesen sind 3–4 Wochen Bettruhe indiziert, anschließend Bewegungsbad und Teilbelastung für 6 Wochen (20 kg).

▶ Bei der *konservativen* Versorgung sind 6–8 Wochen Extension vorzu-

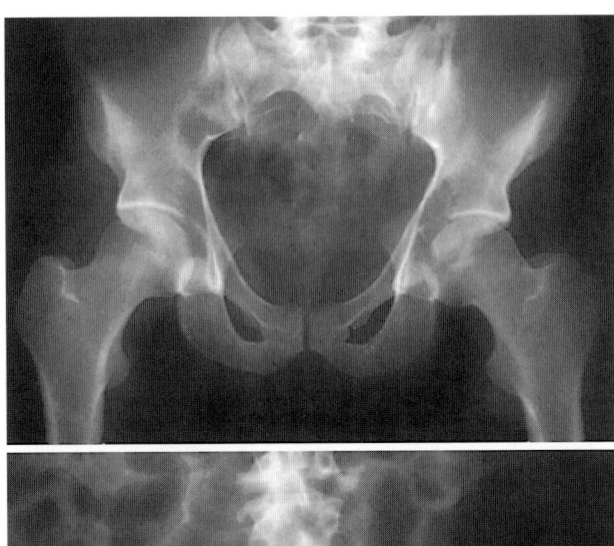

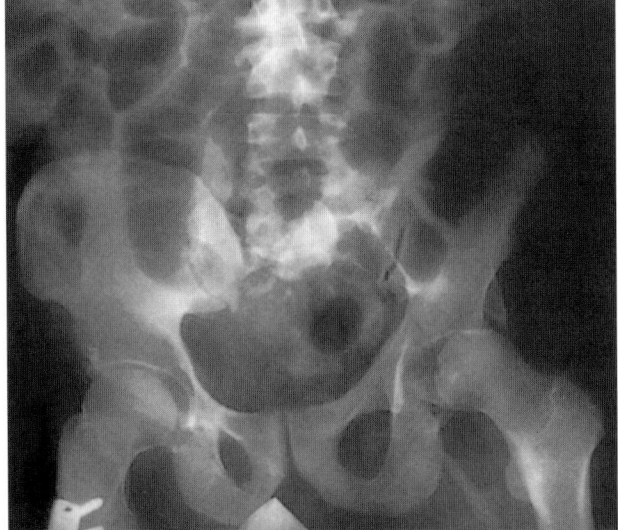

Abb. 12.2. Acetabulum-fraktur

sehen, anschließend Bewegungsbad und Teilbelastung für 10–12 Wochen, die langsam gesteigert werden soll (alle 2 Wochen 10–15 kg).

▶ Patienten mit vorderen Ringbrüchen ohne Stabilitätsverlust und ohne Azetabulumbeteiligung dürfen wenige Tage nach dem Unfall aufstehen. Die Schmerzsituation gibt an, wieviel der Patient selbst belastet.

Komplikationen und Nebenverletzungen

- Kreislaufinstabilität, Thrombose, Embolie,
- Ateminsuffizienz bei Zwerchfellirritation oder sogar Zwerchfellverletzung,
- Milz-, Leberruptur,
- Organverletzungen im Beckenbereich,

• Verletzung des N. ischiadicus,
• Symphysen- und Iliosakralgelenk-
  sprengung,
• Beinverkürzung als Spätfolge,
• Arthrose der Hüftgelenkpfanne bei
  deren Mitverletzung,
• Hüftkopfnekrose,
• Kalzifikationen der Weichteile.

Die Frühkomplikationen verhindern
den frühzeitigen Beginn der physiotherapeutischen Behandlung. Häufig
muß der Patient zunächst auf der
Intensivstation überwacht werden.

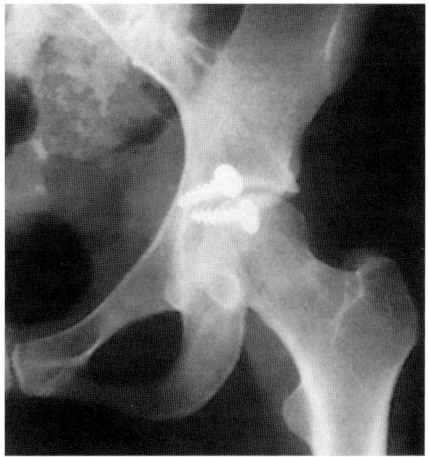

Abb. 12.3.   Osteosynthese der Hüftgelenkpfanne

Befunderhebung

BEURTEILE
• Röntgenbild und den Bezug der Frakturlinien zur
  Muskeltopographie, CT.
• Allgemeinzustand, Gesichtsfarbe, Gesichtsaus-
  druck, Atmung, Laborwerte, Ausscheidung.
• Pulsfrequenz und -qualität.
• Durchblutung der Beine und Füße.
• Tonus der Muskulatur.
• Turgor der Haut.
• Trophik.

MISS
• Aktives Bewegungsausmaß der Sprunggelenke und
  der Kniegelenkextension, -flexion im seitlichen
  Überhang.
• Umfangmaße der Beine.

PRÜFE
• Muskeltest der Fußheber, Zehenextensoren, Plan-
  tarflektoren, Pro-/ und Supinatoren.
• Sensibilität.

NOTIERE
• Subjektive Angaben über Schmerzen und
  Beschwerden.

**Nicht erlaubt ist ein Muskeltest der Hüftgelenkmus-
kulatur über Teststufe 2 hinaus bei konservativer
Behandlung, da die Beckenstabilität gefährdet
würde.**

Der M. iliopsoas wirkt z. B. irritierend auf vertikale Beckenringbrüche, die Mm. adductores scherend bei vorderen Ringbrüchen, wenn sie gegen Eigenschwere des Beines getestet werden. Das Röntgenbild gibt Aufschluß über die Zugkraft der Muskulatur zur Lokalisation der Fraktur.

Beckenrandbrüche zeigen kaum eine nennenswerte Symptomatik. Sie werden selten physiotherapeutisch behandelt.

Behandlungsmöglichkeiten

GESICHTSPUNKTE
DER BEHANDLUNG

1. Pneumonie-, Thrombose- und Embolieprophylaxe.
2. Dekubitusprophylaxe.
3. Lagerungskontrolle.
4. Erhalten der Armkraft.
5. Erhalten der Beinkraft auf der nichtbetroffenen Körperhälfte.
6. Aktive Stabilisation des Beckenrings.
7. Kräftigung der atrophischen Muskulatur (Vorbereitung des Gehmusters aus der Lage).

● **1. Pneumonie- und Thromboseprophylaxe**

Siehe Kap. 3, »Grundzüge der prä- und postoperativen physiotherapeutischen Behandlung«.

● **2. Dekubitusprophylaxe**

Ständiges Liegen auf dem Rücken führt bei ungenügender Pflege leider sehr häufig zu einem Dekubitus.

▶ Zur Vorbeugung wird der Patient angehalten, möglichst häufig seine Gesäßmuskeln anzuspannen.

● **3. Lagerung**

Erfahrungsgemäß ist eine sachgerechte Lagerung dem Aufgabenkatalog der Physiotherapeuten und des Pflegepersonals zugeordnet.

▶ Bei instabilen Frakturen wird ein Quaderbett benutzt. Instabile Beckenverletzungen dürfen nicht umgelagert werden. Wenn möglich, sollte der dekubitusgefährdete Patient auf einem Schaffell oder einer Schaumstoffmatte liegen.

▶ Schwestern und Physiotherapeuten sollen darauf achten, daß die Hüftgelenke in Nullstellung gelagert sind, d. h. keine Flexions-/Adduktions- oder Außenrotationsstellung haben. Die Füße sollen in 90°-Dorsalextension = Nullstellung liegen. Die meisten Kranken benötigen eine kleine Schaumstoffpolsterung unter dem Kniegelenk zu dessen Entlastung.

▶ *Zu vermeiden* ist in jedem Fall eine zu starke Oberkörperhochlagerung, wenn dies die Atmung und Kreislaufsituation zuläßt.

● **4. Erhalten der Armkraft**

▶ Als Vorübung für das Gehen mit Unterarmstützen kann der Kranke selbst mit Expandern, dem Pullingformer oder einem Baligerät üben.

▶ Als komplexe Widerstandsübungen kommen alle Formen des Bewegens und Haltens in komplexen Mustern zur Anwendung.

▶ Das Hausaufgabenprogramm wird vorgeübt.

● **5. Erhalten der Beinkraft bei Verletzung einer Beckenseite auf der nichtbetroffenen Seite**

Während an den Armen alle Bewegungsmuster möglich sind, muß bei den komplexen Beinmustern daran gedacht werden, daß sich bei jeder Form von Widerstandsarbeit *Verstärkungsmuster* aufbauen. Diese können an der Beckengegenseite scherend wirken. So kann eine erhöhte Spannung der Mm. adductores, des M. iliopsoas oder des M. rectus femoris irritierend auf vertikal verlaufende Frakturen wirken.

Allgemein gilt: die Addukturen verstärken die Adduktoren der Gegenseite, und die Extensoren eines Hüftgelenkes verstärken die Flexionsspannung der anderen Seite und umgekehrt (Gehmuster).

▶ Nach Interpretation des Verletzungsmusters und des Röntgenbefundes wird entschieden, welches Muster geübt und welches vermieden werden soll.

● **6. Aktive Stabilisation des Beckenrings in der Lage durch die Muskeln, die Druckkräfte auf die Fraktur setzen können**

Dazu muß ärztlicherseits *Übungsstabilität* vorgegeben sein!

▶ Isometrische Spannungsübungen der Muskelketten, die zwischen Rumpf und Beinen liegen, stabilisieren das Becken. Dies trifft für die ventralen Muskelketten ebenso zu wie für die dorsalen.

▶ In korrigierter Mittellage werden diagonale Spannungen aufgebaut zwischen der schrägen Bauchmuskulatur und den Mm. glutaeus medius und minimus oder über den M. latissimus dorsi und M. quadratus lumborum zu den Mm. glutaeus medius und minimus der anderen Seite.

▶ Die Stabilisation der Beckenabduktion (Herausschieben der Ferse) ist meist eine der ersten Übungen, die am Becken selbst ausgeführt werden kann. Bei korrigierter Rückenlage können diese Übungsformen gegen Führungskontakt schon frühzeitig begonnen werden (s. Abb. 12.4).

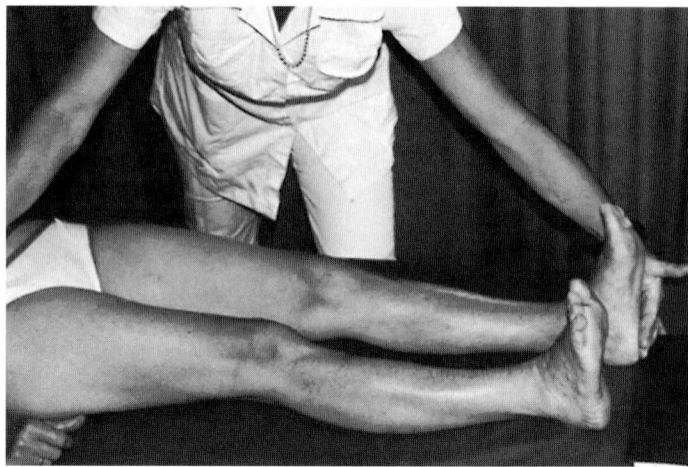

Abb. 12.4. Beckenabduktion durch Herausschieben des in Nullstellung liegenden Beines gegen Handkontakt an der Ferse

GESICHTSPUNKTE
DER BEHANDLUNG

6. Aktive Stabilisation des Beckenrings.

▶ Bei zunehmender Konsolidierung der Fraktur werden in der gleichen Lage alle PNF-Beckenmuster bei aktiver Fixation des Femur ausgeführt.

Die *Beckenbewegungen* sind statisch und dynamisch wie folgt definiert:

• Abduktion: Herunterziehen der gleichen Beckenseite (Abb. 12.4) oder Herausschieben des Beines,
• Adduktion: Heraufziehen des Beckenkamms der gleichen Seite (Abb. 12.5),
• Extension: Drehen des Beckens nach dorsal,
• Flexion: Drehen des Beckens nach ventral,
• Außenrotation: Vordrehen der gleichen Beckenseite, Zurückdrehen der anderen Seite (Abb. 12.6),
• Innenrotation: Vordrehen der Gegenseite, Zurückdrehen der gleichen Seite (s. 12.6).

▶ Bei allen Beckenbewegungen werden Punctum fixum und Punctum mobile so geordnet, daß der Femur zum Punctum fixum wird und das Becken zum Punctum mobile. Im Mittelstand bewegt sich das Becken der Standbeinseite in Extension, Abduktion und Innenrotation und wird zum Kraftüberträger für das belastete Bein (Abb. 12.7).

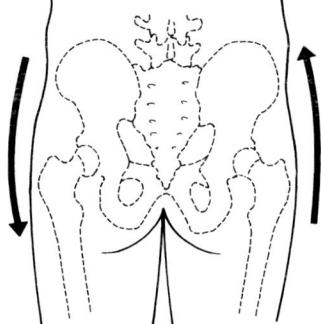

Abb. 12.5. Abduktion/Adduktion des Beckens

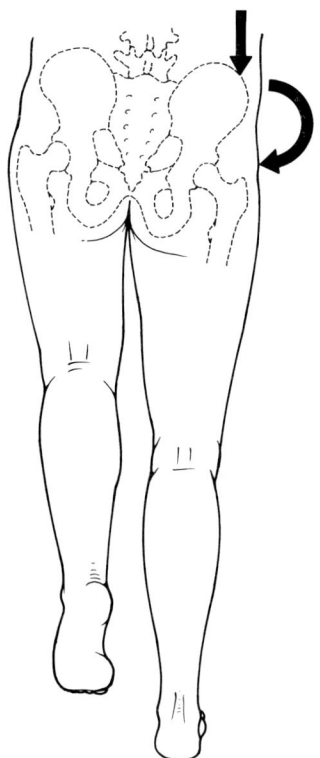

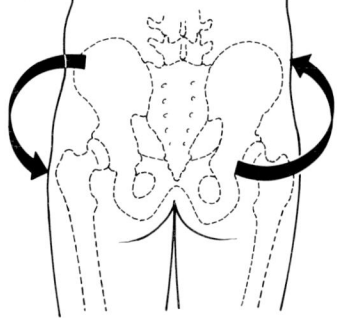

Abb. 12.7. Stabilisation des Beckens in der Mittelstandsphase

Abb. 12.6. Beckenrotation

● **7. Kräftigung der atrophierten Glutäalmuskulatur**

▶ Sie kann durch die Stabilisationsübungen (Halte-phasen: ca. 7 s), aber auch durch dynamische Übun-gen in konzentrisch und exzentrisch dynamischer Spannungsform erfolgen. Beweglicher Hebel kann das Becken oder der Femur sein.

▶ Die Übungen können reinachsig, isoliert oder komplex in PNF-Mustern durchgeführt werden. Ver-stärkungsmuster müssen abgebaut werden, wenn die Einzelleistungen der Mm. glutaeus medius, minimus und maximus verbessert werden sollen.

▶ Sind Bewegungsübergänge erlaubt, kann aus der Bauchlage oder dem Vierfüßlerstand geübt werden. Bei einseitigen Beckenfrakturen ist ein Üben aus Seitenlage möglich, z.B. durch Beckenpattern aus dem PNF-Programm.

GESICHTSPUNKTE
DER BEHANDLUNG

▶ Das Becken kann im Sinne der 1. Diagonale in Flexion/Adduktion und Extension/Abduktion oder im Sinne der 2. Diagonale als Extension/Adduktion und Flexion/Abduktion gegen Kontakt oder Widerstand bewegt werden.

▶ Die Ausführung kann mit Endstellung Halten, in allen Variationen des Bewegens und Haltens oder als wiederholte Kontraktionen erfolgen.

▶ Die Bewertung der Frakturlage, bezogen auf die Muskelkette, die Festigkeit der Osteosynthese oder der Fraktur bestimmen die *Dosierung* und *Übungsauswahl.*

8. Erhalten der Gelenkbeweglichkeit in den Knie- und Sprunggelenken.

● **8. Erhalten der Gelenkbeweglichkeit in den Knie- und Sprunggelenken**

▶ Aktive Umkehrbewegungen im vollen Bewegungsmaß sind bei der vorgeschriebenen flachen Lagerung nur im seitlichen Überhang des Unterschenkels möglich. Bei passiver Fixation des Oberschenkels dicht oberhalb der Patella ist ein Üben der Knieflexion in vollem Umfang durchzuführen.

▶ Sollte bei verspätetem Übungsbeginn von Schwerverletzten eine Kontraktur entstanden sein, können zunächst aktive Entspannungstechniken wie »langsame Umkehr – Halten – Entspannen – aktives Weiterziehen« oder die »rhythmische Stabilisation« – Entspannen – aktives Weiterziehen angewandt werden. *Selbstverständlich darf bei diesen Techniken das Kniegelenk nicht rotiert werden.*

▶ Als Ausgangsposition bieten sich die Rücken- und Bauchlage an. Die Entspannungstechniken werden *nie aus der Seitenlage* ausgeführt.

▶ Das Sprunggelenk muß vor allem gegen die Neigung zur Spitzfußstellung mobilisiert und die Fußheber gekräftigt werden. Intensives Auftrainieren dieser Muskeln ist täglich durchzuführen.

▶ Der Kranke muß außerdem ständig angehalten werden, selbst zu üben und auf exakte Lagerung zu achten.

9. Erarbeiten der Gelenkbeweglichkeit in den Hüftgelenken, soweit der Befund es erlaubt (Mobilisation im Spätstadium).

● **9. Erarbeiten der Hüftgelenkbeweglichkeit**

Erst nach Konsolidierung der Frakturen kann die Mobilisation der Hüftgelenke intensiv erfolgen.

▶ Die Hüftgelenkflexion wird zuletzt erarbeitet. Die Extension (15°) und die Innenrotation werden schwerpunktmäßig mobilisiert. Im Schlingentisch

GESICHTSPUNKTE
DER BEHANDLUNG

oder im Wasser kann dies schonend durchgeführt werden.

▶ In jüngster Zeit ist auch eine Continous-passive-motion-Schiene im Handel, die zur Beweglicherhaltung des Hüftgelenkes konzipiert wurde. Bei Fixation des Oberschenkels auf der Schiene wird das physiologische Rollgleiten des Hüftgelenkes behindert.

> **!** Der Einsatz der Continuous-passive-motion-Schiene muß kritisch bewertet werden und immer unterhalb der Schmerzgrenze liegen. Ab-, Adduktions- und Rotationsbewegungen müssen unbedingt in Neutral-Null-Stellung des Kniegelenkes durchgeführt werden.

10. Vorbereitung und Einüben der Belastung und des Gehens.

● **10. Belasten und Gehen**

▶ Das Gehmuster kann in der Rückenlage vorgeübt werden. Schwung- und Stützphasen der Beine und Arme werden für den »Zweipunkte-« oder »Dreipunktegang« geschult. Dabei wird je nach Vermögen so vorgegangen, daß einzeln oder komplex vorgeübt wird. Alternativ können 3 Extremitäten statisch in entsprechenden Mustern spannen, während eine Extremität dynamisch übt. Wichtig ist das Vorüben der Mittelstand- und Fersenablösungsphase der Beine (s. Abb. 12.7).

▶ Umkehrübungen zur Schulung des Bewegungsablaufs lassen sich besser gegen manuellen Widerstand ausführen. Zur Stabilisation und Technik der wiederholten Kontraktionen kann jedoch das Pullingformergerät ausgezeichnet verwendet werden.

▶ Die ersten Belastungsübungen werden auf Anordnung des Arztes mit Gehhilfen und auf Waagen vorgenommen.

▶ Nach ca. 10 Tagen dürfen Patienten mit stabilen Osteosynthesen 20 kg belasten. Die Belastung kann gesteigert werden, wenn keine Ausweichbewegungen (Trendelenburg-, Duchenne-Hinken), keine Schmerzen und keine Ermüdungszeichen auftreten.

▶ Wenn andere Verletzungen zusätzlich vorliegen, kann die Belastung auf dem kippbaren Stehbrett vorgeübt werden.

SCHÜLERAUFGABE ■■■

> Erarbeiten Sie ein Übungsprogramm für einen Patienten mit operativ versorgter Beckenringfraktur 4 Wochen nach der Osteosynthese.

ÜBUNGSBEISPIELE

Ausgangsposition

Rückenlage, Becken gerade.

ÜBUNG

▶ Stabilisation des Beckens zwischen Oberschenkel und Thorax, Haltephase möglichst 7–10 s.
Kontakt/Widerstand:
- Becken lateral und am anderen Oberschenkel lateral,
- Becken dorsal und am anderen Oberschenkel dorsal,
- Becken ventral und am anderen Oberschenkel ventral,
- Becken dorsal und an der Gegenschulter dorsal,
- Becken ventral und an der Gegenschulter dorsal und ähnliches.
Übungsauftrag: »Lassen Sie sich nicht verschieben, halten und lockerlassen!«

▶ *Dasselbe* mit Hebelverlängerung durch Kontakt/Widerstand an den Armen oder Beinen, Diagonalspannungen, Ausnützen von Mustern aus der Brunkow-Technik.

ÜBUNG

▶ Beckenabduktion mit wiederholten Kontraktionen.
Kontakt/Widerstand: Lateral am Becken und an der Ferse.
Übungsauftrag: »Schieben Sie die Ferse lang heraus, geben Sie etwas nach, schieben Sie wieder heraus usw.!«

ÜBUNG

▶ Abduktion/Innenrotation des Beines, isometrisch und als wiederholte Kontraktion.

ÜBUNG

▶ Extension/Außenrotation des Beines, isometrisch oder als wiederholte Kontraktion.
Kontakt/Widerstand: Richtungsweisend mit lumbrikaler Handstellung.
Übungsauftrag: »Lehnen Sie sich gegen die Hand des Therapeuten, strecken Sie das Bein nach unten, halten, weiterziehen, etwas nachgeben, weiterziehen usw.!«

ÜBUNG

▶ Bridging: Assistiv oder gegen Eigenschwere aus Rückenlage, Beine angestellt.

ÜBUNG

▶ Becken abheben.
▶ *Später* mit den Füßen auf der Stelle treten oder Becken abheben und ein Bein in die Luft strecken.

Wenn Seitenlage erlaubt ist:

ÜBUNG

▶ Beckenpattern aus Seitenlage.

ÜBUNG

▶ Extension/Abduktion/Innenrotation aus Seitenlage, als Endstellung halten oder wiederholte Kontraktion.
Kontakt/Widerstand: Dorsal/lateral an Oberschenkel und Fuß.
Übungsauftrag: »Position halten oder drehen Sie die Ferse nach oben und heben Sie das Bein nach oben hinten, halten, weiterziehen, etwas nachlassen, weiterziehen usw.!«

ÜBUNG
▸ Bewegungsübergänge einüben über schmerzfreie Seite mit Grundspannung nach Brunkow.

Ausgangsposition

Bauchlage Knie gebeugt.

ÜBUNG
▸ Abheben des Oberschenkels gegen Eigenschwere, Führungskontakt/Widerstand.
Kontakt/Widerstand: dorsal am Oberschenkel.
Übungsauftrag: »Heben Sie den Oberschenkel ab, halten und lockerlassen!«
▸ Dasselbe auch mit wiederholten Kontraktionen.

Ausgangsposition

Vierfüßlerstand.

ÜBUNG
▸ Stabilisation des Beckens.
Kontakt/Widerstand: richtungsweisend.
Übungsauftrag: Halten Sie die Position (7–10 s)!«

Ausgangsposition

Rückenlage, Fersen am Bettende.

ÜBUNG
▸ Gehmuster aus PNF-Programm.
Kontakt/Widerstand: An Fußsohle und lateral, anderes Bein am Fußrücken und medialen Fußrand.
Übungsauftrag: »Halten Sie das Bein gestreckt nach unten/außen, ziehen Sie das andere mit gebeugtem Knie nach oben/innen in Richtung der Gegenschulter, halten.«

▸ ÜBUNGEN zur Verbesserung der Becken- und Beinmuskelspannungen sind auch über PNF-Übungen gegen angepaßten Widerstand eines Armes/beider Arme in asymmetrischen Mustern möglich (Overflow über Rumpfmuster).

Nach Konsolidierung der Frakturen, wenn nach ca. 6 Wochen die Belastung gesteigert werden darf:

ÜBUNG:
▸ Gegen Pullingformer: Extension/Abduktion, Innenrotation mit gestrecktem Bein, Dosierung gegen leichte Spirale, Gerät durch Therapeutenhand geführt, so daß angepaßter Widerstand gegeben werden kann.
▸ Technik: Bewegen und Halten oder Endstellung halten.
Schlaufenlage: Eine Schlaufe dicht oberhalb der Patella und eine am Fuß (Schaumstoffauflage dorsal/lateral), das andere Paar in der gegenseitigen Hand.
Übungsauftrag: »Spannen Sie die Feder mit der Hand nach außen/unten, jetzt das Bein nach unten/außen führen, halten, weiterziehen usw.!«

Ausgangsposition

Rückenlage, Kniegelenk am Bettende oder Sitz.

ÜBUNG
▸ Wiederholte Kontraktionen aus PNF oder Kombinationen des Bewegens und Haltens gegen Pullingformer für den M. gastrocnemius und die Mm. ischiocrurales.

Schlaufenlage: Am dorsal/distalen Unterschenkel (soll Plantarflexion mitgeübt werden, auch eine Schlaufe am Fuß), das andere Paar in der gegenseitigen Hand (Abb. 19.6).

▶ Technik: Bewegen und Halten oder wiederholte Kontraktion nach PNF.

Übungsauftrag: »Spannen Sie die Feder mit der Hand nach unten/außen, spannen Sie jetzt den Fuß nach unten, beugen Sie das Knie, halten Sie, geben Sie in der Spannung etwas nach, beugen Sie wieder usw.!«

GEHSCHULUNG UND KORREKTUR

Wenn Entlastung vom Arzt aufgehoben wurde:

Siehe Kap. 14, »Schenkelhalsfraktur«.

Literatur

Bold R, Gossmann A (1978) Stemmführung nach R. Brunkow. Enke, Stuttgart

Elam BD (1976) Calculating weight bearing on a tilt table. Physical therapy, vol 56 No 5

Felenda MR (1993) Instabile Beckenringverletzunge, Klassifikation – Behandlungsstrategie. Aktuelle Traumatol 23: 263–271

Havemann D (1982) Behandlung von Bekkenringfrakturen mit Fixateur externe. Aktuelle Traumatol 2: 12

Klein-Vogelbach S (1990) Funktionelle Bewegungslehre. Springer, Berlin Heidelberg New York

Maurer F (1993) Das Beckentrauma – eine diagnostische und therapeutische Herausforderung. Aktuelle Traumatol 23: 42–49

Müller KH (1978) Die Osteosynthese mit dem Fixatur externe am Becken. Arch Orthop Trauma Surg 92: 273–283

Voss D et al (1988) Propriozeptive Neuromuskuläre Fazilitation. G. Fischer, Stuttgart

Weise K, Weller S (1987) Die konservative Behandlung beim Hüftpfannenbruch. Indikation und Ergebnisse. Akt Traumatol 6: 277–283

Wiedemann M, Braune W, Rüter A (1992) Leitfaden der Unfallchirurgie, Urban & Schwarzenberg, München

13 Physiotherapeutische Behandlung nach Frakturen und Luxationen im Bereich des Hüftgelenkes

Azetabulumfraktur

Ursachen

- Autoauffahrunfälle, direkte Stürze.

Allgemeine Richtlinien, Biomechanik, Symptomatik und ärztliche Maßnahmen

Von besonderer Bedeutung für die Behandlung von Patienten mit einer Azetabulumfraktur sind die mechanischen Druckverhältnisse am Hüftgelenk (s. auch Kap. 14, »Schenkelhalsfraktur«).

Kapandji (1985) zitiert ein Experiment der Gebrüder Weber, die nachwiesen, daß der Luftdruck die beiden Gelenkpartner fest aneinanderpreßt, ähnlich dem physikalischen Gesetz der Magdeburger Halbkugeln. Bohrt man ein Loch in die Pfanne, kann der Femurkopf leicht von der Pfanne getrennt werden. Die das Hüftgelenk hauptsächlich stabilisierende Muskulatur liegt hinten und die meisten Bänder vorn, so daß ein ausgeglichener Gelenkflächenkontakt vorhanden ist.

Soll nach einer Azetabulumfraktur der Gelenkdruck verringert werden, um der Fraktur die Heilung und dem Knorpel eine Art Regenerierung zu ermöglichen, muß die Spannung der Glutäalmuskulatur, des M. tensor fasciae latae und die Spannung der ventralen Bänder reduziert werden. Darüber hinaus muß das Gelenk ausreichend entlastet werden, durch Gehen ohne Belastung oder mit Sohlenkontakt.

Die Behandlung kann *konservativ* mit einer Extension erfolgen oder operativ sein (innerhalb der ersten posttraumatischen Woche.

Operatives Vorgehen und Anlegen einer Rekonstruktionsplatte wird heute häufiger praktiziert. Wichtig ist muskelschonendes Operieren: Klassifikation und entsprechendes Vorgehen mit muskelschonender Schnittführung nach Letournel (s. Wiedemann 1992, S. 242).

▶ Bei guter Muskelsicherung und schmerzfreier Bewegung darf ab 4 Wochen Sohlenkontakt und ab der 5.–11. Woche Teilbelastung mit 20 kg durchgeführt werden.

▶ Die volle Belastung (freies Gehen) kann nach 16 Wochen erfolgen, wenn das Röntgenbild in Ordnung ist.

▶ Funktionell sollen die Muskeln eingesetzt werden, die *druckentlastend* auf das Hüftgelenk wirken. Dies sind die Adduktoren, alle außenrotierenden Hüftgelenkbeuger und

-strecker. Das Hüftgelenk soll *entlastet bewegt* werden. Behutsame Traktion und langsame Umkehrbewegungen sind geeignete Techniken, dieses Ziel zu erreichen. Alle Übungen müssen unter Ausschaltung der Schwere und ohne äußere Widerstände erfolgen.

 Zu vermeiden ist die intensive Muskelarbeit der Mm. glutaeus medius und minimus; sie stabilisieren das Hüftgelenk und üben vor allem unter Belastung große Druckkräfte auf das Hüftgelenk aus. Gleichermaßen kontraindiziert sind Halteübungen.

Komplikationen

- N.-ischiadicus-Verletzung,
- als Spätfolge: Koxarthrose.

Befunderhebung nach Osteosynthese

BEURTEILE
- Operationsnarbe oder Wunden, Atrophien, Verfärbungen, Schwellungen.
- Stellung des Beines, Lagerung.
- Röntgenbild.

MISS
- Sprunggelenkbeweglichkeit.
- Kniegelenk- und Hüftgelenkbeweglichkeit bei abgenommener Schwere im Seitenvergleich.
- Umfangmaße des Beines an vorgegebenen Stellen.
- Beinlänge (später Kontrolle im Stand mit Beckenwaage und Brettchenunterlegung).

PRÜFE
- Sensibilität.
- Muskeltestwerte auf Teststufe 2 aller Hüftgelenk- und Oberschenkelmuskeln auf Normwerte am Unterschenkel und Fuß.

NOTIERE
- Schmerzen: wann? wo? wie?
- Sonstige Beschwerden.

BEFUNDERGÄNZUNG

Bei polytraumatisierten Patienten
- Atembefund,
- Puls, Blutdruck,
- Bewußtseinslage, Orientierung zur Person, im Raum etc.,
- Kooperationsfähigkeit,
- neurologischer Befund.

Behandlungsmöglichkeiten

<small>GESICHTSPUNKTE
DER BEHANDLUNG</small>

Frühstadium:
1. Thrombose- und Embolieprophylaxe.
2. Atemtherapie.
3. Lagerungskontrolle.
4. Verbesserung der Durchblutung.
5. Dekubitusprophylaxe.
6. Erhaltung der Funktion der nichtbetroffenen Gelenke.
7. Erhaltung der Beweglichkeit und Kraft des anderen Beines und der oberen Extremitäten.
8. Herabsetzen der Muskelspannung und Entlastung des Hüftgelenkes (Schwerpunkt der Frühbehandlung!).
9. Einschleifen der Hüftgelenkbeweglichkeit unter Zug (abgenommene Schwere des Beines).

- **1. Thromboseprophylaxe**

- **2. Atemtherapie**

Siehe Kap. 3, »Grundzüge prä- und postoperativer physiotherapeutischer Behandlungen«.

- **3. Lagerungskontrolle**

  ▶ Nullstellung im Hüftgelenk in Schaumstoff-U-Stellung.

- **4. Verbesserung der Durchblutung**

  ▶ Spannen im Sekundenrhythmus.
  ▶ Eisabtupftechnik.
  ▶ Resorption des postoperativen Ödems bzw. Hämatoms.

- **5. Dekubitusprophylaxe (falls der Patient Liegezeit hat)**

Siehe Kap. 12, »Physiotherapeutische Behandlung nach Beckenfrakturen«.

- **6. Erhaltung der Funktion der nichtbetroffenen Gelenke**

- **7. Erhaltung der Beweglichkeit und Kraft des anderen Beines und der oberen Extremitäten**

  ▶ Zur Erhaltung der Elastizität und Kraft der Muskulatur der Arme und des anderen Beines sollen Widerstandsübungen mit und ohne Gerät (s. Beckenfraktur) überwiegend als Hausaufgabenprogramm geübt werden.
  ▶ Zu beachten ist jedoch, daß die Übungen vorgeübt und richtig ausgewählt werden.

Overflowreaktionen, die bei Widerstandsarbeit von dem nichtbetroffenen Bein als Abduktionsspannungen auf die Azetabulumfraktur wirken, müssen vermieden werden. Sie würden dort eine Druckbelastung erzeugen. Die Bewegungsmuster Extension/ Abduktion und Flexion/Abduktion sollten auf der nichtbetroffenen Seite deshalb nur gegen Führungskontakt geübt werden.

  ▶ Bei Widerstandsübungen für die Unterschenkel- und Fußmuskulatur muß der Oberschenkel passiv fixiert werden. Die Übungen erfolgen aus der Rückenlage mit seitlichem Überhang des Unterschenkels.

GESICHTSPUNKTE
DER BEHANDLUNG

Nach ca. 8. Wochen:
10. Bewegungsbad.
11. Zunehmend lang-
samer Aufbau der
Tragfähigkeit des
Hüftgelenkes.
12. Kräftigung der
für das Gehen
wichtigen Musku-
latur.
13. Vorbereitung und
Einüben der Bela-
stung (funktio-
nelles Umsetzen
der mechanischen
Belastbarkeit).

● **8. Herabsetzen der Muskelspannung der betroffenen Hüftgelenkmuskulatur**

Unter dem Gedanken der Druckentlastung des Hüftgelenkes soll die Spannungserhöhung der Mm. glutaeus medius und minimus abgebaut werden.

▶ Mögliche *Verfahren* sind:
• Auflage von Eiskompressen,
• bewußtes Entspannen nach der Methode Schaarschuch,
• entspannte Lagerung,
• bewußtes Anspannen und Lösen der Spannung,
• rhythmische Stabilisation und Entspannen, gegen Führungskontakt und mit weicher Traktion (ohne Rotation),
• weiche Massagegriffe, wenn alle Operationsnarben reizlos verheilt sind.

● **9. Einschleifen der Hüftgelenkbeweglichkeit**

Hier können dynamische Umkehrbewegungen unter Abnahme der Beinschwere und unter Traktion aus Rücken- und Seitenlage ausgeführt werden.

▶ Mögliche *Bewegungsrichtungen* sind:
• von der Nullstellung in die Adduktion/Außenrotation,
• von der Nullstellung in die Adduktion/Flexion/Außenrotation,
• von der Flexion/Rotationsnullstellung in die Extension/Adduktion/Außenrotation.

▶ In Frage kommen auch Beckenbewegungen im Sinn der PNF-Muster, hierbei werden Punctum fixum und Punctum mobile vertauscht.

▶ Hubfreies Bewegen ist außerdem im Schlingengerät und im Bewegungsbad möglich. Anfangs kann die inzwischen erhältliche Continuous-passive-motion-Hüftgelenkschiene im schmerzfreien Bewegungsbereich eingesetzt werden.

● **10. Bewegungsbad**

Im Bewegungsbad kann durch die Auftriebskräfte des Wassers entlastend geübt werden.

> **!** Schwimmstile, die vermehrt die Glutäalmuskulatur belasten, sollen vermieden werden. Die Bewegungen sollen langsam ausgeführt werden. Zu berücksichtigen ist auch der Allgemeinzustand des Patienten. Das warme Bewegungsbad stellt eine hohe Anforderung an den Kreislauf.

● **11. Zunehmend langsamer Aufbau der Tragfähigkeit des Hüftgelenkes**

▶ Gehen mit Teilbelastung wird eingeübt, wenn das Röntgenbild nach ca. 5 Wochen eine Steigerung der Belastung erlaubt. Eine Belastung über 20 kg hinaus soll erst nach 12 Wochen erfolgen. Dies setzt voraus, daß eine *funktionelle Tragfähigkeit* bereits erreicht ist: Die Muskulatur der kleinen Gluäen und des Tensor fasciae latae muß das Becken über dem Standbein in der Waage halten. Darüber hinaus muß das Hüftgelenk frei beweglich und schmerzfrei sein.

● **12. Kräftigung der für das Gehen wichtigen Muskulatur**

▶ Die Funktion der kleinen Gluäen muß jetzt optimal eingeübt werden. Möglichkeiten bietet das PNF-Programm und die Funktion des Gehens selbst. Alle Übungsformen nutzen nun die Eigenschwere des Körpers aus, variieren durch verschiedene Ausgangsstellungen und Einsatz von Geräten (Theraband, Pullingformer, Laufbänder).

● **13. Vorbereitung und Einüben der Belastung**

▶ Das Gehmuster kann gegen manuellen Widerstand in PNF-Mustern vorgeübt werden.
▶ Das Gehen mit Unterarmstützen wird durch Schrittfolgen über Waagen kontrolliert und auf die vorgegebene Steigerung der Belastung eingestellt.
▶ Ausweichbewegungen (z.B. Trendelenburg- oder Duchenne-Hinken) müssen korrigiert, die Belastung muß evtl. reduziert werden.
▶ In jedem Fall muß der Patient beschwerdefrei die zunehmende Belastung beim Gehen umsetzen können. Tragfähigkeit und Belastung müssen aufeinander abgestimmt werden.
▶ Erst nach 16 Wochen soll *freies Gehen* ohne Gehhilfen erarbeitet werden.

Die Gehschulung sollte in ähnlicher Weise, wie in Kap. 14, »Schenkelhalsfraktur« beschrieben, vorgenommen werden.

SCHÜLERAUFGABE ▄▄▄▄▄▄▄▄

Stellen Sie ein Übungsprogramm im Bewegungsbad zusammen, das für Patienten nach einer Azetabulumfraktur geeignet ist.

ÜBUNGSBEISPIELE

Ausgangsposition

Rückenlage, Bein in Nullstellung.

ÜBUNG

▶ Beckenadduktion und Außenrotation.
Kontakt: Am Beckenkamm und Spina ilica anterior superior.
Übungsauftrag: »Ziehen Sie das Becken hoch und nach vorn!«
▶ *Dasselbe* mit Flexion.

ÜBUNG

▶ Beckenadduktion, Flexion, Außenrotation aus der Seitenlage.

Ausgangsposition

Rückenlage, Flexions-/Extensionsnull-stellung.

ÜBUNG

▶ Adduktion, Flexion, Außenrotation des gebeugten Beines als dynamische Umkehrbewegung mit Traktion und Führungskontakt.
Kontakt: Ventral/medial, distal am Oberschenkel, die 2. Hand unterstützt den Unterschenkel.
Übungsauftrag: »Beugen Sie das Bein in Richtung zur Gegenschulter.«

Ausgangsposition

Schmerzfreie Flexion, Adduktions-/Abduktionsnullstellung, das andere Bein liegt in leichter Abduktion.

ÜBUNG

▶ Extension, Adduktion, Außenrotation zum gestreckten Knie als Um-

kehrbewegung mit Traktion und Führungskontakt.
Kontakt: Medial/dorsal am distalen Oberschenkel und Fuß.
Übungsauftrag: »Strecken Sie das Bein nach unten zum anderen Bein!«
▶ *Dasselbe* auch aus Seitenlage.
▶ Zwischengeschaltet werden feine Traktionen in entlasteter Hüftgelenkstellung.
▶ Bewegungsübergang von Rücklage über die gesunde Seite zum hohen Sitz an der Bettkante und in den Einbeinstand auf dem gesunden Bein.

Im Spätstadium (nach der 10. Woche):

ÜBUNG

▶ Wiederholte Kontraktionen aus PNF-Programm für die kleinen Glutäen gegen angepaßten Widerstand.

STABILISATION

▶ Im Stand und in verschiedenen Schrittstellungen auf der Waage unter Beachtung der vorgegebenen Belastung; bei Freigabe der Belastung Stabilisation auf dem Sportkreisel oder Schaukelbrett.

GEHSCHULUNG

Unter Beachtung der wöchentlichen Belastungssteigerung bei entsprechender Tragfähigkeit (*Achtung: weiche Sohlen, feste Schuhe!*):
▶ Gehen mit Unterarmstützen ohne Ausweichbewegungen.
▶ Gehen auf unebenem, weichem oder hartem Boden.
▶ Gehen mit Tempo-/Richtungswechsel.

▶ Gehen, aufwärts, abwärts, auf der Treppe und der Rampe.

Nach ca. 16 Wochen:

ABTRAINIEREN DER GEHHILFEN
▶ Gehen auf Laufband, leichtes Lauftraining, Gehen gegen Widerstände.

Alle Übungsformen sollen Gehfehler und Hinkformen korrigieren!

Hüftgelenkluxation

Einteilung

Die Einteilung erfolgt nach der *Luxationsrichtung* als
• Luxatio iliaca,
• Luxatio ischiadica,
• Luxatio suprapubica,
• Luxatio obturatoria.

Ursachen

• Direkte und indirekte Gewalt, oft mit Rotationsmechanismus in Beugestellung des Hüftgelenkes, z.B. beim Auffahrunfall, wenn das Knie gegen das Armaturenbrett aufprallt.

Allgemeine Richtlinien, Symptomatik, ärztliche Maßnahmen und Biomechanik

Siehe vorangegangenen Abschnitt und Kap. 14.

Nach Einrenkung in Vollnarkose wird der Patient in Extensions-/Flexions- und Rotationsnullstellung des Hüftgelenkes gelagert. Ärztlicherseits darf der Patient, je nach Schmerzfreiheit, nach 1–2 Tagen ohne Belastung aufstehen. Die Entlastungszeiten entsprechen denen der Azetabulumfraktur. Selten wird heute noch eine Extensionsbehandlung durchgeführt.

▶ Bewegen unter Druckentlastung ist in der Frühbehandlungsphase die geeignete Technik, um den geschädigten Knorpel funktionsfähig zu erhalten. Alle Übungen werden unter ausgeschalteter oder abgenommener Schwere als dynamische Umkehrbewegungen durchgeführt.

Die Bewegungen in Richtung Flexion/Außenrotation/Adduktion dürfen in der Regel nicht geübt werden.

Es sollte eine genaue Verordnung des Arztes, der die Reposition vorgenommen hat, vorliegen. Er wird die Bewegungsrichtungen nach seinem Befund begrenzen (z.B. 60° Flexion).
▶ Zur Sicherung des Hüftgelenkes sind Beckenabduktions-/Innenrotationsbewegungen sinnvoll.

Komplikationen

• N.-ischiadicus-Verletzung,
• N.-femoralis-Verletzung,
• Kalzifikationen,
• Arthrose als Spätkomplikation.

Befunderhebung

BEURTEILE
- Allgemeinzustand, Atmung, Blutdruck, Pulsfrequenz, -qualität.
- Durchblutung der Beine und Füße.
- Atrophie.
- Tonus der Haut und Muskulatur.
- Schwellung, Hämatome.
- Stellung der beiden Hüftgelenke in der Rückenlage.
- Röntgenbild.

MISS
- Funktionelle und absolute Beinlänge im Seitenvergleich. Die Aussage über die funktionelle Beinlänge ist jedoch später im Stand mit Beckenwaage und Brettchenunterlegung zu überprüfen.
- Umfangmaße.
- Aktive Gelenkmaße: Abduktion, Flexion bis 60°, Innenrotation, Extension im Hüftgelenk, Kniegelenkflexion und -extension, Sprunggelenkdorsalextension, -plantarflexion, -supination, -pronation.

PRÜFE
- Qualität des Bewegungsstops.
- Muskeltestwerte der Mm. glutaeus medius, minimus, maximus, M. tensor fasciae latae, und M. quadriceps.
- Sensibilität.

> **!** Ausgangsposition beachten! Es besteht Reluxationsgefahr bei Flexion, Adduktion und Außenrotation.

NOTIERE
- Schmerzen, sonstige Beschwerden.

Behandlungsmöglichkeiten

GESICHTSPUNKTE DER BEHANDLUNG
- 1. Pneumonieprophylaxe

- 2. Thromboseprophylaxe

  Siehe Kap. 3, »Grundzüge der prä- und postoperativen physiotherapeutischen Behandlung«.

- 3. Lagerungskontrolle

  ▶ Das Bein wird am sichersten in einer Schaumstoff-U-Schiene gelagert. Das Hüftgelenk soll dabei in 20- bis 30°-Abduktion und in Rotationsnullstellung liegen. Ist keine U-Schiene zur Hand, sollte ein festes Kissen zwischen die Beine gelegt werden.

● **4. Erhalten der Armkraft**

● **5. Erhalten der Beinkraft der nichtbetroffenen Seite**

▶ Intensives Training gegen Widerstand ist hierzu erforderlich. Es kann isoliert, komplex, mit und ohne Gerät geübt werden. Bevorzugt sollen Bewegungsmuster aufgebaut werden, die die kleinen Glutäen in die Muskelkette mit einbeziehen.

> **❗** Overflowreaktionen richtig einsetzen!

> **❗** Die Abduktoren verstärken sich gegenseitig (s. auch Kap. 12 »Beckenfrakturen«)

● **6. Aktive dynamische Bewegungen des Hüftgelenkes**

▶ Sie sollen unter manueller Traktion ausgeführt werden. Anfangs wird die Schwere des Beines abgenommen.
▶ Besonders ist darauf zu achten, daß die Bewegungen in der Nullstellung beginnen und nach der Umkehr wieder enden. Die bevorzugte Bewegungsrichtung ist die Extension/Abduktion/Innenrotation (Abb. 13.1).

Die Gefahr der Reluxation besteht bei Adduktionsbewegungen, v. a. in Kombination mit Außenrotation und Flexion.

● **7. PNF-Beckenpattern**

▶ Sie werden anfangs aus Rückenlage und bei gelagertem Bein durchgeführt: Beckenabduktion/-innenrotation/-extension.

● **8. Gehmuster**

▶ PNF-Gehmuster in der 1. Diagonalen als Umkehrbewegung oder Bewegen und Halten; s. auch Vorschläge in Kap. 12, »Beckenfraktur«.

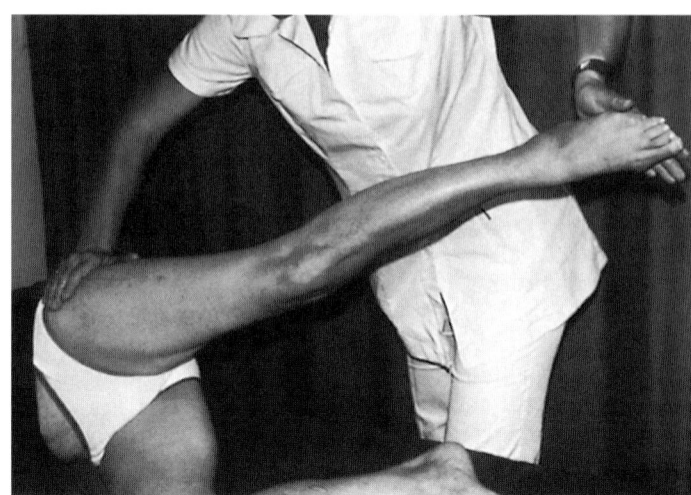

Abb. 13.1. Abduktion/ Innenrotation aus der Seitenlage

GESICHTSPUNKTE
DER BEHANDLUNG

9. Mobilisation des Hüftgelenkes.

10. Kräftigung der das Hüftgelenk sichernden Muskulatur.

● **9. Mobilisation von Kontrakturen mit Traktion und aktiven Techniken**

Sie kann entsprechend der Qualität der Bewegungsstops mit PNF-Entspannungstechniken oder manueller Therapie (Maitland, Frisch, etc.) erreicht werden.
▶ Der geeignete Zeitpunkt, Mobilisationstechniken intensiv einzusetzen, ist nach ca. 6 Wochen. Dann kann auch mit manuellen Widerstandsübungen begonnen werden.

● **10. Kräftigung der Mm. glutaeus medius, minimus, maximus, M. tensor fasciae latae und M. quadriceps**

▶ Alle Übungen der Glutäalmuskulatur sollen mit einer Beckenabduktionsbewegung eingeleitet werden. Anfangs können die Widerstandsübungen durch Verstärkung über das andere Bein erleichtert werden. Dieses Bein spannt in Abduktion/Flexion, das betroffene Bein übt in Richtung Abduktion/ Extension mit wiederholten Kontraktionen.
▶ Aus dem PNF-Programm lassen sich ebenfalls Übungen mit Verstärkung von den Armen her ableiten. Die einzelnen Übungsfolgen müssen mindestens 10 s dauern. Bei verbesserter Kraft werden die Übungszeiten verlängert, die Pausen verkürzt, der Widerstand erhöht und die Verstärker abgebaut.

▶ Als Geräte kommen der Pullingformer, Therabänder und der Expander in Frage.

▶ Für das Training des M. quadriceps eignen sich PNF-Übungen mit wechselndem Drehpunkt Kniegelenk und der Technik »wiederholte Kontraktionen«. Zur Anwendung kommen aus dem hohen, breitbeinigen Sitz: Fußdorsalextension/Supination, Kniegelenkstreckung.

▶ Aus der Rückenlage können PNF-Übungen in Richtung Flexion/Abduktion/Innenrotation zum gestreckten Kniegelenk sowie Extension/Abduktion/Innenrotation zum gestreckten Kniegelenk gegen angepaßten Widerstand durchgeführt werden. Alle Formen des Bewegens und Haltens sind einsetzbar.

11. Gehschulung mit Sohlenkontakt.

● **11. Gehschulung mit Sohlenkontakt**

▶ Die erste Gehschulung erfolgt am besten im Bewegungsbad. Die vom Arzt vorgeschriebene Belastung wird später auf der Waage vorgeübt, dann gefühlsmäßig durchgeführt und immer wieder kontrolliert. Anfangs werden entsprechende Gehhilfen gegeben.

12. Gehschulung mit Teilbelastung nach 8–10 Wochen, Vollbelastung nach 16 Wochen.

● **12. Gehschulung mit Teilbelastung**

▶ Die Belastung kann gesteigert werden, wenn keine Ausweichbewegungen (Trendelenburg- oder Duchenne-Symptomatik), Schmerzen und Anzeichen von Ermüdung vorhanden sind. Korrektur und Durchführung der Gehschulung: s. Kap. 14 »Schenkelhalsfraktur«.

13. Bewegungsbad.

● **13. Bewegungsbad**

Dort werden Übungen in Gruppen durchgeführt, die gezielt die Funktion des Hüftgelenkes unter Entlastung wiederherstellen.

SCHÜLERAUFGABE ▬

Stellen Sie ein Übungsprogramm zusammen, das eine Belastung von 30 kg vorbereitet.

ÜBUNGSBEISPIELE

Anfangs Bewegen und Halten gegen Führungskontakt bei abgenommener Schwere:

Ausgangsposition

Rückenlage

ÜBUNG

▶ Beckenabduktion.
Kontakt: Lateral, in Höhe des Trochanter major und plantar an der Ferse.
Übungsauftrag: »Schieben Sie die Ferse nach unten in Richtung Bettende, halten und lockerlassen!«
▶ *Dasselbe* mit Innenrotation.
Kontakt: An der Ferse plantar, an der Gegenbeckenseite ventral.
Übungsauftrag: »Schieben Sie die Ferse nach unten Richtung Bettende und drehen Sie die andere Beckenhälfte hoch, halten und lockerlassen!«

ÜBUNG

▶ Dynamische Abduktion unter Abnahme der Beinschwere.
Kontakt: Lateral am distalen Oberschenkel. Das Bein liegt auf dem Unterarm der Physiotherapeutin.
Übungsauftrag: »Schieben Sie die Ferse lang heraus und spreizen Sie das Bein ab, halten und lockerlassen!«
▶ *Dasselbe* mit Innenrotation.

Ausgangsposition

Seitenlage.

ÜBUNG

▶ Dynamische Abduktion unter Abnahme der Schwere, s. oben.

▶ *Dasselbe* als freie Bewegung aus Abduktions-/Adduktionsnullstellung.
Kontakt: Keiner.
Übungsauftrag: »Versuchen Sie, das Bein vom Therapeutenarm abzuheben und zu halten!«

Nach ca. 6 Wochen:

▶ Alle bisher genannten Übungen können jetzt gegen Widerstand ausgeführt werden.

Ausgangsposition

Rückenlage, beide Beine in Nullstellung.

ÜBUNG

▶ Langsame Umkehr, langsame Umkehr – Halt aus der Hüftgelenknullstellung in Flexion/Abduktion/Innenrotation und zurück.
Kontakt: Lateral/ventral am Oberschenkel und Fuß, dann medial/dorsal am Oberschenkel und plantar, medial am Fuß.
Übungsauftrag: »Schieben Sie die Ferse lang heraus, drehen Sie das Bein nach innen und heben Sie es nach oben/außen (Griffwechsel). Jetzt ziehen Sie das Bein zum anderen Bein zurück usw.!«

ÜBUNG

▶ Extension/Abduktion/Innenrotation aus der erlaubten Flexions- und Rotationsnullstellung.
Technik: »Wiederholte Kontraktionen« aus der Nullstellung:
• Abduktion/Innenrotation,
• Abduktion/Extension/Innenrotation,
• Abduktion/Flexion/Innenrotation.

Das andere Bein spannt dabei in Abduktion.

Ausgangsposition

Rückenlage; angestellte, etwas gespreizte Beine.

ÜBUNG

▶ Bridging unterstützt, gegen Eigenschwere, gegen angepaßten Widerstand, Endstellung halten, wiederholte Kontraktion, mit den Füßen auf der Stelle treten, ein Bein abheben etc. Becken abheben.

Kontakt/Widerstand: An beiden Spinae iliacae anterior superior.

Übungsauftrag: »Heben Sie das Becken von der Unterlage ab, halten!«

Ausgangsposition

Bauchlage.

ÜBUNG

▶ Anheben des Beines mit rechtwinkelig gebeugtem Knie.

Kontakt/Widerstand: Dorsal, distal am Oberschenkel.

Übungsauftrag: »Heben Sie den Oberschenkel ab, halten und lockerlassen!«

▶ *Dasselbe* als wiederholte Kontraktionen.

ÜBUNG

▶ PNF: Entspannungstechnik »Langsame Umkehr – halten und entspannen« zur Verbesserung der Hüftgelenkextension.

ÜBUNG

▶ Flexion/Abduktion/Rotationsnullstellung oder Flexion/Abduktion/Innenrotation zum gestreckten Knie mit Endstellung halten oder wiederholten Kontraktionen für das Kniegelenk.

Kontakt: Ventral/lateral am Oberschenkel und Fußrücken.

Übungsauftrag: »Zehen und Fuß nach außen ziehen, Knie strecken, halten!«

Ausgangsposition

Sitz.

ÜBUNG

▶ Wiederholte Kontraktionen aus PNF-Programm (ohne Rotation!) für M. quadriceps.

ÜBUNG

▶ PNF-Gehmuster, wiederholte Kontraktionen für die Mittelstandphase: Extension/Abduktion/Innenrotation. Das andere Bein ist aufgestellt.

Kontakt/Widerstand: An der Fußsohle und am lateralen Fußrand, andere Hand am zweiten Bein ventral/lateral oberhalb des Kniegelenkes.

Übungsauftrag: »Halten Sie die Stellung des anderen Beines, jetzt strecken Sie den Fuß nach unten, drehen die Ferse nach außen und führen das gestreckte Bein nach unten/außen, halten, weiterziehen usw.!«

GEHSCHULUNG

Siehe Kap. 14, »Schenkelhalsfraktur«.

Literatur

Biehl G (1974) Zur Behandlung trauma-
    tischer Hüftluxationen und Pfannenfrak-
    turen sowie ihrer Spätfolgen. Aktuelle
    Traumatol 4: 127
Blauth W (1994) Eine neue motorisierte
    Bewegungsschiene für das Hüftgelenk.
    Unfallchirurg 97: 320
Burri C et al. (1974) Unfallchirurgie. Sprin-
    ger, Berlin Heidelberg New York
Jungbluth KH (1975) Die Osteosynthese ver-
    schobener Hüftpfannenbrüche. Unfall-
    chirurgie 1: 11
Lanz v T, Wachsmuth W (1972) Praktische
    Anatomie. Bd 1/4, Bein und Statik. Sprin-
    ger, Berlin Heidelberg New York

Lehmann L (1976) Zur Problematik von
    Frakturen und Luxationen der Hüfte bei
    gleichzeitiger Femurfraktur. Aktuelle
    Traumatol 6: 39
Mockwitz J (1975) Verrenkung des Hüftge-
    lenkes. Aktuelle Traumatol 5: 31
Pauwels F (1975) Gesammelte Abhandlungen
    zur funktionellen Anatomie des Bewe-
    gungsapparates. Springer, Berlin Heidel-
    berg New York
Weller S (1978) Indikation und Technik zur
    operativen Behandlung der Acetabulum-
    frakturen. Unfallheilkd 81: 264
Wiedemann M, Braune W, Rüter A (1992)
    Leitfaden der Unfallchirurgie. Urban &
    Schwarzenberg, München

14 Physiotherapeutische Behandlung nach Schenkelhalsfraktur

Einteilung

- Mediale Schenkelhalsfraktur,
- intermediäre Schenkelhalsfraktur,
- laterale Schenkelhalsfraktur.

Vom therapeutischen Standpunkt aus können die *pertrochantere* und die *subtrochantere Femurfraktur* diesen Frakturen zugeordnet werden. Dem Mechanismus nach werden die Frakturen auch in *Abduktions-* und *Adduktionsfrakturen* eingeteilt.

Ursachen

- Indirekte und direkte Gewalteinwirkung durch Sturz auf das Knie oder den Trochanter,
- bei bestehender Osteoporose oder Osteolyse auch Spontanfraktur, (u. a. onkologische Patienten).

Allgemeine Richtlinien, Biomechanik, Symptomatik und Behandlung

Heute werden Schenkelhalsfrakturen und pertrochantere Frakturen überwiegend *operativ* versorgt; das bedeutet, daß die Behandlung bei übungs- und belastungsstabilen Osteosynthesen oder nach Endoprothesen sofort am nächsten Tag nach Entfernung der Redondrainage

beginnen kann. Die Entscheidung, welche Osteosynthese vorgenommen wird, richtet sich nach der Frakturlage, dem Frakturwinkel, den Durchblutungsverhältnissen und der Grundkrankheit.

Zur Anwendung kommen:
- dynamische Hüftschraube (Abb. 14.1a–c),
- Schrauben (Abb. 14.2a–c),
- γ-Nagel (Abb. 14.3a, b),
- Endoprothese, zementiert, unzementiert (Abb. 14.4),
- Totalendoprothese, zementiert, unzementiert (Abb. 14.5),
- Variokopf-, Langschaft- oder Krückstockprothese (Abb. 14.6).

> **!** Alle Osteosynthesen werden entsprechend ihrer mechanischen Stabilität bewertet. Das funktionelle Umsetzen richtet sich nach dem Funktionsbefund.

Große Bedeutung für die ärztliche Versorgung haben die Durchblutungssituation im Frakturbereich (Abb. 14.7), die Knochendichte, die Unfallmechanik (Adduktions- oder Abduktionsfraktur), der Frakturwinkel nach Pauwels (1965) (Abb. 14.8 a, b), die mediale Abstützung am Adam-Bogen und das Alter des Patienten.

Auch die Schnittführung und Blutstillung scheint eine besondere Be-

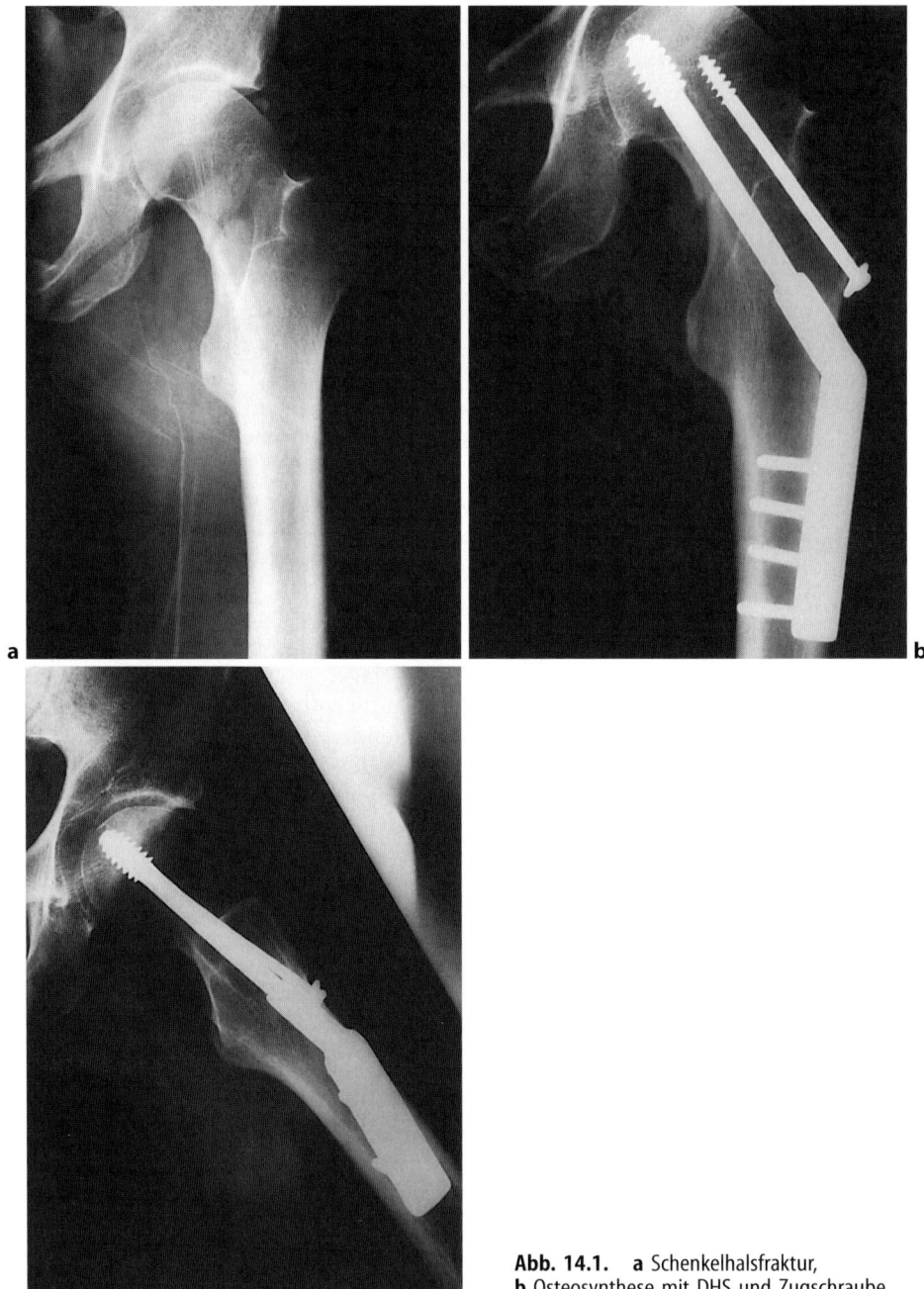

Abb. 14.1.   **a** Schenkelhalsfraktur,
b Osteosynthese mit DHS und Zugschraube,
c seitliche Aufnahme der Osteosynthese

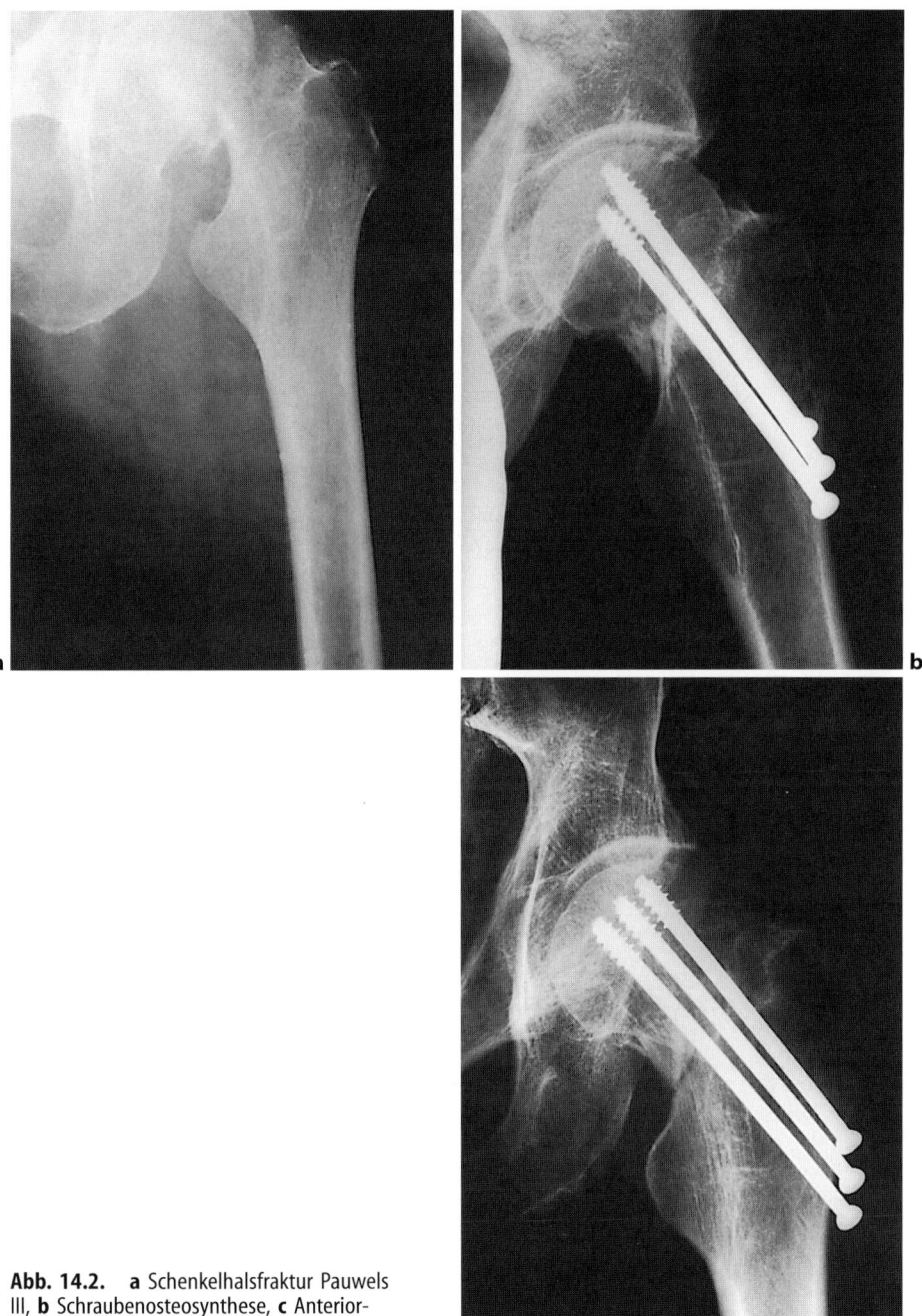

Abb. 14.2.   **a** Schenkelhalsfraktur Pauwels III, **b** Schraubenosteosynthese, **c** Anterior-posterior-Aufnahme

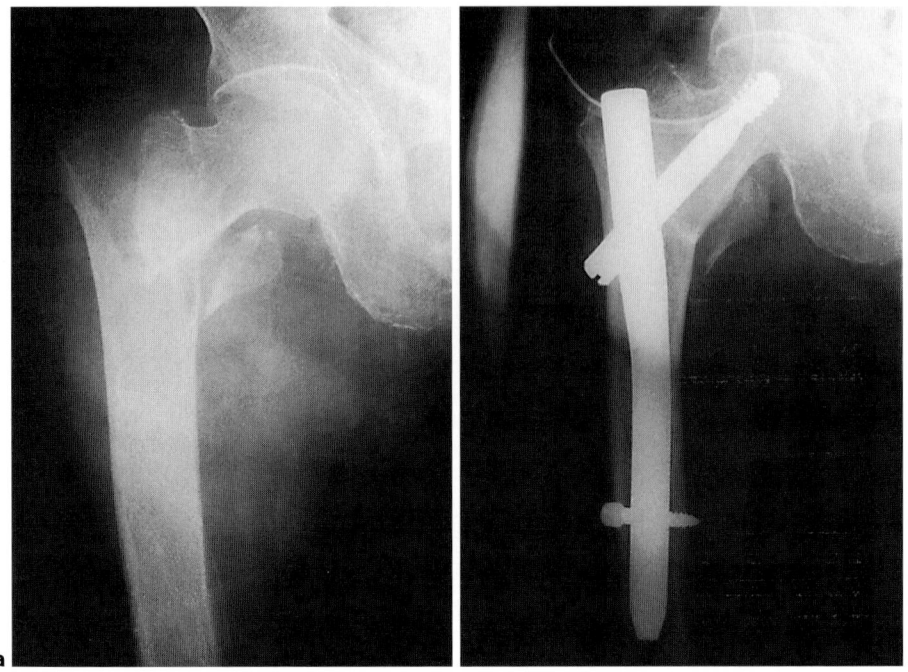

a   b

Abb. 14.3.   **a** Pertrochantere Fraktur, **b** Osteosynthese mit γ-Nagel

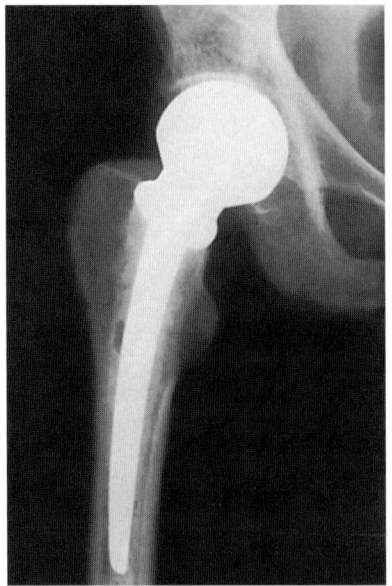

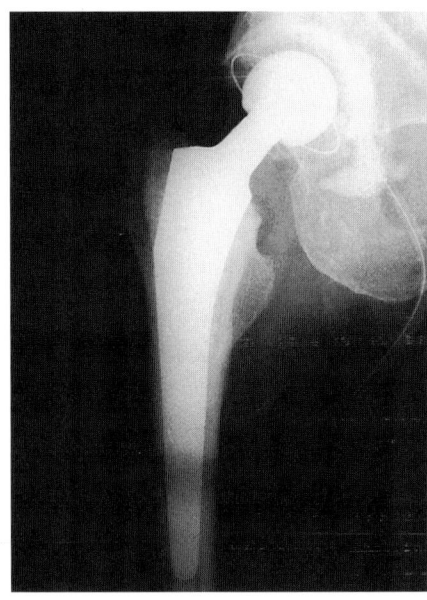

Abb. 14.4.   Moore-Prothese nach Schenkelhalsfraktur

Abb. 14.5.   Zementierte Totalendoprothese

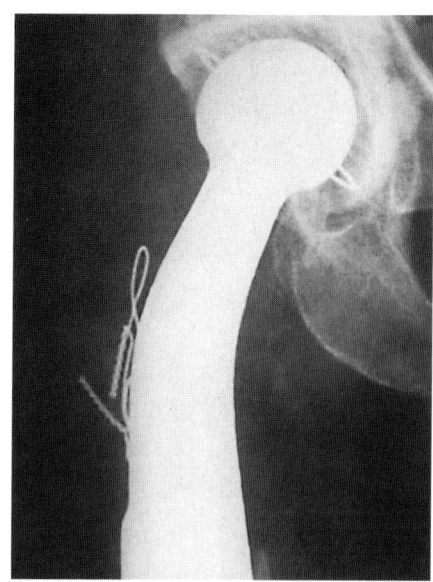

Abb. 14.6.   Krückstockprothese mit Langschaft

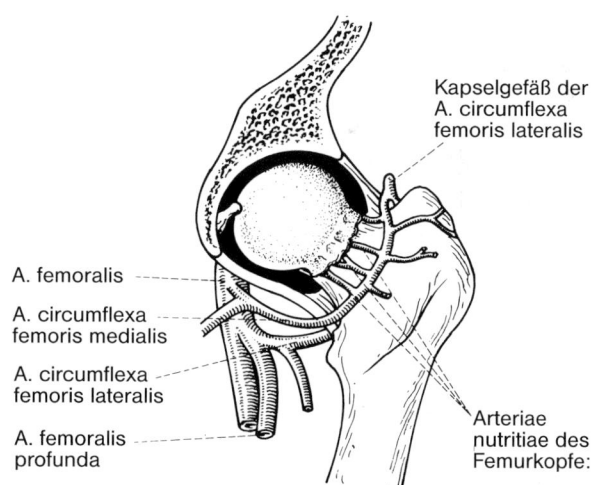

Kapselgefäß der
A. circumflexa
femoris lateralis

A. femoralis

A. circumflexa
femoris medialis

A. circumflexa
femoris lateralis

A. femoralis
profunda

Arteriae
nutritiae des
Femurkopfe:

Rechtes Hüftgelenk von dorsal gesehen

Abb. 14.7.   Normale Durchblutung des Femurkopfes

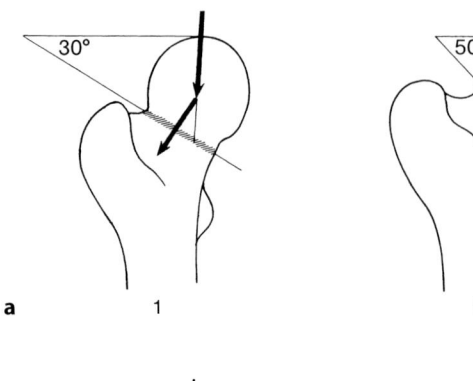
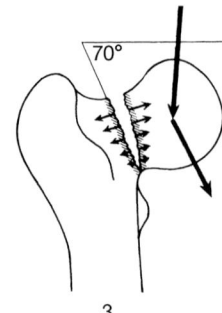

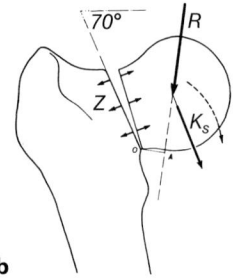

Abb. 14.8. **a** Einteilung der Schenkelhalsfrakturen nach Pauwels, **b** Scherkräfte bei Pauwels III Fraktur

deutung für die Frakturheilung zu haben. Hämatome und großzügige Muskelablösungen fördern die Entwicklung einer heterotopen Kalzifikation.

Die Beurteilung der *biomechanisch wirksamen Kräfte* in *Scher-* und *Druckkräfte* erfolgt nach Pauwels (1965; s. Abb. 14.8). Die Einteilung wird entsprechend den Frakturwinkeln in Pauwels I, II, oder III vorgenommen. *Zug- und Scherkräfte müssen über die Osteosynthese in Druckkräfte* verwandelt werden, um eine mechanische Stabilität zu gewährleisten. Nach v. Lanz u. Wachsmuth (1972) hat die Pfannenebene zur Frontalebene beim erwachsenen einen Winkel von 41° nach laterokaudal und 40° nach ventral.

Auch bei den Totalendoprothesen muß der Pfanneneingangswinkel zur Horizontalen und Sagittalen diesen Winkeln entsprechen, um eine sichere Stellung des Prothesenkopfes in der Pfanne zu garantieren. *Bei steileren Winkeln besteht Luxationsgefahr!*

Funktionell wirken die Spannungskräfte der Mm. glutaneus medius und minimus als Druckkräfte auf die Fragmente, abscherend die der Mm. glutaeus maximus, iliopsoas, rectus femoris, Mm. adductores, die Außenrotatoren und die Schwerkraft. Scherkräfte verzögern die Heilung der Fraktur und sollen deshalb vermieden werden.

Für den Zusammenhalt des Hüftgelenkes ist nach Kapandji (1985) und den Gebrüdern Weber der Luftdruck verantwortlich (»Magdeburger Halbkugeleffekt«).

Darüber hinaus wirken alle Bänder des Hüftgelenkes (Ll. iliofemorale, pubofemorale, ischiofemorale) in der Streckstellung stabilisierend. Sie strahlen in die Zona orbicularis ein und können auf diese Weise den Femurkopf in die Pfanne zentrieren. Ihre Wirkungsweise ändert sich jedoch bei Beugung, so daß diese Stellung, vor allem mit Adduktion und Außenrotation verbunden, eine instabile Gelenkstellung ergibt.

Nach Loeweneck (1994) ändert sich im Laufe des Lebensalters die kraftaufnehmende Kontaktfläche der Pfanne auf ein kleines Gebiet am Pfannendach.

Diese Überlegungen müssen bei der zu planenden operativen Versorgung der Schenkelhalsfraktur und bei der anschließenden Bewegungstherapie mit einbezogen werden.

> Bei einer Totalendoprothese (TEP) fehlen die biomechanischen Kräfte, die das Gelenk stabilisieren; zudem kann die Muskelkraft nur langsam, häufig nur unzureichend, aufgebaut werden!

Die *Belastung des Hüftgelenkes* ist in verschiedenen Positionen unterschiedlich. Bergmann et al (1989) beschreiben sie folgendermaßen:»Im *Sitzen* besteht eine Belastung mit 30 % des Körpergewichtes, beim *Aufstehen* vom Stuhl *ohne Abstützen* mit den Händen bis zu maximal 220 %, *mit Abstützen* durch die Hände 110 %, beim *Stand* auf beiden Beinen ca. 70 % und beim *Gehen* bis zu 300 % des Körpergewichtes.«
Ihren Messungen nach werden »... beim aktiven Üben gegen Wider-

stand im Liegen Belastungen des Hüftgelenkes bis zu 250/280 % des Körpergewichtes und bei unterstütztem Üben Belastungen bis zur Hälfte des Körpergewichtes erreicht. Mit einer Unterarmstütze kann die Belastung um 25 % gesenkt werden.«

> Eine bestehende mechanische Übungsstabilität muß deshalb immer unter den Gesichtspunkten der funktionellen Belastung gesehen werden.

Eine bestehende Übungsstabilität sinnvoll auszunutzen bedeutet, daß soviel Muskelspannung oder Körpergewicht auf die Osteosynthese gebracht wird, wie ihre Tragfähigkeit es zuläßt.

Nach Bonnaire (1991) ist die günstigste stabile, tragfähige Osteosynthese am lateralen Schenkelhals die dynamische Hüftschraube, vorzugsweise mit einer Zugschraube ergänzt. Sie hält einer 1962-N-(200 kp)-Belastung stand. Die Verformungen nehmen beim Einbeinstand (Beckenadduktion) leicht zu.

▶ Im einzelnen heißt dies für die ersten 6 Wochen nach der Osteosynthese:
• Üben der Muskulatur, die auf die Fragmente Druck ausübenden kann, bei abgenommener Schwere des Beines.
• Hoher Sitz mit offenen Hüftgelenkwinkeln und unterstütztem Rükken.
• Hilfestellung und Abstützen mit den Armen beim Aufstehen.
• Stand auf beiden Beinen.
• Gehen mit Gehhilfen, mit Sohlenkontakt oder Teilbelastung unterhalb der Schmerzgrenze und ohne Ausweichbewegungen.

Die biomechanischen Gesetzmäßigkeiten gelten für alle Versorgungen. Physiotherapeutinnen müssen verantwortlich abwägen, in welcher Belastungsstufe sie in der Frühbehandlung einen Patienten behandeln.

▶ Da die Schenkelhalsfraktur vorzugsweise bei älteren Menschen vorkommt, spielt die *Frühmobilisation* eine große Rolle. Die wenigen, nicht dislozierten, eingekeilten Pauwels-I-Frakturen werden auch bei konservativer Behandlung nach Böhler (1978), früh mobilisiert und bis zur Schmerzgrenze belastet.

▶ Das frühe Aufstehen trägt dazu bei, die gefürchteten Komplikationen bei älteren Menschen, wie Pneumonie, Thrombose oder Dekubitus, zu vermeiden.

Die meisten Patienten werden jedoch *operativ* versorgt. Bei der fortschrittlichen Entwicklung der Anästhesie ist es heute möglich geworden, auch den älteren Kranken eine schonende Narkose zu geben.

Bei den *Gleitosteosynthesen* wird am Tag der Entfernung der Redondrainagen 1mal belastet und eine Röntgenkontrolle durchgeführt.

▶ Anschließend sollen alle Patienten symptomatisch bis zur 6. Woche mit Sohlenkontakt/Teilbelastung belasten, bis die Muskulatur der kleinen Glutäen einen Muskeltestwert 3 erreicht haben. Dann kann mit < 20 kg belastet werden.

▶ Eine wöchentliche Steigerung wird mit 10–15 kg vorgenommen, wenn das Gehen schmerzfrei ist und keine Ausweichbewegungen stattfinden.

▶ Bei fraglicher medialer Abstützung wird langsamer gesteigert. Bis zur 6. Woche wird entlastet, dann

Sohlenkontakt durchgeführt und erst in der 8. Woche mit 20 kg belastet.

Dieses Prozedere wird auch bei jüngeren Patienten, die eine *zementfreie Prothese* erhalten haben, empfohlen.

▶ *Zementierte Teil-* oder *Total*endoprothesen sowie *Verbundosteosynthesen* sind mechanisch belastungsstabile Osteosynthesen. Sie lassen bei gutem Allgemeinzustand, nach gesicherter Wundheilung und muskulärer Sicherung des Hüftgelenkes eine sofortige Teilbelastung zu.

Die Belastung wird symptomatisch gesteigert, wie es die Muskelkraft und das Ausdauervermögen des Patienten zulassen.

▶ Nach 8–12 Wochen kann voll belastet werden (s. auch Richtwerte der Be- und Entlastung«, Kap. 2).

▶ Eine entsprechend niedrige Belastungsstufe muß bei den Patienten durchgeführt werden, bei denen eine *Trochanterabtrennung* vorgenommen wurde. Das Training der Mm. glutaeus medius und minimus bis zum Testwert 3 dauert lange.

Bei Einsetzung von *Variokopf*- oder *Langschaftprothesen* werden die Glutäen an der Prothese fixiert. Diese Prothesen sind besonders luxationsgefährdet und bedürfen einer mindestens 3- bis 4wöchigen Entlastungszeit.

▶ Alle Übungen werden entsprechend der Muskelteststufen 2 für die kleinen Glutäen dosiert.

Überlegungen zur Gesamtproblematik älterer Patienten

In die Überlegungen, wie stark die Endoprothese belastet werden kann, müssen, neben den Kenntnissen der

Biomechanik, Beobachtungen einfließen, die den Patienten in seiner aktuellen Situation sehen. Neben seinen physischen Kräften müssen seine geistigen Fähigkeiten berücksichtigt werde. Alte und sehr alte Menschen haben oft Probleme, mit der ungewohnten Krankenhaussituation und dem Verletzungsgeschehen umzugehen. Als Folge der Verletzung und Operation werden die alten Menschen oft apathisch, unflexibel, ängstlich, manchmal sogar verwirrt. Sie können ohne Hilfe die Belastungsmöglichkeit einer stabilen Osteosynthese nicht ausnützen. Im Krankenhaus müssen deshalb Pflegepersonal, Ergotherapeutinnen und Physiotherapeutinnen sinnvoll zusammenarbeiten, um den alten Kranken vielseitig zu fordern und zu fördern.

Weder das Abschieben in einen Sessel noch das Überfordern durch ständiges Aufstehen ist richtig. Auch ein behinderter, alter Mensch wird in der Regel einfache Bewegungsabläufe erlernen und weiterführen können, wenn er sinnvoll angelernt wird.

> **!** Physiotherapeutinnen sollen dem physiologisch verlangsamten Bewegungsvermögen, dem Nachlassen der Konzentrations- und Merkfähigkeit sowie der Abnahme von Ausdauer, Kraft und Geschicklichkeit Rechnung tragen.

Leider ist heute das Erlernen der Selbständigkeit und Ausführen von einfachen Tätigkeiten in der Krankenhauszeit nur selten möglich. Alte Patienten werden aus vielerlei, nicht zuletzt auch aus finanziellen Gründen frühzeitig in Pflegeheime oder kleine Privatkliniken entlassen, wo sie selten ausreichende Hilfe erfahren, wieder selbständig zu werden.

Schülerinnen sollten frühzeitig lernen, mit alten Kranken umzugehen.

> **!** **Einige Richtlinien für den Umgang mit alten Patienten:**
> - Sich Zeit nehmen, keinen Zeitmangel zeigen.
> - Geduldig sein, auch mal zuhören können.
> - Sicherheit geben.
> - Motivieren, reale Hoffnung geben.
> - Blickkontakt halten, Aufträge klar, einfach deutlich und laut geben.
> - Schmerzen beachten.
> - Einfache Übungen in Sequenzen ausführen.
> - Ausreichende Pausen setzen, Atmung beachten und Atemtherapie zwischenschalten.
> - Genügend Wiederholungen setzen.
> - Alltagsbezogene Übungen auswählen.

Komplikationen

- Pneumonie,
- Thrombose,
- Dekubitus,
- Femurkopfnekrose,
- Pseudarthrose,
- später Arthrose,
- Luxation der Totalendoprothese (TEP).

Als häufigste *Ursachen* für eine schlechte Ausheilung der Fraktur oder eine Luxation der TEP gelten:
- *Bewegungsmuster mit scherender Wirkung*, wie Flexion – Adduktion – Außenrotation, z. B. beim Sitzen mit übergeschlagenen Beinen, beim Drehen von Rückenlage in Seitenlage und in den Sitz, beim Sitzen in tiefen Sesseln oder im Bewegungsbad, wenn die Patienten zu Flexionsübungen am Beckenrand oder zum Brustschwimmen aufgefordert werden;
- *eine zu starke Belastung des Hüftgelenkes in Beugestellung* schadet

dem Patienten. Sie führt zur TEP-Lockerung oder Refraktur.

Alle diese Bewegungsmuster sind streng zu vermeiden!

Befunderhebung

BEURTEILE

- Allgemeine Symptome (s. Beckenfraktur).
- Röntgenbild: Lage und Stellung der Fraktur, Konsolidierung, Pfanneneingangswinkel bei der TEP.
- Stellung des Beines, z.B. Außenrotationsposition, Beinlänge im Seitenvergleich.
- Wundheilung.
- Durchblutung, Schwellung, Hämatom.
- Sitz, Stand, Stützvermögen der Arme.

MISS

- Aktives Bewegungsmaß unter abgenommener Schwere, Abduktion 0–0. (Die Adduktion darf nicht gemessen werden.)
- Aktives Bewegungsmaß bei aufliegendem Bein, Innenrotation 0–0. (Die Außenrotation darf nicht gemessen werden.) Alle Maße müssen im Seitenvergleich notiert werden.
- Aktives Bewegungsausmaß der Sprunggelenke, der Kniegelenke. (Die betroffene Seite kann evtl. im Überhang gemessen werden.)
- Umfangmaße, soweit es der Verband ermöglicht.

PRÜFE

- Muskelteststufe 2 für Mm. glutaeus medius und minimus.
  Nach einigen Tagen/bei Erlaubnis durch den Arzt:
- Muskelwerte <3 für Mm. glutaeus medius und minimus (≙ Halten der Beinschwere in Seitenlage.
- M. quadriceps ohne Hüftkomponente.
- Mm. ischiocrurales, triceps surae.
- Qualität des Bewegungsstops (≙ = »Endgefühl«).

Nicht getestet werden dürfen Mm. iliopsoas, adductores rectus femoris, die Außenrotatoren und der M. glutaeus maximus in Kombination seiner Funktionen!

- Sensibilität,
- Hauttemperatur, soweit der Verband es zuläßt.

- Schmerzen und Beschwerden: Wann? wo? wie? In Ruhe? Bei Bewegung? Bei Belastung? Ziehend, scharf, stechend etc.?
- Kooperationsfähigkeit.
- Medikamenteneinnahme und Nebenerkrankungen.

Behandlungsmöglichkeiten

GESICHTSPUNKTE DER BEHANDLUNG

1. Pneumonieprophylaxe.
2. Thromboseprophylaxe.
3. Dekubitusprophylaxe.
4. Lagerungskontrolle.
5. Erhalten der Armkraft.
6. Erhalten der Beinkraft des gesunden Beines.
7. Mobilisation des Knie- und Sprunggelenkes.

Schwerpunkte der Frühbehandlung:
8. Aufbau einer Muskelspannung zur Sicherung der Fraktur oder Stellung der TEP.
9. Kräftigung der Mm. glutaeus medius, minimus und maximus.
10. Gehschulung, Belastungsübernahme.
11. Schulen von Gebrauchsbewegungen.

- **1. Pneumonieprophylaxe**

- **2. Thromboseprophylaxe**

Siehe Kap. 3, »Grundzüge der prä- und postoperativen physiotherapeutischen Behandlung«.
▸ Aktive Maßnahmen zur Thromboseprophylaxe.
▸ Die Patienten sollen frühzeitig mehrmals am Tag hingestellt und in den entlasteten Sitz gebracht werden (z.B. Rekonvaleszentenstuhl in halbhoher Einstellung).

- **3. Dekubitusprophylaxe**

Auch wenn heute die Liegezeiten für Patienten nach Schenkelhalsfraktur sehr viel kürzer geworden sind, muß mit Druckstellen im Bereich des Kreuzbeines oder an den Fersen gerechnet werden. Gerade alte Menschen liegen oft im Bett, ohne sich genügend zu bewegen.
▸ Es bewährt sich prophylaktisch, eine handelsübliche Dekubitusmatratze oder ein Schaffell als Unterlage zu gebrauchen und die prominenten Stellen des Körpers frei zu lagern.
▸ Die Patienten sollen aufgefordert werden, mehrmals am Tag die Gesäßmuskeln fest anzuspannen, das Becken leicht abzuheben und dabei mit den Händen fest auf die Matratze zu drücken. Eine weitere »Hausaufgabe« wäre, Knie strecken, Gesäß anspannen und den Kopf lang herausschieben.
▸ Problematisch ist meist das *Umlagern in Seitenlage*. Liegt das gebrochene Bein oben, muß es in Beckenbreite unterlagert sein, das Knie darf nicht absinken. Mit dem üblichen Lagerungsmaterial gelingt dies meist nicht.

GESICHTSPUNKTE
DER BEHANDLUNG

▶ Wird eine Druckstelle zu spät beobachtet und ist sie bereits aufgebrochen, muß druckentlastend gelagert werden. Die früher üblichen Eis-Fön-Behandlungen werden heute nicht mehr durchgeführt.

4. Lagerungskontrolle.

● **4. Lagerung**

In der Frühphase sollte darauf geachtet werden, daß die Betten mit dem Kopfteil so weit hochgestellt sind, daß die Patienten in ihrer Atmung nicht behindert sind.

▶ Das betroffene Bein wird in der Regel in eine Schaumstoff-U-Schiene gelegt. Das Bein liegt darin in Nullstellung aller 3 Bewegungsrichtungen, auch in Rotationsnullstellung. Da ein durchsinkendes Kniegelenk als sehr unangenehm empfunden wird, kann ein kleines Schaumstoffpolster unter das Knie gelegt werden.

▶ Zu kontrollieren ist auch, daß die Ferse frei liegt und das Sprunggelenk in Nullstellung bleibt.

▶ Zur Abschwellung des postoperativen Ödems wird das Bettende hochgestellt. Ist dies aus technischen Gründen nicht möglich, muß mit Lagerungsmaterial hochgelagert werden. Diese Maßnahme sollte aber spätestens am 3.–4. postoperativen Tag abgebaut werden.

▶ Bei luxationsgefährdeten Patienten wird das Bein in leichter Abduktion gelagert, manchmal sogar fixiert.

5. Erhalten der Armkraft.

6. Erhalten der Beinkraft des gesunden Beines.

● **5. Erhalten der Armkraft**

● **6. Erhalten der Beinkraft des gesunden Beines**

(Siehe auch Kap. 12 »Beckenfraktur«). Entsprechend der individuellen Patientensituation müssen die Kräftigungsübungen bezüglich Ausdauer und Krafteinsatz gut dosiert werden.

▶ Alte Menschen haben, wie erwähnt, Verständnisschwierigkeiten, weshalb einfache Übungsformen und klare Übungsaufträge gewählt werden. PNF-Übungen können selten perfekt ausgeführt werden. Das Prinzip jedoch ist gut verwendbar. Schieben, Stoßen, Ziehen, Stemmen auf den Diagonalen sind verständliche Bewegungsmuster. Häufiges Wiederholen gleicher Übungen ist sicher günstiger als ständiger Wechsel zu raffiniert ausgedachten Übungsformen.

GESICHTSPUNKTE
DER BEHANDLUNG

▶ Bei Verstärkungstechniken sollte beachtet werden, daß die Patienten nicht die Luft anhalten. Halten gegen Widerstand ist in der Regel nicht indiziert, die Belastungen sind nach Bergmann zu hoch.

7. Mobilisation des
   Knie- und
   Sprunggelenkes.

● **7. Mobilisation der Knie- und Sprunggelenke**

Die Mobilisation von Knie- und Sprunggelenken soll so früh wie möglich einsetzen, mindestens aber in der 1. postoperativen Woche.

▶ Vom 1. Tag an können die Sprunggelenke in allen Richtungen gegen Widerstand dynamisch geübt werden. Die fehlende Beugung des Kniegelenkes wird im seitlichen Überhang bei unveränderter Hüftgelenkstellung und bei einem etwas schräg im Bett liegenden Patienten mobilisiert. Der Oberkörper darf leicht erhöht liegen.

▶ Zusätzlich kann bei Verträglichkeit eine Eiskompresse über dem M. quadriceps aufgelegt werden.

▶ Aktive Techniken wie »langsame Umkehr – Halten – Entspannen« oder »Rhythmische Stabilisation – Entspannen« reichen aus, um die muskuläre Abwehrspannung zu beseitigen. *Selbstverständlich entfällt jegliche Rotationsbewegung am Kniegelenk.* Der Femur wird oberhalb des Kniegelenkes passiv fixiert, damit die Spannung nicht in den Bereich der Fraktur weitergeleitet wird.

▶ Häufig hindert die laterale Narbe die Dehnfähigkeit der Mm. tensor fasciae latae und vastus lateralis des M. quadriceps. Es entsteht daraus eine *schmerzhafte Kontraktur* im Kniegelenk.

▶ Nach Abheilung der äußeren Wunde können weiche Massagegriffe zur Anwendung kommen.

▶ Aktiv-passive Mobilisationsmaßnahmen kommen in Frage, wenn die Kontraktur fest-elastisch erscheint und der Meßbefund keine Bewegungsverbesserung ergibt. Es werden dann PNF-Techniken mit aktiv-passivem Weiterziehen angewendet.

▶ Weiche, minimale translatorische Bewegungen und Bewegen unter Traktion finden Anwendung, wenn die Kapselschrumpfung als Ursache der Kontraktur angenommen wird.

8. Aufbau einer
   Muskelspannung
   zur Sicherung der
   Fraktur oder Stel-
   lung der TEP.

● **8. Aufbau einer Muskelspannung zur Sicherung der Fraktur oder der Stellung der Totalendoprothese**

Von besonderer Bedeutung ist der Aufbau einer Muskelspannung der Mm. glutaeus medius und minimus. Die Knochenheilung soll durch adäquate Druckspannung der Fragmente aufeinander unterstützt werden. Diese wird durch die Spannung der abduzierenden Muskulatur gefördert. Die Dosierungsstufe ist unterstütztes Üben.

▶ Begonnen wird jede Übungsserie mit der Beckenabduktion (Abb. 14.9). Es kommen isometrische Spannungsübungen gegen Führungskontakt bei aufliegendem Bein, später gegen Eigenschwere des Beines, sowie dynamische Übungsformen zur Anwendung.

▶ Der Kontakt wird seitlich am Becken angelegt, als Kontraktionshilfe wird approximiert. Die 2. Hand liegt plantar an der Ferse oder am Fuß, wenn dieser in Plantarflexion spannen soll.

▶ Anfangs können Beckenabduktion mit und ohne Verstärkungshilfen über den gegenseitigen Arm oder das andere Bein geübt werden (Abb. 14.10).

▶ Beckenextension und -innenrotation werden von der betroffenen Seite oder der Gegenseite aus eingeleitet (s. auch Beckenmuster Abb. 12.5–12.7).

● **9. Kräftigung der Mm. glutaeus medius, minimus und maximus**

▶ Im Normfall soll baldmöglichst die Muskelstufe 3 (Halten der Beinschwere in Seitenlage) erarbeitet werden (Abb. 14.11).

▶ Das Drehen von der Rücken- in die Seitenlage erfolgt unter Extensions-Abduktionsspannung des

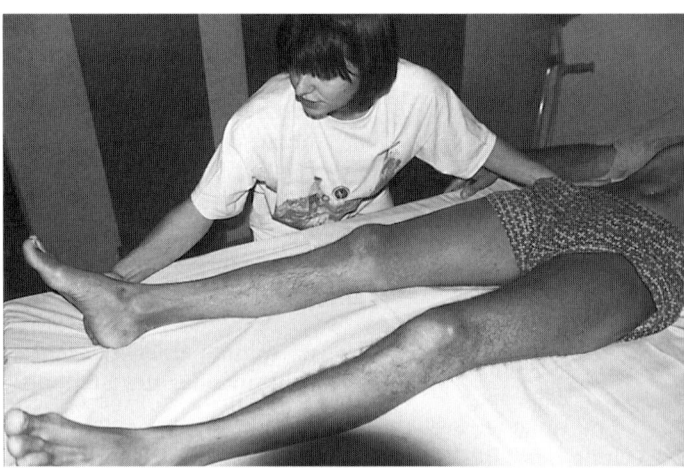

Abb. 14.9. Beckenabduktion

GESICHTSPUNKTE
DER BEHANDLUNG

Beines. Die Physiotherapeutin hält dabei das Bein in
Verlängerung des Rumpfes. Die Aufforderung, das
Bein in der angegebenen Position zu halten, wird
unterstützt durch den Auftrag, das Bein herauszu-
schieben und vom Arm der Therapeutin abzuheben.
▶ Beim Lösen der Spannung muß die Physiotherapeutin sorgfältig darauf achten, daß der Oberschenkel nicht in Adduktion fällt. Manche Schnittführun-

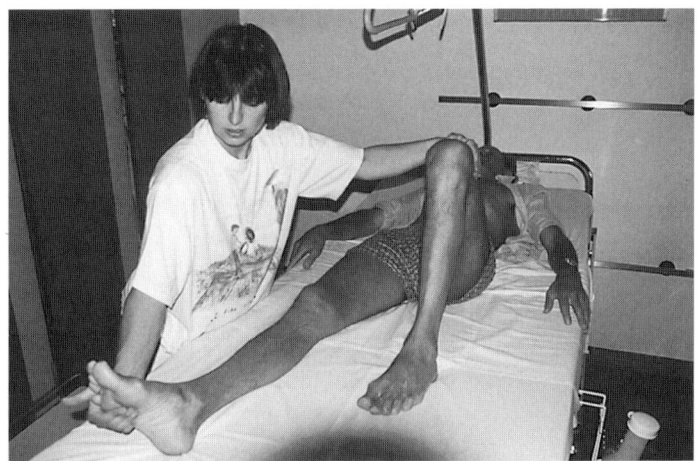

Abb. 14.10. Spannen des linken Beines gegen die Hand der Therapeutin verstärkt die zu erarbeitende Kontraktion der Mm. glutaeus
medius und minimus

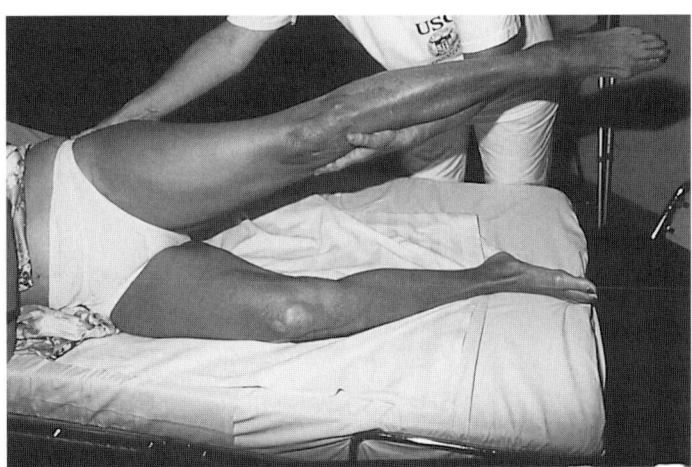

Abb. 14.11. Unterstütztes
Üben aus der Seitenlage

GESICHTSPUNKTE
DER BEHANDLUNG

gen zwingen zum Weglassen der Innenrotation in der frühen Behandlungsphase. *Die Beckeninnenrotation ist jedoch immer erlaubt.*

▸ Nicht vernachlässigt werden darf die Grundspannung des M. glutaeus maximus für den Transfer zur Bettkante oder um auf die »Schüssel« zu kommen. Zum »Bridging« wird anfangs das eine Bein gehalten, das andere aufgestellt (Abb 14.12).

10. Gehschulung,
Belastungsüber-
nahme.

● **10. Gehschulung, unbelastetes und teilbelastetes Aufstehen vom Sitz aus, Kontrolle der Gewichtsübernahme, Einsatz von Gehhilfen**

▸ Grundsätzlich kann die Belastung nur synchron zur verbesserten Tragfähigkeit des Femurs oder der TEP und zur entsprechenden Muskelkraft vorgenommen werden. Dies bedeutet, daß die mechanische Belastbarkeit in die Funktion des Gehens umgesetzt werden kann.

▸ Der Patient darf bis zur Schmerzgrenze belasten, wenn er diese ohne Ausweichbewegungen (Hinken) kann. Dazu ist zum einen eine ausreichende Kraft der Mm. glutaeus medius und minimus, zum anderen aber auch geschicktes Einsetzen der Hilfsmittel und schmerzfreies Belasten des anderen Beines nötig. Kompromisse sollen nur bei dringender Indikation gemacht werden.

▸ Nach 6 Wochen kann in der Regel, je nach Befund, symptomatisch gesteigert werden. Dies gilt auch für Übungen gegen angepaßten Widerstand.

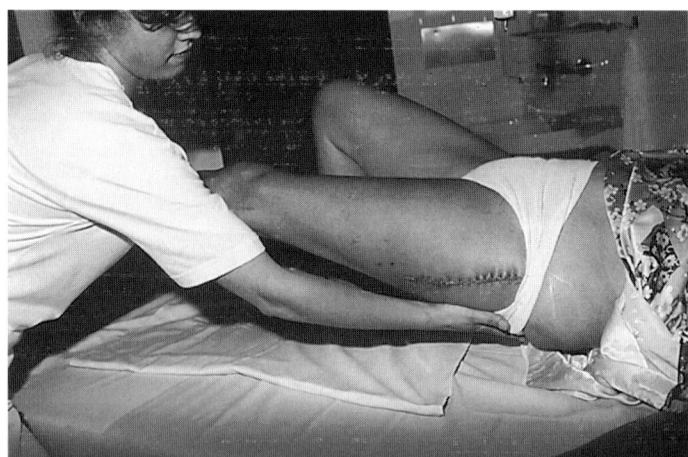

Abb. 14.12. »Bridging«-
unterstütztes Üben

▶ Wird Teilbelastung erlaubt, kann die Beckenabduktion im Sitz am Bettrand geübt werden. Eventuell kann auch das gekippte Bett im Sinne des Stehbrettes Verwendung finden.

▶ Vor dem Aufstehen sollen feste Schuhe und die entsprechend notwendigen Gehhilfen bereitstehen. Das gebrochene Bein wird bandagiert.

▶ Steht der Patient sicher, werden Stabilisationsübungen gemacht. Die Physiotherapeutin versucht dabei, den Patienten vorsichtig aus der korrigierten Stellung zu verschieben und er läßt es nicht zu. Diese Übungen sind für ältere Menschen sehr ungewohnt und anstrengend, so daß genügend lange Pausen eingeschaltet werden sollten. Die Steigerung der Belastung muß der Tragfähigkeit des Beines entsprechen.

▶ Bestehen Belastungsschmerzen oder sinkt bei der Standphase des gebrochenen Beines die andere Beckenseite ab (Trendelenburg), *darf nicht gesteigert werden.* Zur Kontrolle wird der Patient auf Waagen getellt (Abb. 14.13).

▶ Anfangs wird der Gehwagen mit, dann evtl. ohne Schulterstützen verwendet. Manche Patienten bevorzugen den Rollator.

▶ Zur Erreichung der Selbständigkeit sollen baldmöglichst Unterarmstützen verwendet werden. Der *Dreipunktegang* ist die sicherste Gehform. Wird er gut beherrscht, kann zum Zweipunktegang und *Treppensteigen* übergegangen werden. Beim Auf-

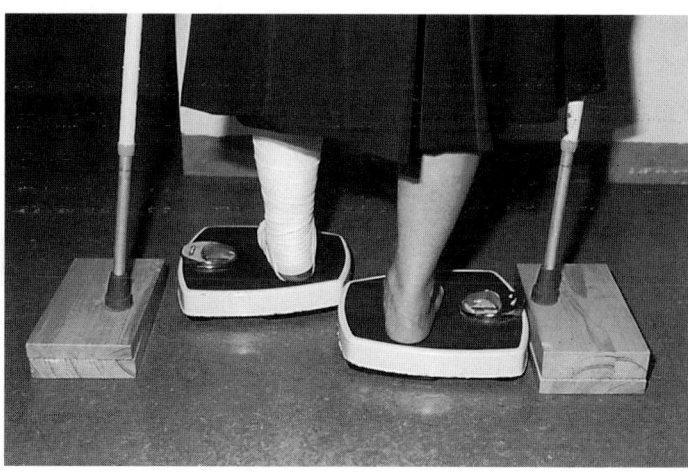

Abb. 14.13. Üben der vorgegebenen Belastung auf der Waage

wärtsgehen wird der sog. »gesunde« Fuß, beim Abwärtsgehen der des verletzten Beines zuerst auf die Stufe gesetzt. Es bewährt sich, an der Treppenseite zu üben, die auch zu Hause ein Geländer hat. Die 2. Unterarmstütze kann mit der anderen Hand mitgeführt werden.

▶ Manche Patienten kommen auch zu Hause besser mit einem Rollator zurecht, andere fühlen sich mit ihrem gewohnten Stock sicherer. Die Physiotherapeuten sollten dies zulassen und nicht ändern.

11. Schulen von Gebrauchsbewegungen.

● **11. Gebrauchsübungen**

Das Üben von Gebrauchsbewegungen, die im Alltag immer wieder vorkommen, bedeutet Sicherheit für einen älteren Menschen. Im allgemeinen stehen solche Patienten nach einem längeren Klinikaufenthalt dem bevorstehenden Alltag in häuslicher Umgebung etwas ängstlich gegenüber. In Zusammenarbeit mit dem Sozialarbeiter und der Ergotherapeutin können diese Probleme jedoch meist bewältigt werden.

▶ Der Physiotherapeutin fällt die Aufgabe zu, entsprechende *Bewegungsmuster vorzuüben,* Hilfen anzubieten, die Familie oder das Pflegepersonal anzulernen oder Kolleginnen zu suchen, die Hausbesuche machen. Inzwischen gibt es auch Tagesstätten, die in der Übergangszeit bis zur Selbständigkeit genutzt werden können. Wird ein eigenständiges Leben nicht mehr möglich sein, muß der Patient einen Pflegeplatz erhalten.

▶ Als Hilfsmittel sollen die Patienten einen Sitzkeil und einen Toilettenaufsatz bekommen, um das Hüftgelenk beim Aufstehen und Hinsetzen zu entlasten.

▶ Insbesondere müssen *vorgeübt* werden:
• Hinsetzen und Aufstehen auf einen/von einem hohen Stuhl, auf das/aus dem Bett.
• Bewältigen von Treppen mit Unterarmstützen.
• Einsteigen und Aussteigen in die/aus der Badewanne, Benutzen eines Hockers in der Dusche.
• Einsteigen in ein Auto.
• Anziehen von Schuhen und Strümpfen mit Hilfsmitteln.
• Aufheben von Gegenständen mit Hilfsmitteln.
• Öffnen von Türen beim Gehen mit Unterarmstützen.
• Überqueren von Straßen, Fahren mit Rolltreppen.

**GESICHTSPUNKTE
DER BEHANDLUNG**

▶ Von dem vorzeitigen Entfernen der 2. Unterarmstütze muß abgeraten werden. Wird von der Seite des Behandlers eine Gehhilfe als weiterhin unnötig angesehen, sollte dennoch an den *Gebrauch eines Stockes* gedacht werden. Alte Menschen fühlen sich besonders bei nassen und eisigen Straßen ohne Stock unsicher. Sie sollen ihn uneingeschränkt benützen, wenn sie mit Stock sicherer gehen. Meistens hat die Unsicherheit nichts mit der überstandenen Verletzung zu tun, sondern ist durch unregelmäßigen Blutdruck, schlechtes Sehen oder andere Alterserkrankungen verursacht.

Aus ökonomischen Gründen werden Patienten heute oft im Anschluß an einen kurzen Klinikaufenthalt in eine *Rehabilitationsstätte* geschickt. Dies sollte durchaus kritisch diskutiert werden. Eine individuelle Betreuung ist selten möglich.

Neben Gruppentherapie erhalten die Patienten dort Übungen im Bewegungsbad. Vor allem für Patienten, die eine Totalendoprothese erhalten haben, besteht im Wasser *Luxationsgefahr*.

Es erscheint auch aus anderen Gründen unzweckmäßig, alten Menschen eine Wassertherapie anzubieten. Sinnvoller wären geriatrische Rehabilitationszentren, die für die Bedürfnisse und den aktuellen Zustand der verletzten alten Menschen fachgerecht vorbereitet sind.

SCHÜLERAUFGABE ▬▬▬▬▬▬▬

• Überlegen Sie sich ein Hausaufgabenprogramm für Patienten nach einer TEP für einen Zeitraum 4 Wochen nach der Operation.
• Stellen Sie ein Übungsprogramm zusammen, das geeignet ist, Gehen vorzuüben, ohne für die Fraktur Scherkräfte wirken zu lassen.

ÜBUNGSBEISPIELE

Bei stabiler Osteosynthese

Ausgangsposition

Rückenlage, Bein leicht abduziert.

ÜBUNG

▶ Beckenabduktion (s. Abb. 14.9).
Kontakt: Lateral am Becken dicht unterhalb des Beckenkammes und mit 2 Fingern plantar an der Ferse, (Approximation).
Übungsauftrag: »Schieben Sie die Ferse nach unten, halten und lockerlassen!«

ÜBUNG

Beckeninnenrotation.
Kontakt: An gegenseitiger Spina iliaca anterior superior, Richtung ventral.
Übungsauftrag: »Drehen Sie die andere Beckenseite nach vorn, halten und lockerlassen! Dasselbe kombiniert mit Beckenabduktion.«
▶ *Dasselbe* eingeleitet durch Zurückdrehen der gleichen Beckenseite.

ÜBUNG

▶ Beckenabduktion/Innenrotation, eingeleitet über Plantarflexion und Pronation des gleichseitigen Fußes.

ÜBUNG

Isometrisches Spannen der kleinen Glutäen mit Verstärkung über das andere Bein, das in Flexion/Abduktion spannt (s. Abb. 14.10).

Ausgangsposition

Rückenlage, Abduktions-Adduktions-Nullstellung.

ÜBUNG

▶ Dynamische Abduktion des Beines unter Abnahme der Schwere (auch mit Innenrotation, wenn ärztlicherseits erlaubt).
Kontakt: Lateral über Trochanter major; die Physiotherapeutin greift von außen unter das Bein und hält es auf ihrem Arm.
Übungsauftrag: »Schieben Sie das Bein nach unten heraus, drehen Sie die Ferse nach außen und spreizen Sie das Bein ab, halten und lockerlassen!«
▶ *Dasselbe* mit Extension im seitlichen Überhang.
▶ *Dasselbe* auch mit wiederholten Kontraktionen gegen Führungskontakt (PNF).
▶ Alle Übungen auch mit *Verstärkung:*
• Das andere Bein ist aufgestellt und spannt gegen angepaßten Widerstand in Flexion/Abduktion.
• Beide Arme spannen in Extension-/Abduktion gegen das Bett.
• Der gegenseitige Arm spannt in Extension/Abduktion gegen Widerstand der Physiotherapeutin.

Ausgangsposition

Seitlicher Knieüberhang.

ÜBUNG

Langsame Umkehr – Halt, für M. quadriceps und ischiokrurale Muskulatur (dabei den Patienten etwas hochsetzen).
Kontakt: Am Unterschenkel richtungsweisend.
Fixation: Am Oberschenkel passiv, dicht oberhalb der Patella.

Übungsauftrag: »Beugen Sie das Knie, halten, jetzt das Knie strecken, halten usw., (nach 4- bis 5maliger Wiederholung) lockerlassen!«

▶ *Dasselbe* auch isoliert mit wiederholten Kontraktionen.

ÜBUNG

▶ Aus der Hüftgelenknullstellung in Hüftgelenkflexion/Abduktion zum gebeugten Knie unter abgenommener der Beinschwere.

Kontakt: lateral/ventral, Unterschenkel liegt auf Arm der Therapeutin.

Übungsauftrag: »Beugen Sie das Knie nach außen/oben, halten und lockerlassen!«

 Bein nicht in Adduktion ablegen!

▶ *Dasselbe* mit wiederholten Kontraktionen gegen Führungskontakt, später gegen angepaßten Widerstand.

ÜBUNG

▶ Bridging mit Unterstützung unter dem Becken.

Ausgangsposition

Seitenlage. Abduktions-, Adduktionsnullstellung und ca. 60° Flexionsstellung.

ÜBUNG

▶ Unter Abnahme der Schwere, Extension/Abduktion bei neutralem Kniegelenk:
- Konzentrisch dynamisch,
- Bewegen und Halten,
- Endstellung halten (s. Abb. 14.11).

Kontakt: Lateral/dorsal im Bereich des Trochanter major.

Übungsauftrag: »Versuchen Sie das Bein nach hinten oben zu bewegen, halten und lockerlassen!«

▶ *Dasselbe* mit Innenrotation kombiniert.

▶ *Dasselbe* mit Verstärkung durch den oben liegenden Arm oder das unten liegende Bein:
- Arm spannt gegen das Bett vor dem Körper,
- Arm stemmt gegen die obere Bettwand oder die Bettstange,
- untenliegendes Bein spannt gegen das Bett.

> **!** Bei Lagewechsel von und in Rückenlage muß gut darauf geachtet werden, daß das Bein nicht in Adduktion fällt, sondern aktiv in Abduktion/Extension spannt.

ÜBUNG

▶ Flexion/Abduktion aus Neutralnullstellung unter abgenommener Schwere des Beines:
- Konzentrisch-dynamisch,
- Bewegen und Halten,
- Endstellung halten.

Übungsauftrag: »Ziehen Sie den Oberschenkel nach vorne/oben, halten und lockerlassen!«

> **!** Rückweg nur bis zur Nullstellung!

▶ Nach Erreichen der Muskelstufe 3 werden alle Übungen aus Rücken- und Seitenlage *gegen angepaßten Widerstand* ausgeführt. Die Übungszahl soll gesteigert werden.«

Ausgangsposition

Hoher etwas breitbeiniger Sitz, wenn möglich auf Sitzkeil, beide Füße auf einem Schemel oder entsprechend

Bett tiefer stellen. Kniegelenke über den Sprunggelenken.

ÜBUNG

▶ Gewichtsverlagerung zur betroffenen Seite.
Kontakt: An gleicher Beckenseite lateral, Stauchen nach oben.
Übungsauftrag: »Verlagern Sie ihr Gewicht auf diese Gesäßhälfte!«
▶ *Dasselbe* auch mit diagonalem Vorschieben des anderen Armes, z. B. an der Schulter der Physiotherapeutin.
▶ *Dasselbe* auch mit Stemmen des gleichseitigen Armes seitlich nach vorne und nach unten.

ÜBUNG

▶ Stabilisation des korrigierten Sitzes, s. oben.
Kontakt: Entsprechend richtungsweisend.
Übungsauftrag: „Bleiben Sie sitzen und lassen Sie sich nicht verschieben!«

ÜBUNG

▶ Beckenabduktion
Kontakt: Am anderen Beckenkamm zur Adduktion dieser Seite.
Übungsauftrag: »Ziehen Sie die andere Beckenseite hoch!"
▶ *Dasselbe* mit Innenrotation kombiniert.
▶ Zwischendurch werden Widerstandsübungen für die Armmuskulatur ausgeführt. Vorzugsweise sollen die *Stützmuster* für das Gehen mit Unterarmstützen vorgeübt werden. Geräte wie Seil, Stab, Expander, Therabänder und Pullingformer können die Übungen abwechslungsreicher gestalten.

MOBILISATION DES KNIEGELENKES

▶ »Rhythmische Stabilisation ohne Rotation – Entspannen – aktiv Weiterziehen – aktiv/passiv Weiterziehen« oder »langsame Umkehr – Halten – Entspannen – aktiv, aktiv/passiv Weiterziehen« (s. PNF-Technik) werden ebenso wie Techniken der manuellen Therapie befundbezogen eingesetzt.
Passive Fixation bei allen Mobilisationstechniken.

Zur Kräftigung der anderen Extremitäten:

▶ Es werden PNF-Übungen *gegen angepaßten Widerstand* ausgeführt, sie sollen schwerpunktmäßig das Gehmuster beinhalten.

Ausgangsposition

Stand vor dem Spiegel auf 2 Waagen, Unterarmstützen entsprechend auf Brettchen in gleicher Höhe der Fußspitzen aufgesetzt (s. Abb. 14.13).

ÜBUNG

▶ Gewichtsverlagerung auf das verletzte Bein entsprechend der Anordnung bis zur Schmerzgrenze, bis 20 kg etc., dann Stabilisation.
Kontakt: Approximation am Becken.
Übungsauftrag: »Nehmen Sie das Gewicht zur Seite, nach vorn und stemmen Sie die Ferse gegen den Boden.«
▶ *Dasselbe* in Schrittstellung, frakturiertes Bein vorne, dann hinten.
▶ *Dasselbe* ohne optische Kontrolle.
▶ *Dasselbe* mit Abheben des gesunden Beines und entsprechender Gewichtsübernahme auf die Unterarmstützen.

▸ Alle Übungen sind auch mit *Gehwagen* oder *Rollator* möglich.

___

GEHEN MIT ENTSPRECHENDEN GEHHILFEN

▸ Schrittfolge von 2–3 Schritten vor dem Spiegel: seitwärts zur betreffenden Seite, vorwärts und rückwärts mit exakten Kontraktionshilfen am Becken.

▸ Dreipunktegang entlang einer vorgezeichneten Linie oder auf Bodenmuster.

▸ Gehen mit großem Schritt des gesunden Beines und kleinem Schritt des verletzten Beines.

▸ Zweipunktegang mit betonter Rotation.

▸ Gehen mit Tempoangabe.

▸ Treppensteigen.

▸ Gehen auf unebenem Boden.

Bei Erlaubnis zur Vollbelastung:

▸ Der Patient kann nun aus Sicherheitsgründen auf seinen gewohnten Stock umgestellt werden.

▸ Gleichmäßiges, ökonomisches Gehen wird meist durch Ablenken auf Gegenstände im Raum oder durch Ansagen des Tempos und rhythmisches Mitgehen der Physiotherapeutin erreicht. Allzu komplizierte Aufträge verwirren den Patienten dabei ebenso wie zu viele Korrekturansagen.

▸ Folgende *Geh- und Haltungsfehler* müssen korrigiert werden:

1. Körpergewicht liegt auf der gesunden Seite und zu weit hinten.
   Korrektur:
   • Einstellen der Armstützen.
   • Üben der Hüftgelenksextension.
   • Üben der Belastung.

2. Patient übernimmt kein Gewicht, »hängt« in den Schulterstützen des Gehwagens oder zieht das betroffene Bein nach.
   Korrektur:
   • Üben der Bein- und Armkraft.
   • Üben der Belastung im Stand vor dem Spiegel.

3. Hinken, ungleiche Schrittlänge und zu schnelles Vorsetzen des gesunden Beines.
   Korrektur:
   • Kleine Schritte machen lassen.
   • Großen Schritt des gesunden Beines fordern.
   • Belastung im Stand wiederholen.
   • Kleine Glutäen kräftigen.
   • Belastung zurücknehmen auf die Arme.

4. Außenrotation des betroffenen Beines.
   Korrektur:
   • Beckenstellung korrigieren, wenn Röntgenbild keine Ursache zeigt.
   • Gehen auf vorgezeichneter Linie.

5. Positives Trendelenburg-Zeichen (Duchenne-Hinken).
   Korrektur, wenn röntgenologisch keine Ursache zu finden ist:
   • Training der Glutäalmuskulatur.
   • Verstärktes Einsetzen der Gehhilfen.

6. Vorgebeugte Haltung, Kopf nach unten.
   Korrektur:
   • Optisches Ziel geben in Augenhöhe.
   • Hilfestellung verbessern.
   • Angst abbauen.
   • Sehvermögen, Hören beachten.
   • Armstützen besser einstellen.

> **!** Sehr alte Patienten gehen oft besser ohne Stützen mit 2 Hilfspersonen, mit eigenem Rollator oder mit dem gewohnten Stock.

Literatur

Baumgartl F et al (1980) Spezielle Chirurgie für die Praxis (Oberschenkelfrakturen) III/2. Thieme, Stuttgart Bergmann G, Rohlmann A, Graichen F (1989) In-Vivo Messung der Hüftgelenkbelastung. Z Orthop 127: 672

Bergmann G et al (1989) Gelenkkraftmessungen an einem Patienten mit beidseitiger Hüftendoprothese, Fortschritte in der Orthopädie (Sonderdruck). Thieme, Stuttgart

Böhler J (1978) Differenzierte Indikationsstellung bei Schenkelhalsbrüchen. Unfallheilkd 81: 155

Bonnaire F (1991) Experimentelle Untersuchungen zum Stabilitätsverhalten am koxalen Femurende nach Montage und Entfernung von DHS-Implantaten am nicht frakturierten Leichenfemur. Unfallchirurg 94: 366–371

Bonnaire F (1992) Früh- und Spätergebnisse nach 200 DHS-Osteosynthesen zur Versorgung pertrochanterer Femurfrakturen. Unfallchirurg 94: 246–253

Cerny K (1984) Pathomechanics of stance. Phys Ther 64: 12

Debus E (1991) Traumatologie beim alten Menschen – Probleme aus anästhesiologischer Sicht. Aktuelle Traumatol 3: 87

Dittmer H et al (1983) Frakturen am proximalen Femur bei über 70jährigen – Verfahrenswahl und Ergebnisse. Aktuelle Gerontol 13: 142

Elam BD (1976) Calculating weight bearing on a tilt table. Phys Ther 56: 5

Euler E et al (1991) Traumatologie beim alten Menschen – Problematik exemplarisch aufgezeigt an Schenkelhalsfrakturen. Aktuelle Traumatol 3: 91

Gebauer, D, Blümel G (1983) Extrembelastungen als Ursachen für aseptische Lokkerungen von Hüfttotalendoprothesen, Pfannen und daraus resultierende therapeutische Konsequenzen. Aktuelle Traumatol 13: 154

Heinz T (1992) Der Gammanagel. Aktuelle Traumatol 22: 163

Hoffmann P (1994) Therapiewandel in der Versorgung per-subtrochanterer Femurfrakturen. Aktuelle Traumatol 24: 1–5

Kapandji IA (1985) Funktionelle Anatomie der Gelenke, Bd 2. Enke, Stuttgart

Lanz v T, Wachsmuth W (1972) Praktische Anatomie. Bd 1/4, Bein und Statik. Springer, Berlin Heidelberg New York

List M (1995) Physiotherapie und Belastung an der unteren Extremität nach Verletzungen. Langenbecks Arch Chir Suppl II. Kongreßbericht

Loeweneck H, Liebenstund I (1994) Funktionelle Anatomie für Krankengymnasten, 2. Aufl. Pflaum, München

Pauwels F (1965) Gesammelte Abhandlungen zur funktionellen Anatomie des Bewegungsapparates, »der Schenkelhalsbruch«. Springer, Berlin Heidelberg New York

Schlickewei W et al (1991) Traumatologie beim alten Menschen – Behandlungskonzept bei per- und subtrochanteren Frakturen alter Menschen. Aktuelle Traumatol 3: 98

Volkmann R (1993) Das Bicontact-Endoprothesensystem – mittelfristige Ergebnisse nach 5jähriger Anwendung. Aktuelle Traumatol 23, Sonderheft 75–81

Walch K, Wiesinger H (1983) Aufrichtungsosteotomie nach Pauwels oder Alloplastik bei der Schenkelhalspseudarthrose? Aktuelle Traumatol 13: 34

Wiedemann M, Braun W, Rüter A (1992) Leitfaden der Unfallchirurgie. Urban & Schwarzenberg, München

15 Physiotherapeutische Behandlung nach Oberschenkelfraktur

Einteilung

- Subtrochantere Femurfraktur,
- Femurschaftfraktur,
- suprakondyläre Fraktur,
- Kondylenfraktur.

Ursachen

- Starke, direkte Gewalteinwirkung, Biegung, Drehung oder Stauchung bei Verkehrsunfällen, Bauunfällen, oft in Zusammenhang mit Serienfrakturen bei polytraumatisierten Patienten.

Allgemeine Richtlinien zur Behandlung von Oberschenkelfrakturen, Symptomatik und ärztliche Maßnahmen

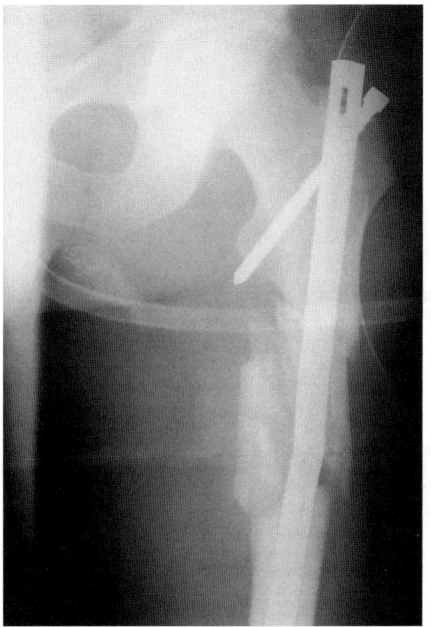

Abb. 15.1. Osteosynthese mit Verriegelungsnagel

Zur Osteosynthese von subtrochanteren Femurfrakturen wird heute der Verriegelungsnagel (Abb. 15.1) verwendet (s. Kap. 14 »Pertrochantere Fraktur-Behandlung). In manchen Fällen kommt auch eine Osteosynthese mit einer dynamischen Hüftschraube (DHS) oder einer dynamischen Kompressionsschraube (DCS) in Frage. Meist sind die Osteosynthesen mechanisch übungsstabil oder bis zu 20 kg teilbelastungsstabil.

Bei *Femurschaftfrakturen* kommen zur Stabilisierung Verriegelungsnägel (Abb. 15.2a, b) in Frage, bei Trümmer- oder Stückbrüchen DC-Platten (Abb. 15.3a, b).

Bei *schweren Verletzungen*, wie z. B. bei polytraumatisierten Patienten, bei Patienten mit Kettenfrakturen oder Kombinationsverletzungen mit schweren Weichteilverletzungen wird ein Fixateur externe angelegt.

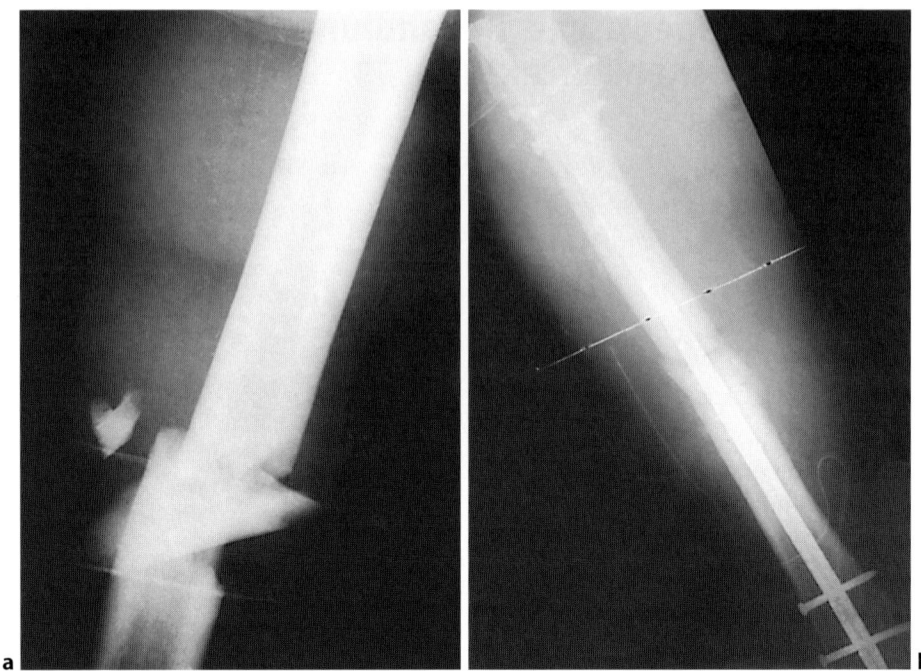

a   b

Abb. 15.2.   **a** Oberschenkelschaftfraktur, **b** Verriegelungsnagel

Ein Verfahrenswechsel zur Marknagelosteosynthese soll dann so früh
wie möglich erfolgen. Empfohlen
wird heute eine biologische Marknagelosteosynthese ohne Aufbohrung
des Markkanals und eine Antibioti-
kaprophylaxe.

Verbundosteosynthesen werden
bei *pathologischen Frakturen* verwendet. Bei bestehenden Defekten
werden Spongiosaplastiken durchgeführt.

*Suprakondyläre und kondyläre
Frakturen* werden mit Kondylenplatten (Abb. 15.4a, b) oder dynamischen
Kompressionsschrauben (DCS) und/
oder Zugschrauben behandelt. Primäre Spongiosaplastiken sind häufig
notwendig.

▶ Alle mechanisch übungsstabilen
Osteosynthesen erlauben nach Ent-

fernung der Redondrainagen aktives
Üben. Als Ausnahme gelten primäre
Spongiosaplastiken, die je nach Klinik mit einer 8- bis 14tägigen Ruhe-
zeit behandelt werden. Mechanisch
teilbelastungsstabile Osteosynthesen
erlauben eine Vorbereitung auf das
Gehen mit ca. 20 kg Belastung.

Alle ärztlichen Maßnahmen und Ver-
ordnungen müssen bei der Planung
der *physiotherapeutischen Behandlung* berücksichtigt werden.

Bei *Femurschaftfrakturen* ist mit
einer erheblichen Blutung ins Gewebe
zu rechnen. Der *Weichteilschaden*
kann ein Hauptproblem bei der Erstversorgung mit einem Verriegelungsnagel darstellen. Die Patienten haben
oft einen schlechten Allgemeinzustand. Das Infektrisiko ist hoch, das

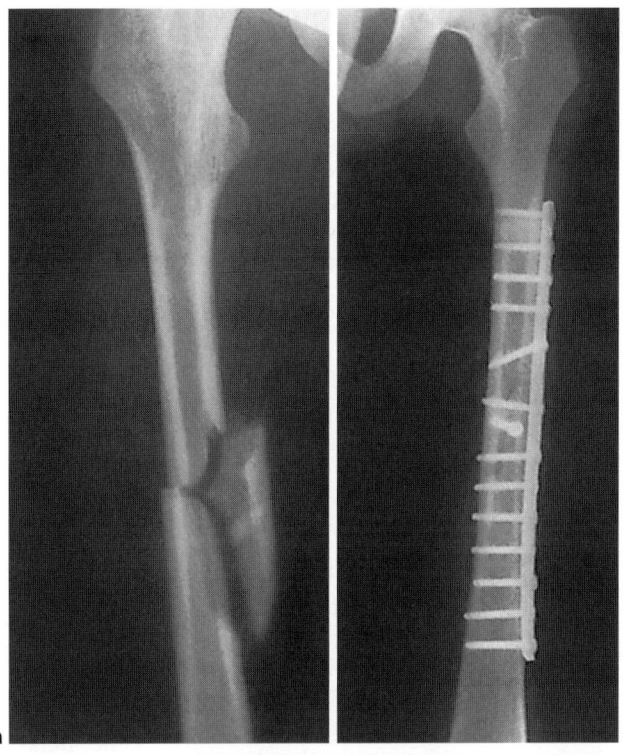

Abb. 15.3. **a** Oberschenkelschaftfraktur, **b** DC-Plattenosteosynthese

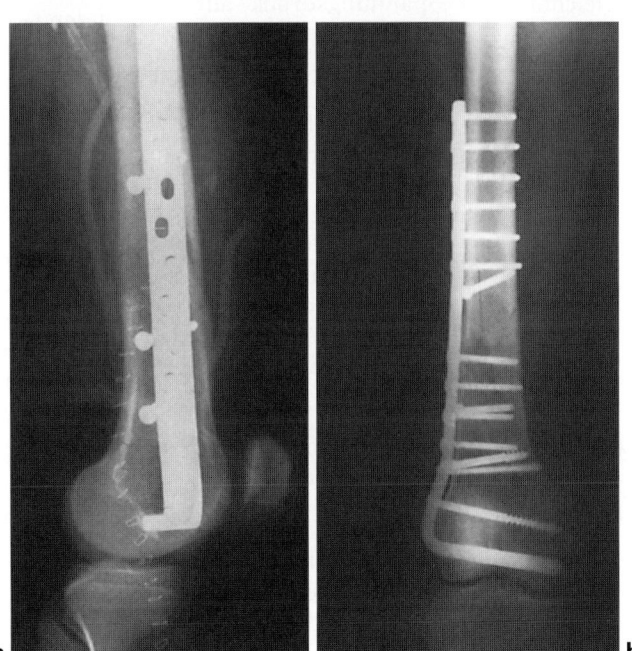

Abb. 15.4 a, b. Osteosynthese mit 90°-Winkelplatte

ausgedehnte Hämatom kann nur langsam resorbiert werden.

Funktionell gesehen, besteht die Gefahr der Organisation des Hämatoms und der Verklebung von Muskelfasern und Bindegewebe. Häufig entsteht aus dieser Symptomatik eine Kontraktur sowie eine Kalzifikation (Dermatomyositis ossificans).

Bei Plattenversorgung entsteht am lateralen Oberschenkel eine große Wundfläche. Hämatome und Ödeme sowie ausgedehnte Wundflächen können Schmerzen verursachen und den Patienten daran hindern, sein Bein ausreichend zu bewegen.

▶ Schwerpunkt der *physiotherapeutischen Frühbehandlung* der Femurschaftfraktur ist die gleichmäßige muskuläre Sicherung der Fraktur. Alle 4 Muskelgruppen am Oberschenkel sollen die Teststufe 3 erreichen (Halten der Beinschwere am jeweiligen Bewegungsende) ein gleichmäßiger Spannungsdruck auf die Fraktur garantiert den bestmöglichen Knochendurchbau.

Da der M. quadriceps und die Mm. adductores am schnellsten atrophieren, müssen sie vorrangig geübt werden.

▶ Der 2. Schwerpunkt der Frühbehandlung ist die Förderung der Resorption des Hämatoms/Ödems und die Beseitigung der Schmerzen. Beides sind Voraussetzungen für eine erfolgreiche Kontraktionsschulung eines Muskels.

> Ein Muskel, der schmerzt und dessen Fasern verklebt sind, kann seine Kraft nicht verbessern.

Die Osteosynthese erreicht nur eine mechanische Stabilität. Sie funktionell umzusetzen heißt, daß die Muskelkraft sowie die Tragfähigkeit des Femur und der Osteosynthese im Verhältnis zur Belastung ausgeglichen sein müssen.

Besteht ein *Mißverhältnis der Kräfte,* reagiert der Körper mit
- Schmerzen,
- Ausweichbewegungen (Hinken),
- Abwehrspannungen,
- Schwellungen und Entzündungszeichen,
- Einlagerungen von Kalksalzen.

> Der Körper stellt bei Überbelastung den Bewegungsabschnitt selbst ruhig!

▶ Die Entlastungszeiten bei stabilen Osteosynthen sind als Richtwerte zu verstehen. Die Belastung kann erst dann in die Tat umgesetzt werden, wenn die Funktion es erlaubt, d.h. entsprechende Muskelwerte erreicht sind, keine Schmerzen bestehen, der Frakturbereich auch äußerlich reizlos ist und der Patient die vorgegebene Belastung sicher mit entsprechenden Gehhilfen umsetzen kann.

▶ Bei bündiger Lage des Verriegelungsnagels (statische Verriegelung) kann sofort im schmerzfreien Bereich mit ca. 20 kg teilbelastet werden. Nach 6–Wochen wird der Nagel dynamisiert, d.h. eine Verriegelungsschraube wird entfernt.

▶ Die Belastung kann anschließend symptomatisch gesteigert werden. Die Belastungssteigerung wird sinnvollerweise wöchentlich, parallel zur Funktionsverbesserung der Muskulatur, um 10–15 kg gesteigert.

Früher wurden auch primär dynamische Verriegelungsnägel verwendet; sie sind nicht rotationsstabil und finden deshalb heute keine Verwendung mehr.

▶ Plattenosteosynthesen mit und ohne Spongiosaplastik sind primär übungsstabile Osteosynthesen. Nach gesicherter Wundheilung wird Sohlenkontakt für 8–10 Wochen durchgeführt.

▶ Die Teilbelastung mit 20 kg und wöchentlicher Steigerung schließt sich an, wenn es die Funktion erlaubt. Bis zur 16. Woche soll die Vollbelastung erarbeitet werden (freies Gehen ohne Gehhilfen).

▶ Bei Fixateur-externe-Behandlung wird mit Sohlenkontakt begonnen, wenn die Weichteile abgeheilt sind. Ist im Röntgenbild eine knöcherne Überbrückung zu sehen, kann die Fraktur wie eine stabile Osteosynthese behandelt werden.

Die *suprakondylären und kondylären Frakturen* sind Gelenkfrakturen. Sie werden in der AO-Klassifikation in Gruppen B1–B3 und C1–C3 eingeteilt. Wie alle Gelenkfrakturen sollen sie so früh wie möglich nach dem Unfall versorgt werden.

▶ Je nach anatomisch gelungenem Operationsergebnis kann das Kniegelenk unter abgenommener Schwere im schmerzfreien Bewegungsausmaß geübt werden. Wegen der hohen Belastung des Kniegelenkes durch das Körpergewicht und die Zugspannung des M. quadriceps und der Bänder wird das Bewegungsausmaß auf 0–20–60° begrenzt.

Alle Gelenkfrakturen bluten in das Gelenk hinein und ergeben einen Gelenkerguß.

▶ Der Gelenkerguß des Kniegelenkes muß sorgfältig üpprüft (s. Abb. 16.11) und vorrangig behandelt werden.

Komplikationen

- Polytraumatisierter Patient,
- Fettembolie,
- offene Fraktur, Infekt,
- Verletzung der A. femoralis.

Spätkomplikationen

- Pseudarthrose,
- Infektion (Osteitis) oder
- in Rotationsfehlstellung verheilte Fraktur,
- Beinverkürzung,
- Gonarthrose,
- Myositis ossificans.

Befunderhebung

Beurteile

- Allgemeinbefund (s. Kap. 12, »Beckenfraktur«), Laboruntersuchungen, Hb, Hkt.
- Röntgenbild (Fragmentstellung und Stabilität der Osteosynthese).
- Gelenkkontur.
- Muskelrelief.
- Ödem, Hämatom, Tonus, Atrophie, Wunden, Operationsnarben.
- Beinstellung, insbesondere Rotationsstellung.

MISS
- Aktive Hüft- und Kniegelenkbeweglichkeit.
- Sprunggelenkbeweglichkeit.
- Anatomische Beinlänge, später funktionelle Beinlänge im Stand.
- Umfangmaße, soweit es der Verband erlaubt.

PRÜFE
- Qualität des Bewegungsstops (Schwerpunkt: Knie- und Hüftgelenke).
- Muskeltest bis Teststufe 3.
- Sensibilität.
- Pulse.
- Temperatur.

NOTIERE
- Subjektive Angaben über Schmerzen: Wann? wo? wie?
- Sonstige Beschwerden.

Behandlungsmöglichkeiten

GESICHTSPUNKTE DER BEHANDLUNG

1. Verbesserung der lokalen Durchblutung.
2. Förderung der Resorption des Hämatoms und Ödems.
3. Lagerungskontrolle.
4. Wiederherstellung des Muskelspannungsgleichgewichts am Oberschenkel.
5. Kräftigung der gesamten Oberschenkelmuskulatur mit dem Ziel einer gleichmäßigen Kraftentwicklung.

- **1. Verbesserung der lokalen Durchblutung**

  ▶ Im frühen postoperativen Stadium können folgende Maßnahmen zur Anwendung kommen:
  - Eisabtupftechnik, nur soweit es der sterile Verband erlaubt (Plastikbeutel).
  - Aktives, isometrisches Spannen gegen Führungskontakt im Sekundenrhythmus bei richtig gelagertem Bein.

  Kontraindiziert sind in der postoperativen Behandlungszeit: Massagegriffe, Wärmeanwendungen und Elektrotherapie.

- **2. Resorption des Hämatoms**

  ▶ Zur Resorption einer diffusen Nachblutung aus der Muskulatur kann ein Kompressionsverband und eine Eiskompresse in einem Kissenbezug aufgelegt werden.

  ▶ Spannen im Sekundenrhythmus verstärkt die Resorption. Grundsätzlich bleibt die Redondrainage so lange liegen, bis sie weniger als 20 ml Hämatom fördert.

  ▶ Dynamische Übungen sollen so lange ausgesetzt werden, bis die Drainagen in der Muskelloge gezogen sind. Auf diese Weise vermeidet man weitere Mikrotraumen.

GESICHTSPUNKTE
DER BEHANDLUNG

6. Mobilisation des Kniegelenkes mit Schwerpunkt der Erarbeitung der Kniestreckung.
7. Erhalten der Arm- und Beinkraft des nichtbetroffenen Beines und der Fußmuskulatur des verletzten Beines.
8. Vorbereitung zur Belastung.
9. Gehschulung.

● **3. Lagerungskontrolle**

▶ Für die Ruhelage des Oberschenkels ist es besonders wichtig, daß er in der U-Schiene oder auf einer festen Matratze *ganz* aufliegt. Dazu sollte ein schmales Schaumstoffpolster oder ein gefaltetes Tuch unter das Kniegelenk gelegt werden. Ein hohl liegendes Kniegelenk verursacht Schmerzen. Funktionell wichtig erscheint es uns, daß möglichst wenig Knieflexion entsteht und eine feste Abstützung des Fußes der Tendenz zur Außenrotation des Beines und Spitzfußstellung entgegenwirkt. Zur Dauerhochlagerung sollte das Bettende hochgestellt werden.
▶ Eine Sandsacklagerung erfüllt die genannten Bedingungen nicht und ist deshalb nicht zu empfehlen. Vorgefertigte Schaumstoffschienen passen selten zur individuellen Beinlänge eines Patienten, deshalb ist die Krapp-Schiene oft ungeeignet.

● **4. Wiederherstellung des Spannungsgleichgewichtes**

▶ Um am Femur möglichst gleichmäßige Spannungsverhältnisse zu erreichen (Abb. 15.5), muß zu Beginn der Übungsbehandlung ein genauer *Muskeltest* auf Teststufe 3 (Halten gegen Eigenschwere) durchgeführt werden. Erfahrungsgemäß atrophiert der M. vastus medialis des M. quadriceps zuerst und muß deshalb besonders sorgfältig geübt werden. Im Röntgenbild sollte die Frakturlage genau betrachtet werden, um manuelle Kontakte und Fixationsgriffe richtig anlegen zu können.
▶ Bis zur beginnenden Konsolidierung der Fraktur soll auch bei stabilen Osteosynthesen zwischen Fraktur und Kniegelenk passiv fixiert werden.
▶ Hat der M. quadriceps noch keinen Testwert 3, soll die Therapeutin den Unterschenkel mit ihrem Arm unterstützen. Zur Anwendung kommen die Übungen Endstellung halten, Bewegen und Halten in allen Variationen, bei abgenommener Schwere, gegen die Schwere und gegen Führungskontakt.
▶ Liegt die Fraktur im Schaftbereich, können proximale Kontakte über ein gefaltetes Handtuch gesetzt werden. Ist die volle Streckung des Kniegelenkes noch nicht erreicht, müssen alle PNF-Übungen in Rotationsnullstellung des Hüftgelenkes erfolgen!

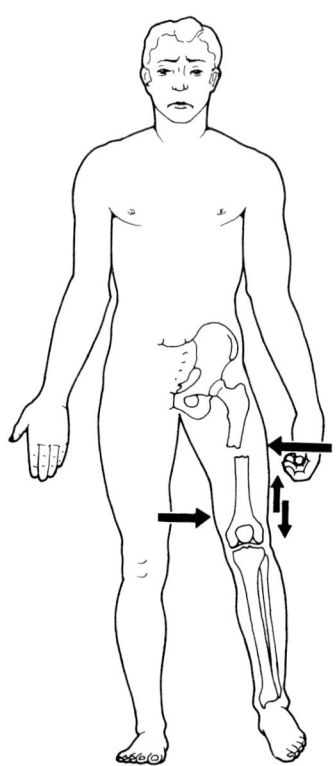

Abb. 15.5. Erzielen eines Gleichgewichts der Muskelspannung

GESICHTSPUNKTE
DER BEHANDLUNG

5. Kräftigung der gesamten Ober-schenkelmuskula-tur mit dem Ziel einer gleichmäßi-gen Kraftentwick-lung.

● **5. Kräftigung der Oberschenkelmuskulatur**

▶ Nach Oberschenkelfrakturen tritt besonders schnell eine Atrophie der Oberschenkelmuskulatur auf. Diese soweit als möglich aufzuhalten, ist Ziel der physiotherapeutischen Übungen.

▶ Erlaubt es die Konsolidierung der Fraktur, wer-den alle Übungen als Komplexbewegungen gegen angepaßten Widerstand ausgeführt. Sollen die Mus-keln des Hüftgelenkes beansprucht werden, muß der Widerstand proximal der Fraktur liegen. Für die Übungen in Richtung Adduktion/Extension kann eine Handtuchschlaufe benutzt werden.

▶ Zur Kräftigung des M. quadriceps und der Mm. ischiocrurales und deren Kniegelenksfunktion muß der Oberschenkel passiv dicht oberhalb der Patella fixiert werden. Die *Ausgangsstellung* kann die Rük-kenlage (Abb. 15.6 und 15.7) oder der Sitz sein

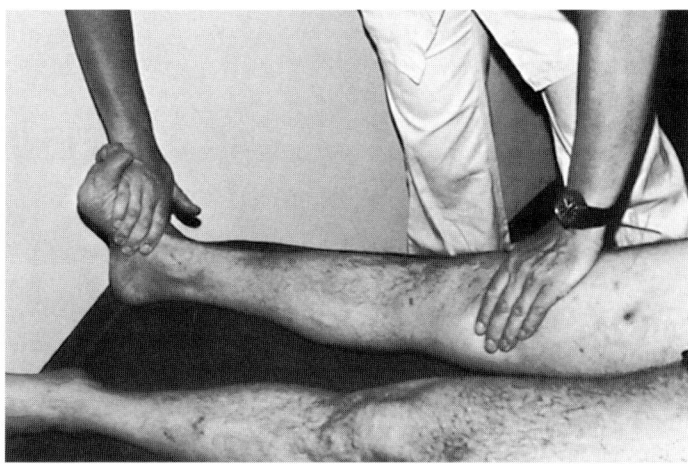

Abb. 15.6.   Spannen des M. quadriceps mit Betonung auf Vastus medialis bei aufliegendem Bein

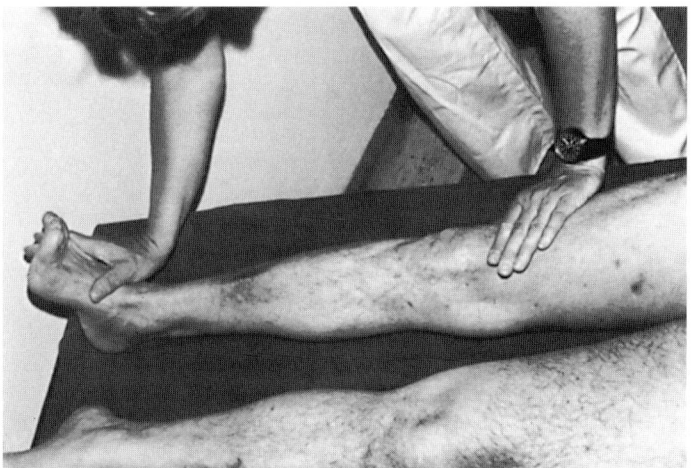

Abb. 15.7.   Spannen des M. quadriceps mit Betonung auf Vastus lateralis

GESICHTSPUNKTE
DER BEHANDLUNG

(Abb. 15.8 und 15.9). Besonders sicher läßt sich die Fraktur aus Bauchlage fixieren, welche für jüngere Patienten eine geeignete Ausgangsstellung ist (Abb. 15.10 und 15.11). Bei weicher Matratze kann ein kleines Brett untergeschoben werden.

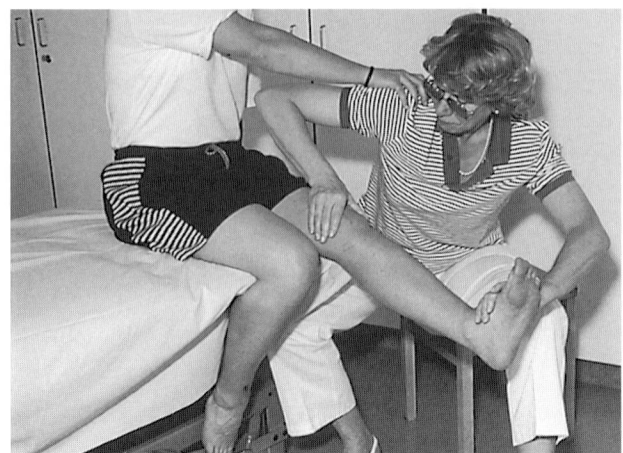

Abb. 15.8.   Verstärken der
Quadrizepsspannung

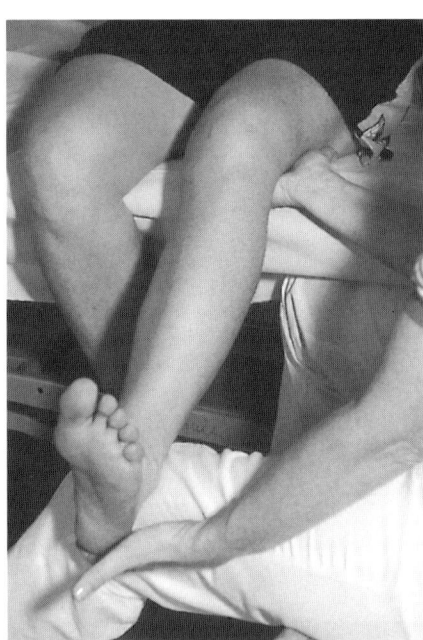

Abb. 15.9.   Kniegelenkflexion bei passiver
Fixation von dorsal

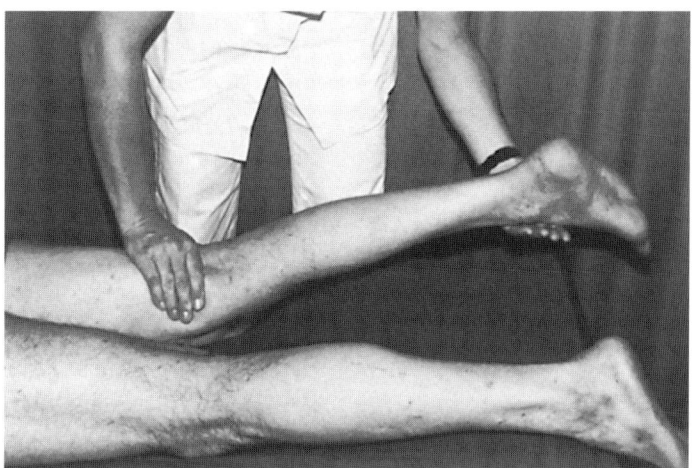

Abb. 15.10.   Passive Fixation der Fraktur, wiederholte Kontraktionen
für M. quadriceps mit der Schwere des Beins

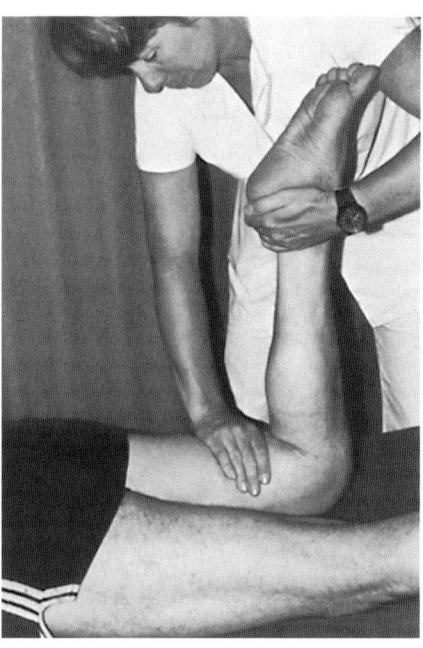

Abb. 15.11.   Passive Fixation der Fraktur, wiederholte Kontraktionen für Knieflexoren

5. Kräftigung der gesamten Oberschenkelmuskulatur mit dem Ziel einer gleichmäßigen Kraftentwicklung.

Auf jeden Fall sollte die Seitenlage vermieden werden, weil in ihr die Rotationskräfte am Kniegelenk nicht sicher abgefangen werden können.

▶ Als *Techniken* kommen wiederholte Kontraktionen in Frage mit den Spannungsformen »statisch«, »konzentrisch- und exzentrisch-dynamisch« oder alle Formen des Bewegens und Haltens.

▶ Als *Verstärkung* können für den M. quadriceps der M. glutaeus maximus und/oder die Fußheber dienen. Den besten Overfloweffekt erzielt man über den entgegengesetzten Arm, über die Vorspannung der schrägen Bauchmuskulatur. Der Arm stützt dabei im PNF-Muster Extension/Adduktion/Innenrotation gegen den Ellbogen der fixierenden Hand der Therapeutin oder gegen deren Schulter.

▶ Der M. gastrocnemius und die Zehenflexoren verstärken die Mm. ischiocrurales. Auch dieses Verstärkungsmuster eignet sich zur Verstärkung des M. quadriceps des anderen Beines im Sitz an der Bettkante.

▶ In jedem Fall sollte darauf geachtet werden, daß bei allen Muskelgruppen, die über 2 Gelenke ziehen, zusätzlich die *volle Funktion* geübt wird. Das bedeutet für den M. quadriceps z. B. Hüftgelenkflexion und Kniegelenkextension sowie Hüftgelenk- und Kniegelenkextension für das Gehen. Distal der Fraktur kann manueller Widerstand erst bei Erlaubnis der Teilbelastung eingesetzt werden.

▶ Erst nach Konsolidierung der Fraktur kann Rotationswiderstand oder distaler Trainingswiderstand gegeben werden. Dann ist es auch möglich, mit Expandern und Pullingformer zu üben.

▶ Eine vollständige Ausheilung ist nicht selten erst nach 20 Wochen erreicht; dann dürfen Kraft- und Ausdauertraining unter sportlichen Gesichtspunkten durchgeführt werden.

6. Mobilisation des Kniegelenkes mit Schwerpunkt der Erarbeitung der Kniestreckung.

● **6. Mobilisation des Kniegelenkes**

Auch bei frühzeitigem Beginn der physiotherapeutischen Behandlung kann durch das überwiegende Liegen des Patienten eine muskuläre Streckkontraktur im Kniegelenk entstehen. Durch die Insuffizienz des M. quadriceps andererseits entwickelt sich aber auch ein *Streckdefizit,* das funktionell wesentlich bedeutungsvoller für die Stabilität des Kniegelenkes ist.

**GESICHTSPUNKTE
DER BEHANDLUNG**

▶ Primär wird deshalb an der Erreichung der vollen Streckung gearbeitet. Zur Anwendung kommen: »Chirurgische Technik«, »Rhythmische Stabilisation – Entspannen« und »langsame Umkehr – Halten – Entspannen« aus dem PNF-Programm. Bei allen Techniken soll nicht rotiert und nur aktiv weitergezogen werden.

Nach jeder Technik folgt die Kräftigung der schwächeren Muskelgruppe. Anfangs ist »Endstellung – Halten« die beste Technik, um das gewonnene Bewegungsausmaß zu halten.

▶ Techniken aus der manuellen Therapie, wie Patellagleiten und eine weiche Traktion an der Tibia, verbunden mit vorsichtigem Ventralgleiten, sind eine wichtige Unterstützung der aktiven Mobilisationstechniken. Ihre Anwendung richtet sich aber nach der Stabilität der Osteosynthese. *Treten Schmerzen auf, müssen die passiven Techniken weggelassen werden.*

▶ Unterstützend zur Behandlung der Streckkontraktur wird Patellagleiten nach kaudal und eine Traktion mit vorsichtigem Dorsalgleiten der Tibia durchgeführt.

▶ In der *Frühbehandlung* dürfen keine Muskelmassagegriffe Anwendung finden. Die Gefahr der Nachblutung ist zu groß. Weiches Streichen oder die sog. »manuelle Lymphdrainage« kann nach der Wundheilung zum Abbau der Schwellung angewendet werden.

▶ Eine gezielte Eisbehandlung unterstützt die Resorption und Dehnfähigkeit der kontrakten Muskulatur. Verwendet werden Cool packs in einem Baumwollbezug, wenn die Wunde verheilt ist dürfen kühle Umschläge angelegt werden.

▶ Im *Spätstadium* kommen verschiebende Griffe oder Querdehnungen an der Narbe, am Ansatz des M. biceps femoris oder am Pes anserinus in Frage. Üben im Bewegungsbad kann eine generelle Entspannung der Beinmuskulatur bewirken, gezielt lassen sich jedoch die Probleme nicht angehen.

▶ Kapseltechniken aus der manuellen Therapie sind das Mittel der Wahl, wenn die Fraktur fest ist und ein spezieller Bewegungsstop behandelt werden muß.

● **7. Erhalten der Arm- und Beinkraft**

▶ Beide Arme und das andere Bein können in alle Richtungen gegen angepaßten Widerstand trainiert werden; das gebrochene Bein soll jedoch seine Lage dabei nicht verändern. Vorzugsweise werden Bewegungsmuster für das spätere Gehen mit Unterarmstützen geübt. Es können aber auch alle Variationen der PNF-Technik mit und ohne Gerät ausprobiert werden (z.B. gegen Therabänder oder Expander).

▶ Diese Übungen sollen auch vom Patienten als »Hausaufgaben« selbständig ausgeführt werden.

● **8. Vorbereitung zur Belastung**

▶ Schon in der Lage kann das Gehmuster in einzelnen Bewegungsabschnitten vorgeübt werden.

▶ Werden die Einzelbewegungen der 4 Extremitäten beherrscht, können sie als eine kombinierte Übung zusammengesetzt werden. Das verletzte Bein muß vorwiegend für die Mittelstandphase geschult werden (s. Kap. 20 »Amputation«). Daraus ergeben sich sinnvolle Bewegungen der 3 anderen Extremitäten.

▶ Ist die Fraktur noch nicht durchgebaut, muß der Widerstand, wie beschrieben, proximal der Fraktur liegen oder ganz weggelassen werden. Wird gegen Pullingformer geübt, müssen die Schlaufen ebenfalls proximal der Fraktur angelegt werden.

● **9. Gehschulung**

▶ Nach Entfernung der Redondrainagen dürfen in der Regel nichtpolytraumatisierte Patienten mit Gehwagen oder Unterarmstützen aufstehen. Das betroffene Bein wird gewickelt. Der Sohlenkontakt oder die vorgegebene Teilbelastung werden auf der Waage eingeübt (s. Abb. 14.13). Die Unterarmstützen stehen auf Brettchen in Waagenhöhe, wenn die Waagen nicht in den Boden eingelassen sind. Der Patient soll in Schritt- oder Schlußstellung das Körpergewicht von der gesunden Seite auf das verletzte Bein verlagern.

▶ Optische Kontrolle vor dem Spiegel erleichtert die korrekte Ausführung; später soll dann ohne Augenkontrolle geübt werden, um das Körpergefühl für die richtige Belastung zu schulen.

▶ Die Gehschulung kann auch im Bewegungsbad durchgeführt werden. Genaue Korrekturen der Gehfehler sind dort jedoch nicht zu erreichen.

▶ Zu diesem Zeitpunkt sollte nicht vergessen werden, die Beinlänge im Stand nachzumessen. Ergibt sich eine *Beinverkürzung* von mehr als einem halben Zentimeter, ist eine Schuherhöhung angezeigt. Zur ausführlichen Gehschulung s. Kap. 14, »Schenkelhalsfraktur«.

Besonderheiten bei der Behandlung nach Gelenkfrakturen

Bei den Gelenkfrakturen ergeben sich wegen der *Empfindlichkeit des Kniegelenks* besondere Aspekte.

▶ Im Falle eines Hämarthros darf die zuvor genannte Knieflexion bis 60° nicht durchgeführt werden. Empfohlen wird eine *maximale Bewegung von 0–20–30°* und die Anwendung von isometrischen Spannungsformen.

▶ Da die passive Fixation der gelenknahen Fraktur nur unzureichend gelingt, müssen alle Übungen *niedrig dosiert* werden. Übungen gegen Führungskontakt sind die adäquate Dosierungsstufe.

▶ Selten kann das Bein ordnungsgemäß auf der CPM-Schiene gelagert werden. Der Einsatz der Motorschiene ist an sich richtig, jedoch entstehen Probleme, die Bewegung so einzustellen, daß keine Hebelwirkung auf die Fraktur entsteht. Als Folge irritierender Wackelbewegungen tritt ein schmerzhaftes »Reizknie« auf (s. auch Kap. 16, »Kniegelenk«).

SCHÜLERAUFGABE ▬▬▬▬▬▬▬

Erarbeiten Sie ein Übungsprogramm für eine Oberschenkelschaftfraktur mit einer Verriegelungsnagelosteosynthese, die mechanisch mit 20 kg belastungsstabil ist. Legen Sie Ihre Dosierungskriterien fest.

ÜBUNGSBEISPIELE

Femurschaftfraktur nach Marknagelung mit Verriegelungsnagel oder nach Plattenosteosynthese

Spannungsaufbau und Kräftigung
▶ Alle Übungen für die Hüftgelenkmuskulatur werden in den ersten Wochen gegen Führungskontakt oder angepaßten Widerstand oberhalb der Frakturhöhe durchgeführt. Die Spannungszeit soll mindestens 7–10 s dauern. Passive Fixation ist nötig, wenn die Oberschenkelmuskulatur zur Anspannung kommen soll.

Ausgangsposition
Rückenlage, Oberschenkel flach unterlagert, Bein in Nullstellung.

ÜBUNG
▶ Isometrisches Spannen gegen Führungskontakt des M. quadriceps, M. vastus medialis, Spannungseinleitung über M. tibialis anterior (s. Abb. 15.6).
Passive Fixation: Medial/ventral, dicht oberhalb der Patella.
Kontakt: Fußrücken und medialer Fußrand.
Übungsauftrag: »Ziehen Sie Zehen und Fuß nach oben/innen, versuchen Sie, die Ferse etwas von der Unterlage abzuheben und halten Sie!
▶ *Dasselbe* mit Verstärkung durch M. glutaeus maximus.
Kontakt (kein Widerstand): In der Kniekehle, auf dem Fußrücken und Fußinnenrand.
Übungsauftrag: »Ziehen Sie den Fuß nach innen/oben und drücken Sie die Kniekehle nach unten gegen die Hand und halten!«

ÜBUNG
▶ Isometrisches Spannen des M. quadriceps, M. vastus lateralis (s. Abb. 15.7) aus Rotationsnullstellung, eingeleitet durch die Fußhebermuskeln und Pronatoren.
Kontakt: Lateral/ventral dicht oberhalb der Patella, am Fußrücken und an der lateralen Fußkante.
Übungsauftrag: »Ziehen Sie Zehen und Fuß nach außen/oben und heben Sie die Ferse leicht von der Unterlage ab, halten!«

ÜBUNG
▶ Isometrisches Spannen der Mm. adductores gegen Führungskontakt.
Kontakt: Medial, proximal der Fraktur mit einem Handtuch.
Übungsauftrag: »Lehnen Sie den Oberschenkel gegen das Handtuch und halten!«
▶ *Dasselbe* in Richtung Extension/ Adduktion, Extension/Abduktion, Flexion/Adduktion und Flexion/Abduktion.
▶ Bei *flach aufliegendem Bein* kann proximal der Fraktur auch etwas mehr als Führungskontakt mit einem Handtuch gegeben werden.

ÜBUNG
▶ Unter Abnahme der Beinschwere Endstellung halten in Kniestreckstellung und ca. 50°–70° Hüftbeugung.
Kontakt: Eine Hand hält von außen greifend das Bein, so daß es bis über das Kniegelenk gut unterstützt ist. Das Bein in Endstellung bringen, die 2. Hand gibt Kontakt ventral, oberhalb der Fraktur.
Übungsauftrag: »Versuchen Sie, das Bein selbst zu halten.«

► *Dasselbe* in Flexions-/Adduktionsstellung.

► *Dasselbe* in Flexions-/Abduktionsstellung.

► *Verstärkungsmuster* können über die vorgezogene Spannung des Gegenarmes in Extension/Adduktion/Innenrotation oder durch Extensionsspannung des anderen Beines gegen manuellen Widerstand aufgebaut werden (Bein kann ggf. auch gegen die Unterlage drücken). Der Arm des Patienten stützt entweder gegen den Ellbogen oder die Schulter der Therapeutin.

ÜBUNG

► Aktive Formen von Bewegen und Halten für die Hüftgelenkflexion, Flexion/Adduktion/Außenrotation, Flexion/Abduktion/Innenrotation mit gehaltener Kniestreckung.

Kontakt: Keiner.

Übungsauftrag: »Heben Sie das gestreckte Bein nach oben, oben/innen, oben/außen, senken Sie es ein wenig ab, ziehen Sie wieder hoch und halten Sie es am Ende der Bewegungsbahn usw.«

► *Dasselbe* mit wechselndem Drehpunkt Kniegelenk. Das Hüftgelenk wird auf einem beliebigen Punkt der diagonalen Richtung Flexion/Adduktion oder Flexion/Abduktion aktiv gehalten, das Kniegelenk führt aktive wiederholte Kontraktionen aus (konzentrisch-, exzentrisch-dynamische Kniegelenkextension gegen Eigenschwere des Unterschenkels). *Bei diesen Übungen soll keine Hüftgelenkrotation zugelassen werden.*

Kontakt: Keiner.

Übungsauftrag: »Strecken Sie Zehen und Fuß nach innen/oben, strecken Sie das Knie bis kurz vor das Bewegungsende, heben Sie das Bein

in Richtung zur Gegenschulter an, halten Sie, strecken Sie jetzt das Knie ganz durch, etwas nachgeben, wieder strecken usw.!«

► *Dasselbe* mit wechselnden Drehpunkten für die Sprunggelenke bei statisch arbeitendem M. quadriceps.

Ausgangsposition

Rückenlage oder Sitz, Kniegelenk an der Bettkante.

ÜBUNG

► Wiederholte Kontraktionen, Kniegelenkstreckung, bei passiver Fixation der Fraktur (s. Abb. 15.8).

Kontakt/angepaßter Widerstand: Distal, ventral am Unterschenkel.

Passive Fixation: Ventral, distal am Oberschenkel.

Übungsauftrag: »Strecken Sie das Knie, halten Sie (bei ca. 2/3 der Bewegungsbahn), strecken Sie weiter, geben Sie etwas nach, strecken Sie wieder usw.!«

► *Dasselbe,* eingeleitet über Dorsalextension/Supination oder Dorsalextension/Pronation der Sprunggelenke.

ÜBUNG

► Endstellung halten, wiederholte Kontraktionen oder Bewegen und Halten, Knieflexion, mit passiver Fixation (Abb. 15.12, s. auch Abb. 15.9).

Kontakt/angepaßter Widerstand: Distal, dorsal mit Traktion am Kalkaneus.

Passive Fixation: Ventral, distal am Oberschenkel.

Übungsauftrag: »Beugen Sie das Knie, halten Sie (bei ca. 2/3 der Bewegungsbahn), ziehen Sie, geben Sie etwas nach, ziehen Sie weiter usw.!«

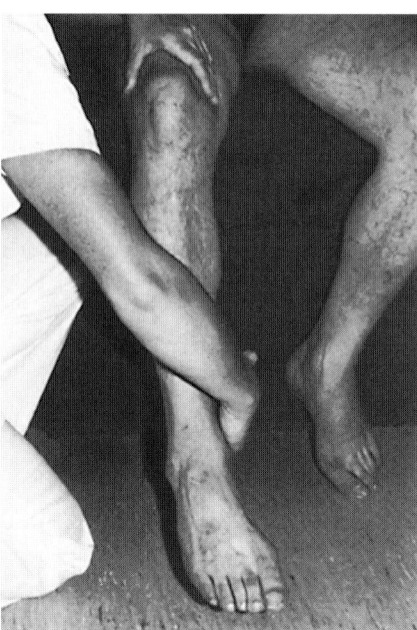

Abb. 15.12.   Sitz: passive Fixation der Fraktur, wiederholte Kontraktionen der Knieflexoren

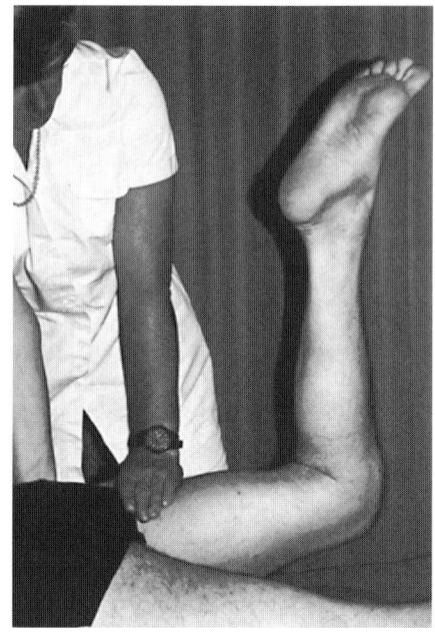

Abb. 15.13.   Üben des M. glutaeus maximus aus der Bauchlage

Ausgangsposition

Bauchlage.

ÜBUNG

▶ Kniebeugung und Hüftgelenkstreckung (Abb. 15.13).

Kontakt (evtl. Widerstand): Dorsal, proximal der Fraktur.

Übungsauftrag: »Beugen Sie das Knie und heben Sie den Oberschenkel etwas von der Unterlage ab, halten und lockerlassen!«

ÜBUNG

▶ Kniestreckung bei passiver Fixation der Fraktur, auch als wiederholte Kontraktion oder Bewegen und Halten in Endstellung etc. (s. Abb. 15.10).

Kontakt: Distal, ventral am Unterschenkel.

Passive Fixation: Dorsal am Oberschenkel.

Übungsauftrag: Strecken Sie das Knie, halten, ziehen Sie etwas weiter, geben Sie etwas nach, ziehen Sie weiter usw.!«

ÜBUNG

▶ Kniebeugung bei passiver Fixation der Fraktur, auch als Bewegen und Halten und als »wiederholte Kontraktion« (s. Abb. 15.11).

Fixation: Distal, dorsal am Oberschenkel.

Kontakt: Distal, dorsal am Unterschenkel.

Übungsauftrag: »Beugen Sie das Kniegelenk, halten!« oder entsprechend der ausgewählten Technik, s. oben.

Vor Ausheilung der Fraktur darf bei Platten- und Verriegelungsnagelosteosynthesen aktiv im Hüftgelenk, nicht jedoch gegen distalen Widerstand rotiert werden.

Mobilisation des Kniegelenkes:

Ausgangsposition

Bauchlage.

Übung

PNF: »Chirurgische Technik« mit aktivem Weiterziehen, »Rhythmische Stabilisation – Entspannen – aktiv Weiterziehen« ohne Rotation, »langsame Umkehr – Halten – Entspannen – aktiv Weiterziehen« ohne Rotation.
Passive Fixation: Distal am Oberschenkel.
Kontakt: Distal am Unterschenkel entsprechend richtungsweisend.
▶ Im Anschluß an die jeweils gewählte Technik soll der gewonnene Bewegungsweg 7–10 s gehalten werden. Ein Übungsprogramm zur Kräftigung der geschwächten Muskelgruppe schließt sich an.
▶ Wenn der Befund es erfordert, werden die aktiven Entspannungstechniken ergänzt durch eine gezielte Eisbehandlung und durch Techniken aus der manuellen Therapie, wie z. B.: Patellagleiten, Traktion, Ventral- oder Dorsalgleiten der Tibia.

Vorbereitung zum Gehen:

Ausgangsposition

Rückenlage, möglichst weit unten am Bettende; die Physiotherapeutin steht am Fußende.

Übung

▶ Beide Beine symmetrisches Muster: langsame Umkehrbewegungen alternierend im Gehmuster aus, Flexion/Adduktion/Außenrotation zum gebeugten Knie und zurück in Extension/Abduktion/Innerotation zum gestreckten Knie. Das gesunde Bein übt gegen Widerstand, das verletzte aktiv gegen Eigenschwere oder gegen Führungskontakt.
▶ Jede Sequenz wird einzeln vorgeübt, dann erst werden beide Beine gegengleich bewegt.
Widerstand: Am gesunden Bein auf Fußinnenrand und Fußrücken und für den Rückweg an Fußsohle und Fußaußenrand.
Ausgangsstellung: Das eine Bein in Flexion/Adduktion/Außenrotation, gebeugtes Knie, das andere in Extension/Abduktion/Innerotation, gestrecktes Knie.
Übungsauftrag: »Beugen Sie ein Bein nach oben/innen, dabei strekken Sie das andere von oben kommend nach unten/außen und wechseln!«

Gehschulung:

> Vorher Beinlänge im Stand kontrollieren und für Schuherhöhung sorgen, wenn dies erforderlich ist! Die Schuhe sollen fest sein, jedoch weiche oder Luftpolstersohlen haben.

Aufstehen

▶ Sohlenkontakt oder 20 kg Teilbelastung. In den ersten Tagen soll das verletzte Bein bandagiert werden, das andere trägt einen Antithrombosestrumpf. Die Unterarmstützen müssen richtig eingestellt werden. Das betroffene Bein soll im Stand auf der Waage 5–7 kg (20 kg) Belastung einüben.

▶ Soll die *Vollbelastung* (Gehen ohne Gehhilfen) vorbereitet werden, können Stabilisationsübungen auf dem Schaukelbrett oder Sportkreisel Anwendung finden.

Zur ausführlichen, weiteren Gehschulung s. auch Kap. 14 »Schenkelhalsfraktur« und Kap. 16 »Verletzungen im Kniegelenkbereich«.

Literatur

Diehl K (1976) Stabilität und Beanspruchung von Osteosynthesen des Ober- und Unterschenkels bei der Frühmobilisation. Unfallheilkd 79: 81

Heisel J, Kopp K (1983) Spätergebnisse nach Küntscher-Marknagelung von Unter- und Oberschenkelbrüchen bei noch wachsendem Knochenskelett. Aktuelle Traumatol 13: 8

Hofmann G, Probst J (1982) Anwendungsmöglichkeiten des Fixateur externe am Oberschenkel, Indikation, Ergebnisse. Aktuelle Traumatol 2: 62

Kuner EH (1976) Die Marknagelung von Femur und Tibia mit dem AO-Nagel. Unfallchirurgie 2: 155

Mockwitz J (1982) Korrektur von posttraumatischen Fehlstellungen im Bereich des Oberschenkelknochens mit dem Verriegelungsnagel. Aktuelle Traumatol 12: 303

Mockwitz J (1974) Der Verriegelungsnagel, eine Bereicherung der intramedullären Osteosyntheseverfahren. Klinikarzt 11: 319

Müller KH (1981) Die Fixaturen-externe-Osteosynthese ohne knöcherne Abstützung an den unteren Gliedmaßen. Arch Orthop Traum Surg 99: 117

Spier R et al. (1983) Die Behandlung nichtinfizierter, gelenknaher Pseudarthrosen der unteren Extremität mit dem Küntscher Marknagel. Aktuelle Traumatol 13: 1

Wiedemann M, Braun W, Rüter A (1992) Leitfaden der Unfallchirurgie. Urban & Schwarzenberg, München

16 Physiotherapeutische Behandlung nach Frakturen und Verletzungen im Bereich des Kniegelenkes

Einteilung

- Kondylenfraktur,
- Patellafraktur,
- Tibiakopffraktur,
- Kapsel-Band-Läsionen: Dehnungen, Einrisse oder Risse der Ligg. collateralia mediale und laterale, der Ligg. cruciata anterius und posterius, der Meniski, der Patellarsehne, des Reservestreckapparates und der Bursae.

Ursachen

- Indirekte Gewalteinwirkungen, insbesondere Drehmechanismen bei Sport und Verkehrsunfällen,
- direkte Einwirkung wie Schlag und Kompression.

Allgemeine Richtlinien, Biomechanik, Symptomatik und ärztliche Maßnahmen

Frakturen im Kniegelenkbereich zwingen zur Stabilisation mit einer Osteosynthese (Abb. 16.1 a, b, s. auch Abb. 21.14 a–c). Biologische Osteosynthesen, die den Spongiosabereich schonend überbrücken, werden bevorzugt.

▶ Stabile Osteosynthesen an den Femurkondylen oder dem Tibiakopf erlauben aktives Üben gegen die Schwere des Beines und Gehen mit Sohlenkontakt ab der 6.–8. Woche, die Teilbelastung beginnt ab der 8. bzw. 9. Woche.

In der Regel kommen Kondylenplatten, die DCS oder Abstützplatten (Abb. 16.2 a, b) sowie Zugschrauben und Kleinfragmentplatten zur Anwendung, die Patellafraktur wird mit einer Zuggurtungsosteosynthese behandelt (Abb. 16.3 a–c). Offene Trümmerfrakturen werden temporär mit dem Fixateur externe versorgt, Patellasehnenrisse mit einer temporären Arthrodese (Abb. 16.4). In Erprobung sind GSH-Nägel als intramedulläre Kraftträger nach Green, Seligson und Henry.

▶ Instabile Osteosynthesen erfordern eine 6- bis 8wöchige Entlastungszeit.

Nie darf bei einem bestehenden Gelenkerguß, bei lokalen Entzündungszeichen und einem Streckdefizit von mehr als 8°–10° die Belastung über den Sohlenkontakt hinaus gesteigert werden.

▶ Die aktive Übungsbehandlung beginnt normalerweise nach Entfernung der Redondrainagen.

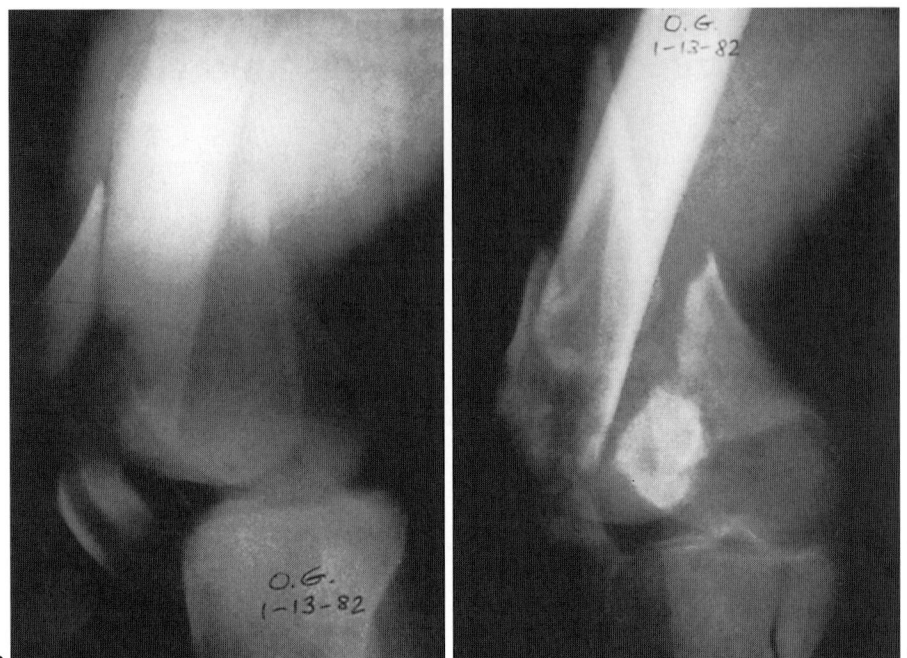

Abb. 16.1 a, b.   Kondylenfraktur

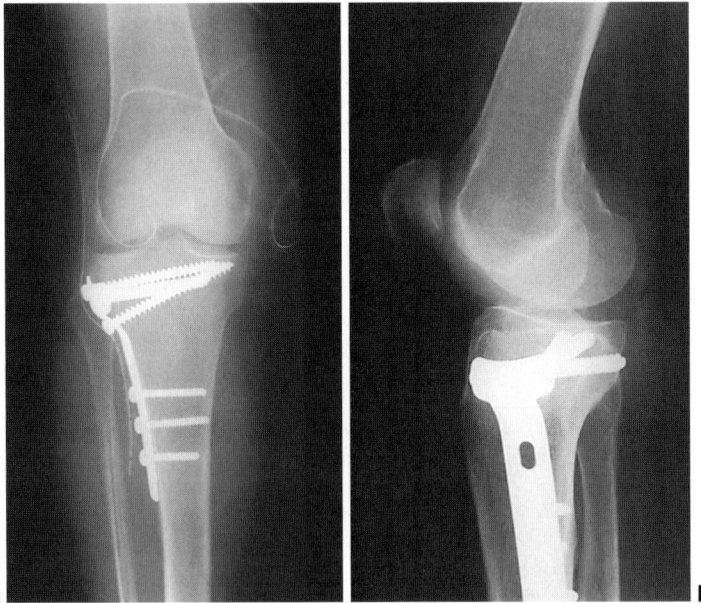

Abb. 16.2.   **a** Osteosynthese einer Tibiakopffraktur, Abstützplatte, **b** seitliche Aufnahme

Abb. 16.3. **a** Patellafraktur, **b, c** Zuggurtungsosteosynthese

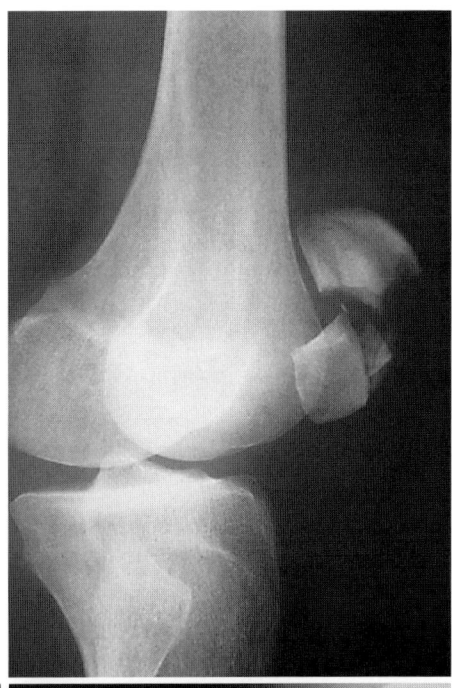

a

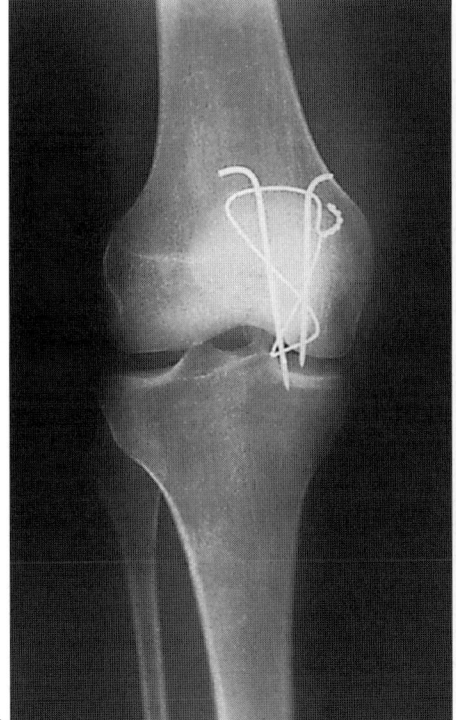

b

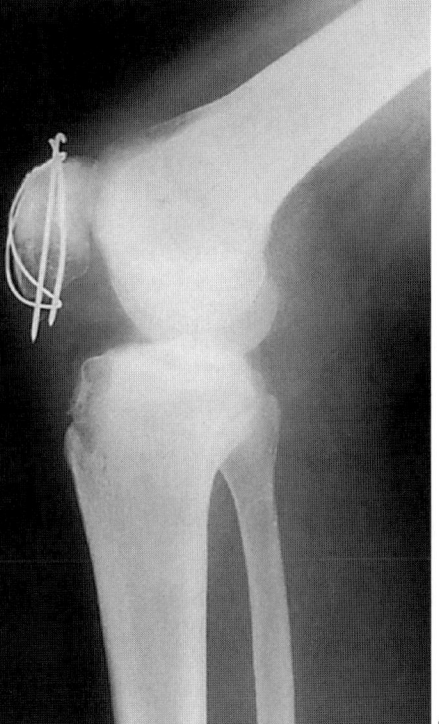

c

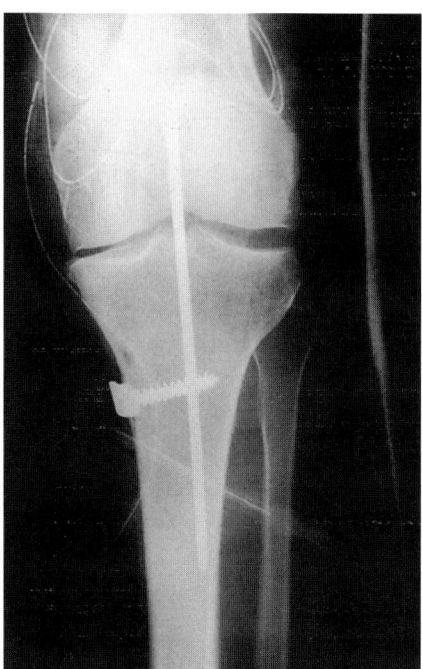

Abb. 16.4. Temporäre Arthrodese nach Patellasehnenruptur

Das Kniegelenk ist ein *sehr empfindliches Gelenk,* das hohen Belastungsdrucken ausgesetzt ist. Der Rollgleitmechanismus beginnt bereits bei ca. 15–20° Knieflexion und verursacht eine Drehachsenverschiebung. Die Hauptbänder des Kniegelenkes kontrollieren die Gelenkbewegungen.

Nach Wirth (1984) und Jäger und Wirth (1978) wird das *Innenband* am vorderen Rand bei zunehmender Beugung, der hintere Rand bei Streckung gespannt. Der mittlere Abschnitt wird bei voller Streckung und ca. 50° Beugung maximal gestrafft. Valgusstreß und Außenrotation verursachen eine Spannungszunahme.

Das *vordere Kreuzband* zeigt mit allen Teilzügen seine Maximalspannung bei Überstreckung und etwa 100° Beugung. Varusstreß und Innenrotation erhöhen die Spannung dabei. Valgusstreß und Außenrotation verringern die Spannung. Das *hintere Kreuzband* ist von der vollen Streckung bis etwa 60° Beugung mäßig gespannt, bei weiterer Beugung wird es zunehmend straffer, es zeigt eigentlich immer einen mittleren Spannungsgrad. Das *Außenband* ist bei Überstreckung gespannt und wird bei Beugung entspannt.

Innenband und Kreuzband reagieren auf Belastungen besonders empfindlich und sind verletzungsgefährdet.

Das hintere Kreuzband ist hauptverantwortlich für die Stabilisation des Kniegelenkes, weil sein Spannungsverhalten in allen Gelenkstellungen fast gleich bleibt. Die Kniegelenkkapsel und die Menisken können nur sekundär das Gelenk gegen Überstreckung stabilisieren.

Die Kinematik der Kreuzbänder bestimmt die Beuge-Streck-Bewegung des Kniegelenkes als Viergelenkkette. Die Drehpunkte sind die jeweiligen Kreuzungspunkte der Kreuzbänder.

Aktive Stabilisatoren sind der M. quadriceps und alle Kniegelenkbeuger. Die Mm. ischiocrurales entlasten das vordere Kreuzband, der M. quadriceps das hintere Kreuzband und die Kollateralbänder. Die Muskeln des Pes anserinus und der M. semimembranosus entlasten das Innenband, der M. biceps femoris und der M. tensor fasciae latae das Außenband.

In der Phase der Schlußstreckung rotiert die Tibia nach außen, der Vastus medialis des M. quadriceps und die Muskeln der Pes-anserinus-Gruppe sichern das Gelenk.

Die Belastung des femorotibialen Gelenkes erreicht nach Hofmann (1988, 1992) z.B. beim Treppensteigen oder bei der Kniebeuge das 3- bis 4fache des Körpergewichtes (Abb. 16.5 und 16.6). Auch das Femoropatellargelenk erfährt bei Beugung (40–60°) die größte Belastung. Beim Aufstehen aus der Hocke oder in die Hocke gehen beträgt die Belastung das 6fache.

Im Mittelstand (Nullstellung des Kniegelenkes) sind die Druckkräfte ausgeglichen, der M. quadriceps und der M. gluteus maximus sind entspannt.

Bei der physiologischen Gewichtsverlagerung während des Gehens vom Fersenkontakt zur Mittelstandphase sichern, nach Cailliet (1975), der M. gluteus maximus, der M. tibialis anterior und der M. gastrocnemius die Gewichtsverlagerung nach vorn. Die Hüftstrecker ziehen den Femur zwischen 0–40° nach hinten (Abb. 16.7 und 16.8). Nachfolgend kann der M. gastrocnemius das Gewicht halten, wenn die Lotstellung überschritten wird.

Wird die Hüftgelenk- und Kniegelenkstreckung nicht erreicht (Schwäche der Hüftgelenkstrecker), kann der M. gastrocnemius das Gewicht nicht halten, das Kniegelenk wird in einer instabilen Stellung belastet, extreme Druckkräfte lasten auf ihm und führen langfristig zu einer *Gonarthrose*. Auch das Femuropatel-

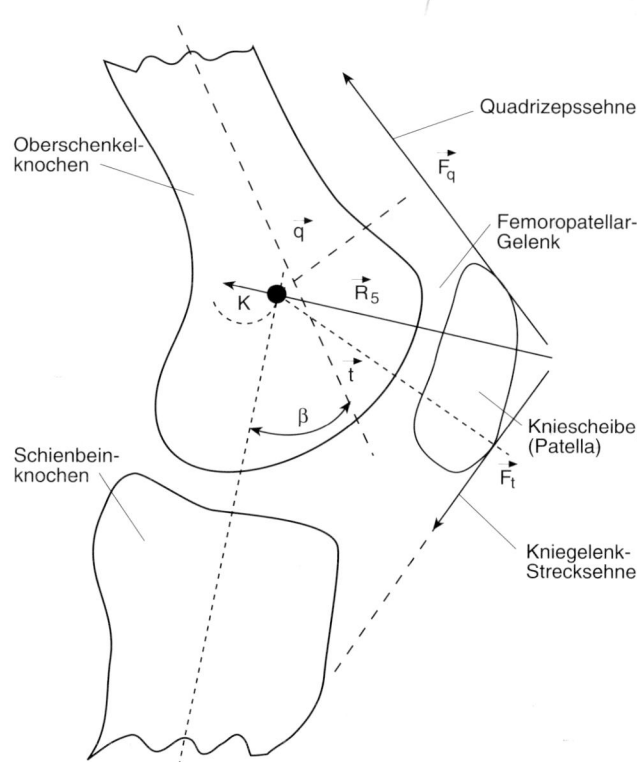

Abb. 16.5. Druckverteilung auf die Kniegelenke. (Nach Hofmann 1992)

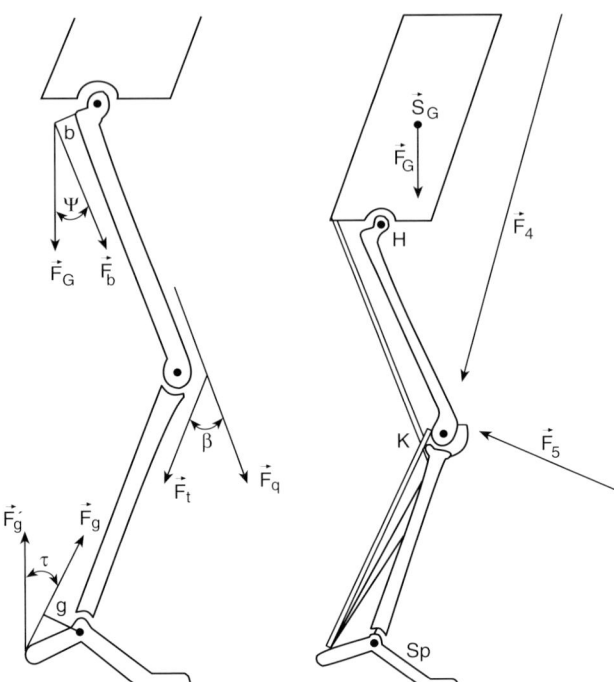

Abb. 16.6. Belastung der Kniegelenke. (Nach Hofmann 1992)

largelenk wird durch die andauernde M.-quadriceps-Arbeit überlastet und arthrotisch verändert.

> Diese biomechanischen Vorgänge müssen Beachtung finden bei der Behandlung aller Kniegelenkverletzungen bezüglich ihrer *Belastbarkeit* und der *Wiederherstellung der Kniegelenkfunktion*. Insbesondere muß kritisch darüber nachgedacht werden, unter welchen Bedingungen das Gelenk teil- oder vollbelastet werden darf und warum Bewegungsbegrenzungen in der Heilungsphase der Hauptbänder eingehalten werden sollen.

Wenn das Kniegelenk eine *Beugekontraktur* aufweist oder in Beugung, z. B. in einer Donjoy-Schiene, fixiert ist, kann der Patient nur mit einem sehr kräftigen M. quadriceps und M. gastrocnemius stehen. Das erhöht unnötigerweise die Belastung auf die beiden Kniegelenke und kann Ursache einer sich entwickelnden Arthrose sein.

Gleichermaßen förderlich für die Entwicklung einer *femuropatellaren Arthrose* ist es, wenn die Patella nach kranial und lateral verschoben ist, z. B. durch eine Schwäche des Vastus medialis des M. quadriceps. Im Normfall gleitet die Patella ca. 5–6 cm in kaudal-kranialer Richtung bei Beugung und Streckung, und die belastete Zone an der Patellagelenkfläche wandert dabei entgegengesetzt. Bei fixierter Patella bleibt der Belastungsdruck auf der gleichen Stelle.

Nach Jäger (1978) unterscheidet man einfache und komplexe Instabilitäten, wobei eine einfache Instabilität

Abb. 16.7. Muskelsicherung des Kniegelenkes ▶
in der Mittelstandsphase. (Nach Cailliet 1975)

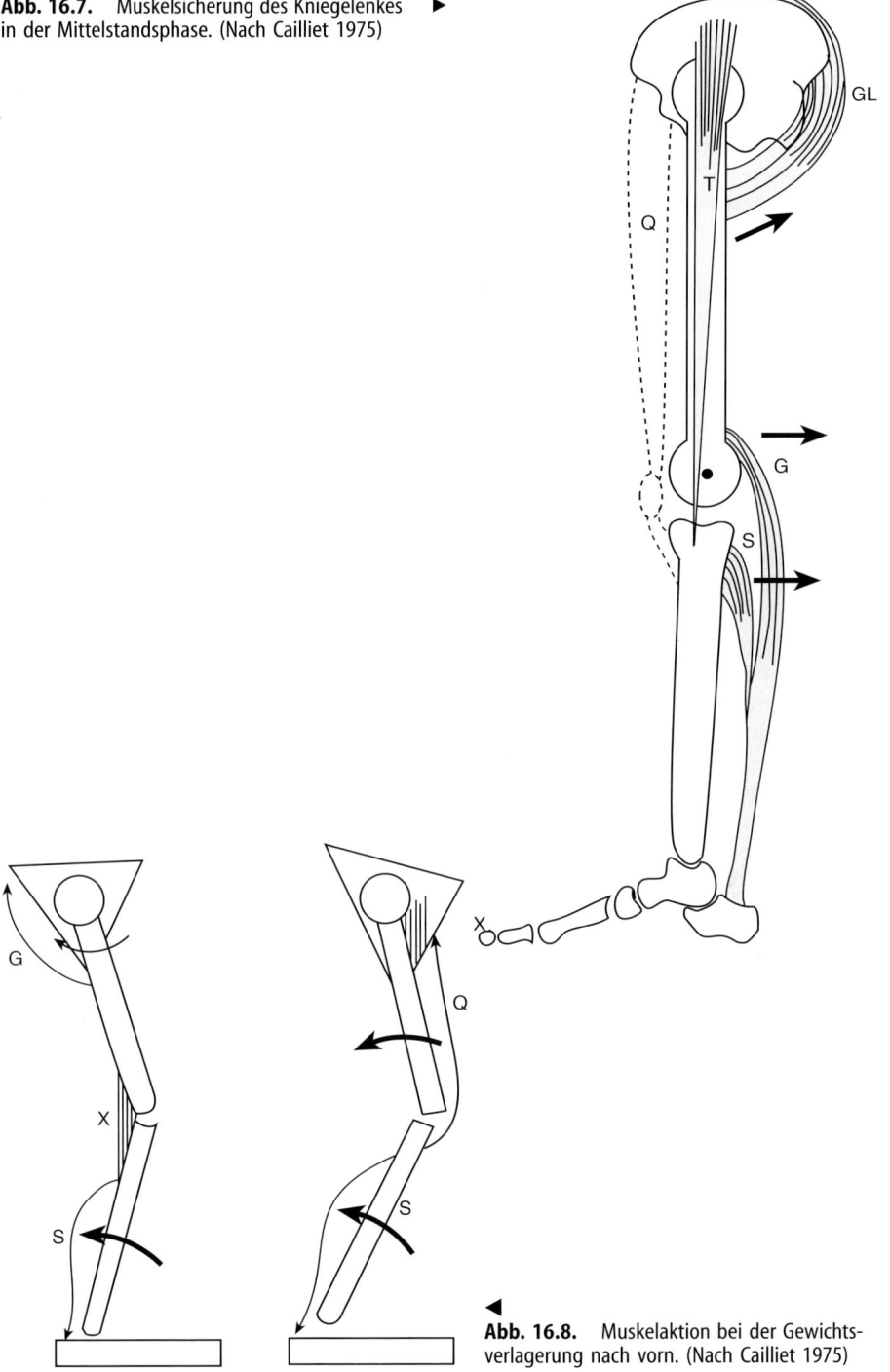

◀ **Abb. 16.8.** Muskelaktion bei der Gewichtsverlagerung nach vorn. (Nach Cailliet 1975)

eine pathologische Beweglichkeit um
1 Achse, eine komplexe Instabilität
Bewegungen um mehrere Achsen
aufweist.

Die einfachen Instabilitäten kommen
sehr selten vor. Insbesondere wird
ein isolierter Riß des vorderen
Kreuzbandes selten diagnostiziert.

Instabilitäten des Kniegelenkes wer-
den nach ihrer Richtung eingeteilt,
z. B.:
• Anteromedial
Ursache: Trauma bei Valgusstellung,
Außenrotation und Flexion führt zu
Verletzung der posteromedialen Kap-
selbandschale, des Innenmeniskus
und des vorderen Kreuzbandes (»un-
happy triad«).
• Anterolateral
Ursache: Trauma bei Varusstellung,
Innenrotation und Flexion führt
zu Verletzung der posterolateralen
Kapselbandschale, des Außenbandes
und vorderen Kreuzbandes, selten
Außenmeniskus.
• Posteromedial
Ursache: Trauma bei Hyperextension
oder Flexion mit Außenrotation,
führt zu Verletzung der medialen
Kapselbandschale und des hinteren
Kreuzbandes.
• Posterolateral
Ursache: Trauma bei Innenrotation
und Flexion führt zu Verletzung des
hinteren Kreuzbandes, der postero-
lateralen Kapselbandschale und des
Außenbandes.

Ärztliche Maßnahmen versuchen, die
*optimalen biomechanischen Gelenk-
verhältnisse* wiederherzustellen. Es
gibt eine Vielzahl von *operativen
Methoden* zur Wiederherstellung der
komplexen Bandstabilitäten. Durchgesetzt hat sich in letzten Jahren der

arthroskopische Kreuzbandersatz
durch ein Patellasehnendrittel oder
durch eine Semitendinosusplastik.

Auch die Nachbehandlung wird
noch immer kontrovers diskutiert.
Ein Trend zeichnet sich ab zur *frühfunktionellen Behandlung* mit weniger Bewegungsbegrenzungen als
noch vor einigen Jahren. Unserer
Auffassung nach müssen die *biomechanischen Gesetzmäßigkeiten* be-
dacht werden, wenn eine Arthrose
vermieden werden soll. Grundlage
für jede Behandlungssteigerung muß
der aktuelle Befund sein.

Typische Symptome nach jeder Knie-
gelenkverletzung sind:
• Gelenkerguß,
• periartikulare Schwellungen,
• Unsicherheitsgefühl bei Belastung,
• Schmerzen bei Bewegung oder
  Belastung (evtl. gering bei Gelenkerguß),
• schnell einsetzende Atrophie der
  Kniestreckmuskulatur (Vastus medialis des M. quadriceps),
• Streckhemmung bei freiem Ge-
  lenkkörper,
• Abwehrspannung der Muskulatur
  und Kontrakturbildung.

Komplikationen

• Infektion des Kniegelenkes (Em-
  pyem),
• Instabilität des Gelenkes,
• Gonarthrose.

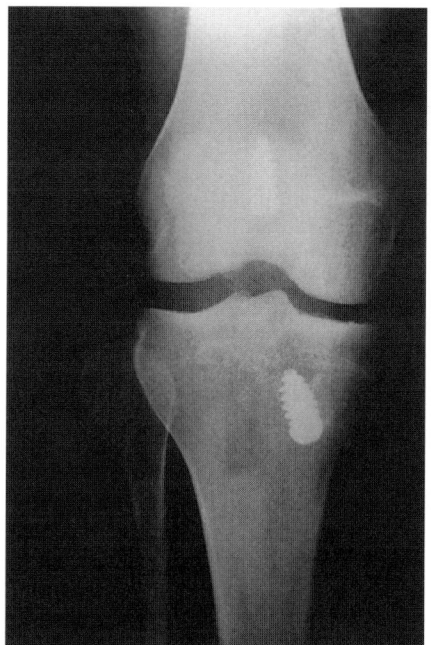

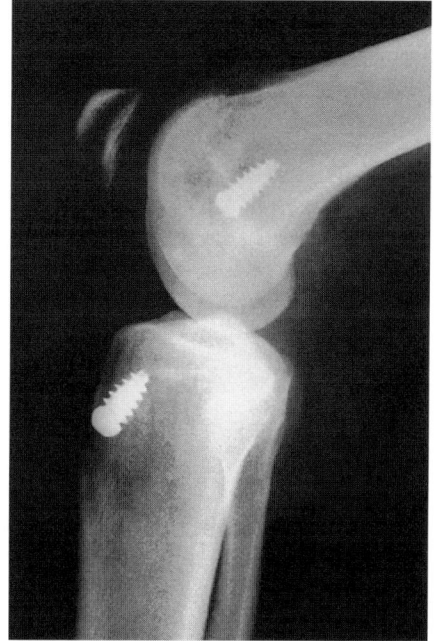

Abb. 16.9. Patellarsehnenplastik nach Riß des vorderen Kreuzbandes

Abb. 16.10. Seitliche Aufnahme

Befunderhebung bei Frakturen

Beurteile

- Gelenkkontur.
- Schwellung.
- Narben.
- Operationswunden.
- Muskelrelief der Oberschenkelmuskulatur, insbesondere des M. vastus medialis.
- Hautdurchblutung.
- Achsenstellung des Gelenkes.
- Qualität des Bewegungsstops.
- Röntgenbild in 2 Ebenen und Patellatangentialaufnahme, CT.

> **!** Zu achten ist auf eventuelle »flake fractures«, knöcherne Ausrisse von Bändern oder alte Knorpelschäden (Arthrose).

MISS

- Aktive Kniebeweglichkeit im Rahmen der vorgegebenen Maße.
- Sprunggelenk-, Hüftgelenkbeweglichkeit.
- Umfang an vorgeschriebenen Stellen, soweit der Verband es erlaubt.

PRÜFE

- Hämarthros, »tanzende Patella« (Abb. 16.11).
- Art der Schwellung.
- Atrophie der Muskulatur.
- Temperatur.
- Verschieblichkeit der Patella (nicht bei Patellafrakturen).
- Muskeltest auf Teststufe 3.

NOTIERE

- Qualität und Lokalisation von Schmerzen: Wann? wo? wie?
- Schonhaltung des Kniegelenkes und sonstige Beschwerden.

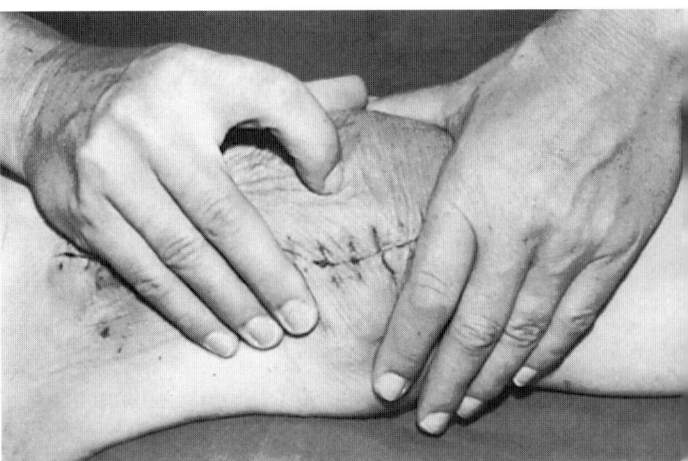

Abb. 16.11.   Prüfen auf »tanzende Patella« als Zeichen eines Gelenkergusses

Befunderhebung bei Kapsel-Band-Verletzungen

Folgende Befunderhebungen werden gezielt vorgenommen, wenn der Verdacht auf eine Bandläsion besteht. Sie ergänzen die Routinebefunderhebung. Beurteilt werden *Schmerzauslösung, -charakteristik und Aufklappbarkeit* des Kniegelenkes. Der Ausprägungsgrad der Tests läßt Rückschlüsse auf die Komplexität der Verletzung zu. Postoperativ dürfen die Stabilitätstests *nicht vor Ablauf der 16. Woche* durchgeführt werden.

BEURTEILE

- Verletzungsmechanismus: Valgus-/Flexions-/ Außenrotationsstreß?
- Punktionsergebnis, Hämarthros?
- Arthroskopieergebnis?
- Zeitpunkt des Schmerzbeginns.
- Zeitpunkt des auftretenden Gelenkergusses.
- Unsicherheitsgefühl beim Gehen.
- Spontaner Schmerz bei der Verletzung oder nicht.
- Vermehrte Rotationsfähigkeit im Gelenk.
- Durch spezielle Tests die Schmerzauslösung und Stabilität des Kniegelenkes im Seitenvergleich.

STABILITÄTS-
PRÜFUNG

- Abduktionstest bei 0° Streckung und 20° Kniebeugung.
- Lachman-Test bei 20° Kniebeugung (strecknahe Schublade).
- Schubladentest bei 90° Kniebeugung in Rotationsnullstellung, bei 15° Außenrotation und bei 30° Innenrotation.
- Pivot-Shift-Test (Slocum 1968, 1976).
- Außenrotations-Rekurvatum-Test.
- Jerk-Test.

Üblich ist eine *Klassifizierung* der Aufklappbarkeit in:
- leicht (1°)   +   3– 5 mm,
- mittel (2°)   ++   5–10 mm,
- ausgeprägt (3°) +++ >10 mm.

[Abb. 16.12, Schema zur Dokumentation der Kniestabilität der Schweizer Orthopädischen Arbeitsgruppe Knie (OAK.)]

Noyes (Hackenbruch u. Müller (1987, S. 108) hat ein Schema angegeben (Abb 16.13) das die translatorische Instabilität dokumentiert.

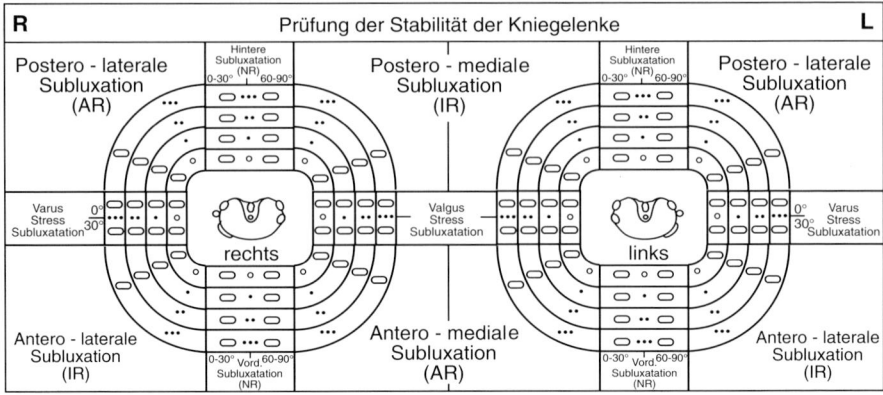

Abb. 16.12. Schema zur Dokumentation der Kniestabilität von der Schweizer Orthopädischen Arbeitsgruppe

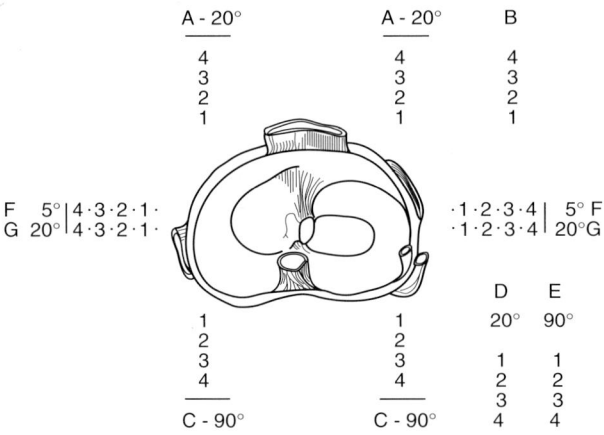

Abb. 16.13. a–g Dokumentation der translatorischen Instabilitäten (Nach F. Noyes 1987, in: Hackenbruch und Müller 1987). **a** vordere Schublade, **b** dynamische Subluxation, **c** hintere Schublade, **d** Rotationsverlust in 20°, posterolaterale Schublade, **e** Rotationsverlust in 90°, posterolaterale Schublade, **f** Valgus-Varus-Test in 5° Beugung, **g** Valgus-Varus-Test in 20°-Beugung

Tests zur Stabilitätsprüfung

ABDUKTIONSTEST IN KNIESTRECKUNG

Dieser Test ist bei der anteromedialen Instabilität Grad 1 und 2 negativ. Nur wenn das Innenband und das mediale Kapselband mitverletzt sind, besteht eine leichte Aufklappbarkeit. Eine Schädigung des Hinterhorns des Meniskus ist möglich.

ABDUKTIONSTEST IN 20° KNIEBEUGUNG

Dieser Test ermittelt sicher einen Innenbandschaden bei leichter Außenrotationsstellung. Bei einer anteromedialen Instabilität 3. Grades ist er mittelgradig positiv, bei einer Instabilität 1. und 2. Grades ist er unauffällig.

LACHMAN-TEST

Der Lachman-Test ermittelt die strecknahe Schublade und damit eine vordere Kreuzbandläsion und die anteromediale Instabilität 2. Grades. Er ist der wichtigste Test zur Ermittlung einer ateromedialen Kniegelenkinstabilität, die beim normalen Gehen auftritt. Es kann eine qualitative Aussage über eine vordere Kreuzbandverletzung gemacht werden, der Bewegungsstop der Schublade ist weich oder leer. Bei frischen Verletzungen ist der Lachman-Test wertvoller als der Schubladentest in 90° Beugung.
▶ Der Lachman-Test wird aus ca. 20° Kniegelenkbeugestellung und bei aufliegender Ferse ausgeführt. Die hinter dem Tibiakopf liegende Hand zieht den Unterschenkel nach ventral und läßt ihn dann plötzlich los. Die Tibia fällt bei positivem Test in die Neutralposition zurück.

Dieser Test ist *bei frischen Verletzungen schmerzloser* als der Pivot-Shift-Test.

SCHUBLADENTEST

Der *Schubladentest nach vorn* ermittelt auch als Rotationsschubladentest die kombinierte Verletzung des vorderen Kreuzbandes und der medialen oder lateralen Kapselbandschale. Ist die Rotationsschublade mit *Außenrotation* positiv, handelt es sich um eine anteromediale Instabilität 3. Grades. Ist sie bei *Innenrotation* positiv, handelt es sich um eine zusätzliche Verletzung des Tractus iliotibialis. Isolierte Kreuzbandläsionen, die anteromediale Instabilität 1. Grades, können durch den Schubladentest nicht erfaßt werden.
▶ Die hintere Kreuzbandläsion wird durch die *hintere Schublade* in Rotationsnullstellung, 30° Außenrotations- und 15° Innenrotationsposition ermittelt.

PIVOT-SHIFT-TEST

Dieser Test ermittelt die anterolaterale Instabilität (nach Slocum 1968, 1976).
▶ Er wird in einer entspannten Halbseitenlage ausgeführt. Bei der Bewegung des leicht innenrotierten, valgisierten Kniegelenkes von der Streckung in die Beugung rutscht die Tibia bei ca. 30 – 40° mit einem kleinen Ruck aus ihrer Subluxationsstellung zurück in ihre Normalposition. Die Ursache liegt in der Stellung des Tractus iliotibialis, der bei zunehmender Beugung des Kniegelenkes hinter der Beugestreck-Achse liegt und damit das laterale Tibiaplateau wieder nach hinten reponieren kann. Eine vordere Kreuzbandläsion und anterolaterale Instabilität 2. Grades sind sicher zu erkennen.

Jerk-Test

Er ermittelt die Luxation des lateralen Tibiakondylus gegen den Femurkondylus nach vorn als Folge einer anterolateralen Instabilität.

▶ Der Test wird in Rückenlage ausgeführt, dabei wird aus 90° Beugung der Unterschenkel leicht innerotiert und abduziert und anschließend vorsichtig gestreckt. Bei ca. 30° und positivem Test subluxiert der laterale Tibiakondylus ruckhaft nach vorn.

Aussenrotations-Rekurvatum-Test

Mit Hilfe dieses Tests läßt sich die dorsolaterale Instabilität erkennen.

▶ Das Bein wird aus Rückenlage von der Ferse aus angehoben, bei positivem Test entsteht dabei eine Außenrotations- und Rekurvatumstellung.

Schmerzbeurteilung

▶ Schmerzauslösungen werden von ihrer Qualität, lokalen Zugehörigkeit zu den einzelnen Strukturen und dem Ausprägungsgrad beurteilt. Sie können verdeckt sein durch ein Hämarthros. Die Schmerzcharakteristika sind vor allem bei Teilrupturen zu erkennen. Druckempfindlichkeit besteht bei allen Bandverletzungen.

▶ Testverfahren zur Ermittlung von *Meniskusverletzungen* (Druckschmerz im Gelenkspalt, Gelenksperre) sind:
• Abduktions-Adduktions-Test des Unterschenkels gegen den Oberschenkel in 0°- und 30°-Stellung des Kniegelenkes.
• Steinmann-Tests.

Das *Steinmann-Zeichen I* wird in 90° Kniebeugung unter Rotation ausgeführt und verursacht bei positivem Ergebnis einen entsprechend medialen oder lateralen Druckschmerz im Gelenkspalt (Abb. 16.14).

Das *Steinmann-Zeichen II* beschreibt den von ventral nach dorsal wandernden Schmerz bei Kniebeugung aus dem Stand, bei Streckung wandert der Schmerz wieder nach ventral. Der Schmerz wird als stechend beschrieben.

Eine Blockierung des Gelenkes bei einem Streckversuch weist auf einen Abriß eines Meniskus hin (Abb. 16.15).

Abb. 16.14. Prüfung auf Meniskusverletzung

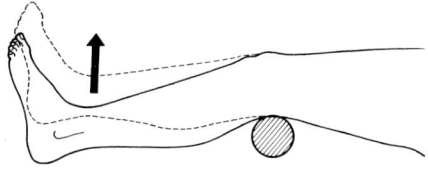

Abb. 16.15. Kniestreckversuch

Behandlungskonzepte bei Kapsel-Band-Verletzungen

> **!** Bis heute fehlen klare Richtlinien zur physiotherapeutischen Behandlung der Kapsel-Band-Läsionen. Insbesondere vermissen sorgfältig arbeitende Physiotherapeutinnen Vorgaben für ein befundbezogenes Behandeln der Patienten.

Folgende *Behandlungsschemata* zeigen die unterschiedlichen Auffassungen auf:

- **1. Schema:** Münch, Schmidt, Mayr (Orthopädiepraxis, München)
Operationstag:
  - Lagerung in gerader Schiene.
  - Kälteapplikation.
  - Motorschiene 0–20–60°.
  - Isometrie für Mm. ischiocrurales.

1.–2. Tag:
- Aufstehen mit Gehstützen nach Redondrainagenentfernung.
- Motorschiene und Physiotherapie passiv 0–0–90°.
- Aktive Knieextension nur 90–60–0°.
- Patellamobilisation.
- Donjoy-Schiene 0–0–90.

3.–7. Tag:
- Vierpunktgang mit Stützen im schmerzfreien Bereich,
- Knieflexion 0–20–50°.
- Bauchlage Mm. ischiocrurales.

8.–14. Tag:
- Übergang zu Vollbelastung bei Schmerzfreiheit mit der Donjoy-Schiene.
- Stabilisation in 70° Flexion, sonst s. oben.

3.–6. Woche:
- Ab 4. Woche Standfahrrad.
- Nach 6 Wochen Knieflexion in Schiene freigegeben.
- Stationäre Rehabilitation.
- Treppe aufwärts gesundes Bein, abwärts operiertes Bein.

7.–12. Woche:
- Einbeinige Stabilisation, 0–20–60°.
- Minitrampolin, Side-to-side-step.
- Normales Treppengehen.

12.–16. Woche:
- Wiederaufnahme des Berufes.
- Federn, Traben, Sportkreisel etc.

Verbot besteht für Lachman-Test, isokinetische Tests und Beincurler.

Die Sportfähigkeit bestimmt der Operateur.

- **2. Schema:** Orthopädische Universitätsklinik München
Operationstag:
  - Donjoy-Schiene 10–10–10°, Hochlagerung.
  - Kälteapplikation.

1. und 2. Woche:
- Donjoy-Schiene 0–0–60° ab 3. postoperativem Tag.
- Patellamobilisation.
- Extension passiv, abgenommene Schwere.
- Flexion aktiv mit Kokontraktion, mit Schiene.
- Dreipunktgang mit Unterarmstützen, Sohlenkontakt.
- 14. Tag Donjoy-Schiene 0–0–90°.

3.–6. Woche:
- Bis zur 4. Woche Belastung steigern auf halbes Körpergewicht.

- Ab 5. Wo. Donjoy-Schiene 0–0–120°.
- Bis Ende der 6. Woche Vollbelastung, Schienenabnahme.

7.–12. Woche:
- Stabilisationstraining etc.

12.–16. Woche
- Vorsichtiges Lauftraining, Fahrrad.

Verboten sind isokinetische Tests und Kraftmaschinen. Sport nach Rücksprache mit Operateur.

- **3. Schema:** Chirurgische Universitätsklinik Großhadern, München
Operationstag:
  - Gipsschale in 30° Kniebeugung, Hochlagerung auf Krapp-Schiene, Kühlen.

1. und 2. Woche:
- Nach Entfernung der Redondrainage und Verträglichkeit Anlegen der Donjoy-Schiene 0–20–60°.
- Einüben der Kokontraktion der Mm. ischiocrurales und M. quadriceps (Abb. 16.16).
- PNF mit dem anderen Bein und den Armen.
- Patellamobilisation (Abb. 16.18 und 16.19).

- Widerstandsübungen für Sprunggelenk- und Hüftgelenkmuskeln des betroffenen Beines, Schwerpunkt: Mm. ischiocrurales.
- Aufstehen ohne Belastung.

3. und 4. Woche:
- Änderung der Donjoy-Schiene auf 0–10–75°.
- Technik »Endstellung halten mit Kokontraktion«.
- Verstärkungstechniken von den Armen und vom anderen Bein (Abb. 16.20).
- Training von Mm. ischiocrurales, M. glutaeus maximus (Abb. 16.18–16.19), M. gastrocnemius, Patellamobilisation.
- Wenn die Kniegelenkstreckung bei 0–10° schmerzfrei und sicher gehalten werden kann und kein Gelenkerguß vorhanden ist, darf mit Sohlenkontakt begonnen werden (Abb. 16.24).

5. und 6. Woche:
- Änderung der Donjoy-Schiene auf 0–0–90°.
- Erarbeiten der Beweglichkeit und der Kniegelenkstabilisation in diesem Bewegungsumfang. Wenn das

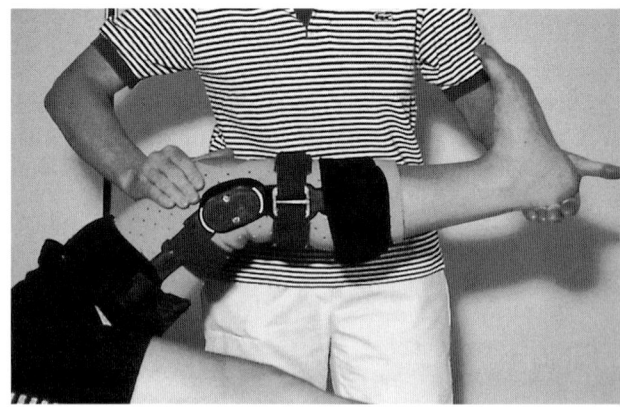

Abb. 16.16. Kokontraktion Mm. ischiocrurales mit M. quadriceps in der Donjoy-Schiene

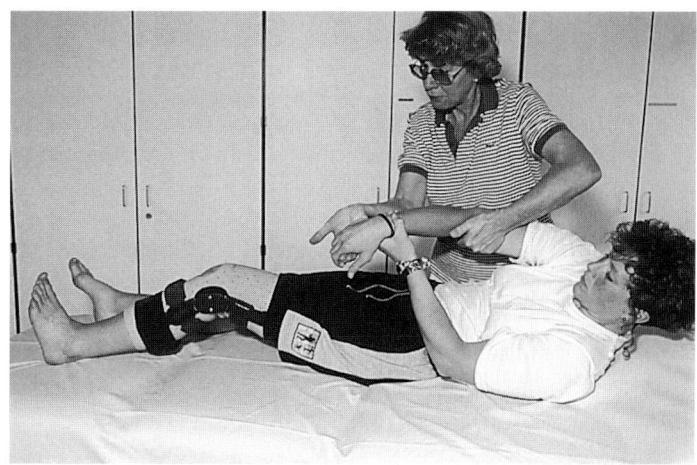

Abb. 16.17. Dasselbe verstärkt durch ein asymmetrisches Armmuster

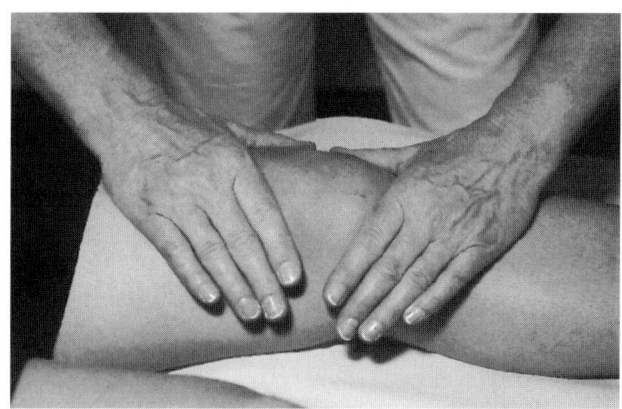

Abb. 16.18. Patellagleiten nach kranial-kaudal

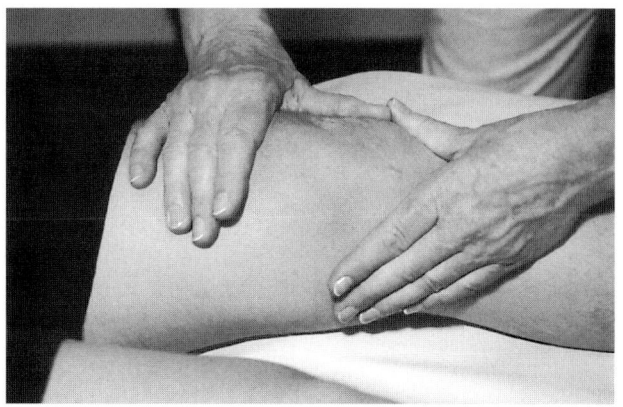

Abb. 16.19. Patellagleiten nach medial-lateral

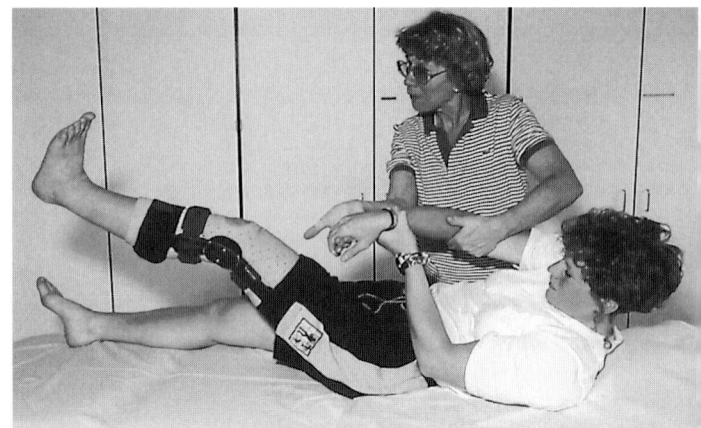

Abb. 16.20. Statische Arbeit des M. quadriceps im freien Raum mit Verstärkung durch Rumpfmuster

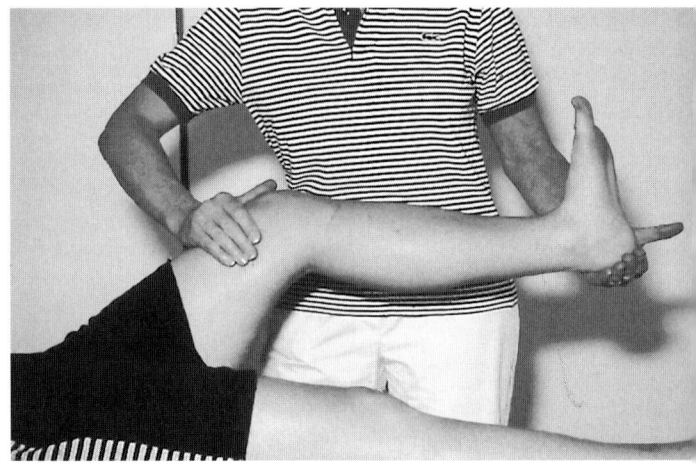

Abb. 16.21. Kokontraktion ohne Schiene gegen manuellen Kontakt

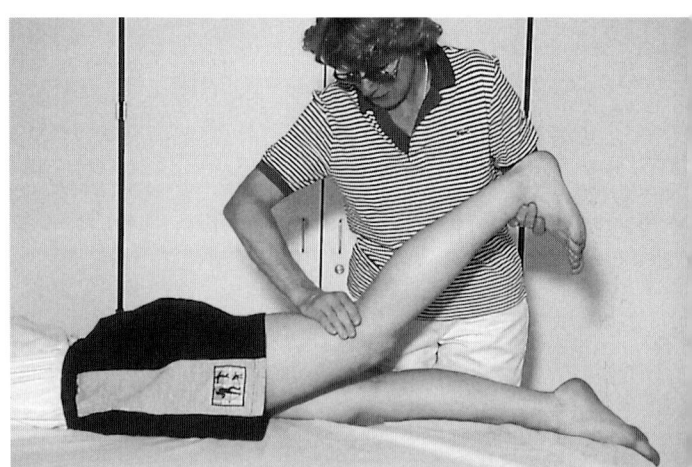

Abb. 16.22. Kokontraktion aus Bauchlage gegen manuellen Kontakt

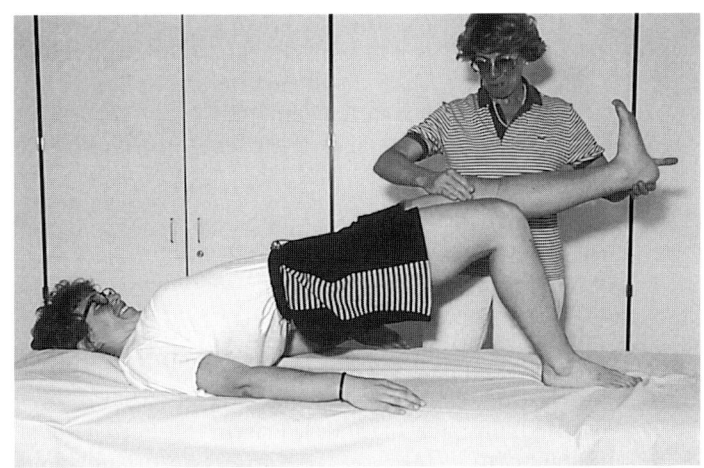

Abb. 16.23. Kokontraktion und Bridging

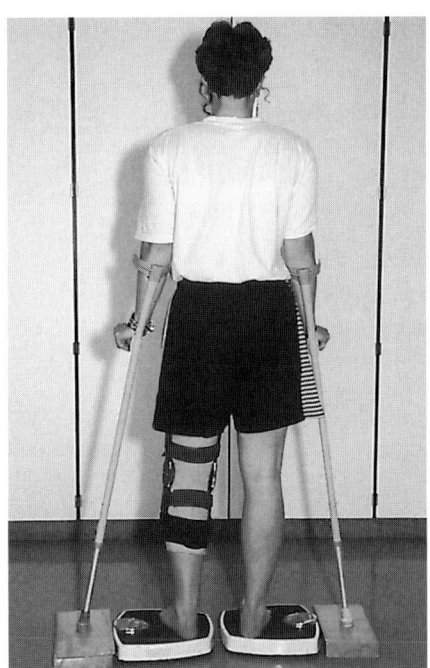

Abb. 16.24. Einüben der vorgegebenen Belastung auf der Waage

Kniegelenk reizlos die Streckung erreicht hat und das Gelenk muskulär gesichert ist, darf die Belastung auf 20 kg und wöchentlich entsprechend weiter gesteigert werden (Abb. 16.25 und 16.26).

Nach 6 Wochen:
- Abnahme der Donjoy-Schiene (stufenweises Abtrainieren).
- Erarbeitung der Gelenkstabilisation im Stand und beim Gehen.
- Weitere Mobilisation der Kniegelenkflexion, z.B. auch mit manueller Medizin nach Maitland, Frisch, Kaltenborn.
- Belastungssteigerung nach Befund.

Bis zur 16. Woche:
- Individuelles Training der Muskulatur.
- Verbesserung der Kraft, Ausdauer und Geschicklichkeit.
- Gehschulung.
- Mobilisation.
- Bei deutlicher Funktionsverbesserung darf mit Vollbelastung, Standfahrrad und ab der 13. Woche mit leichtem Lauftraining begonnen werden.

Über die Wiederaufnahme des Sports entscheidet der Operateur. Nicht erlaubt sind isokinetische Tests und das Üben mit diesen Geräten sowie mit Kraftmaschinen.

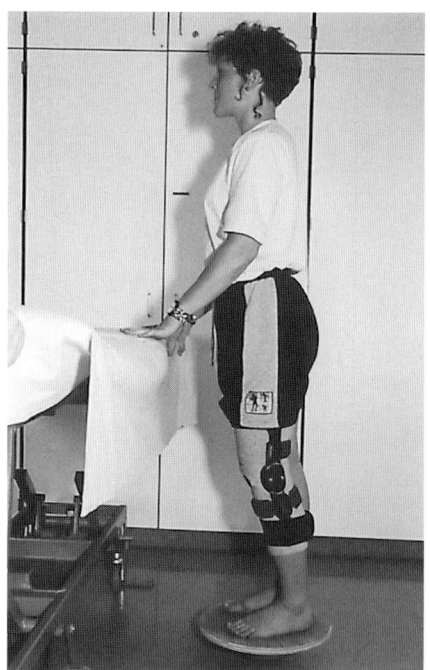

Abb. 16.25. Stabilisation auf dem Sportkreisel

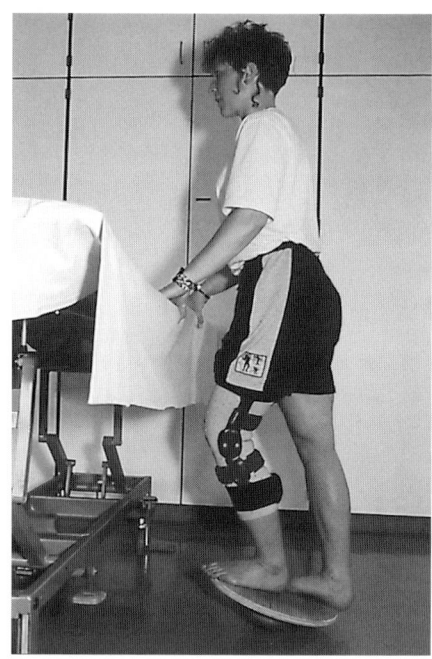

Abb. 16.26. Stabilisation in Schrittstellung auf dem Sportkreisel

> ❗ Nicht die Wochenzahl, sondern der aktuelle Befund ist Kriterium für eine Steigerung der Belastung oder Erweiterung des Bewegungsumfanges.

Biomechanik und funktioneller Befund sollen Grundlage der physiotherapeutischen Behandlung sein. Besonders sorgfältig sollen die Ziele in der postoperativen Zeit festgelegt werden.

▶ Hauptziel muß die Wiederherstellung der physiologischen Bewegungsabläufe des Kniegelenkes sein. Insbesondere soll:

- das Kniegelenk seine Rollgleitfunktion, die Schlußrotation und volle Streckfähigkeit wiedererlangen,
- durch Muskelspannung und adäquate Belastung die Frakturheilung gefördert werden,
- die Muskelkraft des M. glutaeus maximus, des M. quadriceps und des M. gastrocnemius zur tonischen Kontrolle des Kniegelenkes beim Gehen und Stehen ausreichend vorhanden sein,
- Die Gleitfähigkeit der Patella zur Entlastung des Retropatellargelenkes und vollen Beweglichkeit des Kniegelenkes erreicht werden,
- Kontrakturen des Hüft- und Kniegelenkes vermieden werden,
- Schmerz als Ursache für Muskelschwächen und Kontrakturen beseitigt werden,
- das Bewegungsverhalten verbessert werden.

Behandlungsmöglichkeiten

GESICHTSPUNKTE
DER BEHANDLUNG

1. Förderung der Resorption des Gelenkergusses.

● 1. Beseitigung des Hämarthros

Die Behandlung des Gelenkergusses ist für alle Verletzungen im Bereich des Kniegelenkes vordringlich. Das Kniegelenk ist eines der empfindlichsten Gelenke. *Postoperativ* ist mit einem blutigen Erguß zu rechnen, später kann das Kniegelenk auf jede Störung mit einem *Reizerguß* reagieren.

▶ Vor jeder Behandlung muß die Physiotherapeutin überprüfen, ob ein intraartikulärer Erguß vorliegt (Test auf »Tanzen der Patella«, s. Abb. 16.11).

▶ Besteht ein Gelenkerguß, sollte die Knieflexion auf 30° begrenzt werden, weil durch den Flüssigkeitsdruck die Kapsel bei weiterem Rollgleiten vermehrt gedehnt und ausgeleiert wird. Die Folge wäre ein instabiles Gelenk.

1. Förderung der Resorption des Gelenkergusses.
2. Abbau der Temperaturerhöhung und der periartikulären Schwellung.
3. Lagerungskontrolle, Kontrolle des Schienensitzes.
4. Erarbeiten der Muskelspannung, die notwendig ist zur aktiven Kniegelenkstabilisation und Frakturheilung.
5. Mobilisation der Patella und des Kniegelenkes.
6. Kräftigung des M. quadriceps und der Mm. ischiocrurales, des M. gastrocnemius und M. glutaeus maximus.
7. Vorbereitung zur Belastung.
8. Gehschulung ohne Belastung, mit Sohlenkontakt, Teilbelastung oder Vollbelastung.

▶ Sind die Umfangsmaße im Vergleich zur anderen Seite vergrößert und »tanzt« die Patella nicht, handelt es sich um eine *extrakapsuläre Schwellung*. Dann ist eine Bewegungslimitierung nicht nötig. Meist schmerzt ein mit Synovia prall gefülltes Gelenk kaum. Die Resorption des Ergusses und der äußeren Schwellung wird über frühzeitiges Kühlen nach der Verletzung oder Operation erreicht. Wenn möglich, wird ein Kompressionsverband angelegt. Spannungsübungen im Sekundenrhythmus, Eisanwendungen, Hochlagern und Kompressionsverbände werden wechselnd angewendet.

▶ Gekühlt wird mit vorgefertigten Cool packs oder Eischips in einem Plastikbeutel, jeweils in einem Baumwollbezug. Kann der Patient nicht selbst die Eiskompressen entfernen, wenn die Kälte unangenehm wird oder ein Kälteschmerz auftritt, muß die Physiotherapeutin oder das Pflegepersonal dafür Sorge tragen.

▶ Ischämische Symptome sind vermeidbar, wenn der Patient informiert ist und nach Wohlbefinden (nicht über 10–15 Min.) kühlt.

Das Auflegen von Eisbeuteln ohne Baumwollunterlage ist ein Kunstfehler. Vorsicht ist geboten bei unkontrolliertem Kühlen über Stunden, dann sollen milde Kühlformen gewählt werden mit Umschlägen oder Tüchern. Feuchte Kälte verbietet sich selbstverständlich im Bereich der Fäden oder offener Wunden.

▶ Über den Tag verteilt soll der Patient zu *eigenem Üben* bzw. Spannen der Oberschenkelmuskulatur angeleitet werden. Ein Verkleben des oberen Rezessus kann vermieden werden, wenn der Patient und die Physiotherapeutin von Anfang an die Patella passiv nach kranial, kaudal, medial und lateral verschieben.

Eine *Hochlagerung* muß entsprechend der zusätzlichen Schienung des Kniegelenkes individuell geplant werden.

▶ Ist die Streckstellung wichtiger Gesichtspunkt, kann die U-Schiene gewählt und das Bettende hochgestellt werden. Ist eine mäßige Beugung sinnvoll, kann die Krapp-Schiene Verwendung finden. Diese paßt jedoch nicht immer, wenn die Donjoy-Schiene in einem bestimmten Winkel angelegt ist. Tagsüber

GESICHTSPUNKTE
DER BEHANDLUNG

kann auch in einigen Fällen die Motorschiene in einer individuellen Einstellung zur Lagerung gewählt werden.

▶ Alle vorgefertigten Lagerungsschienen haben den Nachteil, daß sie bei langen Oberschenkeln und kurzen Unterschenkeln – oder umgekehrt – nicht passen und zu Unruhe an Frakturen oder Bandnähten führen. Sinnvoller ist dann eine Betteinstellung, wie dies bei modernen Klinikbetten möglich ist.

2. Abbau der Temperaturerhöhung und der periartikulären Schwellung.

● **2. Abbau der lokalen Temperaturerhöhung**

Hierzu wird in der gleichen Weise gekühlt, wie oben beschrieben.

3. Lagerungskontrolle, Kontrolle des Schienensitzes.

● **3. Lagerungskontrolle, Kontrolle des Schienensitzes**

Kann die Hochlagerung nach einigen Tagen beendet werden, soll bei der Lagerung die *Entlastung* der jeweiligen Struktur sowie die *Funktion des Kniegelenkes* Berücksichtigung finden.

▶ Die Nullstellung des Sprunggelenkes und die annähernde Nullstellung des Hüftgelenkes müssen angestrebt werden. Das Kniegelenk muß unbedingt in Rotationsnullstellung sicher gelagert sein.

▶ Wieviel oder wie wenig das Kniegelenk unterlagert werden muß, ist von der vorgegebenen Bewegungsgrenze, der Donjoy-Schiene oder der Gipsschiene abhängig. Bei einer Oberschenkelgipsschiene wird die Ferse gegen den Gips gedrückt, wenn das Kniegelenk nicht abgestützt ist.

▶ Besteht eine Verletzung der femoralen Gelenkfläche, wird evtl. für 1–2 Tage eine Lagerung in Rechtswinkelstellung des Kniegelenkes verordnet.

▶ Patienten mit übungsstabilen Frakturversorgungen sollen so früh wie möglich in strecknaher Stellung gelagert sein. Wie bereits beschrieben, kann die CPM-Schiene strecknah oder in jeder geforderten Stellung des Kniegelenkes angehalten werden und als Lagerung dienen. Allerdings stellt sich das Problem der exakten Einstellung des Drehpunktes auf die Kniegelenkhöhe. Bei der Benutzung der CPM-Schiene bleibt das Hüftgelenk in einer Beugestellung; dies ist für die Funktion des M. glutaeus maximus und des Hüftgelenkes schädlich. Stundenweise und vor allem nachts muß deshalb das Bein von der Schiene genommen werden.

GESICHTSPUNKTE
DER BEHANDLUNG

4. Erarbeiten der
Muskelspannung,
die notwendig ist
zur aktiven Knie-
gelenkstabilisation
und Frakturhei-
lung.

▶ *Niemals darf das Bein an die CPM-Schiene fixiert
werden.* Da die Schiene die Rollgleitbewegung des
Kniegelenkes nicht mitmachen kann, wird das Knie
bei der Beugestellung ein wenig abgehoben. Auch
die Fußraste muß individuell eingestellt sein, damit
das Knie nicht bei der passiven Beugebewegung ge-
staucht wird (s. Abb. 17.8, CPM-Schiene, in Kap. 17).

● **4. Erarbeiten der Muskelspannung, die notwendig
ist zur aktiven Kniegelenkstabilisation**

Das Bemühen um volle Kniegelenkstreckung ist ein
wichtiger Behandlungspunkt bei allen Frakturen.
Der *M. quadriceps* ist der wichtigste Stabilisator des
Kniegelenkes (Abb. 16.27, 16.28 und 16.29). Bei voller
Streckung des Kniegelenkes ist er entspannt und
entlastet auf diese Weise das Femoropatellar- und
das Femorotibial-Gelenk. Muß ein Patient ständig in
Beugestellung belasten, wirkt auf die kleinere Bela-
stungsfläche neben dem Körpergewicht auch noch
der Spannungsdruck des M. quadriceps, der das
Knie vor dem Zusammensinken bewahren will. Die
Beugestellung des Kniegelenkes ist außerdem eine
sehr instabile Stellung, in der rotatorische Kräfte
wirken. Sie kann deshalb zu einer frühzeitigen Arthrose führen. Bei fehlender Streckfähigkeit des
Kniegelenkes wird auch das Hüftgelenk in Flexion

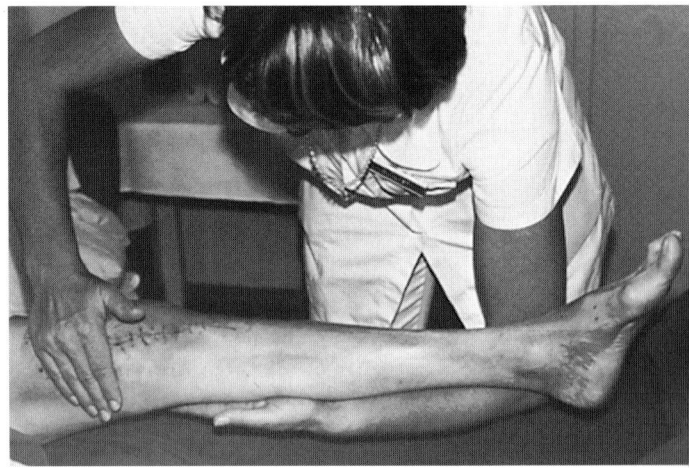

Abb. 16.27.   Versuch der
ersten M.-quadriceps-
Spannung bei Abnahme
der Beinschwere

belastet, der *M. glutaeus maximus* verliert seine Zugkraft und es entsteht ein Circulus vitiosus. Zur axialen Belastung des Beines nach Frakturen, besonders aber auch bei der dorsomedialen und dorsolateralen Instabilität, muß die volle Kontraktionsfähigkeit des M. quadriceps und M. glutaeus maximus erarbeitet werden (Abb. 16.29).

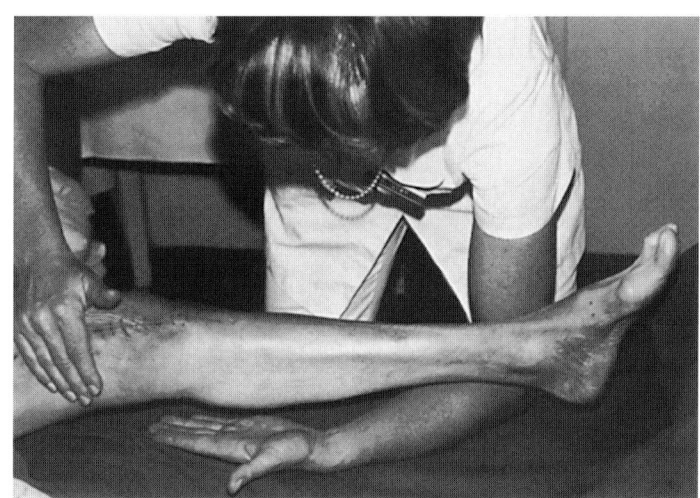

Abb. 16.28. Versuch, die Eigenschwere des Unterschenkels zu halten (Endstellung halten)

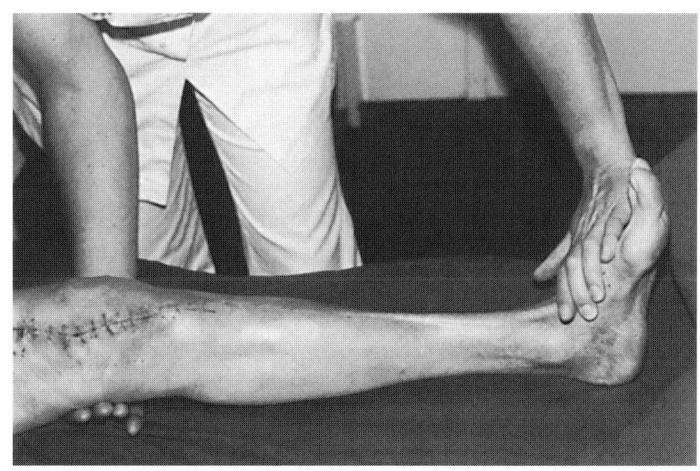

Abb. 16.29. Kniestrekkung mit Verstärkung über Dorsalextension des Fußes und M. glutaeus maximus-Spannung

GESICHTSPUNKTE
DER BEHANDLUNG

4. Erarbeiten der
Muskelspannung,
die notwendig ist
zur aktiven Knie-
gelenkstabilisation
und Frakturhei-
lung.

Hingegen sichert die *ischiokrurale Muskulatur* das Kniegelenk bei der anteromedialen Instabilität. Da bei der vollen Streckung der gesamte Bandapparat die Funktion der Stabilisierung des Kniegelenkes übernimmt, bedeutet die Schlußstreckung mit ihrer Tibiaaußenrotation eine Vollbelastung für den gesamten Kapselbandapparat.

Der *M. gastrocnemius* sichert das Kniegelenk von dorsal, wenn das Gewicht des Körpers über die Lotstellung gebracht werden soll. Seine Zugkraft muß deshalb ebenfalls erarbeitet werden.

▶ Je nach Muskelbefund kommen als *Techniken* in Frage:
• Endstellung halten gegen Führungskontakt.
• Bewegen und Halten gegen Führungskontakt.
• Kokontraktion antagonistischer Muskelgruppen.
• Techniken mit vertauschtem Punctum fixum und Punctum mobile.
• Verstärkungstechniken nach PNF.
• Einsatz von Kontraktionshilfen.

5. Mobilisation der
Patella und des
Kniegelenkes.

● 5. Mobilisation des Femoropatellargelenkes und des femorotibialen Gelenkes

▶ Schon am ersten postoperativen Tag kann, außer bei der Patellafraktur, mit der Mobilisation der Patella nach kranial-kaudal, medial und lateral begonnen werden (s. Abb. 16.18 und 16.19). Die Mobilisation des femorotibialen Gelenkes muß individuell entsprechend der verletzten Struktur geplant werden.

▶ Bei Frakturen der Gelenkflächen soll eine vorzeitige Druckbelastung vermieden werden. Deshalb wird häufig eine Bewegungsgrenze für 0–20–60° vorgeschrieben, bis die Frakturen teilbelastbar sind.

▶ Übungsstabile Osteosynthesen sollen frühzeitig Sohlenkontakt oder Teilbelastungen erfahren; das bedeutet volle Streckfähigkeit für das Kniegelenk.

▶ Die Bandplastiken erfordern zeitlich begrenzte Bewegungseinschränkungen, die Mobilisation in Streckung oder Beugung muß mit dem Operateur abgestimmt werden (s. auch Schema).

> **!** Immer wird *unter Traktion* mobilisiert.

▶ Die passive Fixation des Femur geschieht gelenk-nah, die mobilisierende Hand liegt ganz proximal am Unterschenkel. Nach vorderer Kreuzbandplastik muß der Oberschenkel von dorsal (s. Abb. 15.9), bei hinterer Kreuzbandplastik von ventral fixiert wer-den. Frühzeitig kann bei übungsstabilen Osteosyn-thesen eine weiche Traktion der Stufe I gesetzt wer-den.

▶ Translatorische Gleitbewegungen müssen auf den Gelenkbefund und die Heilung der Struktur abge-stimmt sein und bedürfen der Rücksprache mit dem Operateur. Welche Technik aus der manuellen Medi-zin eingesetzt wird, bestimmt dann die Qualität des Bewegungsstops.

▶ Im Anschluß an Techniken aus der manuellen Therapie werden geführte, aktive Umkehrbewegun-gen im letzten Bewegungsdrittel durchgeführt.

▶ Aktive Techniken aus dem PNF-Programm wer-den angewendet, wenn die Bewegungsstops weich-elastisch oder elastisch sind. Frühzeitig kommt die sog. »Chirurgische Technik« zum Einsatz, weil sie die feinste Dosierung zuläßt. Die Technik »Rhyth-mische Stabilisation – Entspannen« wird bei schmerzhaften Kontrakturen angewendet; sie gibt der Physiotherapeutin die beste Möglichkeit, Trak-tion auszuüben und schmerzarm zu mobilisieren.

▶ Die intensivste aktive Technik ist »langsame – Umkehr – Halten – Entspannen«. Die Physiothera-peutin kann dabei zusammen mit dem Patienten unter Zug aktiv/passiv weiterdehnen.

▶ Im Anschluß an aktive Mobilisationstechnik soll die gewonnene Bewegung aktiv gehalten werden. Trainingstechniken schließen sich an (Bewegen und Halten, wiederholte Kontraktion).

▶ Bei allen Techniken kann die Eisbehandlung begleitend eingesetzt werden. Eine Eiskompresse über oder unter dem zu dehnenden Muskel oder ein Umschlag um das Gelenk können die Wirkung der Entspannung verbessern. Sie verpflichtet jedoch die Physiotherapeutin, die analgetische Wirkung von längeren Eisanwendungen zu beobachten und besonders vorsichtig zu mobilisieren.

5. Mobilisation der
Patella und des
Kniegelenkes.

Abruptes Vorgehen und massive Manipulationen führen das empfindliche Kniegelenk in einen Reizzustand mit anschließender Verklebung des oberen Rezessus oder Kalzifikation der Kapsel.

Das sorgfältige Umgehen mit dem verletzten Kniegelenk ergibt bessere Langzeitergebnisse.

▶ Gegen auftretende Schmerzen mobilisieren zu wollen schadet dem Knie, da sich reflektorische Abwehrspannungen in der Muskulatur entwickeln, die vermehrt Druck auf den Gelenkspalt bringen und zu einem neuerlichen Reizknie führen.

▶ Alle Mobilisationstechniken werden am Kniegelenk *ohne Rotation* ausgeführt. Wird nachfolgend ein Kräftigungsprogramm mit Widerstandsübungen aus dem PNF durchgeführt, muß sorgfältig darauf geachtet werden, daß die Hüftgelenkrotation nur bei gestrecktem Kniegelenk erfolgt.

▶ Als *Ausgangsstellungen* für den Patienten bieten sich der Sitz, die Rückenlage mit seitlichem Überhang des Unterschenkels oder die Bauchlage an.

Kniegelenkmobilisationen dürfen nie aus der Seitenlage erfolgen.

▶ Zusätzlich wird häufig die CPM-Schiene (Continuous-passive-motion-Schiene) eingesetzt. Dies soll jedoch kritisch geschehen und der Kontrolle der Physiotherapeutin unterstehen. Die Rollgleitbewegung ist auf der Schiene nicht möglich, deshalb müssen Ausweichbewegungen und Schmerzangaben Beachtung finden (s. auch 3. Lagerung). Die Motorschiene sollte immer unterhalb der Schmerzgrenze eingestellt sein, der Patient muß die Möglichkeit haben, die Schiene abzustellen, und die Zeit des Bewegens sollte mit dem Patienten abgesprochen sein. *Nachts darf die Motorschiene nicht eingesetzt werden.* Falls beide Beine verletzt sind und auf der Motorschiene bewegt werden sollen, muß dies nacheinander geschehen.

GESICHTSPUNKTE
DER BEHANDLUNG

> **!** Allgemein gilt, daß die Kniegelenkmobilisation so schonend vorgenommen werden muß, daß kein Reizerguß, keine lokale Wärme oder Schwellung und keine vermehrten Schmerzen entstehen.

Positive Zeichen richtiger Dosierung sind:
- das sich verbessernde Endgefühl eines Bewegungsstops,
- das bessere aktive Gelenkmaß und
- das Nachlassen der Schmerzen im Gelenkbereich.

▶ Wenn möglich, soll *eine Bewegungsrichtung schwerpunktmäßig* behandelt werden, in einer 2. Sitzung wird dann die Gegenrichtung mobilisiert.
▶ Wurde intensiv in eine Bewegungsrichtung mobilisiert, ist die Rückführung in die Ruhestellung besonders schmerzhaft. Eine neu angesetzte Traktion und ein etappenweises Zurückgehen gegen einen minimalen Widerstand erleichtern dem Patienten die Rückführung.
▶ Von Wärmebehandlungen, auch mit feuchter Wärme, ist abzuraten.

> **!** Verklebungen und vermehrte Funktionseinschränkung sind Folge von unsachgemäßem Mobilisieren!

Nicht unumstritten sind *Narkosemobilisationen* nach mehreren Monaten erfolgloser physiotherapeutischer Behandlung. Das Kniegelenk ist gegenüber neuen Mikrotraumen sehr empfindlich. Bessere Ergebnisse erbringen *arthroskopische Arthrolysen*.
▶ Nachfolgend muß die Physiotherapeutin intensiv mehrmals am Tag behandeln, um das Kniegelenk frei zu halten.

6. Kräftigung des M. quadriceps und der Mm. ischiocrurales, des M. gastrocnemius und M. glutaeus maximus.

● **6. Kräftigung der Muskeln**

Die Verbesserung der Kraft ist erst in der Phase der Teilbelastungsstabilität ein Schwerpunkt der physiotherapeutischen Behandlung. Per Definition wird die Kraft eines Muskels über *Widerstandsarbeit* verbessert. Zur Sicherung des Kniegelenkes wird die Kraft des M. quadriceps, der Muskeln des Pes anserinus, des M. glutaeus maximus, der Mm. ischiocrurales und des M. gastrocnemius bei unterschiedlichen Verletzungen individuell zu verschiedenen Zeiten verbessert werden müssen. Eine Absprache mit dem Operateur ist jeweils notwendig.

GESICHTSPUNKTE
DER BEHANDLUNG

6. Kräftigung des
M. quadriceps und
der Mm. ischiocru-
rales, des M. ga-
strocnemius und
M. glutaeus maxi-
mus.

▶ Der Muskelbefund, die Richtungen der Instabilitäten, sowie die Stabilität der Frakturen und Bandplastiken oder Bandfixationen geben an, welche Muskeln schwerpunktmäßig gekräftigt werden müssen.

▶ An *Techniken* kommen zur Anwendung:
• Bewegen und Halten gegen angepaßten/optimalen Widerstand.
• Wiederholte Kontraktionen aus dem PNF-Programm.
• Kniekontrolle und Hüftgelenkstabilisation aus der Bridging-Position.
• Bewegen und Halten gegen Gerätewiderstand.

▶ Die Spannungszeiten müssen über 10 s liegen, die Übungen in Serien geordnet sein und erst nach einer Serie von ca. 4–5 Wiederholungen durch eine Erholungspause beendet werden.

▶ Das PNF-Programm bietet ausreichend Bewegungsmuster an, die die genannten Muskeln innerhalb der Muskelkette dynamisch und statisch in allen Variationen fordern.

▶ Bis zur vollen Belastbarkeit des Kniegelenkes dürfen keine Rotationswiderstände distal der Verletzung gesetzt werden. Voraussetzung ist volle Streckfähigkeit und ein gesicherter Muskeltestwert von 3–4. Zunächst werden proximale Widerstände gesetzt, dann auch distale (s. Abb. 15.8 und 15.9).

▶ Übungen aus dem Gebhard-Übungsprogramm, das bei statischer Quadrizepsarbeit eine exzentrisch-dynamische Muskelarbeit der Hüftgelenkbeuger fordert, sind sinnvoll anzuwenden.

Gebhard (1933, 1934) beschrieb schon in den 30er Jahren exzentrisch-dynamische Diagonalbewegungen aus Flexion/Abduktion, Rotationsnullstellung zur Extension/Adduktion und Flexion/Adduktion, Rotationsnullstellung zur Extension/Abduktion zur Verbesserung der Muskelkraft des M. quadriceps und der Pes-anserinus-Gruppe, bzw. des M. tensor latae.

▶ Gegen manuellen Widerstand eignen sich diese Übungen gut zur Behandlung von Patienten mit Kniegelenkinstabilitäten, da die Kniegelenkstellung sicher gehalten werden muß. Die Haltephasen der kniegelenksichernden Muskeln können verlängert werden, wenn z. B. von den Sprunggelenken eine Serie von Umkehrübungen gegen die Schwere ausgeführt wird.

GESICHTSPUNKTE
DER BEHANDLUNG

▶ Die Erarbeitung der *Kniestreckung* ist vorrangiges Ziel der Frühbehandlung nach Frakturen oder dorsalen Instabilitäten. Ist sie deutlich verbessert, wird schwerpunktmäßig an der Kniebeugung gearbeitet. Dynamische Widerstandsübungen für die Kniegelenkbeuger sollen erst nach Beseitigung des Gelenkergusses begonnen werden. Bei der Behandlung ventraler Instabilitäten ist es umgekehrt, die Mm. ischiocrurales sollen schon in der Frühbehandlung, auch in der Donjoy-Schiene (etwa bei 30° Flexion), gekräftigt werden (s. Abb. 16.16).

▶ Günstige *Ausgangsstellungen* sind der Sitz an der Bettkante oder die Bauchlage. Bei Tibiakopffrakturen muß die Widerstand gebende Hand dicht unterhalb der Kniekehle liegen. Entsprechend den Muskeltestwerten wird bei erreichter Stabilität und Vollbelastungsfähigkeit auch das Pullingformergerät zum Training verwendet werden (s. auch Kap. 17 »Unterschenkelfraktur«). Bei klinisch festen Kniegelenkfrakturen können die Schlaufen am proximalen Unterschenkel plaziert werden; ist die Fraktur noch nicht fest, müssen beide Schlaufen am Oberschenkel proximal der Fraktur angelegt sein.

▶ In der Bridgingposition wird der M. glutaeus maximus beansprucht, gleichzeitig kann das Knie stabilisiert werden. Die Röntgenkontrolle oder die klinische Untersuchung des Kniegelenkes durch den Operateur sind Kriterium für eine Steigerung der Widerstandsarbeit.

▶ Isokinetische Geräte dürfen nach Bandplastiken nicht vor Ablauf des Normprogramms (16–18 Wochen) verwendet werden; der Operateur muß die Verantwortung dafür tragen. Selten wird die Erlaubnis zur Arbeit mit isokinetischen Geräten nach Frakturen gegeben. Die Verbesserung der Kraft wird von vielen Therapeuten überbewertet oder falsch eingeschätzt.

> **!** Der ökonomische Einsatz der Muskelkraft in der Funktionsausübung, z. B. beim Gehen, Stehen, Laufen, Bücken usw. ist wichtiger als die isolierte Kraftleistung.

• 7. Vorbereitung zur Belastung

Die Schulung von Kraft, Ausdauer und Geschicklichkeit sowie das Erarbeiten der physiologischen Rollgleitbewegung sind die Schwerpunkte der Behandlung zur Übernahme des Körpergewichtes.

▶ Die einzelnen Sequenzen des Gehmusters werden in der ersten PNF-Diagonale vorgeübt und dann zusammengesetzt. Nach PNF können Beckenmuster, dann Bein- und Armmuster für die Standbein-, Stützarm-, Schwungbein-, Schwungarmphase eingeübt werden. Sie werden durch symmetrische Stützarmmuster für das Dreipunktgehen ergänzt. Für den Zweipunktgang oder den Vierpunktgang werden Stützarm und Standbein der Gegenseite kombiniert. Entsprechend werden Schwungarm und Schwungbein zusammen geübt. Jede Extremität kann dynamisch oder statisch arbeiten oder als Umkehrbewegung kombiniert gegen Führungskontakt oder Widerstand üben. Dies ist auch aus dem Sitz möglich (Abb. 16.30 und 16.31). Alle Kombinationsformen können auch gegen den Federzug des Pullingformergerätes eingeübt werden.

▶ Für die Mittelstandphase wird das Beckenmuster Extension – Abduktion – Innenrotation gewählt, der Gegenarm übt symmetrisch mit. Die vorgegebene Belastungsstufe wird auf Waagen vorgeübt, ebenso der Einsatz von Gehhilfen (Abb. 16.24 und 16.32).

Abb. 16.30. Sitz: Üben der Kniebeuger mit Verstärkung durch das rechte Bein, reziprokes Gehmuster

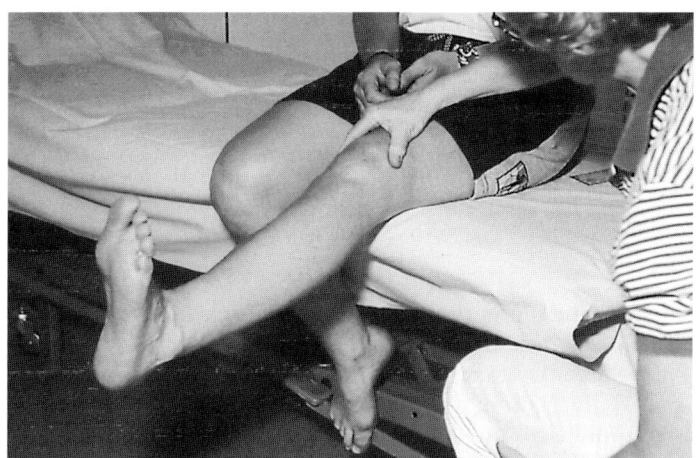

Abb. 16.31.   Reziproke
Umkehr mit aktiver
M. quadriceps-Spannung

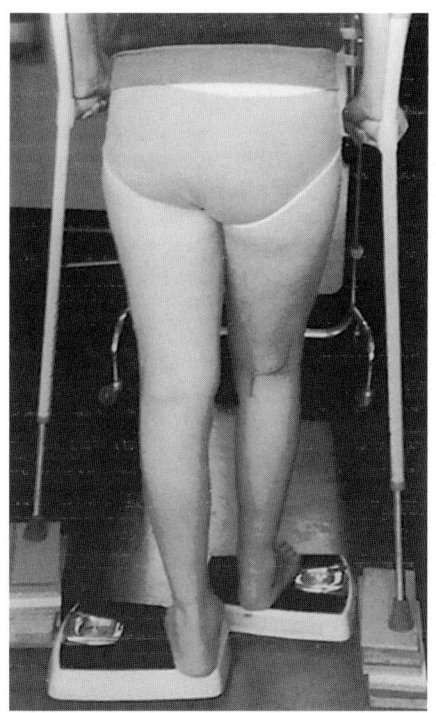

Abb. 16.32.   Belastungskontrolle auf Waagen

GESICHTSPUNKTE
DER BEHANDLUNG

▶ Wird die Kniegelenksstreckung in der Donjoy-Schiene begrenzt, darf u. E. das Bein nicht voll belastet werden, da die Rollgleitbewegung gebremst wird. Das gleiche gilt für Patienten, die ihr Knie im Stand nicht gestreckt halten können. Eine Belastung von maximal 20 kg wird empfohlen.
▶ In der Übergangsphase zur Teilbelastung und Vollbelastung kann der Patient selbständig auf dem Standfahrrad üben.

8. Gehschulung ohne Belastung, mit Sohlenkontakt, Teilbelastung oder Vollbelastung.

● **8. Gehschulung**

▶ Nach Frakturen im Kniegelenkbereich beginnt die Gehschulung mit dem Einüben der Belastung auf 2 Waagen in Schritt- und Schlußstellung. Der Patient muß lernen, die verordnete Belastungsstufe wahrzunehmen, ohne auf die Waagen zu schauen.
▶ Kann er dies, darf er Schrittfolgen ausführen, die häufig über Waagen führen. Am besten sind Waagen, die in den Boden eingelassen sind.
▶ Hinkt der Patient, kann über Auftrag oder Handkontakt am Becken durch Druck oder Stretch die Belastungsübernahme verbessert werden. Deutlicher Fersenkontakt erzeugt eine Strecksynergie.
▶ Zwischengeschaltet werden Stabilisationsübungen auf weichem Bodenbelag oder einem Sportkreisel (s. Abb. 16.25 und 16.26).
▶ Nach 16 Wochen kann in der Regel mit einem leichten Lauftraining begonnen werden, wenn die Patienten in den Sport zurückgeführt werden wollen.
▶ Im Anschluß an den Klinikaufenthalt und eine ambulante physiotherapeutische Behandlung werden die Patienten mit Kapselbandläsionen auch in Rehabilitationszentren weiterbehandelt. Dort werden neben Einzelbehandlungen auch Bewegungsübungen im Wasser durchgeführt. Diese müssen sorgfältig ausgewählt und auf ihren Effekt hin überprüft werden. *Längeres Verweilen im warmen Wasser führt bei nichtstabilen Kniegelenken zu erneuten Schwellungen und Reizergüssen.*

Alle valgisierenden und rotierenden Übungen sind verboten, z. B. das Brust- oder Rückenschwimmen oder Scherübungen gegen Wasserwiderstand.

▶ Die Vorbereitung zur Sportfähigkeit wird zusammen mit dem Operateur geplant. Gehen mit Richtungswechsel, Federn auf weicher Unterlage oder auf dem Trampolin, Traben und Laufübungen werden langsam aufgebaut.

Besonderheiten bei der Nachbehandlung nach Patellafraktur

▶ Nach einer AO-Zuggurtungs- oder Schraubenosteosynthese (s. Abb. 16.3) soll nach Entfernung der Redondrainagen mit der isometrischen Muskelarbeit des M. quadriceps begonnen werden. Der Patient erhält eine Donjoy-Ruhigstellungsschiene in ca. 10°-Stellung für 6 Wochen.

▶ Als *Techniken* kommen in Frage:
• Endstellung halten gegen Führungskontakt.
• Dynamisches Bewegen im Hüftgelenk bei gestrecktem Kniegelenk gegen manuellen, angepaßten Widerstand oberhalb der Patella.
• Erarbeiten der vollen Kniegelenkstreckung gegen Eigenschwere des Unterschenkels.
• Aktive Beugung über 30° hinaus – erst nach Resorption des Gelenkergusses.
• Gehen mit schmerzfreier Teilbelastung und Schiene.

▶ Nach klinischer Konsolidierung wird die *Gleitfähigkeit* der Patella erarbeitet. Bleibt an der Gelenkfläche der Patella eine Stufe bestehen, muß mit langwierigen Beschwerden und einer retropatellaren Arthrose gerechnet werden.

▶ Nach 8 Wochen darf Vollbelastung ohne Schiene und freies Treppensteigen begonnen werden, wenn das Kniegelenk reizlos ist.

Besonderheiten bei der Nachbehandlung der Kondylenfraktur

Die Kondylenfrakturen (s. Abb. 16.1 a, b und 21.14 a, b, c) sind Gelenkfrakturen.

▶ Die Dosierung einer frühen Übungsbehandlung richtet sich nach dem Gelenkerguß und der Stabilität der Osteosynthese (Kondylenplatte).

▶ Übungsstabilität besteht für die axiale Beuge-Streck-Bewegung des Kniegelenkes. *Rotationsbewegungen des Oberschenkels sind nicht erlaubt.* Muskeln, die das Kniegelenk und die Fraktur sichern, dürfen auf Teststufe 3 beansprucht werden.

▶ Bei Bewegungen des Unterschenkels wird passiv über den Kondylen fixiert.

▶ Der Einsatz der Motorschiene wird nicht empfohlen.

▶ Entlastetes Gehen ist für mindestens 8–10 Wochen nötig, dann wöchentliche Steigerung um ca. 15 kg bis zur Vollbelastung.

Besonderheiten bei der Nachbehandlung der Tibiakopffraktur

Die Tibiakopffraktur ist ebenfalls eine Gelenkfraktur.

▶ Die *Behandlungsdosierung* richtet sich nach dem Gelenkerguß, der Stabilität der Abstützplatte und der evtl. zusätzlich durchgeführten Spongiosaplastik (s. Abb. 16.2 a, b).

▶ Der Führungkontakt/Widerstand wird für die Kniestreckbewegung so dicht wie möglich unterhalb der Patella angelegt (Abb. 16.33 a, b). Das bedeutet, daß die Hand der Physiotherapeutin über der Fraktur liegt. Bei Abnahme der Schwere sollte die unterstützende Hand bis unter die Kniekehle reichen, der Unterschenkel des Patienten liegt dann auf dem Unterarm der Therapeutin. Effektvoll kann auch die Technik des Vertauschens von Punctum fixum und Punctum mobile eingesetzt werden.

▶ Bei aufliegendem Bein sollen die Fußheber und der M. glutaeus maximus die Kniestreckung fazilitieren (Abb. 16.34).

▶ Eine Bewegungsbegrenzung von 0–20–60° wird meist für die ersten Wochen verordnet. Frühzeitig muß mit der Patellamobilisation begonnen werden. Die Kokontraktionen von Fußhebern und M. gastrocnemius oder Plantarflexoren mit M. quadriceps sichern die Fraktur.

▶ Bei bestehender Übungsstabilität werden alle Übungskombinationen gegen Führungskontakt oder gegen Eigenschwere geübt.

▶ Bei reizlosem Heilungsverlauf kann der Patient ohne Gipsschiene behandelt werden.

▶ Aufstehen ohne Belastung ist für 6–8 Wochen durchzuführen. Wöchentliche Steigerung je nach Befund wird empfohlen.

▶ Instabile Osteosynthesen erhalten einen Liegegips für 6–8 Wochen.

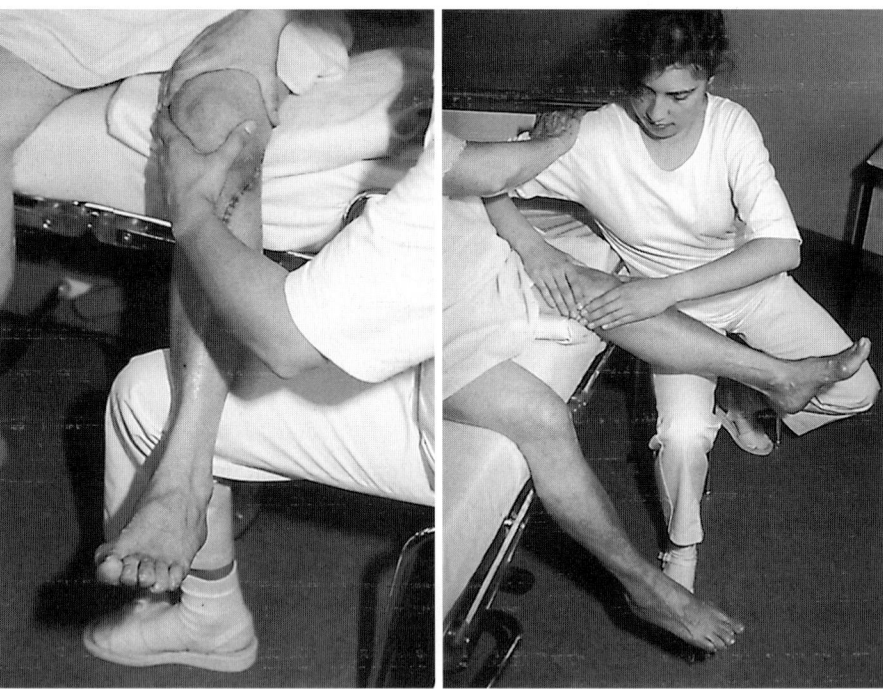

a   b

Abb. 16.33.   a Führungskontakt dicht unterhalb der Patella AST für Kniegelenkstreckung, **b** Endstellung der Übung

▶ Bei diesen Frakturen darf die Motorschiene nur verwendet werden, wenn die Fraktur übungsstabil versorgt wurde und die kontrollierte Behandlung nicht zu einem schmerzhaften Reizknie führt.

 ▶ Bei Knorpeldefekten und Refixationen darf die Motorschiene nicht verwendet werden. Eine ca. 4wöchige Gipsruhigstellung ist angezeigt.

Besonderheiten bei der Nachbehandlung der isolierten Meniskus- oder Kollateralbandverletzung

Handelt es sich um eine *Meniskus-/* oder *Seitenbandverletzung 1. und 2. Grades* mit deutlichen Beschwerden am medialen Gelenkbereich, wird ein Tutor in ca 15–20° oder eine Donjoy-Ruhigstellungsschiene für 6 Wochen verordnet.

▶ Die Übungstherapie konzentriert sich auf die Sicherung des Kniegelenkes durch statisches Training des M. quadriceps, der Pes-anserinus-Gruppe und der Kniebeuger.

▶ Wesentlich seltener kommen *Außenbandverletzungen* vor. Sie werden vom Prinzip her gleich behandelt. Die Muskelkette verläuft nun über die Fußpronatoren und Fußheber zum V. vastus lateralis, M. tensor fasciae latae und den kleinen Glutäen.

▶ Nach *Teilmeniskektomie* wird heute i. allg. keine Ruhigstellung im Gips mehr durchgeführt. Die physiotherapeutische Behandlung beginnt am Tag, an dem die Redondrainagen entfernt werden, und konzentriert sich in den ersten Behandlungstagen auf eine sorgfältige Gelenkergußbehandlung.

▶ Der Patient muß selbst isometrisches Quadrizepstraining absolvieren.

▶ Meniskusrefixationen bedürfen einer Ruhigstellungszeit in der Donjoy-Ruhigstellungsschiene. Die Knie-

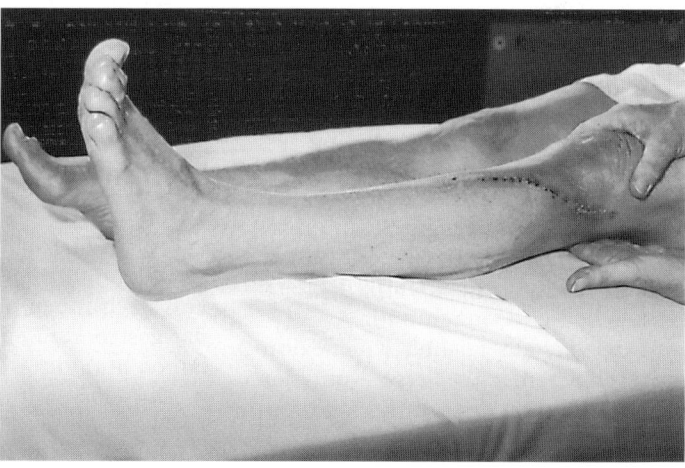

Abb. 16.34. Rückenlage: Kniegelenkstreckung mit Stretch an der Patella und Fazilitation durch M. glutaeus maximus

flexion spielt beim normalen Gehen eine untergeordnete Rolle. Wichtige Kriterien sind die Beherrschung des Gelenkergusses und die Stabilität des Gelenkes. Mit Beugebewegungen wird deshalb erst sekundär begonnen (s. allgemeiner Teil).

▶ Die meisten Behandlungen werden ambulant vorgenommen. Da solche Verletzungen häufig junge, sportliche Patienten betreffen, sind die stationären Behandlungszeiten meist kurz.

SCHÜLERAUFGABE ∎

a) Legen Sie einen Behandlungsplan fest für einen Patienten nach operativ versorgter anteromedialer Instabilität 6 Wochen nach der Operation.

b) Stellen Sie Greifformen aus der manuellen Therapie zusammen, die zur Verbesserung der Kniegelenkstreckung bei einer Tibiakopffraktur Anwendung finden können.

ÜBUNGSBEISPIELE

Operativ versorgte Tibiakopffraktur nach Gipsabnahme

Ausgangsposition

Rückenlage, Lagerung in bestmöglicher Streckstellung

ÜBUNG

▶ Isometrisches Spannen des M. quadriceps.

Kontakt: Eine Hand medial/ventral dicht oberhalb der Patella, 2. Hand unter der Kniekehle.

Übungsauftrag: »Drücken Sie die Kniekehle gegen die Hand und strecken Sie das Kniegelenk!«

▶ *Dasselbe* mit distalem Spannungsaufbau über die Fußheber, die 2. Hand der Physiotherapeutin liegt auf Fußrücken und -innenrand.

▶ *Dasselbe,* aus leichter Knieflexion mit Abheben der Ferse von der Unterlage, ohne distalen Kontakt.

ÜBUNG

▶ Flexion des Hüftgelenkes gegen Widerstand bei aktiver Kniestreckung und dorsalflektiertem Fuß. Endstellung halten, das Bein liegt auf dem Arm der Physiotherapeutin.

Kontakt/Widerstand: Ventral dicht oberhalb der Patella.

Übungsauftrag: »Ziehen Sie den Fuß nach oben und nehmen Sie das gestreckte Bein leicht von meinem Arm weg!«

ÜBUNG

▶ Flexion/Adduktion bei gestrecktem Knie und dorsalflektiertem/supiniertem Fuß.

Kontakt/Widerstand: Ventral, medial dicht oberhalb der Patella.

Übungsauftrag: »Ziehen Sie den Fuß nach innen/oben und heben Sie das gestreckte Bein nach innen/oben, halten und lockerlassen!«

▶ *Dasselbe* mit Verstärkung über PNF-Armübung Extension – Adduktion – Innenrotation des Gegenarmes; er stützt gegen den Ellbogen oder die Schulter der Therapeutin.

Übung

▶ Exzentrisch dynamische Flexion des Hüftgelenkes bei statischer Arbeit der Mm. quadriceps und tibialis anterior.

Kontakt/Widerstand:

▶ Beide Hände ventral, oberhalb der Patella.

▶ Eine Hand ventral, oberhalb der Patella, die andere auf dem Fußrükken, wenn Teilbelastung erlaubt ist.

▶ Eine Hand distal am Unterschenkel, die andere auf dem Fußrücken, wenn Belastung erlaubt ist.

Übungsauftrag: »Versuchen Sie, das gestreckte Bein oben zu halten, nicht herunterdrücken lassen!«

Übung

▶ Flexion/Adduktion exzentrisch-dynamisch bei statischer Arbeit der Mm. quadriceps und tibialis anterior.

Kontakt/Widerstand:

▶ Beide Hände ventral/medial oberhalb der Patella.

▶ Eine Hand ventral/medial oberhalb der Patella, die 2. Hand proximal am Unterschenkel.

▶ Bei erlaubter Teilbelastung eine Hand distal am Oberschenkel, eine Hand distal am Unterschenkel.

▶ Bei Vollbelastung eine Hand distal am Unterschenkel, die andere auf Fußrücken und -innenrand.

Übungsauftrag: »Versuchen Sie, die Stellung zu halten und machen Sie es mir schwer, das Bein nach unten außen zu drücken.«

▶ Bei allen Übungen sollte eine *Rotationsnullstellung,* evtl. eine geringfügige Außenrotationsstellung eingehalten werden. Niemals darf eine Innenrotation entstehen.

▶ Kann die Eigenschwere nicht gehalten werden, wird unter Abnahme der Beinschwere mit Kontraktionshilfen am Oberschenkel und entsprechenden Verstärkungstechniken geübt (mit Eis über M. quadriceps reiben).

> **!** Die am Oberschenkel liegende Hand muß immer stärker sein als die distale. Letztere gibt je nach Befund Kontakt und versucht, eine leichte Traktion zu setzen.

Übung

▶ Flexion/Adduktion bei gestrecktem Bein exzentrisch-dynamisch gegen Eigenschwere.

Kontakt/Widerstand: Keiner.

Übungsauftrag: »Senken Sie langsam das gestreckte Bein von oben/innen nach unten/außen!«

▶ *Dasselbe* aus Hüftgelenkbeugung ohne Adduktion oder Rotation.

▶ Ist die Muskelteststufe 4 erreicht, können alle angegebenen Übungen auch gegen das Pullingformergerät oder gegen Therabänder ausgeführt werden. Die Schlaufen liegen dann entsprechend den zuvor beschriebenen Angaben für die Widerstand gebende Hand der Physiotherapeutin.

Ausgangsposition

Sitz am Bettrand.

Übung

▶ Dynamische Kniestreckung mit wiederholten Kontraktionen.

Kontakt/Widerstand: ventral, proximal am Unterschenkel, später distal.

Aktive Fixation: Oberschenkel, distal, dorsal.

Übungsauftrag: »Lehnen Sie den Oberschenkel gegen die Hand der Therapeutin, strecken Sie das Knie ein Stück, halten, weiterstrecken, etwas nachgeben, wieder strecken usw.!«

ÜBUNG

▶ Flexion/Adduktion zur Kniestrekkung mit wiederholten Kontraktionen für das Kniegelenk. Kontraktionshilfen über dem M. quadriceps setzen.

Kontakt/Widerstand: Oberschenkel medial/ventral, am Fußrücken und -innenrand nur Kontakt.

Übungsauftrag: »Ziehen Sie den Fuß nach oben/innen, strecken Sie das Knie ein Stück, heben Sie das Bein nach oben/innen, halten, weiter durchstrecken, am Knie etwas nachgeben, weiterziehen usw.!«

▶ *Dasselbe* ist auch möglich mit aktiven wiederholten Kontraktionen des M. quadriceps, ohne Führungskontakt als freie aktive Übung (für Schüler sicherer!).

▶ *Dasselbe* mit wiederholten Kontraktionen für den M. tibialis anterior.

Ausgangsposition

Sitz.

ÜBUNG

▶ Isometrisches Spannen des M. gastrocnemius.

Kontakt/Widerstand: Proximal, dorsal am Unterschenkel.

Aktive Fixation des Oberschenkels nach ventral.

Übungsauftrag: »Lehnen Sie den Oberschenkel gegen die Hand der Therapeutin, spannen Sie den Unterschenkel nach unten, halten und lockerlassen!«

ÜBUNG

▶ Wiederholte Kontraktionen für Kniebeuger.

Kontakt/Widerstand: Anfangs proximal, dorsal am Unterschenkel, später distal an Fußsohle.

Fixation: s. oben

Übungsauftrag: »Lehnen Sie den Oberschenkel gegen die Hand der Therapeutin, beugen Sie das Knie, halten, weiterbeugen, etwas nachgeben, wieder beugen usw.!«

ÜBUNG

▶ Mobilisation der Beugekontraktur: s. PNF-Technik: »Chirurgische Technik«, »Rhythmische Stabilisation – Entspannen«, anfangs ohne Widerstand, »langsame Umkehr – Halten – Entspannen«. Keine Rotation im Kniegelenk zulassen!

▶ Anschließend wird durch Halten in Endstellung gegen Kontakt ohne Widerstand der gewonnene Bewegungsweg ausgenützt.

ÜBUNG

▶ Mobilisation der Streckkontraktur (nur wenn kein Gelenkerguß vorhanden ist) mit gleichen Techniken, anschließend Endstellung halten oder wiederholte Kontraktionen für die Knieflexoren.

Ausgangsposition

Bauchlage.

ÜBUNG

▶ Kniebeugung mit wiederholten Kontraktionen bei statischer Arbeit der Hüftstrecker.

Kontakt/Widerstand: Dorsal proximal am Unterschenkel.

Fixation: Aktiv, distal und ventral am Oberschenkel.

Übungsauftrag: »Lehnen Sie den Oberschenkel gegen die Hand der Therapeutin, ziehen Sie den Fuß nach unten und beugen Sie das Knie, halten, weiterziehen, etwas nachgeben, wieder beugen usw.!«

Ausgangsposition

Rückenlage.

ÜBUNG

▶ Bridging, abgewandelt durch Unterlagerung des distalen Oberschenkels mit einer festen Rolle oder einem Keilkissen (Entlastung des Unterschenkels).
▶ Stabilisation der Bridgingposition oder wiederholte Kontraktionen.

ÜBUNG

▶ Gehmuster: Das 2. Bein ist aufgestellt, spannt in Flexion/Abduktion, der gegenseitige Arm spannt gegen das Bett in Extension/Abduktion/Innenrotation, das übende Bein zieht in Extension/Abduktion/Rotationsnullstellung bei gestrecktem Knie.
Technik: Bewegen und Halten.
Kontakt/Widerstand: Dorsal/lateral am distalen Oberschenkel und proximal/dorsal am Unterschenkel.
Übungsauftrag: »Spannen Sie den Arm gegen das Bett, lehnen Sie sich mit dem Knie gegen meine Hand, jetzt strecken Sie Zehen und Fuß und stoßen das Bein nach unten/außen, halten!«

ÜBUNG

▶ Für die Schwungphase: Flexion/Adduktion/Rotationsnullstellung.

Technik: Bewegen und Halten. Das 2. Bein liegt in Extension/Abduktion und spannt gegen die Hand der Therapeutin.

Kontakt/Widerstand: Am übenden Bein distal am Oberschenkel oder proximal am Unterschenkel, ventral, medial.

Übungsauftrag: »Spannen Sie das Bein gegen die Hand der Therapeutin, ziehen Sie Zehen, Fuß und Knie hoch zur Gegenschulter, halten, lockerlassen!«

▶ Vorüben des reziproken Gehmusters ist auch gegen Führungskontakt in einzelnen Sequenzen oder als komplexes Muster sinnvoll (s. Abb. 16.30).
▶ Die Übungen können auch wahlweise gegen Pullingformer durchgeführt werden. Die Schlaufen lassen sich entsprechend an 2 oder 3 Extremitäten anlegen. Haltearbeit gegen den Federzug kann von den Armen symmetrisch oder asymmetrisch geleistet werden. Durch Ziehen an der Schnur wird dynamische Arbeit des übenden Beines gefordert.

ÜBUNG

▶ Gehen mit vorgegebener Belastungsstufe und Kontraktionshilfen am Becken.

Ausgangsposition

Stand vor dem Spiegel, auf Waagen, später auch auf dem Schaukelbrett oder Sportkreisel (s. Abb. 16.25 und 16.26).

ÜBUNG

▶ Stabilisation in Schluß-, Schritt- oder Grätschstellung, die Haltephasen sollen 7–10 s betragen.

Widerstand: Am Becken, Schultergürtel, Kopf entsprechend richtungsweisend. Der Widerstand sollte langsam zunehmen, so daß die Muskelleistung sich darauf einstellen kann.

Übungsauftrag: »Lassen Sie sich nicht verschieben, halten und langsam die Spannung lösen!«

> **!** Wenn die Kniestabilität im Stand nicht ausreicht, ist die Anforderung zu hoch; erneutes Üben im Liegen ist erforderlich. Gehen mit Unterarmstützen ist wieder angezeigt, die Belastung muß reduziert werden.

Übungen

▶ In der Spätphase, wenn *Sportfähigkeit* wiedererlangt werden soll, können z. B. folgende Übungsformen Anwendung finden:

* Federn am Ort, auf dem Trampolin oder einer weichen Matte.
* Traben, Laufen, mit Wechsel auf weicher Matte und Normboden.
* Laufen, Gehen mit Ballprellen, -werfen, -rollen.
* Richtung wechseln beim Gehen, Laufen.
* Stabilisation auf dem Trampolin im Wechsel mit Federn.
* Laufband.

Literatur

Cailliet R (1975) Knee pain and disability, 4th edn. Davis, Philadelphia

Gebhardt K (1933) Der Bandschaden des Kniegelenkes. Barth, Leipzig

Gebhardt K (1934) Übungsbehandlung. Fischer, Jena

Hackenbruch W, Müller W (1987) Untersuchung des verletzten Kniegelenkes, Orthopädie. Springer, Berlin Heidelberg New York

Hörster G (1993) Kraftverlust und -regeneration der Kniestreckmuskulatur nach Operationen am Kniebandapparat. Aktuelle Traumatol 5: 244

Hofman G (1988) Quantitative Elektromyographie in der Biomechanik. Physik unserer Zeit 19/5: 132

Hofmann G (1992) Kraftmessungen an menschlichen Gelenken. Physik unserer Zeit 23/2: 75

Jäger M, Wirth CJ (1975) Die anbehandelte »unhappy triad«. Unfallheilkd 125: 69

Jäger M, Wirth CJ (1978) Kapselbandläsionen. Thieme, Stuttgart

Kapandji IA (1985) Funktionelle Anatomie der Gelenke, Bd 2. Enke, Stuttgart

Loeweneck H, Liebenstund I (1994) Funktionelle Anatomie für Krankengymnasten. Pflaum, München

Mucha C et al (1984) Zur differenzierten Übungsbehandlung in der postoperativen Frührehabilitation von Knieinstabilitäten. Krankengymnastik 36: 298

Müller MH (1976) Ergebnisse und Arthrose nach operativ versorgten Tibiakopffrakturen. Aktuelle Traumatol 6: 55

Noyes F (1980) Clinical biomechanics of the knee ligament restraints and functional stability. In: AHOS (ed) Symposium on the athletes' knee-surgical repair and reconstruction. Mosby, St. Louis Toronto London

Scherer MA et al (1993) Biomechanische Untersuchungen zur Veränderung der Patellarsehne nach Transplantatentnahme. Aktuelle Traumatol 3: 129

Vosberg W (1993) Der Stellenwert des radiologischen Lachman-Tests bei der Erhebung von Langzeitergebnissen von Operationen am vorderen Kreuzband. Aktuelle Traumatol 1 (Sonderheft): 62

Weller S (1977) Frische Verletzungen der Patella. Langenbecks Arch Chir 345

Wirth CJ (1974) Verhalten der Roll-Gleitbewegung des belasteten Kniegelenkes bei Verlust und Ersatz des vorderen Kreuzbandes. Arch Orthop Unfallchir 78: 356

Wirth CJ (1984) Die komplexe vordere Knie-Instabilität. Thieme, Stuttgart

17 Physiotherapeutische Behandlung nach Unterschenkelfrakturen

Einteilung

- Isolierte Tibiafraktur,
- isolierte Fibulafraktur (Schaft- oder Köpfchenfraktur),
- Unterschenkelfraktur, Tibia- und Fibulafraktur offen oder geschlossen, mit den Bruchformen:
  - Querfraktur,
  - Fraktur mit Biegungskeil,
  - Spiral-, Stück-, Trümmer- und Mehretagenfraktur.

Ursachen

- Direkte Gewalt als Stoß oder Biegungsmechanismus,
- indirekte Gewalteinwirkung über Torsion oder Stauchung, z.B. als Folge von Verkehrs-, Arbeits- oder Sportunfällen.

Allgemeine Richtlinien, Symptomatik und ärztliche Maßnahmen

Heute werden Unterschenkelschaftfrakturen in der Regel mit einem statisch verriegelten Marknagel (Abb. 17.1 und 17.2) versorgt. Isolierte Frakturen können auch mit einer DC-Platte stabilisiert werden (Abb. 17.3 und 17.4). Offene Frakturen und Trümmerfrakturen erfordern eine Stabilisation mit einem Fixateur externe (Abb. 17.5 und 17.6), Korrekturosteotomien werden vielfach mit einem Fixateur nach Ilizarow versorgt.

Selten kommt aus sozialer Indikation, bei nichtdislozierten Frakturen oder bei Patienten mit Mehrfachverletzungen eine *konservative Behandlung* mit einem Sarmiento-Gips (Abb. 17.7 a, b) in Frage.

Bei Kindern wird in der Regel eine konservative Frakturbehandlung durchgeführt.

Die Fixateur-externe-Behandlungen stellen meist eine Übergangsbehandlung dar, die nach erster Konsolidierung durch eine interne Osteosynthese ersetzt oder mit Gips weiterbehandelt wird. Grund für die zeitlich begrenzte Versorgung ist der fehlende Druck auf die Fragmente, der zum Knochenaufbau notwendig ist.

Erstgradig offene Frakturen können innerhalb der ersten 6 Stunden mit einem Verriegelungsnagel versorgt werden. Ist dies nicht möglich, soll die Wundversorgung abgeschlossen sein. Zwischenzeitlich wird eine Extensionsbehandlung bis zur Nagelung in der 2. Woche nach dem Unfall durchgeführt. Wie bei der Femurnagelung wird eine Marknagelung ohne

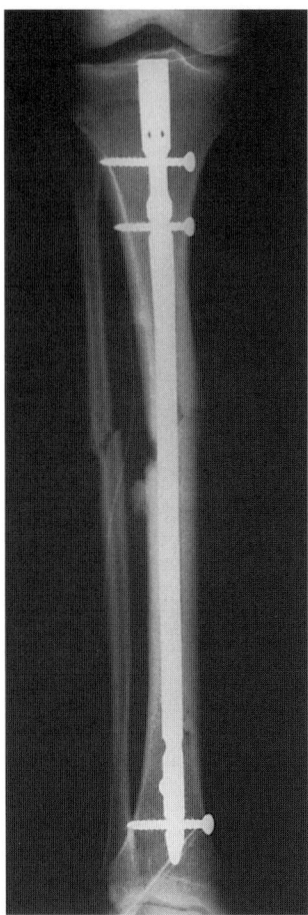

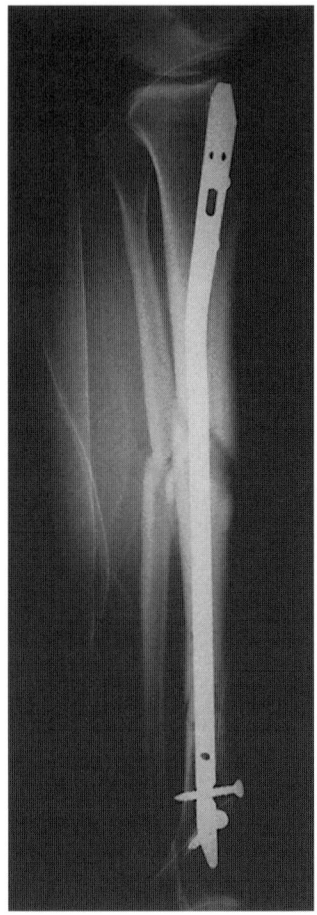

Abb. 17.1.   Tibiaverriegelungsnagel nach Unterschenkelschaftfraktur

Abb. 17.2.   Tibiaverriegelungsnagel (seitliche Aufnahme)

Aufbohrung des Markkanals empfohlen. Als Schutz gegen eine eventuelle Infektion wird ein Antibiotikum gegeben.

Zweitgradig und drittgradig offene Frakturen dürfen nicht genagelt werden, sie erhalten einen Fixateur externe.

Alle Osteosynthesen, die das Hämatom nicht während der Operation absaugen, bergen die Gefahr des nachfolgenden sog. *Kompartment-* *syndroms* in sich. Die Blutung aus Knochen und Muskulatur staut sich unterhalb der Faszie und kann nicht abfließen.

Der Unterschenkel erscheint prall und hart und ist sehr schmerzhaft. Es entstehen Parästhesien und u.U. sogar motorische Ausfälle der Unterschenkelmuskulatur. Letztendlich wird die Wadenmuskulatur nekrotisch. Ein positives Behandlungsergebnis ist von der Früherkennung der Symptome abhängig.

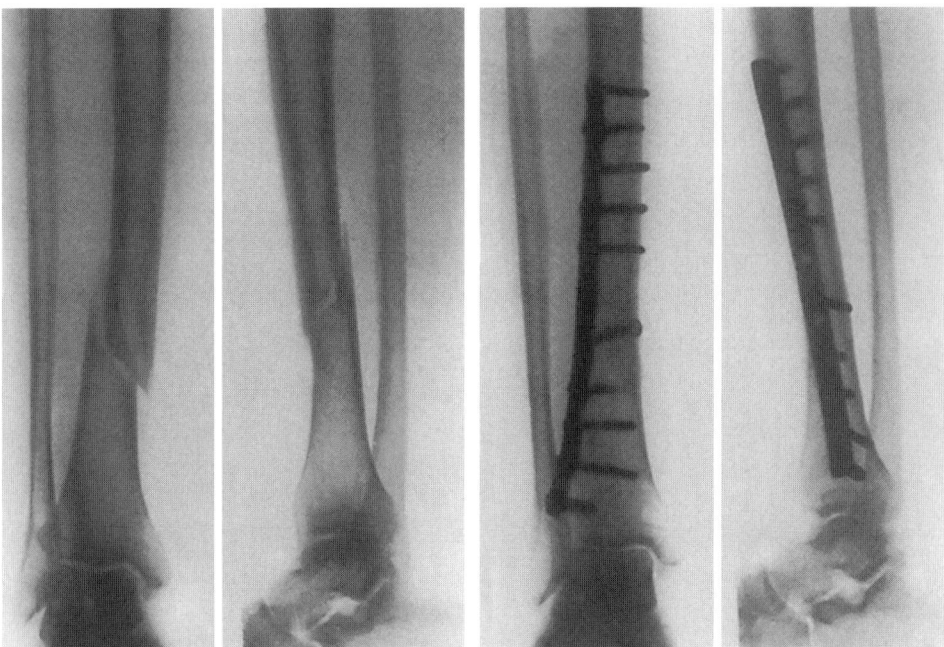

Abb. 17.3. Tibiafraktur

Abb. 17.4. Plattenosteosynthese bei Tibiafraktur

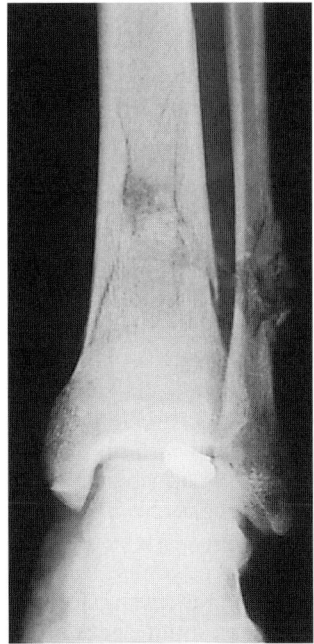

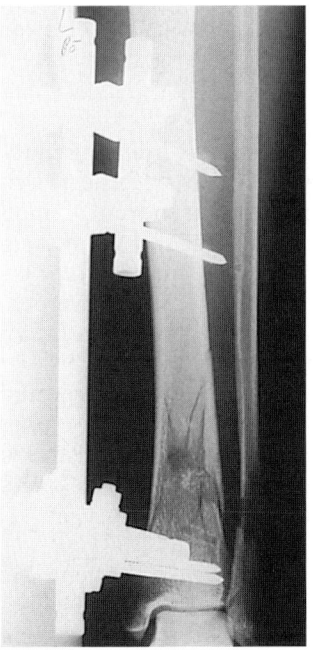

Abb. 17.5. Offene Unterschenkeltrümmerfraktur

Abb. 17.6. Fixateur externe

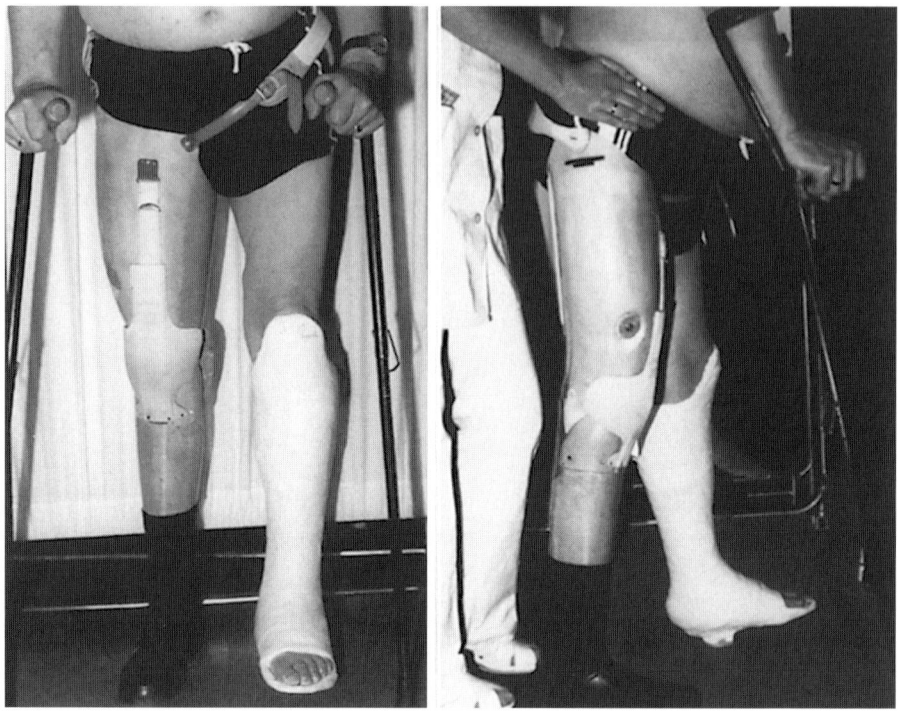

Abb. 17.7. **a** Sarmiento-Gips bei Unterschenkelschaftfraktur eines Oberschenkelprothesenträgers, **b** Gehschulung

Prophylaktisch werden Redondrainagen gelegt. Manifestiert sich ein Kompartmentsyndrom, muß sofort der Unterschenkel an mehreren Stellen durch kleine Schnitte bis unter die Faszie eröffnet werden, damit das Hämatom und das Ödem abfließen können.

Sekundäre Narbenbildungen und innere Verklebungen sowie über mehrere Monate bestehende Paresen bestimmen dann die weitere *physiotherapeutische Behandlung*.

▶ *Mechanisch gesehen* besteht bei der Marknagelosteosynthese Teilbelastungsstabilität für ca. 20 kg, nach Dynamisierung (6–8 Wochen) für 40 kg und mehr, bei Plattenosteosyn-

thesen hingegen besteht Übungsstabilität mit Sohlenkontakt für ca. 8 Wochen.

Funktionell können jedoch diese Belastungsstufen nur umgesetzt werden, wenn die Muskulatur, die Wundverhältnisse und die Gelenkfunktion es erlauben.

▶ In der Regel dürfen Patienten mit einem Fixateur externe Sohlenkontakt ausführen.

▶ Eine aktive Übungsbehandlung für alle Bewegungsrichtungen soll bei allen stabilen Osteosynthesen frühzeitig begonnen werden.

▶ Dynamische Bewegungsformen dürfen nach Entfernung der Redondrainagen eingesetzt werden, während der Drainagelage werden nur isometrische Spannungsformen angewendet.

▶ Nach Osteosynthesen mit zusätzlicher Spongiosaplastik und nach Hauttransplantaten müssen Ruhezeiten eingehalten werden, die der Operateur angeben soll. In der Regel wird 8–10 Tage ruhiggestellt (s. auch Kap. 15).

Komplikationen

* Kompartmentsyndrom,
* Achsenfehler bei konservativer Versorgung, Beinverkürzung,
* Pseudarthrose,
* Infektion,
* N.-peronaeus-Verletzung,
* Tibialis-anterior-Syndrom.

Befunderhebung

BEURTEILE
* Hautdurchblutung.
* Wunde, Operationsnarbe.
* Spannung der Haut, Spannungsblasen.
* Schwellungen, Hämatom (Kompartment? Thrombose?)
* Muskelrelief, Atrophie.
* Knie- und Sprunggelenkstellung (Beinachse).
* Röntgenbild: Frakturstellung, Osteosynthese, bei verriegeltem Nagel nach einmaliger Belastung, später Konsolidierung.

MISS
* Aktives Bewegungsausmaß des Kniegelenks und der Sprunggelenke.
* Anatomische Unterschenkellänge.
* Umfang an vorgeschriebenen Punkten.

PRÜFE
* Muskeltest der Oberschenkelmuskulatur.
* Muskeltest der Unterschenkelmuskulatur entsprechend der Osteosynthese bis Teststufe 3 oder 3–4.
* Qualität des Bewegungsstops bei Knie- und Sprunggelenken.
* Lokale Temperatur.
* Sensibilität.
* Pulse.

NOTIERE
* Art und Lokalisation von Schmerzen und sonstige Beschwerden

Behandlungsmöglichkeiten

● **1. Verbesserung der Durchblutung**

Alle distalen Verletzungen der unteren Extremitäten werden begleitet von schweren Gefäßverletzungen.

Da die Frakturheilung von einer ausreichenden Durchblutung und schnellen Resorption des Hämatoms abhängig ist, wird frühzeitig mit folgenden *Techniken* begonnen:

• Aktive Spannungsübungen im Sekundenrhythmus für die Fußheber und Plantarflexoren gegen Führungskontakt; dabei liegt der Unterschenkel von der Kniekehle bis zur Ferse auf einer flachen Schaumstoffunterlage, so daß die Ferse frei bleibt.
• Eisabtupftechnik und Eiskompressen.
• Dynamische Umkehrbewegungen gegen Führungskontakt.
• Ratschow-Umlagerungen sowie Hausaufgabenprogramm.

● **2. Lagerungskontrolle**

Wie bei allen Schaftbrüchen spielt die Lagerung im Bett und zur Übungsbehandlung eine besondere Rolle.

▶ Als Dauerlagerung wird der Unterschenkel auf einer Krapp-Schiene hochgelagert.

> **!** Hohlliegende Stellen wie die Kniekehle und die Achillessehne müssen unterlagert werden. Dies ist besonders wichtig bei konservativ oder nicht stabil versorgten Frakturen und zur Übungsbehandlung.

▶ Eine feste Abstützung des Fußes ist notwendig zur Vermeidung eines »Spitzfußes«. Auf exakte Rotationsnullstellung ist zu achten. Wird eine U-Schiene benutzt, kann das Bettende hochgestellt werden.
▶ Eine individuelle Lagerung ist dann nötig, wenn die vorgefertigten Schienen nicht zur Unterschenkellänge des Patienten passen.
▶ Bei bestehendem *Kompartmentsyndrom* muß der Unterschenkel weich gelagert werden.

● **3. Wiederherstellung des Muskelspannungsgleichgewichts am Unterschenkel**

Optimale Druckspannung auf die Fraktur wird nicht nur über die Osteosynthese, sondern auch über die *Gesamtspannung der Muskulatur* erreicht. Dieses

Spannungsgleichgewicht so gleichmäßig und schnell wie möglich wiederherzustellen, ist eine der vordringlichsten Aufgaben der physiotherapeutischen Behandlung. Besondere Probleme stellen deshalb Ausfälle der vom N. fibularis versorgten Muskulatur dar, wenn es zu einer Parese gekommen ist. Ein Fallfuß wirkt als nichtkontrollierbarer Hebel an der Fraktur. Natürlicherweise überwiegt der Grundtonus des M. triceps surae gegenüber dem der Fußheber.

▶ Nach Überprüfung der Muskelwerte werden deshalb schwerpunktmäßig die Fußheber geübt. Um die fixierende Hand exakt anzulegen, muß die Physiotherapeutin das Röntgenbild kennen. Die Fixation der Fraktur muß in jedem Fall zwischen der Fraktur und dem Sprunggelenk liegen.

▶ Der Kontakt für die Muskelspannung des M. tibialis anterior, der Mm. extensor digitorum longus und brevis, hallucis longus und der Mm. fibulares wird entsprechend richtungweisend am Fuß gegeben. Soll der M. quadriceps als Verstärker für die Fußheber fungieren, wird proximal der Fraktur angepaßter Widerstand gesetzt. Das Halten der Unterschenkelschwere kann aktiv ohne oder mit Führungskontakt geübt werden.

▶ Aktives Üben in PNF-Mustern ist sinnvoll. Zur Anwendung kommen:
• Endstellung halten.
• Bewegen und Halten in allen Variationen.
• Wiederholte Kontraktionen in den Dosierungsstufen »aktiv«, »gegen die Schwere«, »gegen Führungskontakt« oder »gegen angepaßten Widerstand«.

4. Mobilisation des oberen und unteren Sprunggelenkes

Kontrakturen an den Sprunggelenken können vermieden werden, wenn ein aktives Üben bei stabiler Osteosynthese frühzeitig begonnen wird. Das Endgefühl ist anfangs weich.

▶ Die richtigen *Maßnahmen* sind:
• endgradiges Üben aller Sprunggelenkfunktionen.
• selbständiges Üben des Patienten nach exakter Anleitung.
• Bei Paresen endgradig, weich, passiv bewegen.

▶ Wird der Bewegungsstop elastisch oder fest, kommen Entspannungstechniken zur Anwendung wie:
• »Chirurgische Technik« aus dem PNF-Programm, vor allem zur Mobilisation des Spitzfußes, kombiniert mit einer Eiskompresse unter der Wadenmuskulatur.
• Rhythmische Stabilisation – Entspannen – aktiv Weiterziehen.
• Langsame Umkehr – Halten – Entspannen, wenn angepaßter Widerstand erlaubt ist.

▶ Im Anschluß an jede aktive Entspannungstechnik muß die schwächere Muskulatur gekräftigt werden.
▶ Wird der Bewegungsstop fest oder hart, müssen Techniken der manuellen Therapie zur Anwendung kommen, gefolgt von weichen, langsamen Umkehrbewegungen.
▶ Als Hilfsmittel zum Erhalt der Sprunggelenkdorsalextension wird bei Peronaeusparesen eine Lagerungsschiene, eine Schiene für den Innenschuh oder ein entsprechender Schuh angefertigt.

● **5. Mobilisation des Kniegelenkes**

Bei Frakturen im proximalen Unterschenkeldrittel kann eine *Kniegelenkkontraktur* auftreten. Die Behandlung erfolgt wie in Kap. 16, »Kniegelenkverletzungen« beschrieben.
▶ Der Einsatz der *Motorschiene* ist möglich, wenn die Lagerung stimmt, das Tempo langsam und der Umkehrpunkt der Schiene im schmerzfreien Bereich eingestellt ist (Abb. 17.8 a, b).
▶ Das Kniegelenk soll ebenso wie die Sprunggelenke von Anfang an endgradig dynamisch geübt werden.
▶ Bei komplikationsfreiem Verlauf besteht kein Grund für die Entwicklung einer Kontraktur. Zu erwarten sind Kontrakturen bei Osteosynthesen mit einem Ilizarow-Ringfixateur, da der Fixateur eine volle Kniegelenkflexion nicht erlaubt, bei längeren Ruhigstellungen durch Hautdefekte oder nach einem Kompartmentsyndrom.
▶ Entsprechend der Qualität des Bewegungsstops und der Stabilität der Osteosynthese werden die Mobilisationstechniken ausgewählt. Die Physiotherapeutin fixiert passiv und setzt ihre bewegende Hand am proximalen Unterschenkel an.

GESICHTSPUNKTE
DER BEHANDLUNG

6. Kräftigung der
Unterschenkelmus-
kulatur mit dem
Ziel einer gleich-
mäßigen Kraftent-
wicklung.

▶ Als *Ausgangsstellung* zur Kniegelenkmobilisation kommt der Sitz und die Bauchlage in Frage (Techniken s. unter 4).

● **6. Kräftigung der Unterschenkelmuskulatur**

Der Muskeltest ergibt den Schwerpunkt der Muskelkräftigung.
▶ Nach deutlicher Verbesserung der Fußheber wird der *M. gastrocnemius* in allen Varitionen gekräftigt. Dieser Muskel ist wichtig für das Gehen, insbesondere für die Fersenablösung gegen das Körpergewicht. Seine Funktion wieder vollständig herzustellen, ist ein wichtiges Behandlungsziel (Abb. 17.9).

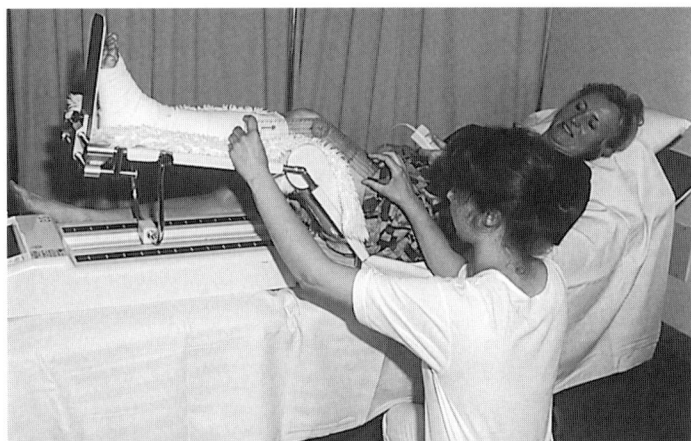

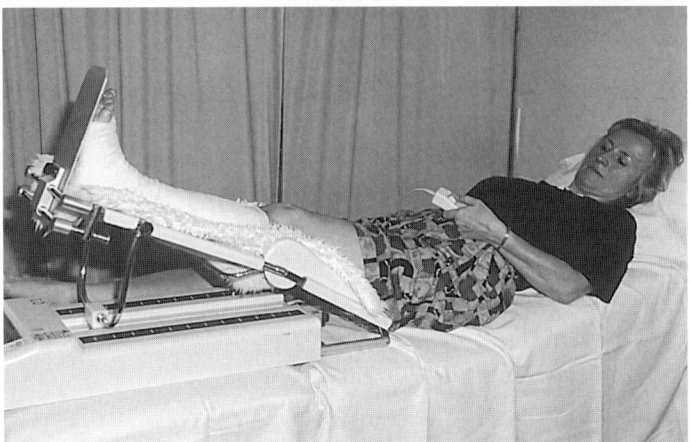

Abb. 17.8.   **a** Einstellung der Motorschiene nach schmerzfreien Winkelgraden des Kniegelenkes, **b** Kniegelenkstreckung auf der CPM-Schiene

6. Kräftigung der Unterschenkelmuskulatur mit dem Ziel einer gleichmäßigen Kraftentwicklung.

▶ Bei übungsstabilen Osteosynthesen und für das Gehen mit Sohlenkontakt muß der Muskeltestwert 3 erarbeitet werden durch:
• Technik »Endstellung halten« gegen Eigenschwere.
• Ausdauerübungen, auch Einsatz von Verstärkern, z. B. M. glutaeus maximus.

▶ Bei teilbelastungsstabilen Osteosynthesen muß mit angepaßtem Widerstand die Teststufe 3–4 erarbeitet werden. Der Widerstand kann manuell oder über das Pullingformergerät proximal der Fraktur gegeben werden. Geübt wird mit folgenden Techniken:
▶ Wiederholte Kontraktionen, wechselnde Drehpunkte, Sprunggelenk oder Kniegelenk in PNF-Mustern.
▶ Bewegen und Halten in allen Variationen.

7. Erhalten der Muskelkraft der übrigen 3 Extremitäten.

• **7. Erhalten der Muskelkraft der 3 übrigen Extremitäten**

▶ Da es sich bei Patienten mit Unterschenkelschaftfrakturen in der Mehrzahl um arbeitsfähige, junge

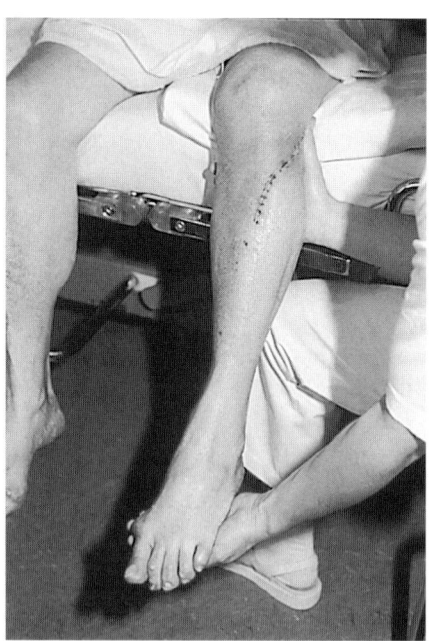

Abb. 17.9. Üben des M. gastrocnemius im Sitz

Menschen handelt, kann das Training des gesunden Beines und der beiden Arme vorwiegend als *Hausaufgabenprogramm* aufgebaut werden. Geräte wie Expander, Hanteln, Therabänder oder der Pullingformer werden zur abwechslungsreichen Gestaltung der Übungen benutzt. Die Übungen sollen vorgeübt, bezüglich der Steigerung festgelegt und zwischendurch kontrolliert werden.

▶ Physiotherapieschüler können alle erlernten Trainingstechniken aus dem PNF-Programm und anderen Techniken erfolgreich an den nichtbetroffenen Extremitäten ausprobieren. Dem Patient und dem Schüler ist damit gedient.

▶ Die beste Möglichkeit zur Erhaltung der Beinmuskelkraft ist jedoch stets die *Belastung*. Die vorgegebene Belastungsstufe muß selbstverständlich eingehalten bzw. funktionell erarbeitet werden. Dazu kann man auch im Liegen zunächst den Fuß gegen die Waage stützen lassen, ehe man in der Senkrechten den Sohlenkontakt ausführt (Abb. 17.10).

8. Vorbereitung zur Belastung.

● **8. Vorbereitung zur Belastung**

▶ Ist Teilbelastung funktionell möglich, wird mit angepaßtem Widerstand das Gehmuster eingeübt. Die Bewegungsrichtung ist Extension – Abduktion – Innenrotation zum gestreckten Knie. Eine Overflowreaktion wird durch das Spannen des Gegenarmes in Extension – Abduktion und des Gegenbeines in

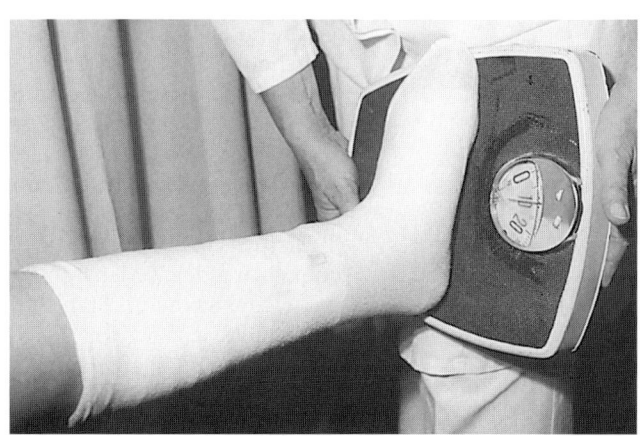

Abb. 17.10. Rückenlage: Vorüben des Sohlenkontakts gegen die Waage

Flexion – Adduktion erreicht. Es können auch beide Arme im Stützmuster statisch üben, wenn das Gehen mit Unterarmstützen vorbereitet werden soll.

▸ Das Gehmuster kann in einzelnen Bewegungssequenzen, als Ganzes gegen manuellen Widerstand oder gegen den Pullingformerzug geübt werden. Die dynamischen Bewegungen des Hüftgelenkes werden durch Ziehen und Nachgeben an der Schnur erreicht. Die Physiotherapeutin kann dosiert Widerstand geben, wenn sie die Feder mit der Hand vorspannt und das Gerät in der Hand hält.

▸ Eine Vorbereitung zur Belastung kann auch im Bewegungsbad vorgenommen werden. Bei entsprechender Wassertiefe wirkt die Auftriebskraft des Wassers entlastend. Schnell ausgeführte Bewegungen erhöhen den Wasserwiderstand und können zu Trainingszwecken verwendet werden. Ebenso gezielt einsetzbar sind Schwimmkörper.

▸ Der Patient sollte jedoch zu diesem Zeitpunkt noch *keine Scher- und Rotationsbewegungen* des Unterschenkels machen, wie sie etwa beim Brust- oder Rückenschwimmen vorkommen. Selbständiges Üben im Wasser ohne Aufsicht der Physiotherapeutin ist deshalb gefährlich.

● 9. Gehschulung

▸ Vor dem Aufstehen soll die *funktionelle Beinlänge* überprüft und an eine notwendige Schuherhöhung gedacht werden; neigt der Patient noch zu Schwellungen, sollen Gummistrümpfe/Antithrombosestrümpfe getragen werden.

▸ Die *Belastungsübernahme* wird auf Waagen eingeübt (s. auch Kap. 14 »Schenkelhals-/Oberschenkelbrüche«). Dabei soll der Patient lernen, die verordnete Teilbelastung/Belastung wahrzunehmen. Anfangs darf er sie optisch kontrollieren, dann soll er das Gefühl für die richtige Belastung ohne Hinschauen erspüren und einüben.

▸ Kann der Patient im Stand vor dem Spiegel die Belastung korrekt auf das verletzte Bein übernehmen, wird der Zehenstand geübt. Die Schulung des M. triceps surae im Stand und in der Schrittfolge ist besonders wichtig für das Gehen. Belastungsübungen lassen sich auch auf dem Schaukelbrett oder dem Sportkreisel gut durchführen. Auch Treppensteigen oder Gehen auf schräger Ebene kann zur

Kräftigung des M. gastrocnemius eingesetzt werden, wenn auf bewußtes Abheben der Ferse geachtet wird.

▶ Das Endziel sollte der *freie Zehenstand auf dem verletzten Bein* sein. Dies zu erreichen, erfordert oft eine intensive ambulante Behandlungszeit und eine Mitarbeit des Patienten.

▶ Solange der Patient die einzelnen Belastungsphasen noch nicht beherrscht, also noch hinkt, sollten die *Unterarmstützen* nicht weggenommen werden. Das Benutzen von einer Stütze verursacht häufig eine Schiefhaltung, langfristig lohnt es sich abzuwarten, bis der Patient die Unterarmstützen von selbst weglegt.

Besonderheiten bei der Behandlung nach N.-peronaeus-profundus-Parese

Eine spezielle physiotherapeutische Behandlung erfordern Patienten mit zusätzlicher N.-peronaeus-Parese.

▶ Solange keine Reinnervationszeichen vorhanden sind, kann Reizstromtherapie durchgeführt werden, wenn keine Metallplatte dicht unter der Haut liegt. Neben den bereits erwähnten passiven Bewegungen werden *Techniken* eingesetzt wie:

• Halten von Positionen.
• Setzen von Kontraktionshilfen, wie Eisabreiben, Muskelherausgreifen, Streichen über der Hautregion, kontralaterale Muskelarbeit.
• Overflow von proximalen, synergistisch wirkenden Muskelketten und deren statischer Spannung.

> Approximation und Stretch am Sprunggelenk sowie Tapping an der Unterschenkelmuskulatur sind erst nach Konsolidierung der Fraktur anwendbar. **!**

▶ Besondere Bedeutung erhalten eine exakte Lagerung des Fußes in einer Kunststoffschiene und die entsprechenden Hilfsmittel zur Sprunggelenkstabilisation.

SCHÜLERAUFGABE ■■■■■

Stellen Sie ein Übungsprogramm für den M. gastrocnemius zusammen, das ca. 6 Wochen nach einer Unterschenkelfraktur durchgeführt werden kann, die mit einem Verriegelungsnagel versorgt worden war.

ÜBUNGSBEISPIELE

Unterschenkelschaftfraktur, teilbelastungsstabil versorgt

Ausgangsposition

Rückenlage, Unterschenkel flach gelagert, Ferse frei.

ÜBUNG

Isometrisches Spannen der Fußheber in aktueller Endstellung.
Fixation: Passiv oberhalb des Sprunggelenkes am Unterschenkel.
Kontakt: Dicht am Sprunggelenk über dem Talus.
Übungsauftrag: »Spannen Sie den Fuß nach oben, halten und lockerlassen!«

ÜBUNG

Isometrisches Spannen des M. quadriceps und freie aktive Bewegungen der Fußheber.
Kontakt/Widerstand: Ventral, proximal am Unterschenkel, die 2. Hand in der Kniekehle, kein Kontakt am Fuß.
Übungsauftrag: »Spannen Sie das Kniegelenk nach unten und ziehen Sie den Fuß hoch, halten und lockerlassen!«
▶ *Dasselbe* mit wiederholten Kontraktionen für den M. quadriceps bei aktiv gehaltener Dorsalextension. Der Unterschenkel liegt frei über der Bettkante.

ÜBUNG

▶ Dynamische wiederholte Kontraktionen der Fußheber gegen Führungskontakt/Widerstand.
Fixation: Passiv distal am Unterschenkel.
Kontakt: Dicht am Sprunggelenk über Talus.

Übungsauftrag: »Ziehen Sie den Fuß hoch, halten, etwas nachgeben, wieder hochziehen usw.!«
▶ *Dasselbe* mit Spannung der Zehenextensoren.
▶ *Dasselbe* mit Spannung der Zehenflexoren.

ÜBUNG

▶ Dorsalextension/Supination mit wiederholten Kontraktionen.
Kontakt: Medial an der Ferse, dorsal über dem Talus.
Fixation: Passiv distal am Unterschenkel.
Übungsauftrag: »Ziehen Sie den Fuß nach oben/innen, halten, etwas nachgeben, wieder hochziehen usw.!

ÜBUNG

▶ Dorsalextension/pronation mit wiederholten Kontraktionen.
Kontakt: Lateral an der Ferse und dorsal über dem Talus.
Fixation: Passiv am distalen Unterschenkel.
Übungsauftrag: Ziehen Sie den Fuß ein Stück nach oben/außen, halten, ziehen Sie weiter, etwas nachgeben, weiterziehen usw.!«

ÜBUNG

▶ Flexion/Adduktion/Außenrotation mit wechselndem Drehpunkt an den Sprunggelenken.
Kontakt/Widerstand: Kontakt am Fuß, Widerstand am Oberschenkel medial/ventral.
Übungsauftrag: »Ziehen sie den Fuß nach oben/innen, beugen Sie das Knie zur Gegenschulter, halten, jetzt den Fuß nach innen/oben nachziehen, etwas nachgeben, wieder nachziehen usw.!«

▶ *Dasselbe* in der 2. Diagonale des PNF-Programms, Flexion/Abduktion/Innenrotation zum gestreckten Knie.
Kontakt/Widerstand: Entsprechend lateral ventral.
Übungsauftrag: »Ziehen Sie den Fuß nach oben/außen, strecken Sie das Knie und heben Sie das Bein nach oben/außen, halten, jetzt den Fuß nachziehen, etwas nachgeben, wieder hochziehen usw.!«

Übung
▶ Flexion/Adduktion zum gebeugten Knie gegen Pullingformerzug.
Schlaufenlage: Das eine Schlaufenpaar liegt distal am Oberschenkel und proximal am Unterschenkel. Das 2. Schlaufenpaar wird in der Gegenhand gehalten; diese spannt die Federn in Richtung Flexion-Abduktion bei gebeugtem, supiniertem Ellbogen.
Übungsauftrag: »Spannen Sie mit dem Arm die Feder vor, ziehen Sie den Fuß hoch, beugen Sie das Knie zur Gegenschulter und halten Sie etwas, die Spannung ein wenig zurücknehmen, wieder hochziehen usw.«

Übung
▶ Extension/Adduktion/Außenrotation zum gebeugten Knie am Bettende.
Kontakt/Widerstand: Kontakt an Fußsohle und -innenrand, Widerstand dorsal, medial proximal am Unterschenkel.
Übungsauftrag: »Ziehen Sie den Fuß nach innen/unten, spannen Sie den Unterschenkel in die Hand des Therapeuten, halten und lockerlassen!«

Übung
▶ Wiederholte Kontraktion der Kniebeugung bei aktiv gehaltener Plantarflexion/Supination.
Widerstand: Distal, medial, dorsal am Oberschenkel und proximal, medial, dorsal am Unterschenkel.
Übungsauftrag: »Spannen Sie den Fuß nach unten/innen, beugen Sie das Knie, halten, weiter beugen, etwas nachgeben, wieder beugen usw.!«

Übung
▶ Extension/Adduktion/Außenrotation zum gebeugten Knie Extension/Abduktion/Innenrotation zum gebeugten Knie gegen Pullingformer. Die Schlaufen liegen entsprechend dem manuellen Kontakt am distalen Oberschenkel und proximalen Unterschenkel. Das andere Schlaufenpaar wird in die Gegenhand genommen (Stützarmmuster).

Ausgangsposition
Bauchlage, Fuß hängt über die Bettkante.

Übung
▶ Wiederholte Knieflexion bei Haltearbeit des M. glutaeus maximus.
Kontakt/Widerstand: Dorsal, distal am Oberschenkel und plantar am Fuß.
Übungsauftrag: »Ziehen Sie die Zehen zur Decke, beugen Sie das Knie und heben Sie den Oberschenkel leicht ab, halten, etwas nachgeben im Knie, wieder beugen usw.!«
▶ *Dasselbe* mit aktiven Umkehrbewegungen der Sprunggelenke.

Ausgangsposition

Rückenlage.

MOBILISATION DER »SPITZFUSSKONTRAKTUR«

▶ »Chirurgische Technik« aus dem PNF-Programm; anschließend Endstellung halten für die Fußheber.
▶ «Rhythmische Stabilisation« – Entspannen, anschließend Endstellung halten für die Fußheber.

Ausgangsposition

Bauchlage.

MOBILISATION DER KNIESTRECKKONTRAKTUR

▶ »Langsame Umkehr – Halten – Entspannen – aktiv Weiterziehen«, anschließend Endstellung halten für die Kniebeuger.

TECHNIK

▶ Traktion und Dorsalgleiten aus dem manuellen Therapie, anschließend langsame Umkehrbewegungen gegen Führungskontakt.

ÜBUNG

▶ Gehmuster aus dem PNF-Programm: Extension/Abduktion/Innenrotation bei gestrecktem Knie.
  Kontakt/Widerstand: Proximal, lateral, dorsal am Unterschenkel, distal, dorsal, lateral am Oberschenkel, das 2. Bein ist aufgestellt.
▶ Dasselbe als beidseitige reziproke Umkehrbewegung aus dem Sitz (s. Abb. 16.31).

Ausgangsposition

Sitz auf Hocker, Knie rechtwinklig gebeugt, Fuß steht auf einem Tuch.

ÜBUNG

▶ Stabilisation des Zehenstandes im Sitz.
  Übungsauftrag: »Heben Sie die Ferse an und halten Sie das Tuch fest!«

Ausgangsposition

Stand mit dem Rücken zur Sprossenwand oder Wand.

ÜBUNG

▶ Bei leicht gebeugten Knien soll der Fuß vom Fersenstand zum Zehenstand rollen (M.-gastrocnemius-Übung).
  Übungsauftrag: »Bleiben Sie in der leichten Kniebeugestellung und rollen Sie von den Fersen zum Zehenstand und zurück! Halten Sie sich zur Sicherheit mit den Händen an der Sprossenwand an!«

ÜBUNG

▶ Im Zehenstand auf der Stelle treten.

ÜBUNG

▶ Stabilisation auf dem Schaukelbrett, Sportkreisel, Trampolin.

ÜBUNG

▶ Bergsteigerübung: Gleichseitiger Arm oder beide stemmen gegen die Wand, so daß der Oberkörper schräg nach vorne gebracht wird; beide Beine stehen in Schrittstellung, das verletzte steht hinten und drückt sich mit der Ferse ab.

GEHEN AUF DEM **L**AUFBAND
▸ Gegen Widerstand vorn am Bekken oder am Schultergürtel.

Zur Gehschulung s. Kap. 14, »Schenkelhalsfraktur« und Kap. 15, »Oberschenkelfraktur«.

Literatur

Burri C (1981) Indikation und Formen der Anwendung des Fixateur externe am Unterschenkel. Unfallheilkd 84: 177

Claudi B et al (1976) Anwendung des Fixateur externe bei der Primärversorgung offener Frakturen. Helv Chir Acta 43: 469

Ecke H (1975) Eine Möglichkeit der Behandlung von Defekten an langen Röhrenknochen. Unfallchirurgie 1: 23

Etter Ch et al (1982) Belastungsstabilität in Abhängigkeit von Osteosyntheseverfahren, Verlauf und Komplikationen bei offenen Unterschenkelfrakturen mit schweren Weichteilschäden. Aktuelle Traumatol 12: 78

Kehr H, Hierholzer M (1975) Behandlung von Tibiapseudarthrosen mittels Fixateur externe. Unfallchirurgie 1: 32

Klems H (1976) Behandlung von Unterschenkelpseudarthrosen mit äußeren Spannern. Aktuelle Traumatol 6: 83

Loeweneck H, Liebenstund I (1994) Funktionelle Anatomie. Pflaum, München

Rüedi Th et al (1975) Erfahrungen mit der dynamischen Kompressionsplatte »DCP« bei 418 frischen Unterschenkelschaftbrüchen. Arch Orthop Unfallchir 82: 247

Sellmann J (1983) Aufbohrung und Marknagelung von Unterschenkelpseudarthrosen als alternative Behandlungsmethode. Aktuelle Traumatol 13: 13

Schmidt HG et al (1982) Klinische Anwendung und Ergebnisse mit dem Fixateur externe bei septischen und aseptischen Osteosyntehsen an der unteren Extremität. Aktuelle Traumatol 12: 69

Weise K et al (1983) Zweit- und drittgradig offene Frakturen langer Röhrenknochen, therapeutisches Management und Behandlungsergebnisse. Aktuelle Traumatol 13: 24

Weller S (1982) Der Fixateur externe im Dienst der Prophylaxe und Therapie von Infektionen. Aktuelle Traumatol 12: 43

Wiedemann M, Braun W, Rüter A (1992) Leitfaden der Unfallchirurgie. Urban & Schwarzenberg, München

18 Physiotherapeutische Behandlung nach Frakturen und Luxationen im Bereich der Sprunggelenke, nach Band- und Achillessehnenverletzungen

Einteilung

- Fraktur des inneren und äußeren Malleolus einzeln,
- bimalleoläre Fraktur (Abb. 18.1 a–c),
- Pilon-tibial-Fraktur,
- Maisonneuve-Fraktur, mit und ohne Bandverletzungen und Syndesmosenzerreißung,
- Luxationsfraktur (Abb. 18.2 a–c),
- sog. trimalleoläre Fraktur.

Die *Bänderverletzungen* umfassen:
- Bänderzerrung,
- Teilruptur und komplette Ruptur des δ-Bandes und seiner Teilzügel und des Außenbandes, Ligg. fibulotalaria anterius und posterius und Lig. fibulocalcaneare,
- Achillessehnenriß.

Entsprechend der Wichtigkeit der Syndesmose für die Stabilität des Sprunggelenkes werden die Fibulafrakturen nach Weber (1972) eingeteilt in Typ A, B und C.
- *Weber-A-Frakturen:* Fraktur unterhalb des Gelenksspaltes,
- *Weber-B-Frakturen:* auf Höhe des Gelenksspaltes oder im Bereich der Syndesmose (Syndesmosis tibiofibularis),
- *Weber-C-Frakturen:* oberhalb der Syndesmose. Dabei ist die Syndesmose immer zerrissen!

Die proximale Fibulafraktur in Kombination mit einer Sprunggelenkverletzung wird als *Maisonneuve-Fraktur* bezeichnet.

Die Merkmale der *Pilon-tibial-Fraktur* sind:
- mediales Fragment der Tibiagelenkfläche mit Beteiligung der Syndesmose,
- spongiöse Einstauchung der Gelenkfläche,
- bimalleoläre Fraktur (Abb. 18.3).

Die sog. *trimalleoläre Fraktur* beschreibt die zusätzliche Absprengung eines vorderen oder hinteren Kantenstückes der Tibia (»Volkmann-Dreieck«).

Nach dem Unfallmechanismus werden Frakturen auch in *Supinations-/Inversions-* und *Pronations-/Eversionsfrakturen* eingeteilt.

Ursachen

- Bandausrisse oder Abschermechanismen nach Umkippen des Fußes unter Belastung, oft infolge von Sport-, Verkehrs- oder Arbeitsunfällen. Die Supinations-/Inversionsfraktur tritt häufiger auf als die Pronations-/Eversionsfraktur.

Abb. 18.1. **a** Sprunggelenkfraktur, **b** Osteosynthese mit Platte und Zugschrauben, **c** seitliche Aufnahme

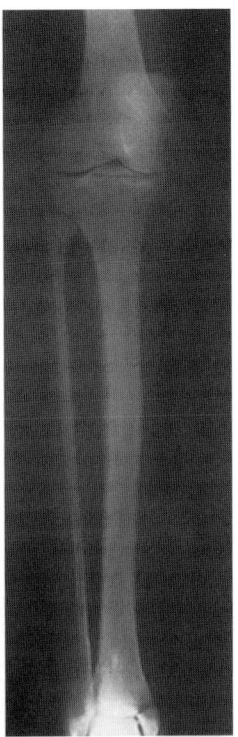

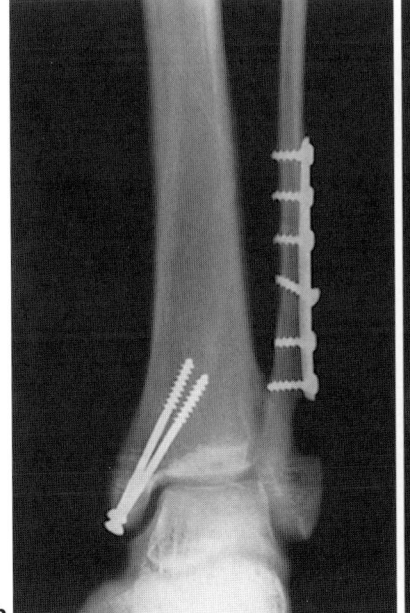

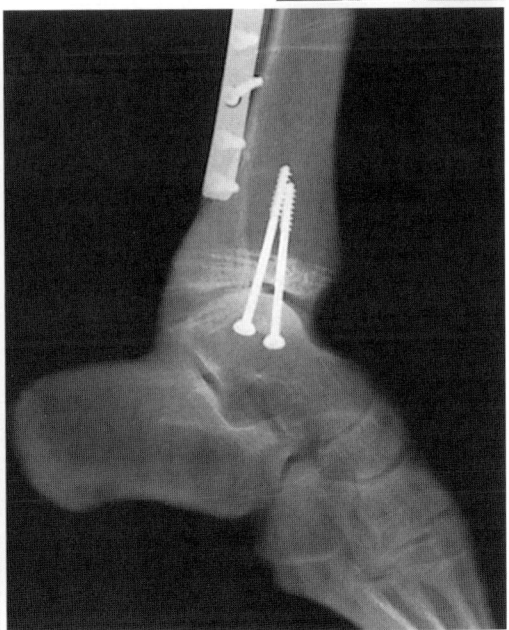

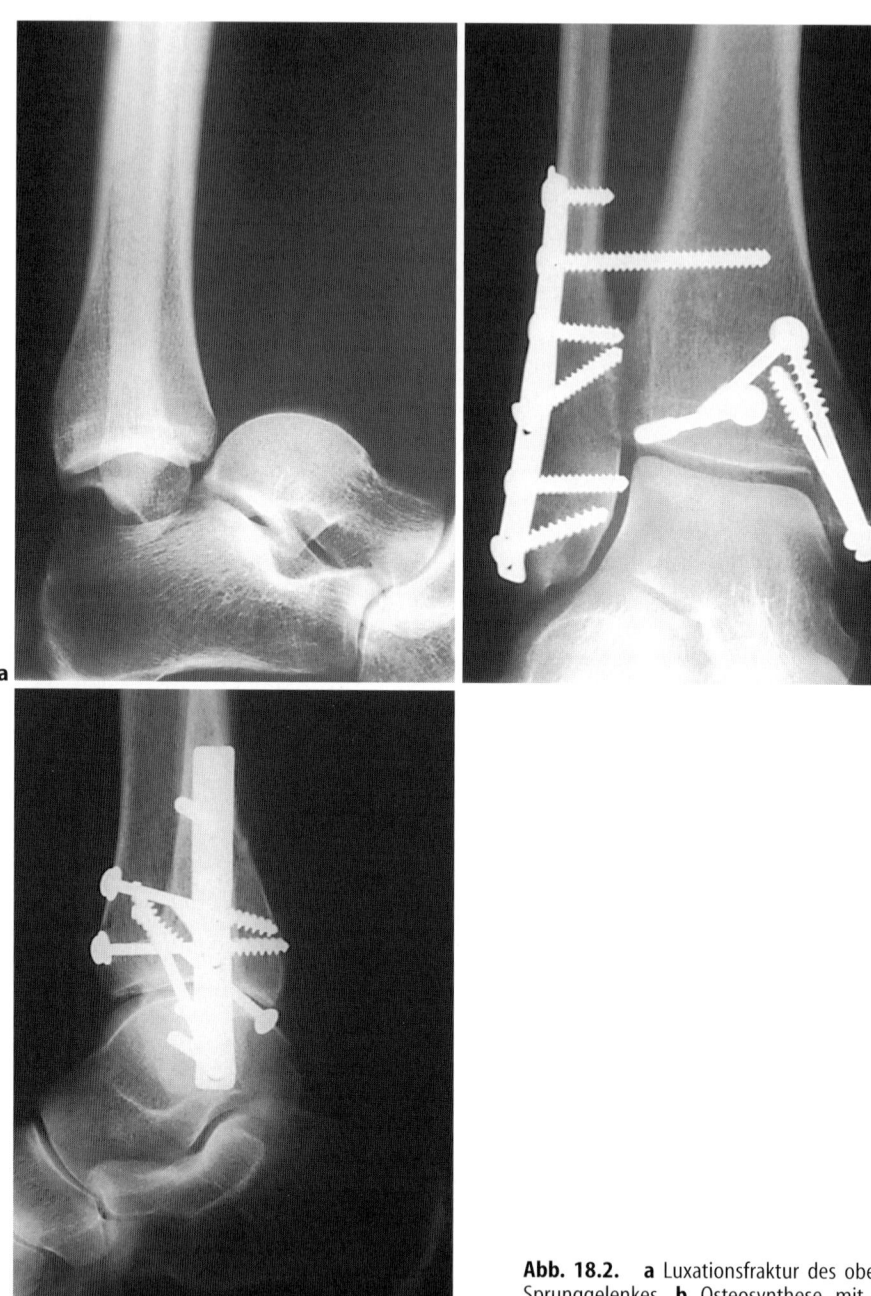

Abb. 18.2. **a** Luxationsfraktur des oberen Sprunggelenkes, **b** Osteosynthese mit zusätzlicher Syndesmosenschraube, **c** seitliche Aufnahme

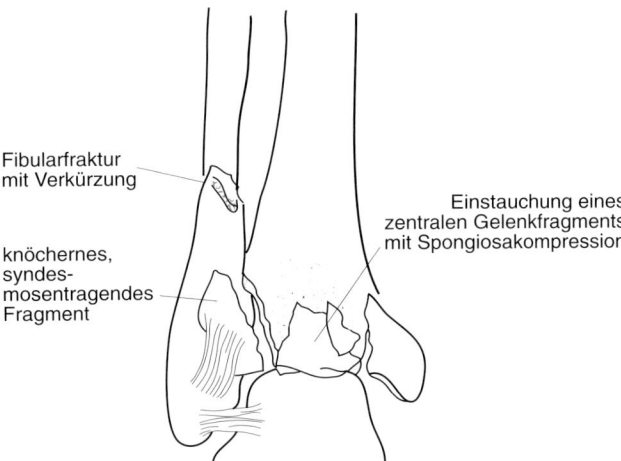

Fibularfraktur
mit Verkürzung

Einstauchung eines
zentralen Gelenkfragments
mit Spongiosakompression

knöchernes,
syndes-
mosentragendes
Fragment

Abb. 18.3. Merkmale einer
typischen Pilonfraktur

Allgemeine Richtlinien, Biomechanik, Symptomatik und ärztliche Maßnahmen

Die wichtigsten *Bänder der Sprunggelenke*, die bei der Entstehung von Kombinationsverletzungen beteiligt sein können, sind:

- *lateral:* Ligg. fibulotalaria anterius und posterius und Lig. fibulocalcaneare,
- *medial:* Lig. deltoideum,
- *vordere Syndesmose:* Lig. tibiofibulare anterius,
- *hintere Syndesmose:* Lig. tibiofibulare posterius.

Die *vordere und hintere Syndesmose* ist ca. 2–6 cm breit und steht unter erheblichem Druck beim Gehen (nach Weber 1972 ca. 20–40 kg). Syndesmose und δ-Band schützen in erster Linie das Sprunggelenk vor Verletzungen.

Isolierte Verletzungen der Syndesmosebänder sind sehr selten; meist handelt es sich um kombinierte Schäden mit Beteiligung des Lig. deltoideum und einer Malleolengabel-sprengung. Manchmal werden sie nicht erkannt und hinterlassen dann erhebliche postoperative Gelenkschäden.

Willenegger (1961) wies nach, daß eine Gabellockerung von 2 mm bereits zu einem 30%igen Verlust des Gelenkflächenkontaktes zwischen Tibia und Talus führt. Die im oberen Sprunggelenk auftretenden Belastungskräfte von ca. 200–300 kg zerreiben die Knorpelauflage des Gelenkes auf der kleiner gewordenen Fläche schneller. Es entsteht eine *Arthrose*.

Da die Talusrolle vorn um 25% breiter ist als hinten, liegt der Talus bei Dorsalextension schlüssig in der Malleolengabel und drückt sie bei Belastung ca. 2–3 mm auseinander.

Nach Cailliet (1972) rotiert die Fibula 5–10° nach innen und der Talus nach lateral. Die Fibula macht eine Bewegung nach kranial und stellt auf diese Weise die Fasern der Syndesmose horizontal. Bei Plantarflexion rotiert der Talus nach medial und die Fibula nach außen, die Fibula sinkt leicht nach kaudal ab, und die Syndesmose erfährt eine Schrägstellung (Abb. 18.4). Dieser Mechanismus führt zu einer verbesserten Gelenksicherung bei der Mittelstandphase.

Die Kollateralbänder sichern mit allen Zügeln das Sprunggelenk in der Nullstellung/im Mittelstand, lediglich das laterale Kollateralband verändert mit seinem ventralen und dorsalen Zügel seine Spannung bei Dorsalextension und Plantarflexion (Abb. 18.5).

Frakturen, Luxationen und Luxationsfrakturen

Wirken an einem Sprunggelenk übergroße Kräfte, z. B. in Abduktion/ Pronation, drückt der laterale Talusrand gegen den Außenknöchel, die Syndesmose reißt, die Malleolengabel wird gesprengt, und der Talus luxiert (Abb 18.6). Der Talus kann sich um seine Längsachse drehen, nach lateral oder medial verschieben, sich um seine Vertikalachse bewegen und dabei ein hinteres Volkmann-Dreieck an der Tibiakante abmeißeln. *Syndesmosenzerreißungen* können rein ligamentär oder mit Aussprengung eines Knochenfragmentes aus der Tibia erfolgen (»tubercule de Chaput«).

Eine andere Variante entsteht z. B. über die Dehnung des medialen Kollateralbandes als *Abriß des Innenknöchels* oder bei intakter Syndesmose als *bimalleoläre Fraktur*.

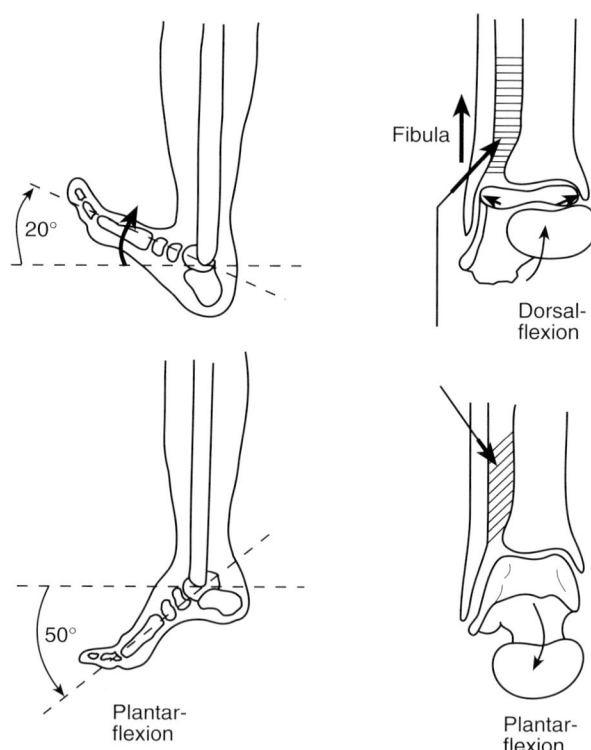

Abb. 18.4. Biomechanik des oberen Sprunggelenkes. (Nach Cailliet 1972)

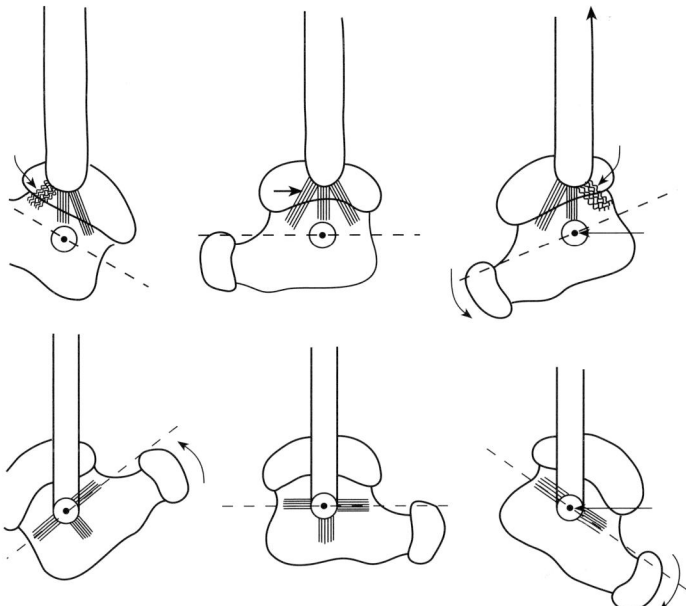

Abb. 18.5. Verhalten der Kollateralbänder bei Bewegung des oberen Sprunggelenkes. (Nach Cailliet 1972)

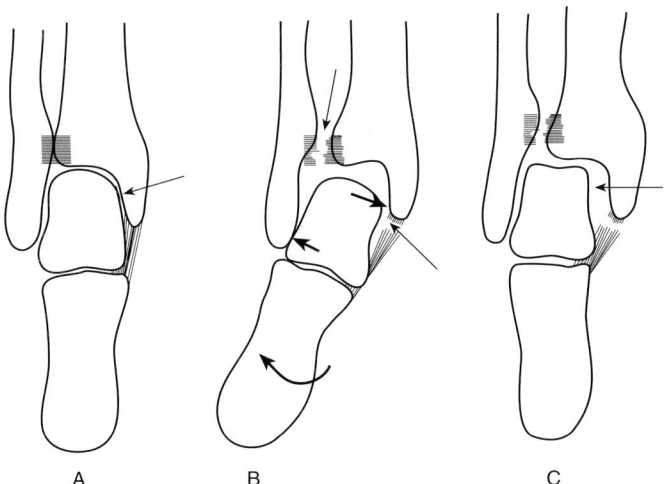

Abb. 18.6 A–C. Mechanismus der Syndesmosensprengung. (Nach Cailliet
1972)

Bei den *Adduktionsfrakturen* dreht sich der Talus um die vertikale Achse, die mediale Kante drückt gegen den Innenknöchel, und der Außenknöchel bricht durch die Verkantung.

Anhalt für die Beurteilung einer *Syndesmosensprengung* kann nach Nißl (1950) das Verhältnis zwischen horizontalem und vertikalem Gelenkspalt des oberen Sprunggelenkes sein. Im Normfall ist der senkrechte, mediale Gelenkspalt schmaler als der horizontale. Das Verhältnis beträgt 3:5.
Ist das Verhältnis umgekehrt oder gleich groß, handelt es sich um eine Gabelsprengung.
Nach Kapandji (1985) überlappt die Fibula die laterale, vordere Kante der Tibia um ca. 8 mm. Ist letzterer Abstand größer als die Überlappung, ist die Syndesmose gesprengt.

Besteht kein Anhalt für eine Fraktur, wird zur Diagnostik einer Bandruptur eine *gehaltene Röntgenaufnahme* in 20° Innenrotation des Unterschenkels, 15° Plantarflexion und mäßiger Supination des Fußes durchgeführt.

Eine laterale Aufklappbarkeit und ein Talusvorschub werden bei positivem Befund erkennbar (Abb. 18.7).
Auch *arthroskopische Untersuchungen* sind heute möglich. Durch die Talusluxation nach lateral können außerdem auch tangentiale oder osteochondrale Flakes am Talus abscheren. Besteht starke Schwellung oder Schmerzhaftigkeit, kann die gehaltene Aufnahme nicht durchgeführt werden.
Klinisch gesehen geben die Patienten ein unangenehmes Instabilitätsgefühl und Belastungsschmerzen an.

Wegen der großen statischen Bedeutung werden heute fast alle Malleolenfrakturen mit und ohne Bandverletzungen *operativ* versorgt. Zur Anwendung kommen Zugschrauben, Zuggurtungs- und Plattenosteosynthesen (Abb. 18.8 a–c).

Lediglich die Weber A Fraktur kann bei guter Stellung *konservativ* versorgt werden.
▶ Die Ruhigstellung erfolgt dann häufig mit einem Lightcast (Abb. 18.9).

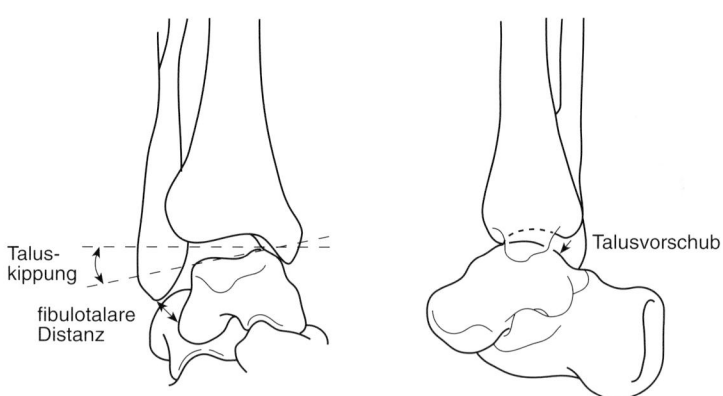

Abb. 18.7. Röntgenzeichen bei der fibulotalaren Bandruptur

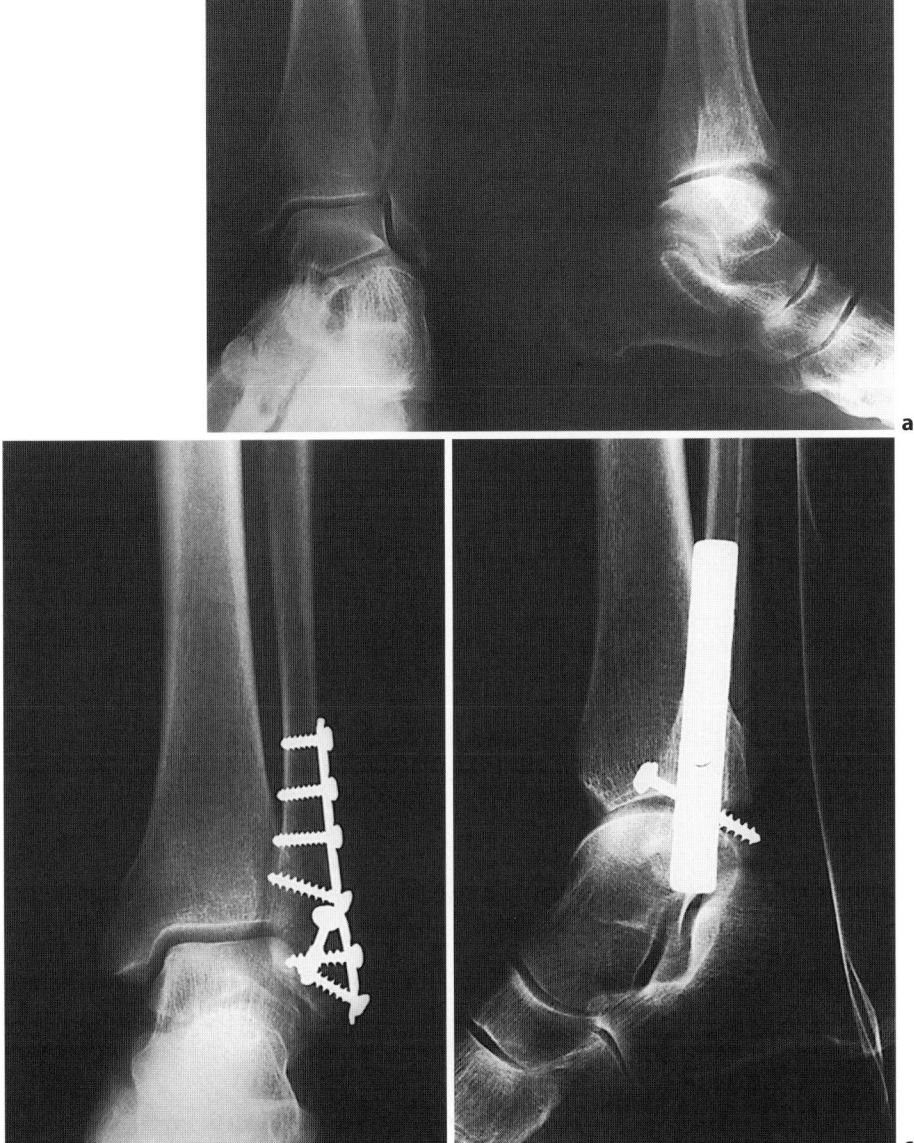

Abb. 18.8.   **a** Fraktur des lateralen Malleolus, Teilruptur der Syndesmose, **b** Osteosynthese, **c** Seitenansicht

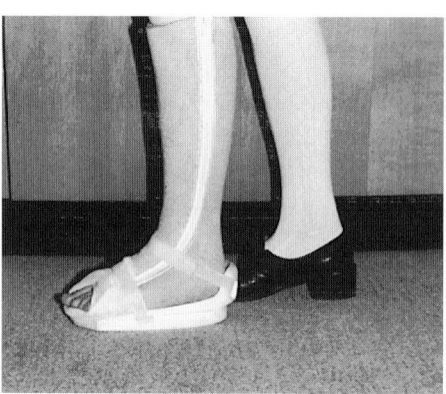

Abb. 18.9. Lightcast bei Bandverletzung oder Weber-A-Fraktur

▶ Bei Kindern wird vorzugsweise eine konservative Behandlung durchgeführt.

Die *Zerreißung der Syndesmose* und des *δ-Bandes* sowie der *lateralen Kollateralbänder* zwingen zu Bandnähten. Zur Ruhigstellung der Syndesmose werden für ca. 5–6 Wochen Stellschrauben oder Stellhaken eingebracht. Diese Verankerungen verhindern die physiologischen Rotations- und Auf-/Abbewegungen der Fibula, so daß eine Bewegungslimitierung

der Sprunggelenke erforderlich wird (s. Abb. 18.4).

> In diesen Fällen muß die Dorsalextension in der Nullstellung des oberen Sprunggelenkes (Rechtwinkelstellung) begrenzt werden, da sonst Gegenkräfte auftreten. Dynamische Pro- und Supinationsbewegungen sind ebenso kontraindiziert wie belastetes Gehen.

Trümmerfrakturen, offene und infizierte Frakturen werden mit Fixateur externe (Abb. 18.10) behandelt. Diese Versorgung gilt als stabile Osteosynthese oder als temporäre Arthrodese. Ein Osteosynthesewechsel kann zu einem späteren Zeitpunkt vorgenommen werden.

Häufig werden Patienten nicht unmittelbar nach ihrem Unfall definitiv versorgt, das Bein wird bis zur Abschwellung auf einer Hochlagerungsschiene gelagert und mit Eis behandelt. Die Osteosynthese erfolgt nach ca. 5–7 Tagen.

Die Entlastungszeiten und die vorgegebenen Bewegungsbegrenzungen richten sich bei Sprunggelenkfrakturen nach den *Band- und Knorpelverletzungen.*

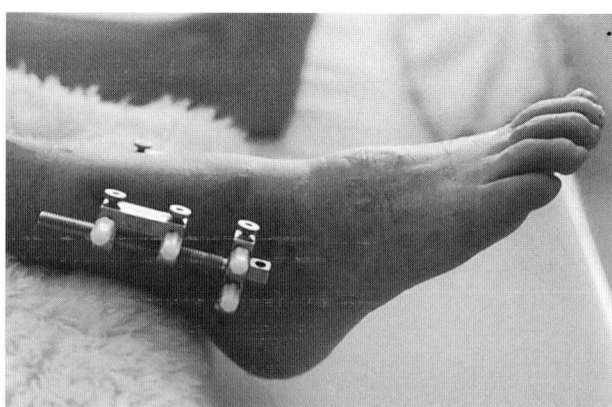

Abb. 18.10. Fixateur externe

▶ Patienten, die eine *Malleolenfraktur ohne Bandverletzung* haben (Weber A und B), dürfen alle Bewegungen des oberen und unteren Sprunggelenkes aktiv ausführen. Sie werden angehalten, möglichst oft am Tag selbst zu üben.

Sprunggelenkfrakturen ohne Bandverletzungen mit stabiler Osteosynthese benötigen keinen Gips, es sei denn, die Patienten sind nicht kooperativ oder in schlechtem Allgemeinzustand.
▶ Solche Patienten erhalten für 4 Wochen einen Liegegips/Lightcast und für weitere 2–4 Wochen einen Gehgips/Lightcast.
▶ Im Normfall können von der 1. bis zur 4. Woche Sohlenkontakt, ab 6. Woche Teilbelastung mit 20 kg durchgeführt werden. Die weitere Steigerung erfolgt wöchentlich mit 10–15 kg.
▶ *Sprunggelenkfrakturen mit Knorpelknochenverletzung* und stabiler Osteosynthese erhalten im Normfall keinen Gips. Bis zur 6. Woche sollen sie entlasten, anschließend mit 20 kg Teilbelastung beginnen und wöchentlich nach Schema steigern. Nichtkooperative Patienten sollen für 6 Wochen einen Liegegips erhalten.
▶ *Sprunggelenkfrakturen mit Syndesmosennaht* und *Pilon-tibial-Frakturen* mit stabiler Osteosynthese werden nach gleichem Schema behandelt.

> **!** Nichtstabile Osteosynthesen nach Sprunggelenkfrakturen und alle Kollateralbandverletzten erhalten für 6 Wochen einen Liegegips oder einen Sarmiento-Gips. Die anschließende Teilbelastung erfolgt stufenweise nach Schema.

▶ Bei *doppelseitigen Frakturen* oder *Mehrfachverletzten* sollte an einen Allgöwer-Entlastungsapparat gedacht werden.
▶ Während der Zeit der Übungsstabilität darf nur aktiv und gegen Handkontakt geübt werden. Bei Erlaubnis zur Teilbelastung kann zunehmend angepaßter Widerstand gegeben werden, wenn die Muskeltestwerte über 3 liegen. Gleiches gilt für die Dosierung der Mobilisationstechniken.

> **!** Die Muskelkraft kann nur verbessert werden, wenn die Bewegungen schmerzfrei, die Strukturen fest sind und die Belastung angepaßt ist.
> Pro- und Supinationsbewegungen gegen Widerstand oder als endgradige Bewegung dürfen erst ausgeführt werden, wenn die Frakturen zur Teilbelastung freigegeben sind und die Stellschraube nach 6 Wochen entfernt worden ist.

▶ Bei sehr *sportlichen und kooperativen Patienten* können die Gipszeiten bei kombinierten Band- und Malleolenverletzungen verkürzt werden durch Tragen eines ADIMED-Spezialschuhs oder anderer Sprunggelenkorthesen). Es darf dann aber keine Stellschraube eingebracht sein.
▶ Die Steigerung der Belastung richtet sich nach der Festigkeit der Fraktur und der Bänder sowie nach dem Befund, u. a. nach der Muskelkraft des M. gastrocnemius, der Fußheber und der Beweglichkeit des Sprunggelenkes.

Komplikationen

- Bleibende Inkongruenz der Gelenkanteile,
- Knorpelschaden,
- Arthrose,
- Instabilität,
- Kontraktur,
- Infektion,
- sympathische Reflexdystrophie.

Befunderhebung nach Sprunggelenkfraktur (übungsstabile Versorgung)

BEURTEILE

- Hautdurchblutung.
- Spannung der Haut.
- Schwellung.
- Operationsnarbe, Wundheilung, Verklebung.
- Muskelrelief und Achsenstellung des Gelenkes in Ruhe.
- Atrophie.
- Verklebungen im Bereich der Achillessehne.

Im Röntgenbild:
- Verhältnis medialer/horizontaler Gelenkspalt.
- Fibulastellung zur Tibia.
- Talusstellung.
- Fragmentdislokation, Lokalisation der Fraktur. (Weber A, B, C? Pilon tibial etc.)
- Art und Festigkeit der Osteosynthese.
- Konsolidierung und Knochenzeichnung.

MISS

- Aktiven Bewegungsausschlag im oberen Sprunggelenk und unteren Sprunggelenk im Seitenvergleich.
- Umfang am Unterschenkel an der dünnsten Stelle, an Malleolen und am Mittelfuß.

PRÜFE

- Muskeltest der Dorsalextensoren und Plantarflexoren auf Teststufe 3.
- Qualität des Bewegungsstops.
- Sensibilität.
- Pulse.
- Lokale Temperatur.
- Evtl. Ratschow-Test.
- Ganganalyse.

NOTIERE

- Art und Lokalisation von Schmerzen (Wann? wo? wie?) insbesondere auch Aussagen über Belastungsschmerzen und Beschwerden bei Bewegung und Belastung (Instabilitätsgefühl).
- Gebrauch von Hilfsmitteln.

Behandlungsmöglichkeiten

GESICHTSPUNKTE
DER BEHANDLUNG
NACH SPRUNG-
GELENKFRAKTUREN

1. Durchblutungsver-
besserung/Abbau
des Ödems.
2. Lagerungskon-
trolle.
3. Mobilisation des
oberen Sprungge-
lenkes.
4. Kräftigung der
Fußheber.
5. Kräftigung des
M. triceps surae.
6. Erhalten der Mus-
kelkraft der übri-
gen 3 Extremitäten.
7. Vorbereitung zur
Belastung.
8. Gehschulung, Selb-
ständigkeitstrai-
ning.

Schwerpunkte der postoperativen Behandlung sind die Punkte 1), 3), 4), 5) und 8).

● **1. Verbesserung der Durchblutung, Abbau des Ödems**

Patienten nach Sprunggelenkfrakturen haben oft ein posttraumatisches Ödem, das sich hartnäckig unterhalb der Malleolen und am Fußrücken festsetzt. Läßt der Patient den Fuß herunterhängen, verfärbt er sich fleckig blau-rot. Bleibt diese Symptomatik bestehen, kann daraus ein sog. *Sudeck-Syndrom* (sympathische Reflexdystrophie) entstehen.

▶ Zur Anwendung kommen Spannen gegen Führungskontakt im Sekundenrhythmus und aktive Umkehrbewegungen aus der Hochlagerung. In den Pausen sollen Eisabtupftechnik, manchmal auch kalte, trockene Kompressen verwendet werden.

▶ Erst nach der Entfernung der Fäden dürfen entstauende Massagegriffe durchgeführt werden. Dann können auch Eiswasserumschläge um das Sprunggelenk und Eistauchbäder im Wechsel mit Spannungsübungen Anwendung finden. Wechselbäder sollen nur von lauwarm zu kühl wechseln.

▶ Selbstverständlich soll der Fuß anfangs andauernd hochgelegt werden. Das Tragen von Antiemboliestrümpfen oder elastischen Verbänden zum Aufstehen ist zwingend.

▶ Die Patienten müssen angeleitet werden, alle Maßnahmen selbständig weiterzuführen als »Hausaufgabenprogramm«.

● **2. Lagerungskontrolle**

▶ In der postoperativen Phase erhalten die Patienten eine offene Gipsschale für einige Tage, aus der heraus sie üben dürfen (Abb. 18.11).

▶ Die Patienten können, soweit es sich nicht um Polytraumen handelt, entlastet oder mit Sohlenkontakt aufstehen. Diese frühfunktionelle Behandlung erlaubt ein gutes Kreislauftraining.

▶ Erforderlich ist eine *mäßige Hochlagerung*, z.B. auf einer Krapp-Schiene oder mit einer Polsterabstützung am Bettende, wenn dies schräg hochgestellt wurde. Moderne Klinikbetten mit ihren verstellbaren Bettenden erfüllen diese Aufgabe pro-

GESICHTSPUNKTE
DER BEHANDLUNG
NACH SPRUNG-
GELENKFRAKTUREN

blemlos. Patienten und Pflegepersonal müssen evtl. häufiger darauf hingewiesen werden, daß das Sprunggelenk nicht andauernd in Plantarflexion liegen darf. Darüber hinaus sollte die Ferse freiliegen und die Kniekehle gering unterlagert sein.

▶ Zur Behandlung wird das Kniegelenk gebeugt, der Unterschenkel höher und die Ferse frei gelagert, so daß die Spannung des M. gastrocnemius herabgesetzt wird. Später soll das Kniegelenk gerade aufliegen.

3. Mobilisation des oberen Sprunggelenkes.

● **3. Mobilisation des oberen Sprunggelenkes**

Bei der Schwere der Verletzung muß, insbesondere nach Luxationsfrakturen, mit erheblichen Schäden an allen Strukturen gerechnet werden. Die daraus entstehenden *arthrogenen Kontrakturen* sind langwierig.

▶ Die Mobilisation des Sprunggelenkes ist ein wichtiger Behandlungspunkt in der 2. Behandlungsphase. Kann gipsfrei behandelt werden, soll so früh wie möglich, aber auch so subtil wie möglich aktiv mobilisiert werden.

▶ Techniken, z.B. die »chirurgische Technik« aus dem PNF-Programm oder die aktive Umkehrbewegung gegen Führungskontakt können eingesetzt werden. Dabei wird die Technik, entsprechend der vorgegebenen Bewegungseinschränkung, ohne oder mit dynamischer Pro-/Supination ausgeführt.

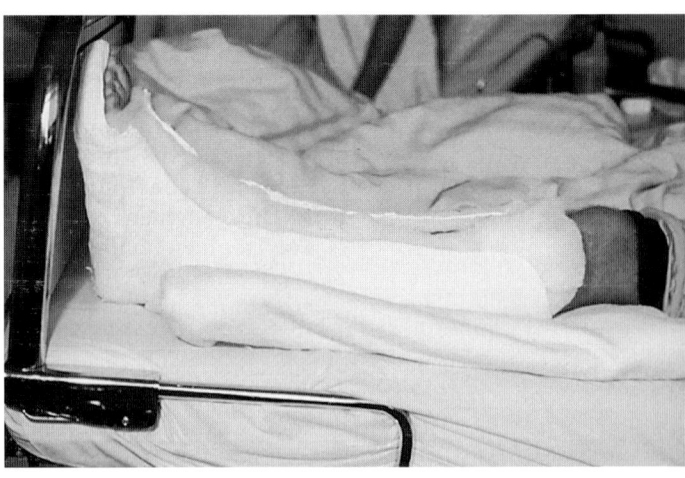

Abb. 18.11. Lagerung in einer Gipsschale

GESICHTSPUNKTE
DER BEHANDLUNG
NACH SPRUNG-
GELENKFRAKTUREN

▶ Nach entsprechender Gipsbehandlung und bestehender Belastungsstabilität für alle Strukturen des Sprunggelenkes müssen Techniken der manuellen Therapie mit Traktion und Gleiten des Talus angewendet werden.

▶ Bei passiver Fixation kann auch durch »langsame Umkehr – Halten – Entspannen« mit aktivem/passivem Weiterziehen mobilisiert werden (Abb. 18.12 und 18.13).

▶ Die Bewegungsrichtungen sind Dorsalextension, Dorsalextension mit Pronation und Supination. Der Effekt ist am größten, wenn *unter Traktion* mobilisiert wird, anfangs bei entspanntem M. gastrocnemius, später unter dessen Dehnung.

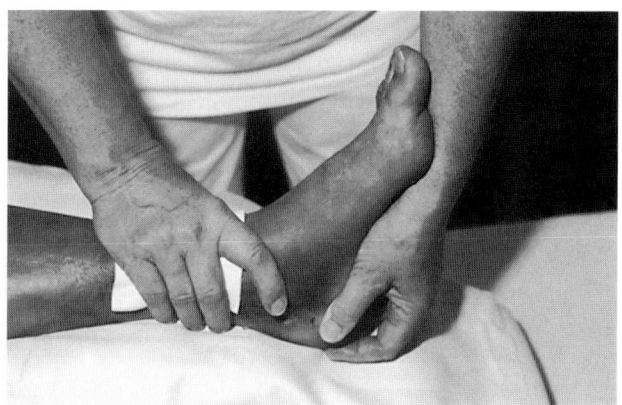

Abb. 18.12. Mobilisations- und Fixationsgriff, Plantarflexion

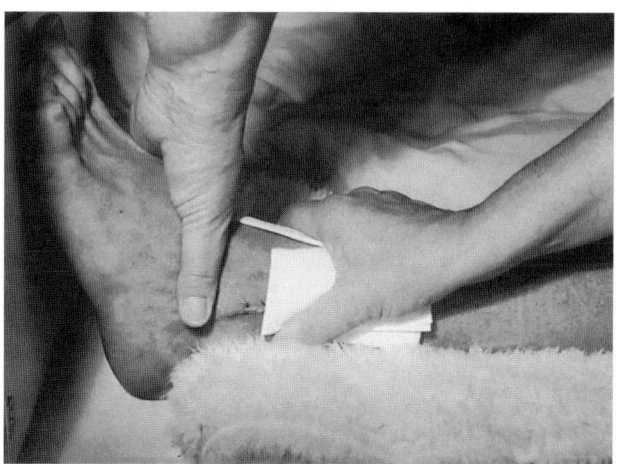

Abb. 18.13. Führungskontakt- und Fixationsgriff, M. tib. ant.

▶ Bei deutlicher Spannungserhöhung des M. triceps surae wird eine Eiskompresse unter den Muskel gelegt (Rückenlage).

▶ Ein Vertauschen von Punctum fixum und Punctum mobile ist möglich. Fixiert die Physiotherapeutin die Ferse in Dorsalextension, kann der M. gastrocnemius noch weiter gedehnt werden durch eine statische Anspannung in Richtung Knieflexion (Abb. 18.14).

● **4. Kräftigung der Fußheber**

Nach jeder Mobilisationstechnik muß eine Kräftigung der Fußheber erfolgen.

▶ Bewegen und Halten aktiv, gegen Kontakt oder Widerstand für die Dorsalextensoren, sowie »Endstellung – Halten« können schon frühzeitig eingesetzt werden (Abb. 18.15). Soll die Spannung auf den M. tibiali anterior ohne Zehenextension gelenkt werden, müssen die Zehen in Beugestellung gehalten werden (Abb. 18.16).

▶ Rotationswiderstände sind nur bei enger Indikationsstellung durchzuführen (Abb. 18.17 und 18.18).

▶ Verstärkung kann über die Quadrizepsspannung aufgebaut werden.

▶ PNF-Techniken der wechselnden Drehpunkte sind geeignete Übungsformen, wenn die Haltewiderstände oberhalb der Fraktur angesetzt werden

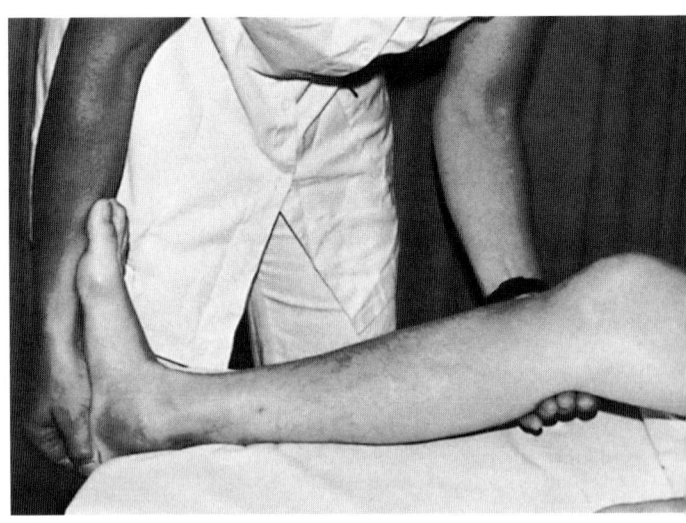

Abb. 18.14. Spannen des M. gastrocnemius in Knieflexion bei fixiertem Fuß

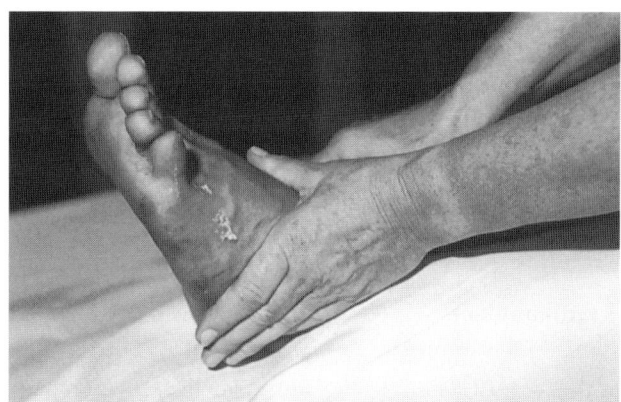

Abb. 18.15. Führungs-
kontakt und Fixationsgriff,
Fußheber

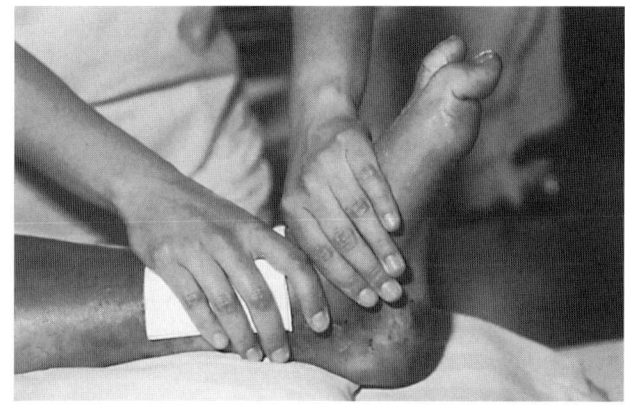

Abb. 18.16. Dasselbe mit
Korrektur der Zehenüber-
streckung durch Zehen-
flexion

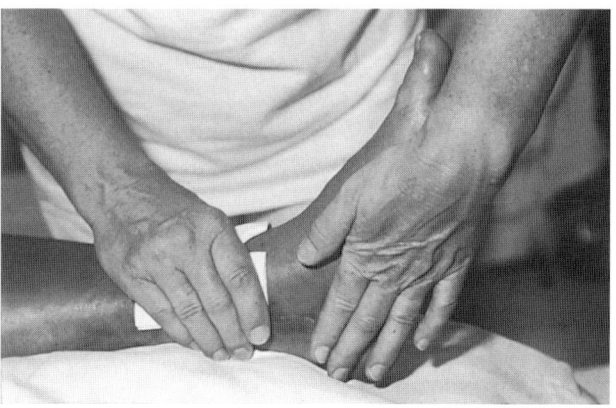

Abb. 18.17. Statische
Supination in Nullstellung

(Abb. 18.19 a, b). Bei passiver Fixation der Fraktur über den Malleolen können die in Kap. 17 (»Unterschenkelschaftfraktur«) angegebenen Übungen durchgeführt werden.

▶ Eine Ausnahme bilden jedoch die Frakturen, die mit einer Stellschraube versorgt wurden. Für diese Patienten gilt die vorab beschriebene Bewegungsbegrenzung: 0–0-freie Plantarflexion, keine dynamische Pro-/Supination.

5. Kräftigung des
M. triceps surae.

● **5. Kräftigung des M. triceps surae**

▶ Das Training dieses für das Gehen so wichtigen Muskels wird entsprechend den Vorschlägen durchgeführt, die in Kap. 17, »Unterschenkelfrakturen« beschrieben worden sind.

▶ Grundsätzlich gilt, daß die Kniebeugung in allen Variationen gegen manuellen oder Gerätewiderstand intensiv geübt werden soll, evtl. aber die dynamischen Sprunggelenkbewegungen aktiv ohne Widerstand in der ersten Behandlungszeit ausgeführt werden müssen. Die isolierte Plantarflexion wird durch Kontakt (Zug) an der Ferse geübt (Abb. 18.20 und 18.21).

▶ Bei Übungen gegen den Pullingformer können die Schlaufen distal/dorsal am Unterschenkel liegen.

▶ Liegt keine Stellschraube, werden Plantarflexion, Dorsalextension, Supination und Pronation als aktive Umkehrbewegungen ohne Handkontakt auch aus der Bauchlage geübt. In unklaren Fällen ist

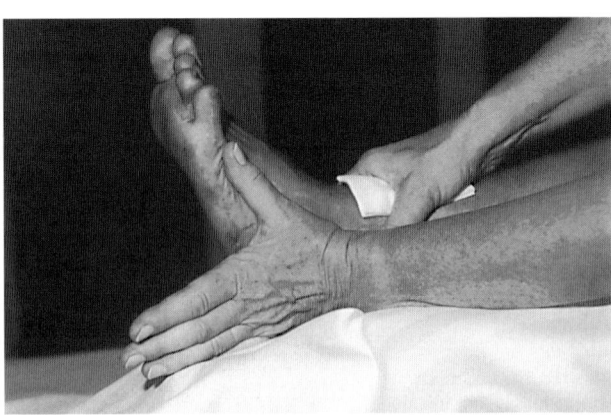

Abb. 18.18. Statische Pronation

GESICHTSPUNKTE
DER BEHANDLUNG
NACH SPRUNG-
GELENKFRAKTUREN

Rücksprache mit dem Arzt erforderlich, der die Osteosynthese durchgeführt hat.

▶ Darf der Patient teilbelasten oder belasten, wird der Zehenstand aus dem Halbkniestand, dem Sitz auf dem Pezziball oder auf dem Hocker sowie im Stand geschult. Dabei soll das Kniegelenk in verschiedenen Beugewinkeln gehalten werden.

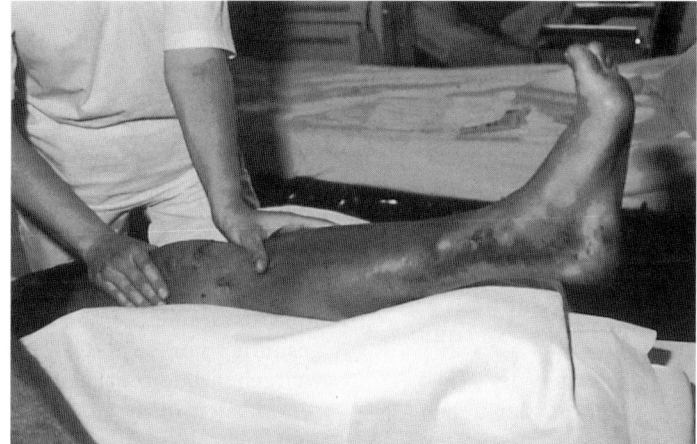
a

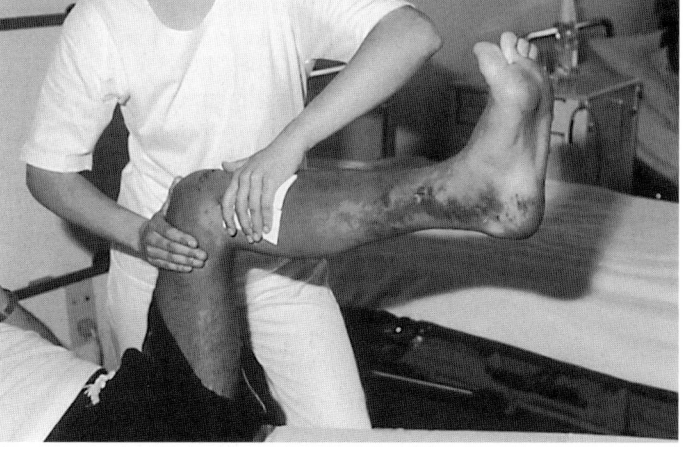
b

Abb. 18.19. **a** Aktive Dorsalextension mit Kniestreckung gegen proximalen Widerstand, **b** dasselbe mit gebeugtem Kniegelenk

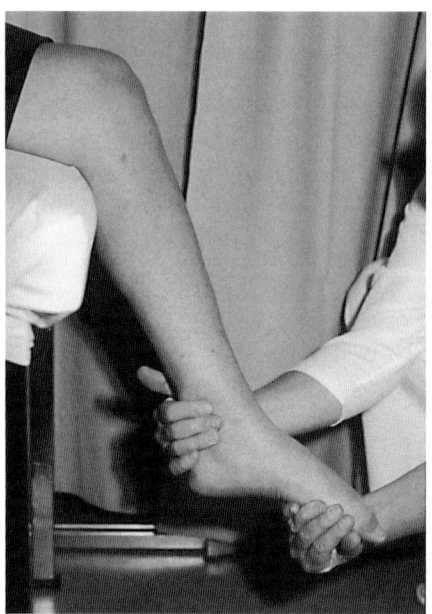

Abb. 18.20. Plantar-
flexion bei gebeugtem
Kniegelenk

● **6. Erhalten der Muskelkraft der 3 übrigen Extremitäten**

▶ Widerstandsübungen für die Arme und das
gesunde Bein können auch bei diesen Frakturen
weitgehend dem Patienten als Hausaufgabe überlas-
sen werden. Eingeübt werden Stütz- und Stemmu-
ster gegen Expanderzügel, das Bridgingmuster und
entsprechende Muster gegen Pullingformer.
▶ Handelt es sich jedoch um ältere Patienten oder
Mehrfachverletzte, sollen die Übungen und ihre
Ausführungen überwacht und ggf. manuell mit der
Physiotherapeutin eingeübt werden.
▶ Entlastetes Gehen ist für jeden Patienten
beschwerlich und bedarf der Vorarbeit.

● **7. Vorbereitung zur Belastung**

▶ Soll das Sprunggelenk nach 6 Wochen *teilbelastet*
werden, wird aus Sitz auf dem Hocker, auf Pezziball
und im Halbkniestand geübt, der betroffene Fuß
steht auf einer Waage.
▶ Die Stabilisationsübungen müssen für das
Sprunggelenk in seiner Nullstellung (90°-Stellung)

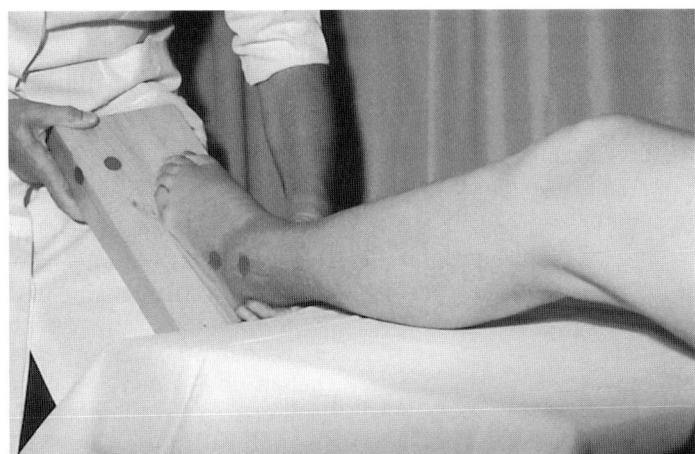

Abb. 18.21. Plantarflexion gegen ein Brettchen

GESICHTSPUNKTE
DER BEHANDLUNG
NACH SPRUNG-
GELENKFRAKTUREN

ausgeführt werden. Anfangs sollte das Gelenk noch bandagiert werden. Die verordnete Teilbelastung oder der Sohlenkontakt müssen eingehalten werden.
▶ Die in der Mittelstandphase beanspruchten Muskeln können, wie in Kap. 17, »Unterschenkelfraktur« beschrieben, in *PNF-Mustern* geübt werden. Der angepaßte Widerstand wird plantar/lateral am Fuß angelegt. Die Physiotherapeutin kann am Bettende stehen, wodurch sie wesentlich geschickter greifen kann. Bewegen und Halten, sowie wiederholte Kontraktionen sind geeignete Übungsformen. Sie sind auch als Umkehrbewegungen sinnvoll eingesetzt, wenn z. B. wenig Widerstand für die Flexion/Adduktion/Außenrotationsrichtung und deutlich optimaler Widerstand für die Bewegungsrichtung Extension/Abduktion/Innenrotation gegeben werden.
▶ Der Pullingformer kann am distalen Unterschenkel und am Fuß angelegt werden (sonst s. Kap. 17, »Unterschenkelschaftfraktur« und Kap. 19, »Frakturen im Bereich des Fußes«).

8. Gehschulung, Selbständigkeitstraining.

● **8. Gehschulung**

▶ Zunächst wird die erlaubte Belastung im Stand auf Waagen erspürt und kontrolliert, dann werden Einzelschritte über die Waagen ausgeführt.
▶ Stabilisationsübungen bei exakter Einhaltung der Belastung auf der Waage folgen, bevor der Patient eine Wegstrecke geht. Wiederholt muß er auf die Waage zurückkehren und sich kontrollieren.

GESICHTSPUNKTE
DER BEHANDLUNG
NACH SPRUNG-
GELENKFRAKTUREN

8. Gehschulung, Selb-
ständigkeitstrai-
ning.

▶ Einüben des Einbeinstandes, der Fersenablösung und des Fersenaufsetzens nach der Schwungphase sind gezielt vorzunehmen.

▶ Der Bewegungsablauf Fuß – Kniegelenk – Hüftgelenk – Becken – Rumpf – Kopfhaltung und der Gehhilfeneinsatz müssen als Ganzes beobachtet und korrigiert werden.

▶ Die Patienten werden angewiesen, *zu Hause* entsprechend *weiterzuüben*. Wiederholte Kontrolle der Spontanbelastung gibt der Physiotherapeutin Aufschluß, ob der Patient korrekt belastet. Schwillt der Fuß noch an, soll der Patient öfter kürzere Strecken gehen und seinen Fuß bandagieren. Zwischendurch soll er sein Bein hochlagern und kühlen.

▶ Alle Ballsportarten, Skifahren, Skilanglauf sollten für mindestens ein Jahr ausgesetzt werden. In der Regel wird nach einem Jahr auch das Osteosynthesematerial entfernt.

Kapsel-Band-Verletzungen des Sprunggelenkes

Ursachen

• Umknicken führt über Supination zur Verletzung der Ligg. fibulotalaria anterius und posterius und der Ligg. fibulokalkanearia, isoliert oder in Kombination.
• Seltener wird über Pronation das Lig. deltoideus reißen.

Allgemeine Richtlinien, Symptome und ärztliche Maßnahmen

Bei den *Bandverletzungen* unterscheidet man:
• Teileinrisse/Distorsionen und
• vollständige Bandzerreißungen von Kapsel und Bändern; sie werden auch als »ligamentäre Frakturen« bezeichnet.

Bei Teilrupturen kann es zu einer *Subluxation* des Sprunggelenkes, bei vollständigem Riß zur *Luxation* kommen (s. Abb. 18.2). Eine sorgfältige Diagnostik ist erforderlich, um eine komplette Bandruptur nicht zu übersehen.

Die Beschwerden nach *akutem Trauma* können unangenehm sein; es entsteht ein ausgeprägtes Hämatom oder Ödem, Schmerzen bestehen auf Druck, bei aktiven und passiven Bewegungen, Dehnung und Belastung des Bandes. Bei *chronischer Instabilität* fehlen Hämatom und Druckschmerz.

Kann eine Fraktur, eine Flake-Fraktur oder eine Osteochondrose über ein Röntgenbild ausgeschlossen werden, wird nach klinischer Untersuchung in 15° Plantarflexion und bei tolerierter Supination eine gehaltene Aufnahme gemacht. Sie gibt Aufschluß über eine Aufklapparbeit und einen Talusvorschub.

Operatives Vorgehen wird bei einer Aufklappbarkeit von mehr als 10° empfohlen. Die Bandnaht wird einige Tage nach dem Unfall durchgeführt, wenn nach Hochlagerung und Kühlung die Schwellung zurückgegangen ist. Daran schließen sich 4 Wochen Gipsbehandlung oder Adimed-Schuh an.

In letzter Zeit werden auch sportlich aktive Patienten mit höhergradiger Aufklappbarkeit *konservativ* behandelt. Sie tragen sofort eine funktionelle Sprunggelenksorthese und dürfen belasten.

Als Folgeschaden einer nicht ausgeheilten Bandläsion entsteht eine *chronische Instabilität* mit nachfolgender *Arthrose*.

Die Sprunggelenkdistorsion oder -teilruptur wird in der Regel funktionell behandelt (s. Abb. 18.9).

Behandlungsmöglichkeiten

SCHWERPUNKTE
DER BEHANDLUNG

1. Förderung der Resorption des posttraumatischen Ödems.
2. Stabilierung des Sprunggelenkes.
3. Gehschulung unter Teilbelastung und Belastung.
4. Mobilisation des Sprunggelenkes.

● **1. Förderung der Resorption des posttraumatischen Ödems**

▶ Eisbehandlung, Kompressionsverband.
▶ Aktives Spannen im Sekundenrhythmus aus der Schiene heraus; aktives Bewegen bis zur Nullstellung, ohne Pro-/Supination.

● **2. Stabilisierung des Sprunggelenks**

▶ Aktives Üben gegen Widerstand nach 4 Wochen (evtl. noch Tape-Verband).

● **3. Gehschulung unter Teilbelastung und Belastung**

▶ Üben der Gewichtsübernahme auf Waagen.
▶ Stabilisation auf dem Sportkreisel oder auf dem kleinen Trampolin.
▶ Laufübungen, Federn am Ort, etc.

● **4. Mobilisation des Sprunggelenks**

▶ PNF: »Langsame Umkehr – Halten – Entspannen«, aktiv/passiv Weiterziehen bei festelastischem Bewegungsstop.
▶ Techniken der manuellen Therapie bei festem Endgefühl.

Leistungssport sollte erst wieder nach Restitutio ad integrum und Rücksprache mit dem Arzt begonnen werden (s. auch Kap. 5, »Sehnen-, Band- und Muskelverletzungen«).

Achillessehnenruptur

Allgemeine Richtlinien, Biomechanik, Symptome und ärztliche Maßnahmen

Die Achillessehnenruptur wird meist durch ein Bagatelltrauma, z. B. bei Ballsportarten (Tennis, Volley-, Basketball) ausgelöst. Vorschädigungen werden häufig beobachtet (Achillodynie).

Der M. triceps surae und seine kräftige Achillessehne heben das Körpergewicht bei jeder Fersenablösung nach vorn oben. Ungefähr 3 cm oberhalb des Ansatzes befindet sich eine *kritische Durchblutungszone;* dort degeneriert die Sehne vorzeitig und stellt eine Schwachstelle dar.

Die Sehne reißt mit einem lauten »Peitschenknall«, Zehenstand ist nicht mehr möglich, die Rupturstelle ist tastbar. Die Schmerzen sind gering.

Eine operative Versorgung mit einer Durchflechtungsnaht ist obligatorisch. Es folgen
• 2 Wochen Ruhigstellung mit einer ventralen Unterschenkelgipsschiene in 30° Plantarflexion (Abb. 18.22).
• 2 Wochen in 15° Plantarflexionsstellung.
• 2 Wochen in Nullstellung.

Dann darf der Patient belasten.

Während der Entlastungszeit soll eine Thromboseprophylaxe (Heparin o. ä.) durchgeführt werden.

Die *physiotherapeutische Behandlung* beginnt nach Gipsabnahme.

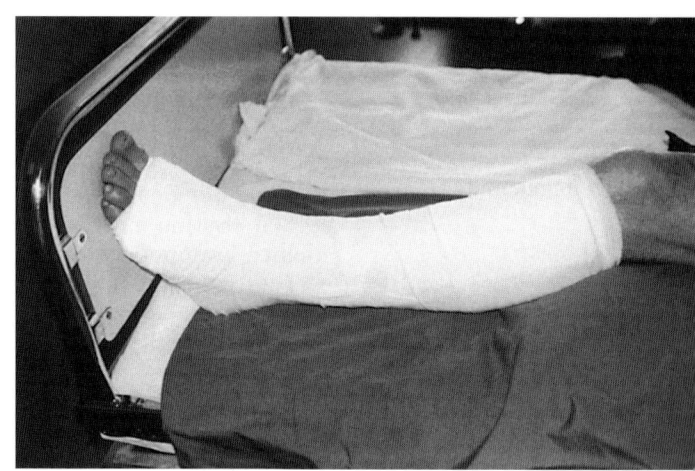

Abb. 18.22. Ventrale Gipsschiene in 30° Plantarflexion nach Achillessehnennaht

Behandlungsmöglichkeiten

GESICHTSPUNKTE
DER BEHANDLUNG

1. Verbesserung der Durchblutung.
2. Vorsichtige aktive Dehnung des M. gastrocnemius.
3. Kräftigung der Fußheber.
4. Kräftigung des M. gastrocnemius.
5. Vorbereitung zur Teilbelastung.
6. Mobilisation der Sprunggelenke.
7. Gehschulung.

● **1. Verbesserung der Durchblutung**

Siehe Kap. 17, »Unterschenkelschaftfrakturen« und S. 363 bei »Sprunggelenkfrakturen.«
▶ Während der Gipsschienenbehandlung soll der Patient selbst häufig seine Wade ausstreichen.

● **2. Vorsichtige Dehnung des M. gastrocnemius**

▶ Aktive Umkehrbewegungen, »chirurgische Technik« bei kontrollierter Eisbehandlung.

● **3. Kräftigung der Fußheber**

▶ Bewegen und Halten in allen Variationen. PNF: »Wiederholte Kontraktionen mit wechselnden Drehpunkten gegen Widerstand«.

● **4. Kräftigung des M. gastrocnemius**

▶ Bewegen und Halten, wiederholte Kontraktionen gegen Widerstand für Kniebeugung, bei wechselnden Drehpunkten, im oberen und unteren Sprunggelenk, Pullingformerarbeit.

● **5. Vorbereitung zur Teilbelastung**

▶ Üben des Gehmusters in der Entlastung, Üben der Teilbelastung im Sitz auf Hocker und Pezziball.

● **6. Mobilisation des Sprunggelenkes**

PNF: »Langsame Umkehr – Halten – Entspannen«, aktive Dehntechniken, Cyriax-Querdehnungen.

● **7. Gehschulung**

▶ Teilbelastung mit Absatzerhöhung oder Fersenkissen im Schuh von 1–1,5 cm, soll bis zu 6 Monaten eingehalten werden. Stabilisation im Stand, auf Waage, auf Sportkreisel, Gehen gegen Widerstand am Ort, z. B. gegen elastisches Band oder Pullingformer oder auf Laufband, Rückwärtsgehen, Treppensteigen etc.
▶ Das Einüben der Belastung kann symptomatisch erfolgen, d. h. es soll schmerzfrei sein und der Muskelkraft entsprechen.

GESICHTSPUNKTE
DER BEHANDLUNG

> **!** Bestehen Beschwerden, wie Schmerzen und Verklebungen, sollten die physiotherapeutischen Maßnahmen befundbezogen geändert werden. Abzuraten ist von Kortisoninjektionen – diese führen nachweislich zur Strukturauflösung der Sehne.

SCHÜLERAUFGABE

a) Stellen Sie Gehmusterübungen mit dem Pullingformergerät zusammen.
b) Nennen Sie Symptome des »Hinkens« bei Patienten mit Sprunggelenkverletzungen und ordnen Sie ihren Behandlungsmaßnahmen zu.

ÜBUNGSBEISPIELE

Siehe Kap. 17, »Unterschenkelfrakturen«.

Literatur

Burri C et al (1974) Unfallchirurgie. Springer, Berlin Heidelberg New York, S 89–92, S 125–127

Cailliet R (1972) Foot and ankle pain. Davis, Philadelphia, p 117–124

Debrunner H (1985) Biomechanik des Fußes. In: Otte P, Schlegel K (Hrsg) Bücherei des Orthopäden, Bd. 49. Enke, Stuttgart

Hahn F et al (1994) Dynamische tibio-fibulare Fixierung mit dem Syndesmosenplättchen nach Rahmanzadeh 6: 105

Jäger M, Wirth CJ (1978) Kapselbandläsionen. Thieme, Stuttgart

Jockheck M et al (1994) Langzeitergebnisse nach Arthrodese des oberen Sprunggelenkes. Aktuelle Traumatol 6: 110

Kapandji IA (1985) Funktionelle Anatomie der Gelenke, Bd 2. Enke, Stuttgart

Lanz T von, Wachsmuth W (1978) Praktische Anatomie, Bein und Statik. Springer, Berlin Heidelberg New York

List M (1980) Systematische Befunderhebung des kontrakten Gelenkes am Beispiel von Sprunggelenkkontrakturen. Krankengymnastik 32: 327

Meeder P et al (1981) Die frische fibulare Bandruptur. Diagnostik, Therapie, Ergebnisse. Akt Traumatol I/1: 156

Mittlmeier Th (1991) Statische und dynamische Belastungsmessungen am posttraumatischen Fuß. Orthopäde 20: 22–32

Nißl R (1950) Röntgenstudien über die Distorsion des Sprunggelenkes. Fortschr Röntgenstr 72: 722

Pfister U (1976) Fixateur externe bei Arthrodesen. Aktuelle Traumatol 6: 91

Schmülling F (1981) Operationsindikationen bei Kapselbandverletzungen des oberen Sprunggelenkes. Aktuelle Traumatol 11: 151

Schuppan H (1981) Ergebnisse der operativen Behandlung von 248 fibularen Bandrupturen des oberen Sprunggelenkes. Aktuelle Traumatol 11: 165

Stenz R (1994) Operative Behandlung der frischen Außenbahnruptur am oberen Sprunggelenk. Aktuelle Traumatol 4: 60

Weber BG (1972) Verletzungen des oberen Sprunggelenkes, 2. Aufl. Huber, Bern

Weber BG (1974) Die Osteosynthesen epiphysennaher Frakturen einschließlich der Korrektureingriffe im Sprunggelenkbereich. Aktuelle Traumatol 4: 109

Weller S et al (1977) Ergebnisse nach Korrektureingriffen am oberen Sprunggelenk. Unfallheilkd 80: 213

Wiedemann M, Brau W, Rüter A (1992) Leitfaden Unfallchirurgie. Urban & Schwarzenberg, München

Willenegger H (1961) Die Behandlung der Luxationsfrakturen des oberen Sprunggelenkes nach biomechanischen Gesichtspunkten. Helv Chir Acta 28: 225

Wirth CJ (1978) Biomechanik der fibularen Bandplastik. Unfallheilkd 133: 175

Zwipp H et al (1989) Die Achillessehnenruptur. 10-Jahres-Spätergebnisse nach operative Behandlung. Unfallchirurg 92: 554

Zwipp H et al (1990) Ein innovatives Konzept zur primär funktionellen Behandlung der Achillessehnenruptur. Sportverl Sportschaden 4: 29

19 Physiotherapeutische Behandlung nach Frakturen im Bereich des Fußes

Einteilung

- Kalkaneusfraktur,
- Talusfraktur und Fraktur des Os naviculare bzw. des Os cuboideum,
- Metatarsusfrakturen,
- Zehenfrakturen.

Kalkaneusfraktur

Ursachen

- Stauchungsmechanismus, Fall auf die Ferse,
- Quetschung, z. B. bei Auffahrunfall.

Allgemeine Richtlinien, Biomechanik, Symptomatik und ärztliche Maßnahmen

Der Kalkaneus trägt das Gesamtgewicht und ein Mehrfaches davon beim Gehen und Springen. Die Gewichtsvektoren werden auf den Kalkaneus, den Mittelfuß und den Vorfuß verteilt. Die Form des Kalkaneus gibt die Höhe des Längsgewölbes vor. Die Ferse trägt die Hauptlast des Körpergewichtes im Stand (nach Kapandji 1985 etwa 50 % des Körpergewichts). Vom Unterschenkel wird die Körperlast über den Talus in 3 Richtungen geleitet: auf den Kalkaneus und auf den 1. und den 5. Zehenstrahl; dabei gleitet der Talus auf dem Kalkaneus.

Den Meßresultaten von Biomechanikern wie Bergmann et al. (1989) und Hofmann (1988) zufolge übersteigen die an den Gelenken der unteren Extremität wirkenden Kräfte das Körpergewicht um 315 % (3000 N). Beim Gehen mit 2 Unterarmstützen liegt die Belastung immer noch bei 180 % des Körpergewichtes.

Die Kalkaneusfraktur ist die häufigste Tarsusfraktur (Abb. 19.1–19.3). Es kommen *Trümmer-, Schräg- und Abrißfrakturen* vor, relativ häufig auch *doppelseitig*. Beim Fall aus der Höhe drückt z. B. die starke vertikale Kraft die vordere Kante der Gelenkfläche des unteren Sprunggelenkes in den Kalkaneus hinein und verursacht die sog. »*Primärfraktur*«. Kommen weitere Kompressionskräfte dazu, entsteht die sog. »*Tongue-Fraktur*« oder die »*Joint-depression-Fraktur*«.

Die Dislokation der Fragmente führt zu einer *Rückfußverbreiterung* und *Valguspronationsfehlstellung*. Häufig wird die Peronaeussehne zwischen Fibulaspitze und Kalkaneus eingeklemmt. Das Längsgewölbe wird abgeflacht, die Bewegungen im unteren Sprunggelenk sind eingeschränkt und schmerzhaft. Das Hämatom erscheint an der Fußsohle sowie hinter den Malleolen (s. auch Abb. 19.2 und 19.3). Differentialdiagnostisch sollte auch bei starker Hämatombildung an der Fußsohle an ein *Kompartmentsyndrom* gedacht werden (Sensibilitätsstörungen?).

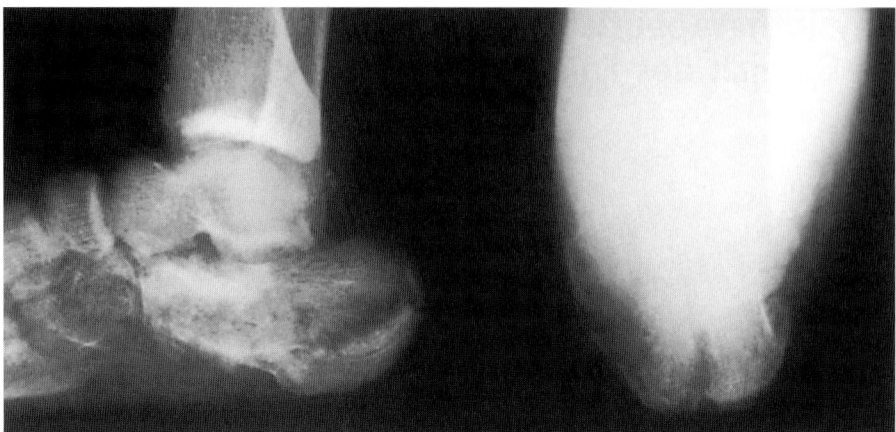

Abb. 19.1.   Kalkaneusfraktur

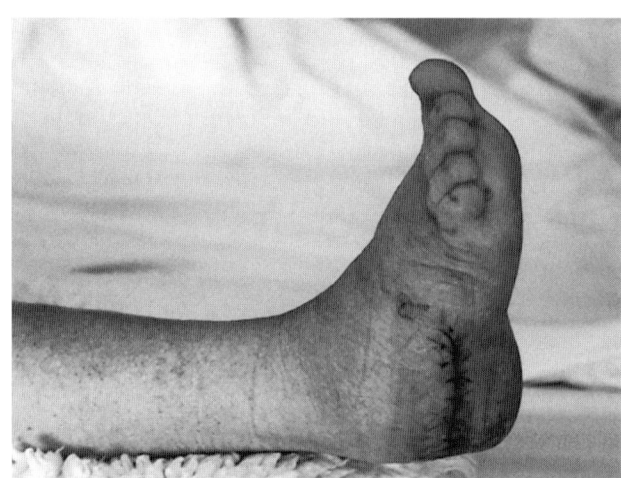

Abb. 19.2.   Aktive
Dorsalextension nach
Kalkaneusosteosynthese

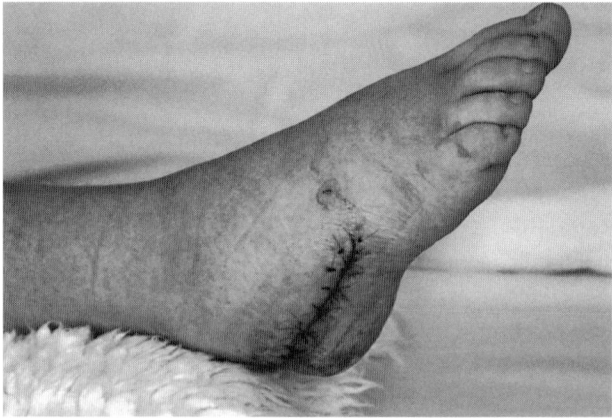

Abb. 19.3.   Aktive Plantarflexion nach Kalkaneusosteosynthese

Die Veränderung des Tuber-Gelenkwinkels gibt den Schweregrad der Fraktur an. Nach v. Lanz-Wachsmuth und Böhler beträgt dieser Winkel 20–40° (Abb. 19.4 a).

Sinkt der Kalkaneus zusammen, verkleinert sich der Winkel und kann sogar negativ werden. Gleichermaßen wird das Längsgewölbe abgeflacht, so daß man von einem »traumatischen Plattfuß« spricht.

Durch die axiale Röntgenaufnahme wird der »axiale Winkel« bestimmt (Abb. 19.4 b). Heute haben diese Messungen weniger Bedeutung, das Computertomogramm ermöglicht die genaue Zuordnung der Fragmente und die Entscheidung zur Operation.

Kalkaneusfrakturen werden in den letzten Jahren zunehmend *operativ* versorgt mit einer Platten- oder Schraubenosteosynthese und mit Spongiosaauffüllung. Offene Frakturen können mit einem Fixateur externe behandelt werden.

▶ Nicht dislozierte Frakturen werden *konservativ-funktionell* behandelt, d. h. die Patienten dürfen aktiv die Sprunggelenke bewegen und benötigen keinen Gips. Alle Patienten dürfen jedoch nicht vor 12–14 Wochen belasten.

▶ Patienten mit doppelseitigen Kalkaneusfrakturen erhalten einen Allgöwer-Entlastungsapparat für 4–6 Monate.

Häufig bleiben Fehlstellungen des unteren Sprunggelenkes oder eine Fehlstatik des Längsgewölbes bestehen und führen zu *arthrotischen Veränderungen*. Dann kann eine Arthrodese durchgeführt werden. Zur exakten Ermittlung der Fehlbelastung können heute vergleichende Druckverteilungsmessungen nach Mittlmeier (1991) durchgeführt werden.

Die Patienten benötigen in der Regel einen orthopädischen Schuh, evtl. sogar Korrekturoperationen.

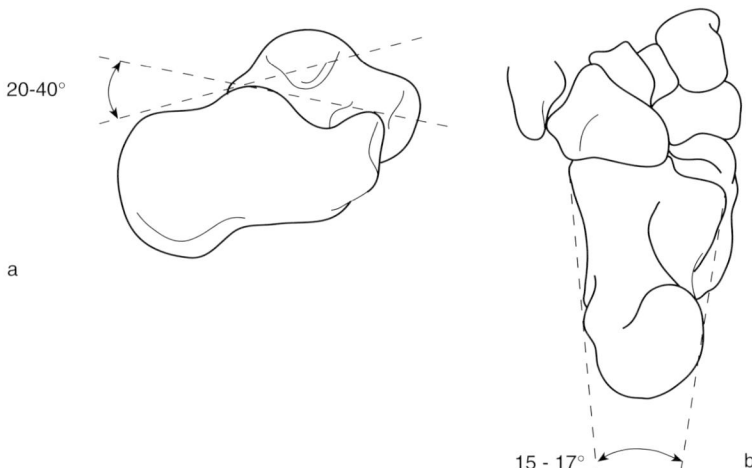

Abb. 19.4. a Tuber-Gelenkwinkel nach v. Lanz-Wachsmuth und Böhler (1972), (Wiedemann et al. 1992), **b** axialer Winkel

Komplikationen

- Inkongruenz des unteren Sprunggelenkes mit nachfolgender
- Arthrose,
- Fehlstatik über traumatischem Plattfuß,
- sympathische Reflexdystrophie,
- Impingement der Sehne des Peronaeus longus,
- Krallenzehen als Folge eines übersehenden Kompartmentsyndroms.

Befunderhebung

BEURTEILE	• Röntgenbild in 2 Ebenen und axial, CT. • Hautdurchblutung. • Schwellung, besonders an der Fußsohle und hinter dem Knöchel. • Hämatome. • Gelenkstellung des oberen und unteren Sprunggelenkes. • Valguspronationsstellung? • Längsgewölbeabflachung? • Atrophie und Tonus der Muskulatur des Unterschenkels.
MISS	• Aktives Bewegungsmaß des oberen und unteren Sprunggelenkes. • Fersenbreite im Seitenvergleich. • Umfang an vorgeschriebenen Stellen.
PRÜFE	• Qualität des Bewegungsstops. • Muskeltest der Unterschenkelmuskulatur bis zur Teststufe 3 (insbesondere M. gastrocnemius, M. tibialis posterior, M. peroneus longus und kleine Fußmuskeln). • Sensibilität. • Pulse.
NOTIERE	• Schmerzen bei Bewegung und Belastung. • Sonstige Beschwerden.

Behandlungsmöglichkeiten

● **1. Förderung der Resorption des Hämatoms und Ödems**

▶ Alle Maßnahmen aus der *physikalischen Therapie* können zur Anwendung kommen, wenn funktionell behandelt wird. Insbesondere wirksam sind Maßnahmen der Kryo- und Hydrotherapie mit kühlenden Umschlägen, Eiskompressen, die sog. Lymphdrainage, Streichungen oder Hauttechniken der Bindegewebsmassage.

▶ Das Bein wird auf einer Schaumstoffschiene hochgelagert, und der Patient wird aufgefordert, zwischendurch Ratschow-Umlagerungen selbst durchzuführen. Stündlich soll der Patient 10- bis 15mal isometrisch im Sekundenrhythmus die Fuß- und Wadenmuskulatur anspannen.

▶ Zwischen den Behandlungszeiten sollte anfangs ein Kompressionsverband mit Schaumstoffabpolsterung von den Grundgelenken bis über die Knöchel angelegt werden. Da die Schwellungen lange bestehen bleiben können, werden die Maßnahmen nach 2–3 Wochen gewechselt.

▶ Bei Patienten mit einer Osteosynthese muß die Wundheilung abgewartet werden; hierbei können anfangs nur »Cool packs« oder Eisbeutel in einem trockenen Baumwollbezug zur Anwendung kommen. Alle manuellen Therapieformen werden bis zur Abheilung der Narbe zurückgestellt.

● **2. Lagerungskontrolle**

Patienten mit doppelseitigen Kalkaneusfrakturen oder anderen Frakturen müssen mit langen Liegezeiten rechnen.

▶ Für diese Patienten ist eine sorgfältige *Hochlagerung* durchzuführen. Die Fersen müssen druckfrei gelagert sein, da sonst leicht eine Druckstelle oder sogar ein Dekubitus entsteht. Ob in 90°-Stellung des oberen Sprunggelenkes gelagert werden kann, wird nach Betrachten des Röntgenbildes und Ausmessen des Tubergelenkwinkels entschieden. Bei insuffizientem M. gastrocnemius und Testwerten unter 3 sollte dieser Muskel nicht in seiner Dehnstellung gelagert werden.

● 3. Schulung der Fußmuskulatur

Die kleine Fußmuskulatur wirksam in einer entlasteten Position zu üben, ist schwierig. Zehengreif-
übungen sind wenig effektvoll, erst in der Belastung
werden die Zehenflexoren wirklich gefordert.

▶ Ein Kompromiß kann über PNF-Techniken
gefunden werden, dabei sollen Kniegelenk oder
Sprunggelenk wiederholte Kontraktionen durchführen, während die Zehen ein Seil, einen Stift, ein Tuch
o. ä. festhalten.

▶ Das Wegziehen einer glatten Holzplatte unter der
Fußsohle, die mit den Zehen festgehalten werden
soll, ist eine gute Möglichkeit, die Haltespannung
der Zehenbeuger zu fordern (Abb. 19.5).

● 4. Training des M. gastrocnemius

▶ Das Auftrainieren des M. gastrocnemius kann
nach eingestauchten Frakturen gegen Kontakt/ange-
paßten Widerstand ausgeführt werden, wenn man
annehmen kann, daß sich die Stellung des Kalkaneus nicht mehr verändert. Alle Formen des Bewegens und Haltens, wiederholte Kontraktionen sowie
die Technik der wechselnden Drehpunkte sind effektive Übungsformen.

▶ Nach *Osteosynthesen* gelten die Regeln der AO,
aktives Üben ist erlaubt, Belasten untersagt.

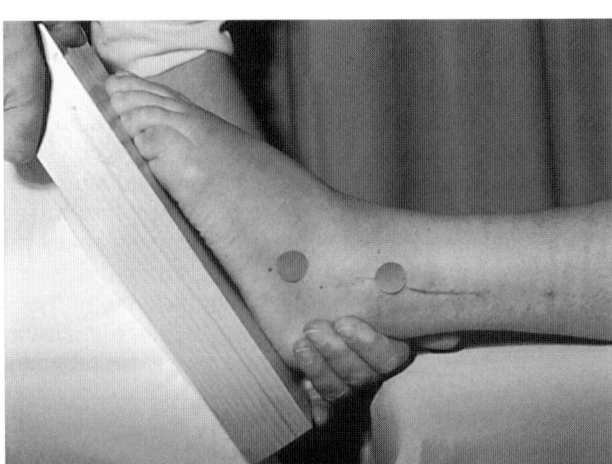

Abb. 19.5.   Zehenflexion:
eingeleitet durch Wegzie-
hen des Brettchens

▶ Auch der Pullingformer kann gut eingesetzt werden. Anfangs liegen beide Schlaufen oberhalb des
Sprunggelenkes am Unterschenkel, nach ca. 6
Wochen kann eine Schlaufe auch am Vorfuß liegen
und Widerstand für die Supination/Plantarflexion
bieten.

● **5. Erhalten der Muskelkraft des gesamten Beines**

▶ PNF-Muster gegen Widerstand (s. Übungsbei-
spiele).

● **6. Erhalten der Muskelkraft der 3 übrigen Extremitäten**

Siehe auch Kap. 17, S. 344.
▶ Patienten mit einseitiger Kalkaneusfraktur sollen
unmittelbar nach der Versorgung oder nach
Redondrainagenentfernung aufstehen. Das betrof-
fene Bein muß entlastet werden.
▶ Dürfen beide Beine nicht belastet werden, wird
an einen Allgöwer-Entlastungsapparat gedacht.
Wird ein Allgöwer-Apparat getragen, muß auf der
anderen Seite der Schuh erhöht werden.
▶ Antiemboliestrümpfe oder Bandagen sollen zum
Aufstehen angelegt werden.

> **!** Das Auftrainieren der Bein- und Armmuskulatur ist v. a.
> bei doppelseitigen Kalkaneusfrakturen eine wichtige Auf-
> gabe. Der Einsatz von Geräten ist effektiver als der von
> manuellen Techniken.

▶ Als *Ausgangsstellungen* kommen in Frage: der
hohe Sitz ohne Bodenkontakt und die Lagen.
▶ Günstige *Übungsgeräte* sind z. B. Expander, Pullingformer, Therabänder oder Hanteln.
▶ Sind Gruppenbildungen möglich, können die
Patienten in *Partnerarbeit* üben. Wo ein Bewegungsbad oder Schwimmbad vorhanden ist, kann es zum
Schwimmtraining genutzt werden. Es finden die
Übungsformen Anwendung, die Kraft, Ausdauer
und ökonomischen Krafteinsatz verbessern, sofern
sie ohne Belastung ausgeführt werden können.

● **7. Mobilisation des unteren Sprunggelenkes, evtl.
des oberen Sprunggelenkes**

▶ Die intensive Mobilisation der Sprunggelenke
kann erst nach erneuter *Röntgenkontrolle* und Beurteilung der Kalkaneusstellung vorgenommen werden. Mit einer *ausgeprägten Kontraktur* des unteren

GESICHTSPUNKTE
DER BEHANDLUNG

7. Mobilisation des unteren und oberen Sprunggelenkes.

Sprunggelenkes muß bei lang andauernden Schwellungen, einer Gelenkfehlstellung oder einer sympathischen Reflexdystrophie gerechnet werden. Durch die fehlende Belastung ist auch das obere Sprunggelenk nicht immer frei beweglich.

▶ Die Mobilisation erfolgt dann mit Maßnahmen der manuellen Therapie oder PNF-Techniken wie »Langsame Umkehr – halten – entspannen«, mit aktiv/passivem Weiterziehen, »Rhythmische Stabilisation – entspannen«. Die *Wahl der Technik* richtet sich nach der *Qualität des Bewegungsstops*.

▶ Der Kontakt/Widerstand muß möglichst am Rückfuß (Griff an der Ferse, s. Abb. 18.12 sein, bei distal angelegtem Griff wird nur der Vorfuß in Adduktion bzw. in Abduktion mobilisiert. In der Mehrzahl der Fälle wirkt sich die stärkere Grundspannung der Pronatoren oder die frakturbedingte Fehlstellung als *Pronationskontraktur* aus.

▶ *Arthrogene Kontrakturen* werden am effektivsten mit Traktion und Gleiten des Kalkaneus und Talus behandelt.

8. Vorbereitung zur Belastung.

● **8. Vorbereitung zur Belastung**

▶ Noch in der Entlastungszeit werden die Muster des Gehens auf der Behandlungsbank oder der Matte gegen Widerstand geübt. Nach 6 Wochen kann auch angepaßter Widerstand am Fuß gegeben werden.

▶ Nach ca. 10 Wochen kann nach Rücksprache mit dem Arzt im Sitz auf dem Pezziball oder Hocker geübt werden. Der labile Sitz auf dem Pezziball bietet gute Möglichkeiten, Unterschenkel und Fußmuskulatur mit Haltearbeit zu fordern. Die vorgegebene Teilbelastung kann kontrolliert werden, wenn die Füße auf Waagen stehen.

9. Gehschulung.

● **9. Gehschulung**

▶ Bei entsprechend hoher Wassertiefe können die ersten Belastungsübungen im Bewegungsbad gemacht werden.

▶ Im allgemeinen wird aber die volle Belastung nach 12 Wochen auf 2 Waagen genau bestimmt und eingeübt. Diese Übungen sollten unbedingt mit *festen Schuhen* und *Einlagen* erfolgen. Es ist Aufgabe der Physiotherapeutin, dafür zu sorgen, daß die Einlagen rechtzeitig bestellt und geliefert werden.

GESICHTSPUNKTE DER BEHANDLUNG

Orthopädische Schuhe müssen angefertigt werden, wenn sich die Fußform verändert hat.

▶ Besteht die Möglichkeit der Belastungskontrolle durch Gehen über Druckverteilungsmeßplatten, sollte dies zur objektiven Überprüfung der Belastung erfolgen. Fehlbelastungen können dann exakt bestimmt werden.

▶ Die Gehschulung wird sich vorwiegend auf den Einsatz des M. gastrocnemius und die Phase der Fersenablösung konzentrieren. Ziel der Gehschulung ist der *freie Zehenstand.*

▶ Gezieltes Stabilisieren und Einsetzen der Fußmuskulatur kann auch auf dem Sportkreisel geübt werden.

Immer soll die Belastung auf die Tragfähigkeit des Fußes abgestimmt sein.

Die *Dosierung der Fußbelastung* muß deshalb sorgfältig vorgenommen werden, wenn eine vorzeitige Arthrose verhindert werden soll. Schmerzen, Fehlbelastungen, eine fehlerhafte Fersenablösung und deutliches Hinken zeigen die mangelnde Tragfähigkeit an.

SCHÜLERAUFGABE ▬▬▬▬▬

Stellen sie ein Trainingsprogramm mit dem Pullingformergerät zusammen, das das Gehmuster vorbereitet.

ÜBUNGSBEISPIELE

Kalkaneusfraktur, mit einer Osteosynthese behandelt

Ausgangsposition

Rückenlage.

Übung

Aktive Stabilisation des Unterschenkels, Bewegen und Halten, Endstellung, Halten der Zehenflexion, Supination, Plantarflexion.

Kontakt/Widerstand: Plantar/medial, Zeigefinger unter den Grundgelenken.

Übungsauftrag: »Spannen Sie den Unterschenkel nach außen/oben, krallen Sie die Zehen ein, bewegen Sie den Fuß nach innen/unten und halten!«

Übung

▶ Extension/Adduktion/Außenrotation zum gebeugten Knie, gegen angepaßten Widerstand, Führungskontakt dicht oberhalb der Ferse.

Technik: Wiederholte Kontraktion, wechselnde Drehpunkte.

Kontakt/Widerstand: Medial/dorsal/distal am Unterschenkel, später auch medial/plantar am Fuß.

Übungsauftrag: »Beugen Sie die Zehen, bewegen Sie den Fuß etwas nach unten/innen, drehen Sie die Ferse nach innen, beugen Sie das Knie und ziehen Sie den Oberschenkel nach unten/innen, halten; ziehen Sie dann den Fuß etwas weiter, geben Sie etwas nach, ziehen Sie weiter usw.!«

Bei nicht ausreichender Kniestabilität, muß die proximale Hand zuerst distal am Oberschenkel liegen und in der Haltephase nach unten rutschen.

Übung

▶ Extension/Adduktion/Außenrotation mit gestrecktem Knie, wiederholte Kontraktion für die Zehenbeuger.

Kontakt/Widerstand: Eine Hand plantar/medial an der Fußsohle, die 2. Hand unter den Zehengrundgelenken.

Übungsauftrag: »Krallen Sie die Zehen etwas ein, strecken Sie den Fuß und das Bein nach unten/innen, halten, Zehen weiterbeugen, etwas nachgeben, wieder einkrallen usw.!«

Übung

▶ Fuß gegen glattes Brett anlehnen und halten lassen. Die Physiotherapeutin versucht es nach oben wegzuziehen (s. Abb. 19.5).

Übungsauftrag: »Krallen Sie sich mit den Zehen gegen das Brett, festhalten!«

Übung

▶ Seil quer mit den Zehen fassen und halten, die Therapeutin versucht es nach außen wegzuziehen.

Übungsauftrag: »Halten Sie das Seil!«

Übung

▶ Weichen Ball zwischen den Fersen halten.

Übungsauftrag: »Halten Sie den Ball fest und lassen Sie ihn nicht herausziehen!«

> **Kniestellung ggf. korrigieren!**   **!**

ÜBUNG

▶ Extension/Abduktion/Innenrotation zum gebeugten Knie, Flexion/Adduktion/Außenrotation zum gebeugten Knie, Flexion/Abduktion/Innenrotation zum gebeugten Knie.

Kontakt/Widerstand: In den ersten 6 Wochen Widerstand richtungsweisend am distalen Unterschenkel, Kontakt am Fuß, später auch angepaßter Widerstand am Fuß.

MOBILISATION

▶ Pronationskontraktur in Nullstellung des oberen Sprunggelenkes: »Langsame Umkehr – halten – entspannen«.

Kontakt/Widerstand: An der Ferse entsprechend innen oder außen.

Fixation: Passiv, distal am Unterschenkel.

Übungsauftrag: »Drehen Sie die Ferse so weit es geht nach innen, lehnen Sie die Ferse nun nach außen gegen die Hand der Therapeutin, lockerlassen, nach innen weiterziehen, lehnen Sie die Ferse wieder nach außen usw.!«

▶ Anschließend Endstellung halten für die Supinatoren.

▶ *Dasselbe* mit Plantarflexion/Supination.

▶ *Dasselbe* mit Dorsalextension/Supination.

▶ *Dasselbe* mit aktiv/passivem Weiterziehen.

MANUELLE THERAPIE

▶ Kalkaneustraktion, Gleiten, Talusdorsalgleiten.

ÜBUNG

▶ Gehmuster (s. auch Kap. 18, »Sprunggelenkfrakturen«) als Umkehrbewegungen oder wiederholte Kontraktionen.

Kontakt/Widerstand: Distal am Unterschenkel, später auch am Fuß entsprechend richtungsweisend.

Ausgangsposition

Sitz.

ÜBUNG

▶ Extension/Adduktion/Außenrotation zum gebeugten Knie gegen Pullingformer, wiederholte Kontraktionen, wechselnder Drehpunkt Kniegelenk.

Schlaufenlage:
• Zwei Schlaufen distal am Unterschenkel.
• Nach 6 Wochen: eine Schlaufe distal am Unterschenkel, die andere am Vorfuß. Das andere Schlaufenpaar wird an der Gegenhand angelegt (Abb. 19.6).

Übungsauftrag: »Ziehen Sie Zehen und Fuß nach unten, beugen Sie das Knie bis zum rechten Winkel und spannen Sie den Oberschenkel nach unten/innen, halten, Knie weiterbeugen, etwas nachgeben usw.!«

Ausgangsposition

Sitz auf dem Pezziball (ca. 10 Wochen nach Operation).

ÜBUNG

Greifen und Halten von Tüchern, Stab, Seil oder Gummibändern gegen den Zug durch die Physiotherapeutin.

ÜBUNG

▶ Abheben der Ferse gegen angepaßten Widerstand, Zehenstand auf der Waage.

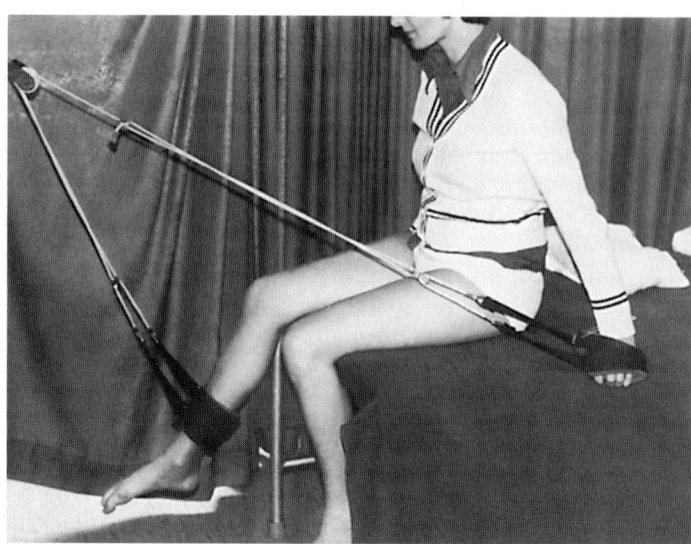

Abb. 19.6. Gastrocnemiustraining gegen Pullingformer aus dem Sitz

Widerstand: Oberhalb der Ferse und senkrecht am Knie.

Übungsauftrag: »Heben Sie die Ferse ab, halten, nachlassen, wieder hochziehen usw.!«

ÜBUNG

▶ Stabilisation des Sitzes auf dem Ball, Fuß auf der Waage.

Widerstand: Am Becken entsprechend richtungweisend.

Übungsauftrag: »Lassen Sie sich nicht verschieben, setzen Sie die Füße fest gegen die Waage!« (Stop bei vorgegebener Belastung).

▶ *Dasselbe* auf einem Bein, Betonung der Verschiebung nach vorn.

ÜBUNG

▶ Hopsen auf dem Ball durch Abfedern mit den Füßen (nicht stampfen). Die Zehen sollen sich dabei nicht vom Boden lösen.

Nach 12 Wochen:

Ausgangsposition

Stand.

ÜBUNG

▶ Leichte Kniebeugung, Fersenablösung von der flachen Fußstellung zum Zehenstand und zurück.

> Schmerzfreie Spontanbelastung beachten, auf Waagen kontrollieren! **!**

ÜBUNG

▶ Tuch, Seil, Stab, Gummiband greifen und halten.

▶ Stabilisation in allen Richtungen bei bewußter Einhaltung des Bodenkontaktes mit korrigierter Fußstellung (Belastung auf der Ferse, dem Großzeh- und dem Kleinzehstrahl).

▶ Stabilisation mit Gewichtsverlagerung nach vorne.

▶ Stabilisation des Einbeinstandes.

▶ Stabilisation des Zehenstandes mit leichter Kniebeugestellung.

▶ *Dasselbe* auf dem Sportkreisel oder dem Schaukelbrett oder dem Trampolin.

Ü BUNG

▶ Vorwärts- und Rückwärtsgehen gegen *Widerstand*:
- am Becken oder Sternum, wenn noch Unterarmstützen erforderlich sind,
- an Armen, wenn keine Stützen mehr notwendig sind.

Ü BUNG

▶ Rückwärtsgehen mit großen Schritten.

Ü BUNG

▶ Zehengang mit Richtungswechsel.

Ü BUNG

▶ Gehen am Ort gegen Deuser-Band, Fahrradschlauch oder Pullingformer.

▶ Sonst Gehschulung, s. Kap. 14, »Schenkelhalsfraktur« und Kap. 15, »Oberschenkelfraktur«, unter Beachtung der Gehfehler und Hinkmechanismen.

Talusfraktur (Talusluxationsfraktur)

Die Talusfraktur tritt heute wesentlich häufiger auf als früher.

Ursachen

- Rotationstraumen,
- Sturz auf den Fuß, wenn er in extremer Supination/Dorsalextension oder Pronation steht,

- bei Verkehrsunfällen,
- bei polytraumatisierten Patienten und Serienfrakturen an den unteren Extremitäten (Abb. 19.7a, b und 19.8.).

Allgemeine Richtlinien, Symptomatik, Biomechanik und ärztliche Maßnahmen

Der Talus besitzt nur eine geringe Gefäßversorgung, sie erfolgt dorsal am Talushals und plantar im Sinus tarsi über Band- und Kapselinsertionen. Der Talus ist deshalb nach Talushalsfrakturen besonders *nekrosegefährdet*.

Die Form der Trochlea tali und ihre Verschmälerung dorsal um 0,5 cm ermöglichten eine Wackelbewegung des Talus bei der Plantarflexion, eine stabile Situation bei Dorsalextension (s. auch Kap. 18, »Sprunggelenkfrakturen«).

Am Talus setzen keine Muskeln an, er wird über die Bewegung der anderen Fußknochen mitbewegt. Die auf dem Talus liegende Belastung ist sehr groß, er überträgt die Körperlast auf das ganze Fußskelett, nach dorsal auf den Kalkaneus, nach medial/distal auf den medialen Fußstrahl und nach lateral/distal auf den lateralen Fußrand (s. auch S. 377) „Kalkaneusfraktur«).

Allein in der Nullstellung ist das untere Sprunggelenk in einer kongruenten Position, alle übrigen Stellungen sind instabil, die Bandsysteme sind gespannt.

Die häufigste Form der Talusfraktur ist die *Talushalsfraktur,* sie läßt sich nach Hawkins in verschiedene Typen (I–IV) einteilen. Die Klassifikation

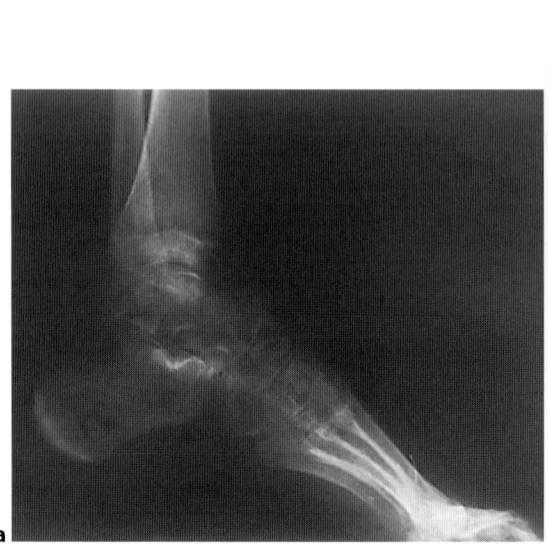
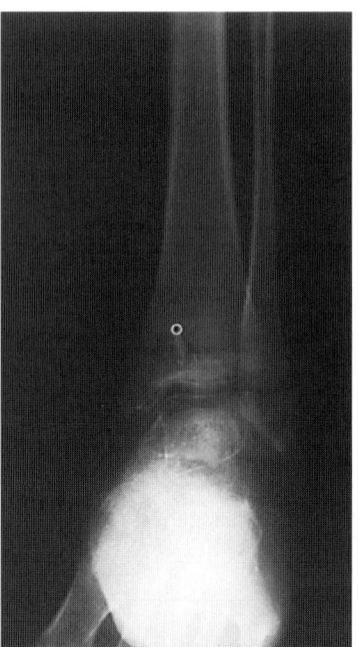

a   b

Abb. 19.7 a, b.   Talusfraktur

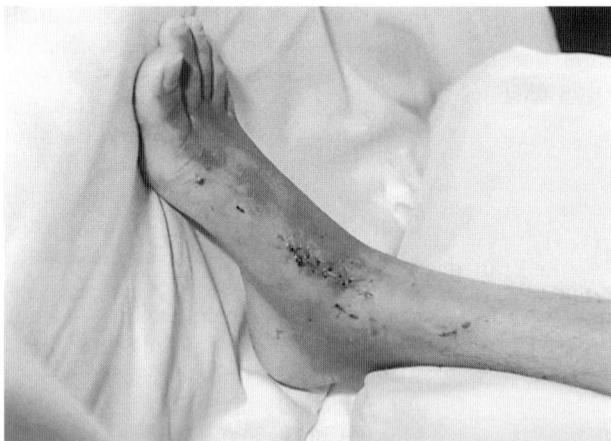

Abb. 19.8.   Zehen- und Fußbewegungen als Hausaufgabe gegen weiches Polster nach Talusfraktur

berücksichtigt die Gefäßverletzung und ihre Folgeschäden:

- *Typ I und II* – periphere Frakturen,
- *Typ III und IV* – Hals- und Korpusfrakturen/Luxation/Trümmerfrakturen.

Talusfrakturen der Typen III und IV werden in der Regel *operativ* mit einer Schraubenosteosynthese versorgt, die Defekte werden mit Spongiosa aufgefüllt. Offene Frakturen oder offene Luxationsfrakturen erhalten einen Fixateur externe.

Die anderen Frakturen können nach guter Reposition auch *konservativ* behandelt werden (Lightcast, Gips).
▶ Die Entlastungszeiten müssen lang sein. Die Literatur schwankt in ihren Angaben von 12 Wochen bis 12 Monate (s. auch Abschn. »Kalkaneusfraktur«).

▶ In manchen Fällen kann die Entlastungszeit durch einen Allgöwer-Entlastungsapparat überbrückt werden.

Regelmäßige Röntgenkontrollen und Computertomographien sind erforderlich, um eine frühzeitige *Nekrose* oder *arthrotische Veränderung* zu erkennen.

Bei bestehender schmerzhafter Arthrose wird eine Arthrodese durchgeführt.

Befunderhebung

Siehe Abschn. »Kalkaneusfraktur«.
▶ Die Meßbefunde des unteren Sprunggelenkes dürfen erst nach Erlaubnis durch den Arzt vorgenommen werden.
▶ Die Muskeltestwerte bis zur Stufe 3 dürfen bei stabilen Osteosynthesen (bestehender Übungsstabilität) durchgeführt werden.

Behandlungsmöglichkeiten

GESICHTSPUNKTE DER BEHANDLUNG

Die Behandlungsmöglichkeiten können aus dem Abschnitt »Kalkaneusfraktur« übernommen werden.

1. Verbesserung der Durchblutung.
2. Lagerungskontrolle.
3. Aktivierung der kleinen Fußmuskeln, der Dorsalextensoren und Plantarflexoren.
4. Mobilisation des oberen/unteren Sprunggelenkes.

5. Erhalten der Muskelkraft des betroffenen Beines sowie der 3 anderen Extremitäten.
6. Vorbereitung zur Belastung.
7. Gehschulung.

Metatarsalfrakturen, Luxationen des Fußes

Ursachen

* Einklemmung bei Auffahrunfällen,
* Polytraumen,
* Quetschverletzungen.

Allgemeine Richtlinien und ärztliche Maßnahmen

Luxationen können in allen Gelenken auftreten (häufig im Lisfranc-Gelenk).

Dislozierte Frakturen an den Metaarsalknochen werden in der Regel zur Wiederherstellung des Längsgewölbes mit Kirschner-Pin- oder Schraubenosteosynthesen stabilisiert, insbesonders der 1. und 5. Metatarsalstrahl muß reponiert und stabilisiert werden. Zusätzlich wird in der Regel eine Gipsschiene gegeben (s. Abb. 18.11).

Sind die Frakturen nicht disloziert, kann auch im Gips *konservativ* behandelt werden (sog. Marschfrakturen als Ermüdungsfraktur). Die Gipszeit dauert 6 Wochen.

Behandlungsmöglichkeiten

Die gezielte *physiotherapeutische Behandlung* beginnt nach ca. 4 oder 6 Wochen, wenn der Gips abgenommen oder die Pins entfernt werden.

▶ Sind Bandnähte durchgeführt worden, verschiebt sich der Behandlungsbeginn auf 6 Wochen nach der Operation.

▶ Bei Erreichung von Übungsstabilität werden die Zehen aktiv gegen Führungskontakt geübt.

▶ Die Sprunggelenkbewegungen können bei proximal liegendem Griff über dem Talus auch gegen Widerstand durchgeführt werden.

Zehenfrakturen

Allgemeine Richtlinien, Symptomatik und ärztliche Maßnahmen

Auch die Zehenphalangenfrakturen entstehen häufig über eine Quetschung und werden *konservativ* behandelt und nur, wenn sie den Großzeh betreffen, *operativ* mit einer Schraube versorgt. Die Gipszeit bei den mittleren Zehen beträgt ca. 3 Wochen. Fehlstellungen der Zehen und ausgeprägte Kontrakturen können zu lästigen Gehbeschwerden führen.

▶ Im Anschluß an die Entlastungszeit sollten feste Luftpolsterschuhe mit Einlagen getragen werden. In besonderen Fällen müssen auch orthopädische Schuhe verordnet werden.

Behandlungsmöglichkeiten

SCHWERPUNKTE DER
BEHANDLUNG

1. Resorption des
   Hämatoms und
   Ödems.
2. Erhaltung der
   Funktion der Bein-
   muskulatur.
3. Vorbereitung zur
   Belastung.
4. Gehschulung.

ÜBUNGSBEISPIELE

Siehe Abschn. »Kalkaneusfraktur«

Literatur

Achinger R (1974) Frakturenbehandlung im Bereich des Mittel- und Vorfußes, 9. Unfallseminar. Med. Hochschule München, Okt. 1974

Basmajian JV et al (1985) Muscles alive. Their function revealed by electromyography. 5th ed Williams & Wilkins, Baltimore London Sidney

Bergmann G, Kölbel N, Rauschenbach A (1977) Das Gehen mit Stockstütze. Entlastung von Hüftgelenk u. Femur durch eine Stockstütze. Z Orthop 115: 174

Bergmann G, Rohlmann H, Graichen F (1989) In vivo Messung der Hüftgelenkbelastung. Z Orth 127: 672

Burri C et al. (1974) Unfallchirurgie. Springer, Berlin Heidelberg New York Tokyo, S. 92–95

Cailliet R (1972) Foot and ankle pain. Davis, Philadelphia, p 115

Heim U (1989) Checkliste Traumatologie. Thieme, Stuttgart

Hofmann G (1988) Quantitative Elektromyographie in der Biomechanik. Physik in unserer Zeit, Verlag Chemie, Weinheim. 19. Jahrg. 5: 132

Kapandji IA (1985) Funktionelle Anatomie der Gelenke, Bd 2. Enke, Stuttgart

Kuner E, Lindenmaier H (1983) Zur Behandlung der Talusfraktur. Unfallchirurgie 9: 35

Lanz v T, Wachsmuth W (1972) Praktische Anatomie. Bd. 1/4 Bein und Statik. Springer, Berlin Heidelberg New York, 2. Aufl.

List M (1995) Physiotherapie und Belastung an der unteren Extremität nach Verletzungen, Langenbecks Arch Chir Suppl II

Loeweneck H, Liebenstund I (1994) Funktionelle Anatomie für Krankengymnasten. Pflaum, München

Mittlmeier T (1991) Statische und dynamische Belastungsmessungen am posttraumatischen Fuß. Z Orth 20: 22

Mittlmeier T et al (1993) Analysis of morphology and gait function following intraarticular calcaneal fracture. J Orthop Trauma 7: 303–310

Schwind F et al. (1985) Komplikationen nach Talustrauma. Aktuelle Traumatol 15: 82

Trauth J (1988) Die Talusnekrose und ihre Behandlung. Aktuelle Traumatol 18: 152

Wiedemann M, Braun W, Rüter A (1992) Leitfaden der Unfallchirurgie, Urban & Schwarzenberg, München

Winter E, Weller S (1993) Die tibio-kalkaneare Fusion. Aktuelle Traumatol 23, 10: 272

Winter DA (1990) Biomechanics and motor control of human movement, 2nd ed. Wiley, Toronto

Zadravecz G (1984) Spätergebnisse unserer Behandlungsmethode der Fersenbeinfrakturen. Aktuelle Traumatol 5: 218

20 Physiotherapeutische Behandlung nach Amputationen an der unteren Extremität

Ursachen

- Traumen infolge von Verkehrs- und Arbeitsunfällen,
- Infektionen (Gasbrand, Osteomyelitis, Osteitis, Phlegmone, Empyem),
- Gefäßverschlüsse,
- Diabetes mellitus,
- Tumoren.

Allgemeine Richtlinien, Symptomakik und ärztliche Maßnahmen

Geplante Operationen bieten dem Operateur die Möglichkeit, die Länge des Stumpfes, seine Funktionsfähigkeit und die Weichteildeckung sorgfältig zu überdenken. *Traumatische Amputationen* erlauben evtl. nur eine korrektive Nachamputation und Weichteildeckung.

Ziel jeder Oberschenkel- oder Unterschenkelamputation sollte es sein, einen Stumpf zu erhalten, der möglichst sofort in der Lage ist, eine Prothese zu tragen. Die *myoplastische Stumpfversorgung* sollte angestrebt werden; dabei werden die Hauptmuskeln gegengleich um das Stumpfende fixiert.

Nach Wetz u. Kissling (1991) sollen die eingelenkigen Muskeln des Hüftgelenkes operativ geschont werden, damit sie ihre Funktion weitgehend beibehalten. Besonderes Augenmerk muß auf die Funktionserhaltung des M. adductor magnus gelegt werden als wichtigen eingelenkigen Hüftgelenkstrecker beim Gehen auf der Ebene. Bei dieser Funktion spielt der M. glutaeus maximus keine nennenswerte Rolle.

Auch die *Länge des Stumpfes* muß heute neu überdacht werden in bezug auf:
- Vaskularisation,
- Wundheilung und
- Rehabilitationsfähigkeit.

Die vor Jahren befürworteten Sofortversorgungen haben sich in unserem Umfeld nicht durchgesetzt. So wird eine prothetische Versorgung erst nach Wundheilung und Abschwellen des Stumpfes geplant. Folgende *Kriterien* sollten dann erfüllt sein:
- Die Wunde sollte abgeheilt sein.
- Der Stumpf sollte abgeschwollen und konisch geformt sein.
- Die angrenzenden Gelenke dürfen keine Kontrakturen haben.
- Der Patient sollte gehfähig sein.

Die *Länge des Stumpfes* richtet sich nach der Durchblutung und dem Abstand zum nächstgelegenen Gelenk. Der *Erhalt eines Gelenkes* ist für den Patienten besonders wichtig.

Selbstverständlich ist ein ausreichend langer Oberschenkelstumpf von ca. 20–25 cm Länge für die Führung der Saugprothese günstiger als ein kurzer Stumpf. In den letzten Jahren hat sich die Kniegelenksartikulation besonders unter der Betrachtung der Wundheilung und Muskeldysbalance erfolgreich durchgesetzt (Becker et al. 1990; Sartoretti 1991). Sie stellt allerdings keinen kleinen Eingriff für Patienten in schlechtem Allgemeinzustand dar.

Die moderne Prothetik kann jedoch auch bei *kurzen Stümpfen* funktionsgerechte Prothesen herstellen. Biomechanische Kenntnisse und neue Materialien lassen es zu, daß Köcher individuell aufgebaut werden können und Weichschaftprothesen oder Rohrskelettprothesen unterschiedlichste Probleme lösen können.

Jede Amputation ist jedoch ein *schicksalhaftes Geschehen für einen Patienten,* das unterschiedlich bewäl-

tigt wird. In der Regel kommen junge polytraumatisierte Patienten nach einer Ober- oder Unterschenkelamputation besser zurecht als Patienten, die ihr Bein nach langer Krankheit verloren haben. Auch der Allgemeinzustand und das Alter spielen eine große Rolle.

Die *Übungsbehandlung* kann bei komplikationslosem Heilungsverlauf nach Entfernung der Redondrainagen beginnen. Nach Fädenentfernung wird der Stumpf bandagiert und geformt.

Komplikationen

* Wundheilungsstörung mit Narbenbildung,
* Infektion,
* Neurome,
* Phantomschmerzen,
* Kontrakturen.

Befunderhebung

BEURTEILE	• Allgemeinzustand. • Operationsnarbe. • Schwellung, Stumpfform. • Muskelrelief. • Hautdurchblutung. • Beinstellung. • Beckenstellung.
MISS	• Funktionelle und absolute Stumpflänge. • Umfang 10 und 15 cm distal vom Trochanter major. • Aktive Hüftgelenkbeweglichkeit.
PRÜFE	• Qualität des Bewegungsstops der angrenzenden Gelenke. • Muskeltestwerte der Mm. glutaei, der Bauchmuskeln, M. iliopsoas.

- Mm. adductores, M. quadriceps bei Unterschenkelamputationen.
- Sensibilität.
- Leistenpuls bei Angiopathiepatienten.

NOTIERE
- Schmerzen (Lokalisation, Qualität, Zeitpunkt).
- Phantomempfindung.

Behandlungsmöglichkeiten

GESICHTSPUNKTE
DER BEHANDLUNG

*Zeitraum bis zur
Fädenentfernung:*
1. Pneumonieprophylaxe.
2. Thromboseprophylaxe.
3. Lagerungskontrolle.
4. Erhalten der Armmuskelkraft.
5. Erhalten der Muskelkraft des anderen Beines.
6. Spannungsaufbau der Muskulatur des Stumpfes.
7. Kontrakturprophylaxe.

Beispiel: Oberschenkelamputation

- **1. Pneumonieprophylaxe**

- **2. Thromboseprophylaxe**

  Siehe Kap. 3, »Grundzüge prä- und postoperativer physiotherapeutischer Behandlung«.

- **3. Lagerungskontrolle**

  ▶ Der Oberschenkelstumpf sollte unbedingt in *Nullstellung des Hüftgelenkes,* d. h. nicht auf einem Kissen gelagert sein. In manchen Kliniken wird ein Schlauchverband mit Gewichtszug angelegt, dieser behindert jedoch u. E. die Stumpfdurchblutung und zwingt den Patienten zu unnötiger Bewegungseinschränkung.
  ▶ Zur Hochlagerung sollte das Bettende hochgestellt werden.

- **4. Erhalten der Armmuskelkraft**

  ▶ Intensive Widerstandsübungen und Ausdauertraining sollten für die beim Gehen mit Unterarmstützen besonders beanspruchte Muskulatur der Arme durchgeführt werden. Dies geschieht am besten durch Komplexbewegungen gegen manuellen Widerstand, aber auch gegen Pullingformerzug, Expander, mit Hanteln oder gegen das Körpergewicht.

- **5. Erhalten der Muskelkraft des anderen Beins**

  ▶ Auch das andere Bein muß für seine vermehrte Arbeitsleistung trainiert werden, sofern es unverletzt blieb (Abb. 20.1).

Abb. 20.1. Einsatz des Pezziballs zum »Bridging«

● **6. Spannungsaufbau der Muskulatur des Stumpfes**

▶ Spannungsübungen im Sekundenrhythmus gegen Führungskontakt verbessern die Durchblutung der Stumpfmuskulatur und fördern die Kontraktionsbereitschaft der neu fixierten Muskulatur. Um die Spannung zu verbessern, müssen die Übungen mindestens 7–10 s lang dauern und alle Formen des Bewegens und Haltens ausnützen.

▶ Verstärkungstechniken aus dem PNF-Programm finden Anwendung. Dabei kann über die kontralaterale Muskulatur oder über synergistische Funktionsmuster ein Overflow aufgebaut werden. Der Stumpf kann gegen Führungskontakt, auch über ein Handtuch, aktiv dynamisch üben (Abb. 20.2 und 20.3).

▶ Besonderer Wert muß auf die Herstellung des *Muskelgleichgewichtes* zwischen den schwächeren Mm. adductores, Mm. ischiocrurales und den in ihrer ursprünglichen Länge verbliebenen Mm. gluteus maximus, medius, minimus und M. iliopsoas gelegt werden. Dieses fehlende Spannungsgleichgewicht verursacht eine Gewohnheitsstellung des Hüftgelenkes in Flexion, Abduktion und Außenrotation.

▶ Es ist deshalb sinnvoll, von Anfang an Spannungsübungen gezielt für die Extensoren, Adduktoren und Innenrotatoren durchzuführen.

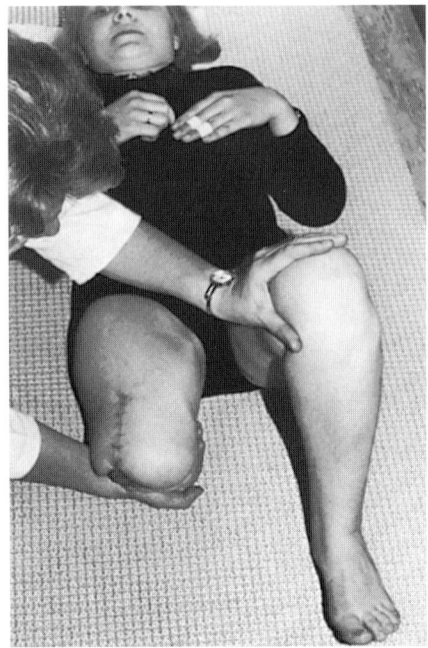

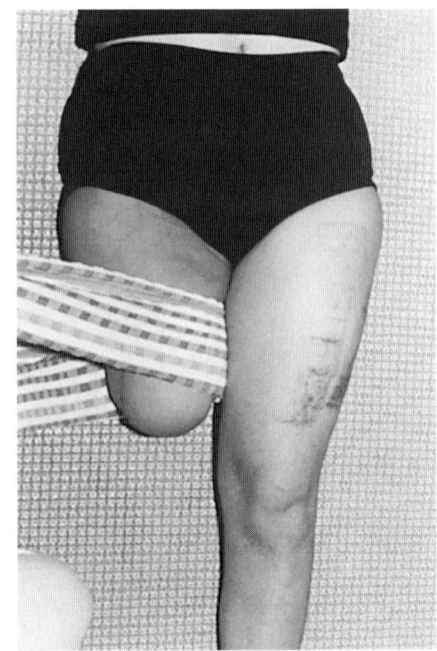

Abb. 20.2. Spannen des Stumpfes in Extension/Adduktion, Verstärkung durch Haltespannung des anderen Beines in Flexion/Adduktion

Abb. 20.3. Anstelle des Handkontaktes Widerstand über eine Handtuchschleife

● **7. Kontrakturprophylaxe**

▶ Endgradiges Bewegen und Halten und ein Lagerungswechsel sind die beste Kontrakturprophylaxe. Der Patient soll, wenn möglich, stundenweise in Bauchlage gelagert werden.

● **8. Stumpfpflege**

▶ Ein entsprechendes Hausaufgabenprogramm soll vorgeübt werden, damit der Stumpf morgens trocken in den Köcher eingebracht werden kann. Er soll kalt gewaschen und in Richtung zum Stumpfende abfrottiert werden.

▶ Manche Patienten pudern ihren Stumpf, wir empfehlen dies nicht, weil dadurch die Hautporen verstopft werden.

▶ *Stumpfpflege* ist Sache des Patienten, er sollte angeleitet werden, ihn abzuhärten und auf Druckstellen täglich zu kontrollieren.

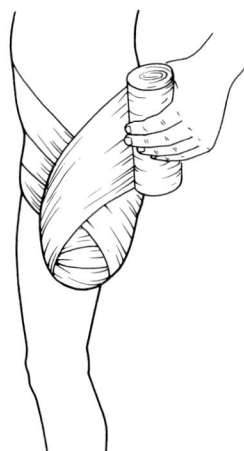

Abb. 20.4. Bandagieren des
Stumpfes

▶ Anfangs muß der Stumpf sorgfältig in Kornährenform bandagiert werden, dabei darf das Stumpfende frei bleiben (Abb. 20.4). Es muß darauf geachtet werden, daß bis zur Leiste gewickelt wird, evtl. kann ein Schlauchverband als zusätzliche Fixierung dienen. Am günstigsten ist das Anlegen des Verbandes im Stand in Extensionsstellung des Stumpfes, hier können Fehler eher vermieden werden.

Zu vermeiden sind ein Bandagieren in Bewegung des Hüftgelenkes, zirkuläre oder unterschiedlich feste Touren. Das Bandagieren soll hingegen den Stumpf in eine konische Form bringen.

9. Training der
Muskulatur des
Stumpfes.

● **9. Training der Muskulatur des Stumpfes**

▶ Das Training muß intensiv sein, d. h. gegen maximalen Widerstand ausgeführt werden. Training bedeutet eigentlich »Übertraining«, da beim Gehen an einen Prothesenträger wesentlich höhere Anforderungen gestellt werden, als an einen gesunden Menschen.

 Stumpftraining heißt Üben gegen maximalen Widerstand,
bei häufigen Wiederholungen und kurzen Pausen.

▶ Üben auf der Matte bietet auch die Möglichkeit, die Körperschwere als Widerstand einzusetzen (Abb. 20.5 und 20.6).

Gesichtspunkte
der Behandlung

9. Training der
Muskulatur des
Stumpfes.

▶ Als *Techniken* kommen in Frage:
• Bewegen und Halten in allen Variationen und
»Wiederholte Kontraktionen« aus dem PNF-Pro-
gramm sowie
• Stabilisationsübungen.

▶ Besonders trainiert wird die Beckenextension/
Abduktion und Innenrotation. Diese Bewegungen
sichern später das künstliche Kniegelenk in der
Standphase. Das Training der kleinen Glutäen
erfolgt unter aktiver Stabilisation des Oberschenkel-
stumpfes in der Nullstellung.

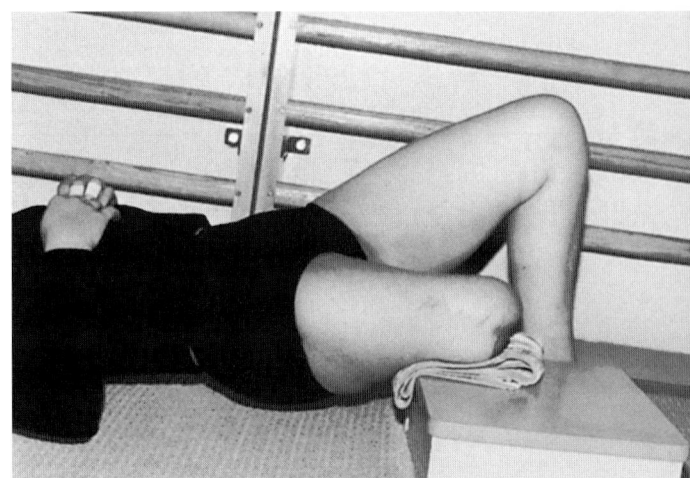

Abb. 20.5. Abheben
des Beckens durch Exten-
sion des Stumpfes gegen
die Unterlage

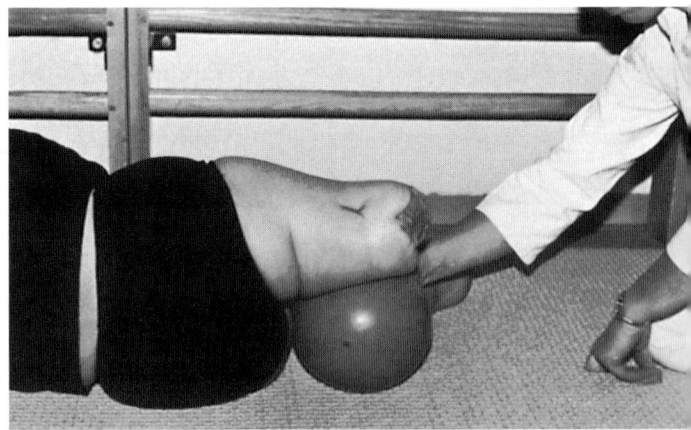

Abb. 20.6. Adduktion
des Stumpfes aus der
Seitenlage, Versuch, das
Becken abzuheben

10. Mobilisation von Kontrakturen

▶ Sind Kontrakturen entstanden, werden die Mobilisationstechniken entsprechend der Qualität des Bewegungsstops ausgewählt:

▶ »Langsame Umkehr – Halten – Entspannen – aktiv/passives Weiterziehen« bei elastischem Endgefühl,

▶ »Rhythmische Stabilisation – Entspannen – aktiv/passives Weiterziehen« bei schmerzhaftem Bewegungsstop oder

▶ Techniken der manuellen Therapie bei festem Endgefühl.

> **!** Bei traumatisch bedingten Amputationen kann eine Eisbehandlung hinzugenommen werden. Kontraindiziert ist sie bei Amputationen nach Gefäßverschlüssen.

▶ Im Anschluß an jede Mobilisationstechnik soll die gewonnene Bewegungsverbesserung aktiv gehalten werden.

11. Schulung des Gehmusters

▶ Der Bewegungsaublauf des Gehens kann in Rükkenlage und Seitenlage vorgeübt werden. Einzeln werden die Stumpf- und Beckenbewegungen vorgeübt, dann als Umkehrbewegung mit dem anderen Bein koordiniert (Abb. 20.7 und 20.8). Die PNF-Übung »langsame Umkehr« kann abgewandelt werden für die wichtige Adduktions-/Extensionsspannung des Stumpfes (s. Abb. 20.7).

▶ Auch das Pullingformergerät kann zum Training der Glutealmuskulatur und deren Funktion beim Gehen effektiv benutzt werden (Abb. 20.9 und 20.10).

▶ Die notwendige Beckenabduktions- und die Beckenextensionsbewegung, die von den Orthopädiemechanikern als »Sitzen« bezeichnete Bewegung des Tuber ossis ischii gegen den hinteren Köcherrand, müssen gesondert eingeübt werden.

12. Gehtraining

▶ Das Gehtraining mit der Prothese wird am besten im Gehbarren oder vor dem Spiegel durchgeführt (Abb. 20.11). Unter optischer Kontrolle werden Gesamthaltung, Schwingungen der Prothese, Belasten der Prothese, Schritte und Schrittfolgen nach seitwärts, vorwärts und rückwärts geübt.

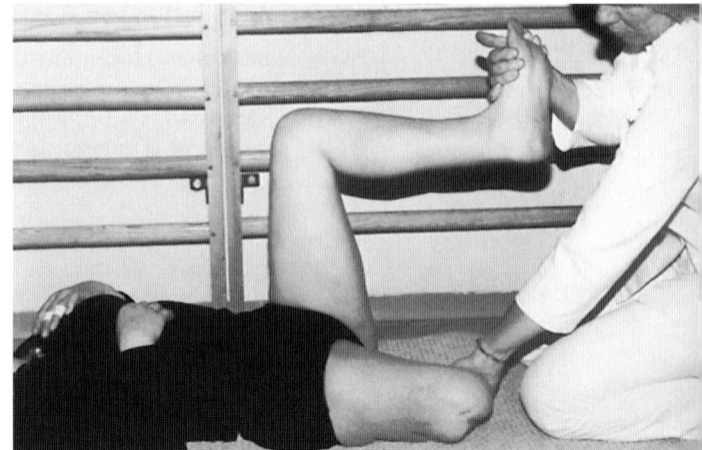

Abb. 20.7. Üben des abgewandelten Gehmusters aus der Rückenlage

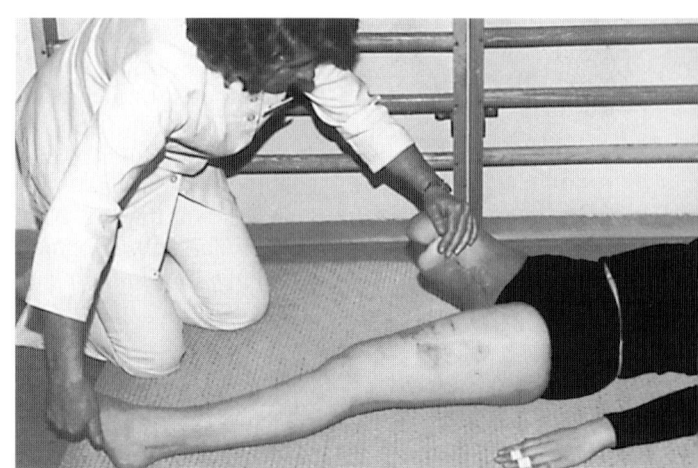

Abb. 20.8. Üben des Gehmusters als Umkehrbewegung

Abb. 20.9. Gehmuster
aus der Seitenlage gegen
Pullingformerzug

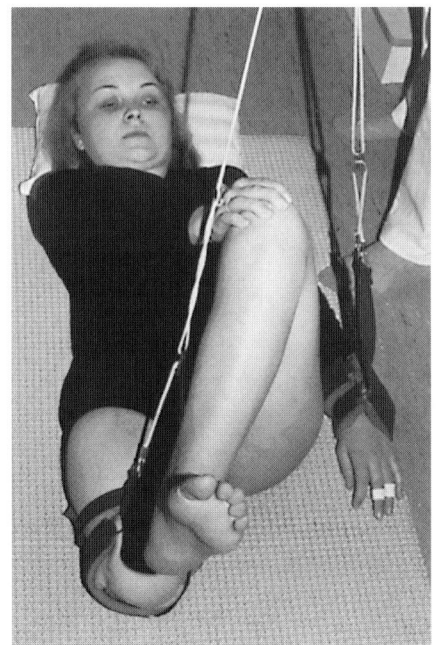

Abb. 20.10. Gehmuster aus der Rückenlage

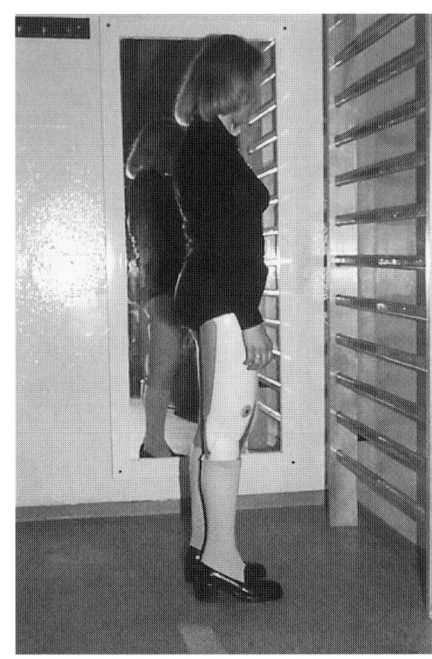

Abb. 20.11. Gewichtübernahme auf die Prothese im Stand vor den ersten Seitwärtsschritten

**GESICHTSPUNKTE
DER BEHANDLUNG**

12. Gehtraining.

▶ Häufig durchgeführte kürzere Übungszeiten, manchmal auch im Beisein des Orthopädiemechanikers, sind anfangs effektiver.

▶ Nach dem Gehtraining sollte immer der Stumpf auf Druckstellen kontrolliert werden. *Schmerzen* und *Druckstellen* führen zu Ausweichbewegungen, das Gehen wird anstrengender, der Patient ermüdet schneller und vermeidet es, die Prothese zu tragen.

▶ Die Physiotherapeutin soll zunächst versuchen, Ursachen abzuklären und die Gehfehler selbst zu korrigieren. Gelingt dies nicht, müssen Korrekturen an der Prothese vorgenommen werden.

▶ Auf folgende *Fehler* ist besonders zu achten:
• Breitbeiniges Gehen.
• Seitliches Rumpfneigen.
• Zirkumduktionsgang.
• Rotation der Ferse beim Aufsetzen.
• Rotation der Ferse beim Ablösen.
• Ungleiche Schrittlänge.
• Vermehrte Lendenlordose bei Belastung der Prothese.
• Hochfedern des anderen Beines bei der Schwungphase der Prothese.
• Ungleiches Anheben des Prothesenunterschenkels bei der Schwungphase.
• Vorschleudern der Prothese.

Die Ursachen können medizinischer, mechanischer oder sozialer Art sein. Zu den *medizinischen Ursachen* zählen:
• Kontrakturen,
• Muskelschwächen,
• Neurome,
• Narben,
• Durchblutungsstörungen,
• Schmerzen,
• schlechter Allgemeinzustand.

Die Fehler, die der *Prothesenkonstruktion* zugeordnet werden, betreffen:
• die Prothesenlänge,
• den Köchersitz,
• die Kniegelenkreibung,
• die Sprunggelenkreaktionen und
• die Befestigung.

Darüber hinaus spielen *soziale* und *psychische Faktoren* eine nicht unwesentliche Rolle. In dieser Rehabilitationsphase ist es überaus wichtig, daß Arzt, Orthopädiemechaniker, Physiotherapeutin und Patient besonders gut zusammenarbeiten.

● **13. Üben von Alltagsbewegungen**

▶ Um dem Patienten die notwendige Selbständigkeit wiederzugeben, müssen Alltagsverrichtungen wie z. B. das An- und Ausziehen der Prothese eingeübt werden (Abb. 20.12). Die Prothese soll im Stehen angezogen werden. Ein Trikotschlauch wird über den Stumpf gezogen und das untere Ende durch das Ventilloch geführt. Durch Zug an dem freien Ende und durch gleichzeitige Pumpbewegungen wird der Stumpf in den Köcher gezogen. Der Schlauch wird ganz entfernt, das Ventil eingesetzt und die Restluft abgelassen.

▶ Das Gehen auf unterschiedlichem Boden und mit Richtungs- und Tempowechsel gehört ebenso zum Programm wie das Gehen auf einer Rampe, auf unebenem Boden, auf einer Treppe oder Rolltreppe. In manchen Kliniken stehen dazu »Gehgärten« zur Verfügung.

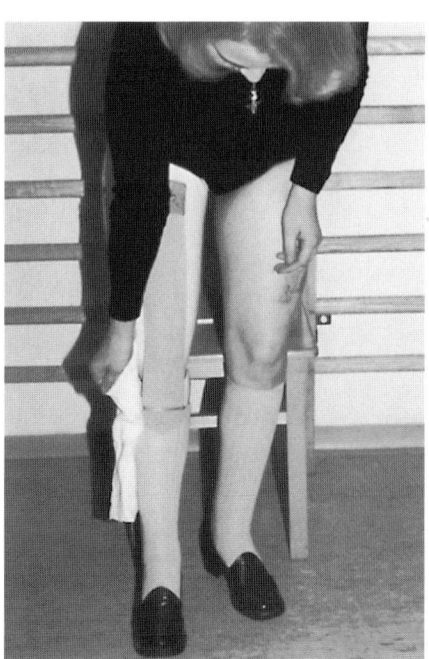

Abb. 20.12. Anziehen
der Prothese

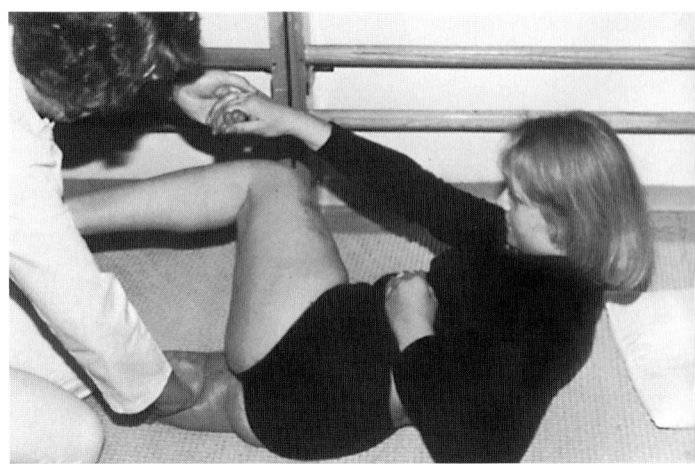

Abb. 20.13. Hoch-schrauben zum Sitz gegen den fixierten Stumpf

GESICHTSPUNKTE
DER BEHANDLUNG

▶ Jeder Prothesenträger wird öfter hinfallen, weil er unbewußt sein amputiertes Bein einsetzen will. Das Aufstehen vom Boden muß deshalb gut eingeübt werden, darüber hinaus auch das Hinsetzen und Aufstehen von verschieden hohen Stühlen, das Bük-ken und Aufheben von Gegenständen.

14. Versehrtensport
oder Gymnastik.

● **14. Versehrtensport**

Unauffälliges und kraftsparendes Gehen mit einer Prothese erfordert ständiges Training. Am besten ist dies mit Gleichbehinderten in einer Gruppe mög-lich. Innerhalb des Versehrtensportvereins werden Aktivitäten aller Art angeboten, die dem Amputier-ten Freude an der Bewegung und einer von ihm gewählten Sportart vermitteln. Das Messen mit anderen und der Erfolg der eigenen Leistung sind wichtig für die Bewältigung des eigenen Lebens.

SCHÜLERAUFGABE

Stellen Sie Übungen zusammen, die geeignet sind für eine Gruppenbehandlung mit Oberschenkel-amputierten. Begründen Sie die Übungsauswahl.

Besonderheiten bei der Behandlung anderer Amputationen

In Ergänzung zur ausführlich beschriebenen physiotherapeutischen Behandlung der *Oberschenkelamputation* sollen auch die wichtigsten Gesichtspunkte für die Behandlung anderer Amputationen an der unteren Extremität, wie der *Unterschenkel-* oder *Kniegelenkamputation,* der *Hüftgelenkexartikulation* oder *Hemipelvektomie,* erwähnt werden.

▶ Die Physiotherapeutin muß, dem angegebenen Schema folgend, die Funktionsbefunde erheben. Entsprechend dem Befund wird die Behandlung geplant und durchgeführt.

▶ Patienten, die eine *Hüftgelenkexartikulation* oder eine *Hemipelvektomie* erhalten haben, sind oft in schlechtem Allgemeinzustand. Ein intensives Training kommt selten in Frage. Wenn eine prothetische Versorgung in Frage kommt, stehen Gehübungen für den Gebrauch der Spezialprothese im Vordergrund.

▶ Anders ist es bei den traumatisch bedingten *Unterschenkelamputationen.* Volle Beweglichkeit des Kniegelenkes und eine kräftige Oberschenkelmuskulatur bilden die Voraussetzung für ein einwandfreies Gehen mit der Prothese (Abb. 20.14 und 20.15).

▶ Mit besonderer Sorgfalt sollte der sich schnell entwickelnden *Beugekontraktur des Kniegelenkes* entgegengewirkt werden.

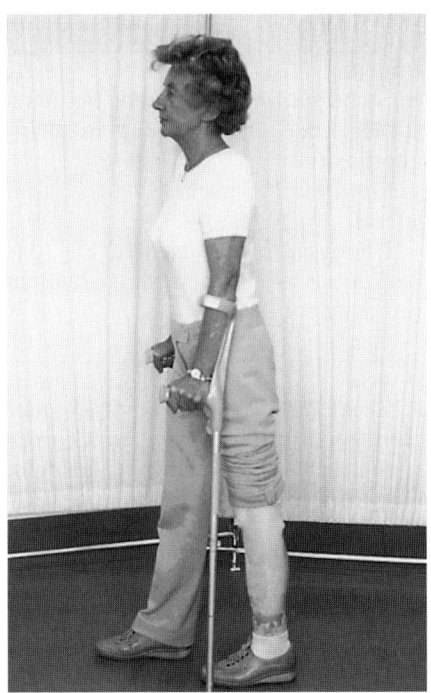

Abb. 20.14. Gehen mit Unterarmstützen mit einer Unterschenkelprothese

Abb. 20.15. Freies Gehen mit einer Unterschenkelprothese

▶ *Fuß-, Vorfuß- und Zehenamputationen* bieten oft schwierige Probleme bei der Herstellung von Innenschuhprothesen. Ist die Belastbarkeit des Kalkaneus erhalten geblieben, werden evtl. orthopädische Schuhe ein besseres Ergebnis erbringen. Die Entscheidung wird jedoch immer individuell getroffen werden müssen.
▶ Schwierig gestaltet sich die Behandlung der *Spitzfußkontraktur* bei Vorfußamputationen. Unter Umständen muß eine Arthrodese vorgenommen werden. Techniken der manuellen Therapie finden Anwendung, können jedoch oft nicht zu einem guten Langzeitergebnis führen.
▶ *Doppelamputierte* können nach gleichen Behandlungsvorschlägen behandelt werden. Die Prognose bezüglich des selbständigen Gehens ist schlechter, jedoch beweisen viele Beispiele, daß auch diese Patienten gehfähig werden können. Der Behandlungserfolg hängt von der Amputationshöhe und der Ursache ab.

ÜBUNGSBEISPIELE

Nach Oberschenkelamputation

Ausgangsposition

Rückenlage.

ÜBUNG
▶ Spannungsaufbau des M. glutaeus maximus.
Kontakt: Dorsal, medial am Stumpf.
Übungsauftrag: »Drücken Sie den Stumpf nach unten/innen, halten!«
▶ *Dasselbe* mit Verstärkung durch Spannen des anderen Oberschenkels in Flexion/Adduktion (s. Abb. 20.2).
▶ *Dasselbe* mit Verstärkung über Kopf- und Armextensionsspannung.

ÜBUNG
▶ Extension des Beckens, anfangs gegen festes Kissen oder Rolle, das andere Bein kann aufgestellt sein oder auf einem Pezziball liegen (Bridging, s. Abb. 20.1).
Kontakt: An beiden Spinae iliacae anteriores.
Übungsauftrag: »Heben Sie das Becken ab, drücken Sie den Stumpf nach unten auf die Unterlage!«

ÜBUNG
▶ Stabilisation des Beckens bei flach aufliegenden Beinen oder in Bridgingposition.
Kontakt: Wechselnd ventral und lateral.
Übungsauftrag: »Heben Sie das Becken ab und lassen Sie sich nicht verschieben!«

ÜBUNG
▶ Zusammengerolltes Handtuch oder kleines Kissen unter dem Stumpf festhalten, Therapeutin versucht, Handtuch nach oben/außen herauszuziehen.
Übungsauftrag: »Heben Sie das Becken etwas ab, halten Sie das Handtuch fest!«
▶ *Dasselbe* gegen Handkontakt mit abgehobenem, gebeugtem 2. Bein.

ÜBUNG

▶ Stumpf auf Ball, Rolle oder Schemel, Becken abheben, das 2. Bein ist aufgestellt oder in der Luft angebeugt (s. Abb. 20.5).
Übungsauftrag: »Drücken Sie den Stumpf fest herunter und heben Sie das Becken ab, halten und lockerlassen!«
▶ Diese Beckenübungen können gut als *Hausaufgabenprogramm* zusammengestellt werden.

ÜBUNG

▶ Adduktion des Stumpfes gegen Handtuchschlaufe.
Übungsauftrag: »Klemmen Sie das Handtuch fest ein (s. Abb. 20.3)!«
▶ *Dasselbe* mit Verstärkung vom anderen Bein, das gegen maximalen Widerstand in Adduktion spannt.

ÜBUNG

▶ Rolle oder Keule zwischen den flach aufliegenden Oberschenkeln halten lassen.

ÜBUNG

▶ Extension, Extension/Adduktion gegen Handtuchzug als wiederholte Kontraktionen.
Übungsauftrag: »Ziehen Sie den Stumpf ein Stück nach unten, entsprechend unten/innen, halten, weiterziehen, etwas nachgeben, weiterziehen usw.«

ÜBUNG

▶ Wiederholte Kontraktionen gegen Pullingformerzug.
▶ *Dasselbe* auch aus Seitenlage.

Ausgangsposition

Seitenlage auf der gesunden Seite.

ÜBUNG

▶ Beckenadduktion des Stumpfes gegen einen Ball oder ähnliches.
Übungsauftrag: »Drücken Sie den Stumpf fest gegen den Ball und heben Sie das Becken ab« (s. Abb. 20.6)!

ÜBUNG

▶ Beckenadduktion aus Seitenlage auf dem Stumpf.
Fixation: Passiv Stumpf gegen die Unterlage/Matte.
Übungsauftrag: »Schrauben Sie den Oberkörper diagonal hoch« (Abb. 20.13).

ÜBUNG

▶ Beckenabduktion aus Seitenlage auf dem Stumpf.
Übungsauftrag: »Drücken Sie den Stumpf gegen die Unterlage und heben Sie das Becken etwas ab!«
▶ Die Übungen können durch Abheben des anderen Beines erschwert werden.

Ausgangsposition

Bauch- und Seitenlage.

MOBILISATIONSTECHNIK

▶ »Langsame Umkehr – Halten – Entspannen« – aktiv/passives Weiterziehen zur Beseitigung der Beuge- und Abduktionskontraktur.

Ausgangsposition

Rückenlage oder Seitenlage.

Übung

▶ Gehmuster aus dem PNF-Programm: »Langsame Umkehr« und »Langsame Umkehr – Halt« für die Bewegungsrichtungen Extension/Abduktion/Innenrotation und Flexion/Adduktion/Außenrotation gegen angepaßten manuellen Widerstand und gegen Gerätezug, z.B. Pullingformer (s. Abb. 20.9 und 20.10 sowie 20.7 mit Abwandlung zur Extension/Adduktion).

▶ Alle Übungen können anfangs niedrig dosiert werden, eine *Steigerung des Trainings* bezüglich des Widerstandes, der Spannungszeiten, Übungsanzahl und Verkürzung der Pausen muß befundbezogen geplant werden.

Beispiele aus der Gehschulung mit Prothese

Ausgangsposition

Im Gehbarren, auf dem Boden oder auf 2 Waagen stehend.

Übungen

▶ Gewichtverteilung auf beide Beine.
▶ Gewicht auf Prothese übernehmen durch Gewichtsverlagerung nach vorn, zur Seite und den sog. »Tubersitz«.
▶ Prothese vorwärts, rückwärts und seitwärts schwingen.
▶ Prothese mit »Ferse« aufsetzen und rotieren.
▶ Prothese mit »Fußspitzen« aufsetzen und rotieren.

▶ Schrittstellung, Prothese vorn/hinten: Gewichtübernahme, bis das andere Bein vom Boden abgehoben werden kann.
▶ Gesundes Bein nach vorn, hinten, zur Seite bewegen und auf den Boden tippen.
▶ Einen Schritt einüben, seitwärts, dann vor- und rückwärts.
▶ Schrittfolge mit Kontraktionshilfen durch Approximation am Becken der Prothesenseite kurz vor der Mittelstandphase (s. Kap. 22, »PNF-Technik«).

Ausgangsposition

In freien Raum stehend.

Übungen

▶ Schrittfolge außerhalb des Gehbarrens mit Stützen oder Stock.
▶ Figurengehen.
▶ Rhythmisches Gehen zu Musik.
▶ Gehen, dabei Ball werfen oder prellen.
▶ Stufe auf- und abwärtsgehen, zunächst mit gesundem Bein hinauf und mit Prothese herunter, dann »Taschenmesserprinzip«. Dabei die Schuhspitze über die Stufe setzen.
▶ Gehen auf Rampe.
▶ Gehen auf unebenem Boden und über Hindernisse.
▶ Hinsetzen auf Stuhl und Boden.
▶ Aufstehen von Stuhl und Boden.
▶ Einsteigen ins Auto.
▶ Gehen im »Gehgarten« auf verschiedenen Böden (Kies, Sand, Gras, Pflaster, Holzplanken, Geröll etc.).
▶ Gegenstand vom Boden aufheben.

Literatur

Baise M, Trebes G, Schleuter W, Baumgartner R (1987) Erste Ergebnisse mit der Interims-Prothese für Oberschenkel-Amputierte nach Otto Bock-Habermann. Med Orth Tech 1: 12

Baumgartl F et al (1980) Amputation und Nachamputation am Oberschenkel. In: Spezielle Chirurgie für die Praxis III/2. Thieme, Stuttgart

Baumgartner R (1995) Amputation und Prothesenversorgungen der unteren Extremität. 2. Aufl. Enke, Stuttgart

Becker HM, Neufeldt KH, Furgani P (1990) Derzeitiger Stand der Amputationschirurgie. Zent. bl. Chir 115: 857

Boltze WH, Brunner HJ (1994) Die prothetische Versorgung nach Amputationverletzungen der unteren Gliedmaßen. Aktuelle Traumatol 24: 215

Blumentritt S, Scherer H, Wellershaus U (1994) Biomechanisch-ganganalytische Bewertung von Prothesenfüßen. Med Orth Tech 114: 287

Dederich R (1969) Sofort und Frühprothesen (operative und prothetische Probleme). Unfallheilkd 2: 100

Dederich R (1970) Amputationen der unteren Extremität. Thieme, Stuttgart

Greitemann B, Baumgartner R (1994) Amputation beim geriatrischen Patienten. Orthopäde 23: 80–87

Harrington IJ, Lexier R, Woods IM (1991) A plaster-pylon technique for below-knee amputation. J Bone Joint Surg (Br) 73-B: 76–78

Jockheck M, Maurer F, Mueller J (1994) Längenerhalt von Amputationsstümpfen durch mikrovaskulären Lappentransfer an der unteren Extremität. Aktuelle Traumatol 24: 218

Kristen H, Kastner J (1994) Gehen – Laufen mit Prothesen. Med Orth Tech 114: 279

Kokegei D, Dötzer R (1991) Die orthopädische Versorgung der unteren Extremität nach traumatischer Amputation. Orth Techn 6: 434–440

Lindenmaier HL et al (1975) Die prothetische Versorgung bei Oberschenkelamputation. Med Welt 26: 894

List M (1966) Amputationen der unteren Extremität. Krankengymnastik 7: 219

Magin M, Kattner H, Winkler H, Wentzensen A (1994) Amputationsverletzungen großer Gliedmaßenabschnitte. Aktuelle Traumatol 24: 207

Milde L, Scherer HW (1994) Einsatz von hydraulisch und pneumatisch gesteuerten Prothesen-Kniegelenken. Med Orth Tech 114: 295

Pohlig K (1994) Optimierung von Prothesenschäften mit dem Air Contact System. Med Orth Tech 114: 272

Sartoretti C (1991) Amputation an der unteren Extremität. Helv Chir Acta 58: 235–238

Schenk R (1987) Oberschenkelleichtprothesen in der Altersversorgung – Möglichkeiten und Grenzen. Med Orth Tech 1: 8

Wetz HH, Kissling R (1991) Muskuläre Dysbalancen am Oberschenkelstumpf, eine notwendige Folge der Amputation? Med Orth Tech 111: 218–222

Winter D, Sienko S (1988) Biomechanics of below knee amputee gait. J Biomechanics 21: 361

Wörz R, Wörz E (1990) Schmerzsyndrome nach Amputation. Fortschr Med 108 Jg. 4: 53/39

21 Physiotherapeutische Behandlung nach Polytrauma oder Serienverletzungen

Einteilung

- Kombinationsverletzungen mehrerer Organsysteme, z.B. Schädel-Hirn-Trauma und Extremitätenverletzungen bzw. abdominale, thorakale, Wirbelsäulen- und Bekkenverletzungen.

Ursachen

- Schwere Arbeits-, Sport- und vor allem Verkehrsunfälle.

Allgemeine Richtlinien, Symptomatik und ärztliche Maßnahmen

Die Versorgung polytraumatisierter Patienten erfolgt nach einem festen Diagnose- und Behandlungsschema, dem *Hannoveraner Polytraumaschlüssel* (PTS) nach Tscherne.

Hannoveraner Polytraumaschlüssel (PTS) nach Tscherne et al. (1983)

- *PTSS (Schädel) 1*

	GCS	
Schädel-Hirn-Trauma 1° $\triangleq$ 13–15		4
Schädel-Hirn-Trauma 2° $\triangleq$ 8–12		8
Schädel-Hirn-Trauma 3° $\triangleq$ 3– 7		12
Mittelgesichtsfraktur		2
Schwere Mittelgesichtsfraktur		4

- *PTSA (Abdomen) 2*

Milzruptur	9
Milz- und Leberruptur (18)	13
Leberruptur (ausgedehnt) (18)	13
Darm, Mesenterium, Niere, Pankreas	9

- *PTSE (Extremitäten) 3*

Zentraler Hüftverrenkungsbruch	12
Oberschenkelfraktur einfach	8
Oberschenkelstück-Trümmerfraktur	12
Unterschenkelfraktur	4
Knieband, Patella, Unterarm, Ellbogen, Sprunggelenk	2
Oberarm, Schulter	4
Gefäßverletzung oberhalb Ellbogen bzw. Kniegelenk	8
Gefäßverletzung unterhalb Ellbogen bzw. Kniegelenk	4
Oberschenkel-, Oberarmamputation	12
Unterarm-, Unterschenkelamputation	8
Je offene 2°- und 3°-Fraktur	4
Große Weichteilquetschung	2

- *PTST (Thorax) 4*

Sternum, Rippenfrakturen (1–3)	2
Rippenserienfrakturen	5
Rippenserienfrakturen beidseitig	10
Hämato-, Pneumothorax	7
Lungenkontusion beidseitig	9
Instabiler Thorax zusätzlich	3
Aortenruptur	7

- *PTSB (Becken) 5*

Einfache Beckenfraktur	3
Kombinierte Beckenfraktur	9
Becken- und Urogenitalverletzung	12
Wirbelbruch	3

Wirbelbruch/Querschnitt	3
Beckenquetschung	15

• *Polytraumaschlüssel (PTS)*

Alterseinfluß 6

Alter (Jahre)	Einfluß
0–9	0
10–19	0
20–29	0
30–39	0
40–49	1
50–54	2
55–59	3
60–64	5
65–69	8
70–74	13
≥75	21

*Errechnete Punktzahl/
PTS-Gruppierung:*

1–11: Gruppe I
12–30: Gruppe II
31–49: Gruppe III
50–<: Gruppe IV

Als grundlegendes Schema der Behandlung von polytraumatisierten Patienten wird ein *6-Phasen-Konzept* erstellt (nach Tscherne (1980):

1. Reanimationsphase mit Akutdiagnostik (Thoraxröntgen, Sonographie des Abdomen).
2. Erste Operationsphase der dringlichen abdominalen, thorakalen Verletzungen.
3. Stabilisierungsphase der Vitalfunktionen und weiterführende Diagnostik (Labor, Röntgen des Skelettsystems, CCT etc.).
4. Zweite Operationsphase (verzögerte Primäreingriffe), Dekompression der intrakranialen Blutung, Versorgung der Organverletzungen, der Frakturen, des Kompartmentsyndroms etc.
5. Erholungsphase, Entwöhnung von Beatmungsgeräten, Mobilisation.
6. Definitive Versorgung, Rekonstruktionen von Band- und Kapselverletzungen, Weichteildeckungen, Infektbehandlung.

Während der Phase der *Intensivstation* steht die Erhaltung der Vitalfunktionen im Vordergrund. Das Team der Intensivstation wechselt sich ab in den Aufgaben

• Lagerung,
• Absaugen,
• Blähen,
• passiv Bewegen, wo stabile Osteosynthesen dies erlauben,
• Aufsetzen,
• Aufstehen, wenn dies möglich ist.

▶ Die Physiotherapeutinnen übernehmen die mehrmals am Tag durchzuführende Atemtherapie und die gezielte Bewegungstherapie nach der Stabilisierungsphase.

▶ »Kochbuchmäßiges« Vorgehen ist bei der Behandlung polytraumatisierter Patienten nicht möglich. Die Probleme sind vielfaltig und müssen individuell gelöst werden.

Bei schweren Motorrad-, Auto- und Fahrradunfällen kommt es häufig zu schweren Schädel-Hirn-Verletzungen und Serienfrakturen sowie zu Gefäßzerreißungen und schweren Hautablederungen. Lungenkontusionen, Leber- und Milzrupturen und Verletzungen der Beckenorgane erschweren die Behandlung der ersten Tage.

Für die Prognose mehrfachverletzter Patienten stellt nach dem Erhalten der Vitalfunktionen die *frühzeitige Stabilisierung stammnaher Frakturen* einen entscheidenden Faktor dar. Anzustreben ist eine frühe Mobilisation und Rehabilitation. In unserer Klinik wird deshalb eine operative Versorgung der Extremitätenfrakturen innerhalb der ersten 24 Stunden angestrebt. Sie stellt die beste Fettembolieprophylaxe dar. Zur Anwendung kommen Plattenosteosynthesen, verriegelte Marknagelungen, der Fixateur externe oder Kirschner-Draht-Fixationen. Wie frühzeitig operiert werden kann, entscheidet der Allgemeinzustand des Patienten.

Überleben polytraumatisierte Patienten mit Schädel-Hirn-Traumata, zeigen sie oft ein unruhiges, unkonzentriertes und emotional labiles Verhalten. Sie sind ängstlich und unsicher.

In der 2. *Operationsphase* werden neben den genannten Organversorgungen auch Gesichtsverletzungen versorgt und evtl. aufgetretene Kompartmentsyndrome operiert. Wenn möglich, werden mehrere Operationsteams gleichzeitig eingesetzt.

Alle Band- und Kapselrekonstruktionen sowie plastische Weichteildeckungen (Abb. 21.1–21.3) und die Versorgung septischer Komplikationen werden zu einem späteren Zeitpunkt individuell geplant.

Nach der Verlegung von der Intensiv- auf eine *Normalstation* fällt es den Patienten schwer, sich an ein neues Behandlerteam zu gewöhnen. Patienten, die einige Zeit bewußtlos waren,

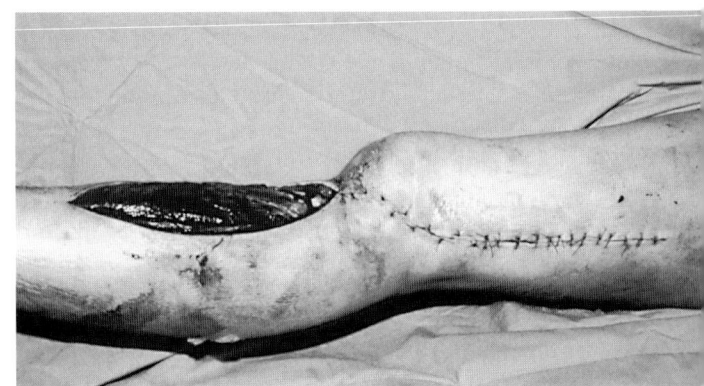

Abb. 21.1.   Großer Weichteildefekt

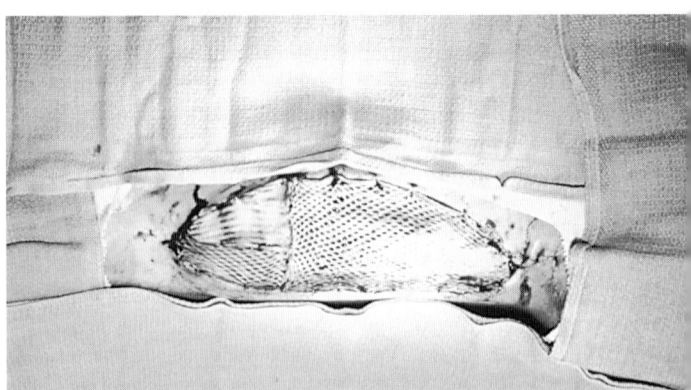

Abb. 21.2.   Epigarddeckung

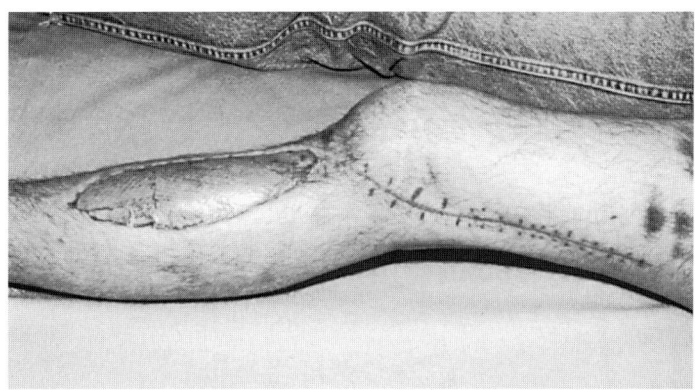

Abb. 21.3. Hauttrans-
plantation

verhalten sich evtl. unkritisch oder auch aggressiv.

Die *Führung* des mehrfach verletzten Patienten sollte deshalb besonders einfühlsam sein. Arzt, Schwester und Physiotherapeutin sollten sich absprechen, gemeinsam einen Plan erarbeiten und die Probleme besprechen. Frühzeitig soll die Familie des Patienten und die Sozialarbeiterin in die Behandlungsplanung einbezogen werden.

Auch wenn die Extremitätenverletzungen viele Varianten aufweisen, kann eine gewisse Systematik aufgestellt werden. Es gibt *4 Gruppen* von *Kombinationsverletzungen:*

1. Serienverletzung einer Körperseite,
2. beidseitige Einzelfrakturen,
3. einseitige Serienfrakturen und eine Einzelfraktur der Gegenseite,
4. beidseitige Serienfrakturen.

Befunderhebung

BEURTEILE

- Allgemeinzustand, ärztliche Untersuchungsergebnisse.
- Medikamentengabe, Atmung, Röntgenbilder, Computertomogramme.
- Berichte der Konsilärzte.
- Achsen, Gelenkkontur, Muskelrelief.
- Ödeme, Kompartmentsyndrome.
- Operationsnarbe.
- Wunden, Hautdurchblutung.
- Lagerung.

MISS

- Aktives Bewegungsausmaß, soweit dies aus Rückenlage möglich und bei stabilen Osteosynthesen erlaubt ist, sonst aktives Gelenkmaß unter abgenommener Schwere (mit einer Hilfsperson).
- Umfangmaße, soweit es die Verbände erlauben.

PRÜFE

- Muskelwert bis zur Stufe 3 im Bereich stabiler Osteosynthesen.
- Muskelwerte unter der Stufe 3 im Bereich instabiler Osteosynthesen.
- Sensibilität.
- Lokale Temperatur.
- Pulse.

NOTIERE

- Schmerzen (Wie? wo? wann?).
- Bewußtseinslage des Patienten.
- Orientierung, Konzentration, Merkfähigkeit.
- Kooperationsfähigkeit, Kontaktfähigkeit.
- Sprache.
- Andere Versorgungen wie Redondrainagen, Puffi, Thoraxdrainage (Bülau-Drainage), Kieferverschnürung, Beatmungsgeräte etc.)

Behandlungsmöglichkeiten

PROBLEME DER BEHANDLUNG

1. Pneumonieprophylaxe.
2. Thromboseprophylaxe.
3. Dekubitusprophylaxe.
4. Lagerungskontrolle.
5. Erhalten der Muskelkraft nichtverletzter Extremitäten.
6. Aufbau der Muskelspannung zur Sicherung der Fraktur.

Einseitige Serienfrakturen

Folgendes Beispiel soll die Problematik verdeutlichen:

Ein Patient erlitt ein Schädel-Hirn-Trauma 2. Grades, eine Le Fort-III-Fraktur, eine distale Unterarmfraktur (Abb. 21.4 und 21.5 a, b) und eine Oberschenkelfraktur (Abb. 21.6 und 21.7), eine Bandruptur des L. fibulotalare anterius sowie eine Parese des N. peronaeus communis.

Die *ärztliche Versorgung* bestand in einer kieferchirurgischen Osteosynthese mit Verschnürung des Kiefers, einer übungsstabilen Fixateur-externe-Osteosynthese der distalen Unterarmfraktur, einer Femurosteosynthese mit einem Verriegelungsnagel sowie einer Bandnaht am Sprunggelenk. Die ligamentäre Verletzung des Sprunggelenkes erforderte eine Schienenbehandlung (Unterschenkelgipsschiene), aus der heraus das obere Sprunggelenk bis zur Nullstellung passiv bewegt werden durfte.

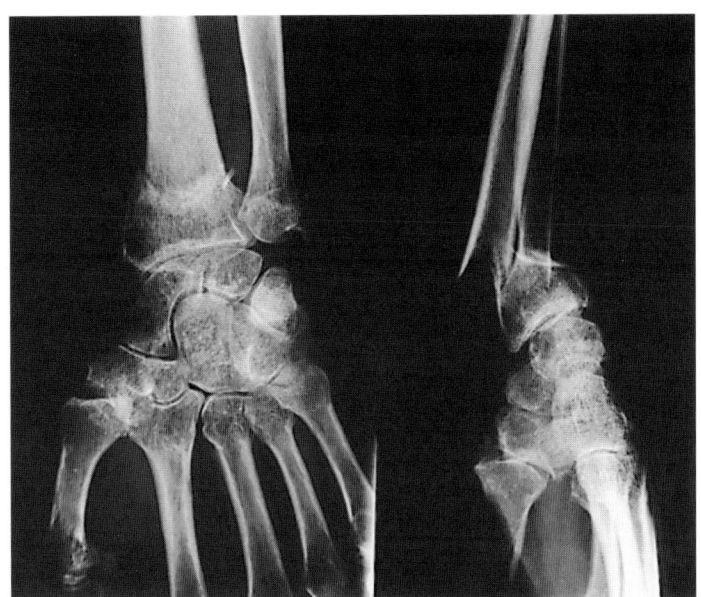

Abb. 21.4. Distale
Unterarmfraktur

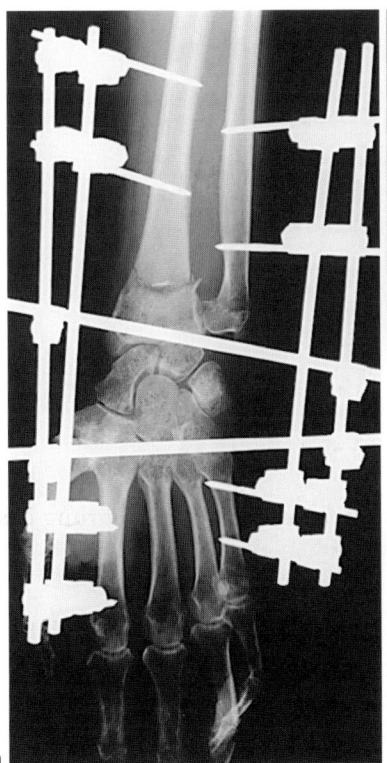

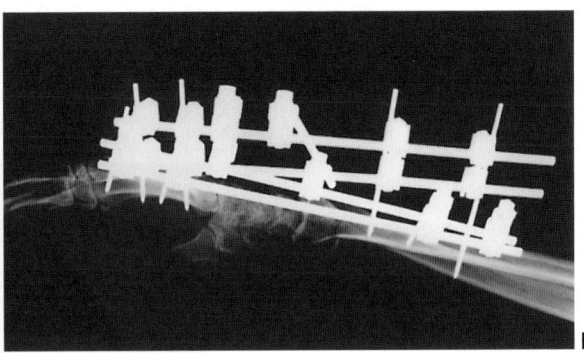

b

a

Abb. 21.5. **a** Fixateur externe, **b** seitliche Aufnahme

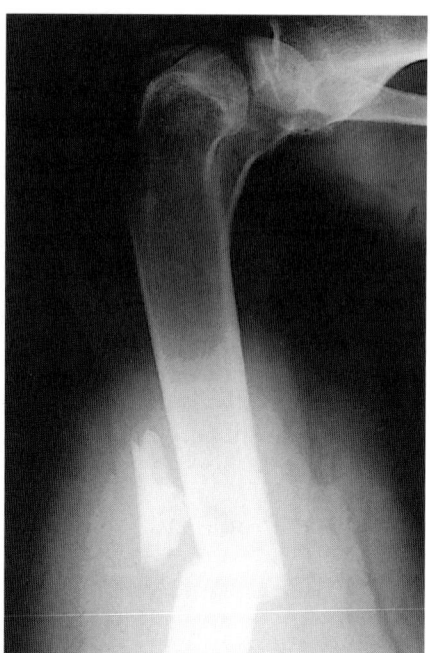

Abb. 21.6.   Femurschaftfraktur

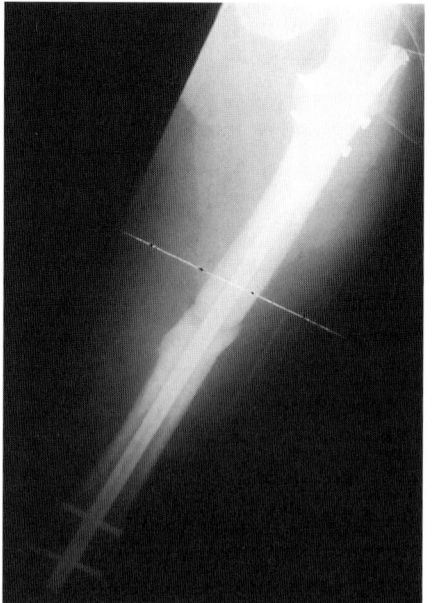

Abb. 21.7.   Verriegelungsnagel

PROBLEME DER BEHANDLUNG

7. Kräftigung geschwächter Muskulatur.
8. Mobilisation eingeschränkter Gelenke.
9. Vorbereitung zum Stehen und Gehen.
10. Gehschulung.
11. Schulen von Gebrauchsbewegungen.

▶ Die *physiotherapeutische Behandlung* begann am 1. postoperativen Tag mit Atemtherapie und isometrischen Spannungsübungen.

▶ Nach Entfernung der Redondrainagen begann die ausführliche Befunderhebung und gezielte Behandlung.

▶ *Probleme* ergaben sich bei folgenden Behandlungspunkten:

● *Lagerung.* Vor allem die Lagerung des Beines erwies sich als schwierig. Das Bein sollte auf einer Schaumstoffschiene hochgelagert werden, jedoch war dies wegen der motorischen Unruhe des Patienten nicht möglich. Deshalb wurde auf jegliches Lagerungsmaterial verzichtet, das Bett aber mit Gittern abgesichert.

● *Aufbau der Muskelspannung zur Sicherung der Frakturen.* Gezielte Aufträge für dynamische Übungsformen und Halten von Positionen der Ellbogen- und Hüft- und Kniegelenke konnten vom Patienten nicht umgesetzt werden.

Er konnte sich auf die Übungen schlecht konzentrieren und sich Bewegungsabläufe nicht merken. Der geplante Spannungsaufbau konnte deshalb in den ersten Tagen nicht erreicht werden.

● *Mobilisation.* Subtile, aktive Mobilisationstechniken, die ein konzentriertes Mitdenken des Patienten erfordern, waren nicht möglich.

Vorsichtiges passives Bewegen wurde angewandt, und dabei wurde sorgfältig auf Schmerzreaktionen geachtet.

● *Vorbereiten zum Gehen ohne Belastung.* Durch Ratschow-Umlagerungen mit dem kippbaren Bett konnte die allgemeine Kreislaufsituation verbessert werden. Puls und Blutdruck blieben im Grenzwertbereich. Nach Anlegen eines Antithrombosestrumpfes an der unverletzten Seite und Bandagieren des frakturierten Beines wurde der Patient von zwei Personen aufgesetzt. Stehen auf dem nicht verletzten Bein war wegen der Verständigungsschwierigkeiten erst später möglich.

Erst am 10. Tag war der Patient so kooperativ, daß er Aufträge umsetzen und gezielt über kurze Zeit üben konnte. Die stabile Marknagelung konnte bei diesem Patienten wegen der Bandverletzung am Sprunggelenk und der Fußheberparese funktionell nicht ausgenützt werden. Erst 4 Wochen nach der

PROBLEME DER
BEHANDLUNG

Operation konnte die Teilbelastung mit Orthese begonnen werden. Als Gehhilfen wurden eine Achselstütze und eine Unterarmstütze eingesetzt.

Beidseitige Einzelfrakturen

Der im folgenden Beispiel beschriebene Patient hatte eine stabile Lendenwirbelkörperfraktur des 3. LWK, eine Oberschenkelschaftfraktur und eine drittgradig offene Unterschenkelfraktur am anderen Bein erlitten.

Die Lendenwirbelkörperfraktur wurde *konservativ* mit einem Dreipunktkorsett (s. Kap. 6), die Oberschenkelfraktur *operativ* mit Verriegelungsnagel und die Unterschenkelfraktur der Gegenseite mit 2 Platten versorgt (Abb. 21.8 a, b). Es bestand kein Schädel-Hirn-Trauma.

▶ Probleme ergaben sich bei folgenden Behandlungspunkten:

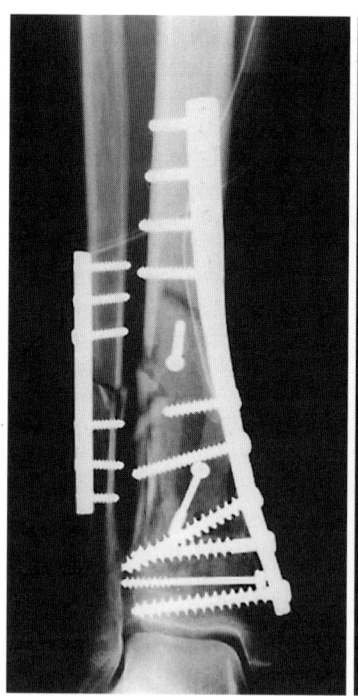
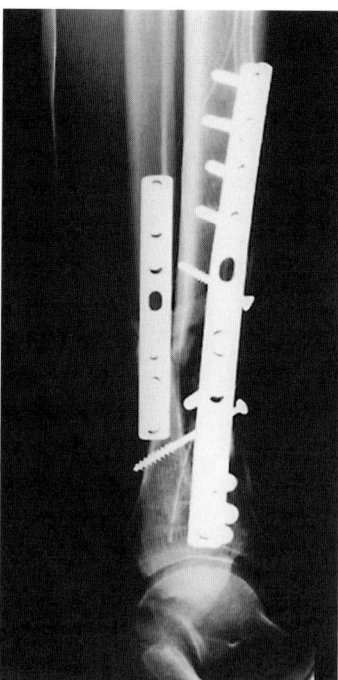

Abb. 21.8. **a** Unterschenkelosteosynthese, **b** seitliche Aufnahme   **a**   **b**

PROBLEME DER BEHANDLUNG

- *Lagerung.* Unvereinbar waren die Verordungen des Arztes, eine flache Lagerung für die Lendenwirbelsäule und eine Hochlagerung beider Beine einzuhalten. Kompromisse mußten gefunden werden. Die Krapp-Schienen erwiesen sich als kontraindiziert. Die Hochlagerung erfolgte über das Erhöhen des Bettendes, beide Beine wurden in leichter Kniebeugestellung auf weiche Kissen gelagert, die Füße am Bettende abgestützt. Das Bettoberteil wurde nur auf ca. 20° erhöht.
- *Durchblutungsverbesserung.* Es gab keine Probleme bei der Behandlung des Beines mit der Oberschenkelschaftfraktur, dort konnten alle Techniken angewendet werden. Eine Durchblutungsregulation und Ödemresorption konnte auf der Seite der offenen Unterschenkelfraktur nicht zufriedenstellend erreicht werden. An diesem Bein entwickelte sich in der folgenden Zeit, trotz ausreichender Heparingabe, eine Unterschenkelvenenthrombose. Eine Woche später durfte der Patient im Stehbrett bei Entlastung und Bandagierung des betroffenen Beines ein Kreislauftraining durchführen (Winkeleinstellung ca. 50°). Zur Sicherung der Wirbelfraktur trug der Patient auch auf dem Stehbrett das Dreipunktkorsett.
- *Spannungsaufbau:* Auf der Seite der Unterschenkelfraktur konnte die Übungsbehandlung 1 Woche nach der festgestellten Thrombose beginnen. Der Muskelwert 3 für die Unterschenkelmuskulatur wurde langsamer als sonst erreicht, ein Umsetzen der vorgegebenen Übungsstabilität war nicht möglich. Die Muskulatur des Oberschenkels der anderen Seite machte in den ersten 3 Wochen gute Fortschritte.
- *Mobilisation.* Die Sprunggelenke der Seite mit der Unterschenkelfraktur wurden mit aktiven Techniken mobilisiert, die Fortschritte waren gering wegen der ausgeprägten Narben.
- *Gehschulung.* Die Wirbelfraktur und die doppselseitigen Beinfrakturen zwangen den Patienten zu einer sonst nicht üblichen Bettlägrigkeit. Das Bein mit der Oberschenkelfraktur konnte zu diesem Zeitpunkt auch nur mit 10–15 kg belastet werden, da die mechanische Belastungsstabilität funktionell noch nicht umgesetzt werden konnte. Hüpfen auf diesem Bein war keinesfalls erlaubt (Rotations-Lateralflexions-Belastung der Lendenwirbelsäule!). Entlastetes

PROBLEME DER BEHANDLUNG

Stehen auf dem Stehbrett mit Waagen bei ca. 50–60° Kippstellung erlaubten eine geringe schmerzfreie Belastung der Beine, bei symmetrischer Belastung der Wirbelsäule.

Erst 8 Wochen nach der Verletzung konnte der Patient mit einem Dreipunktkorsett mit Sohlenkontakt auf der Seite der Unterschenkelfraktur und mit 40 kg Belastung auf der Seite der Oberschenkelfraktur aufstehen. Als Gehhilfen wurden 2 Unterarmstützen gewählt.

Da unsere Dreipunktkorsetts wasserfest sind, konnte der Patient auch im Bewegungsbad behandelt werden.

Einseitige Serienfrakturen und Einzelfraktur der Gegenseite

Als Beispiel für diese Kombinationsverletzung soll ein Patient mit folgenden Verletzungen beschrieben werden: Schädel-Hirn-Trauma, Unterkieferstückfraktur, Okzipitalfraktur, Lungenkontusion, Leberruptur, multiple Mesenterialeinrisse, retroperitoneales Hämatom, Azetabulumfraktur links (Abb. 21.9), Oberschenkelfraktur links, distale Unterschenkelfraktur links (Abb. 21.11) und auf der rechten Seite eine Metatarsale-V-Fraktur (Abb. 21.12a, b).

Die *operative Versorgung* umfaßte eine Laparotomie mit Übernähung der Leberruptur, Übernähung der Mesenterialeinrisse, eine Osteosynthese des Femurs mit einem Verriegelungsnagel, 2 Plattenosteosynthesen am linken Unterschenkel und eine

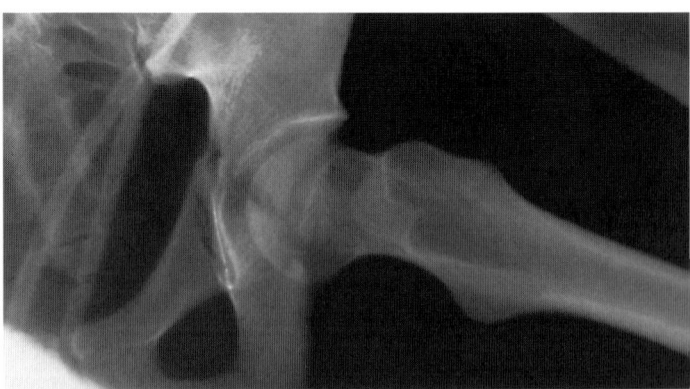

Abb. 21.9. Azetabulumfraktur

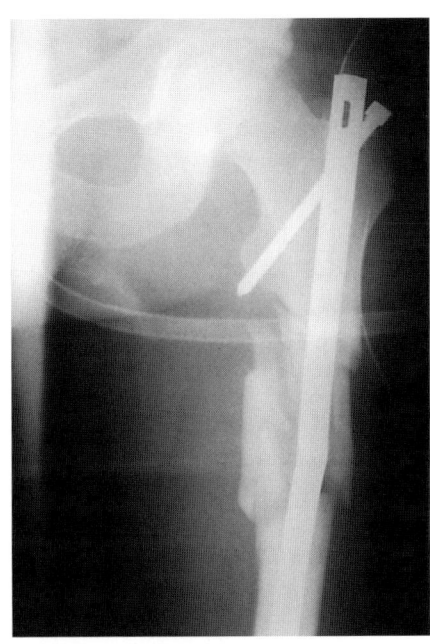

Abb. 21.10. Verriegelungsnagel bei Femur-fraktur

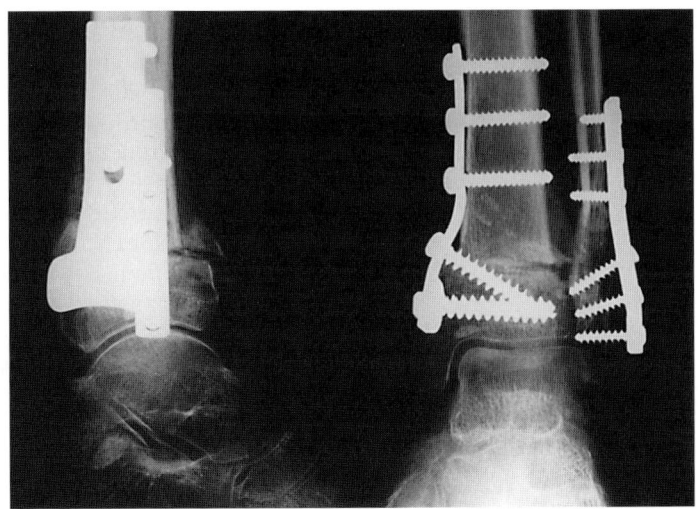

Abb. 21.11. Osteosyn-these bei distaler Unter-schenkelfraktur

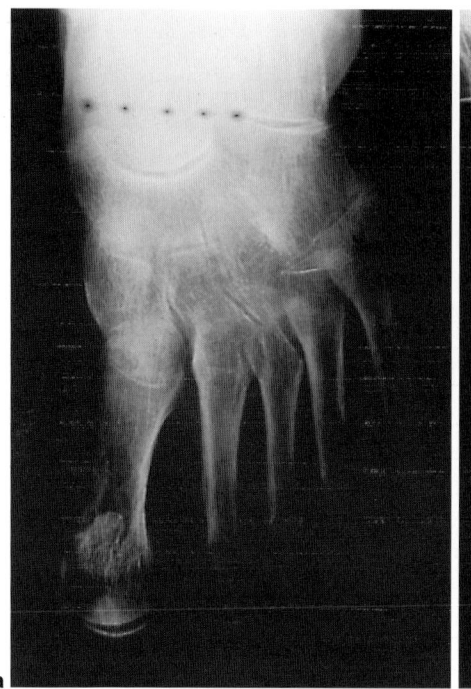
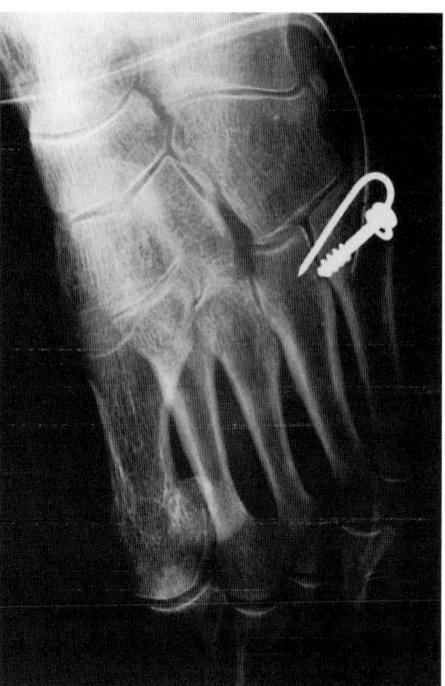

a   b

Abb. 21.12. **a** Metatarsale-V-Fraktur, **b** Osteosynthese

PROBLEME DER
BEHANDLUNG

Stabilisierung des 5. Mittelfußknochens mit einer Schraube und einem Pin (s. Abb. 21.12 b). Die Azetabulumfraktur wurde konservativ behandelt, am Unterkiefer wurde eine Unterkieferosteosynthese mit Verschnürung des Kiefers durchgeführt.

Nach 14tägigem Aufenthalt auf der Intensivstation, wo künstliche Beatmung und Stabilisierung des Kreislaufes im Vordergrund standen, konnte der Patient bei vollem Bewußtsein, jedoch in reduziertem Allgemeinzustand auf eine Unfallstation verlegt werden. Der Patient war schnell ermüdbar.

▶ *Probleme* ergaben sich bei folgenden Behandlungspunkten:

● *Spannungsaufbau.* Wegen der übungsstabilen Frakturen am linken Unterschenkel und der konservativ behandelten Azetabulumfraktur kamen dynamische und statische Spannungsformen nur bis Teststufe 3 in Frage. Die mechanisch stabil versorgte Femurfraktur konnte nicht entsprechend belastet werden.

PROBLEME DER BEHANDLUNG

Der rechte Fuß mußte in einer Unterschenkel-gipsschiene ruhiggestellt werden. Die Immobilisation dauerte 4 Wochen.

Übungen, die den Pfannenboden biomechanisch belasten würden, mußten unterbleiben, z.B. Halten und Bewegen gegen Widerstand für die kleinen Glutäen. Zur Anwendung kamen unterstützte, aktive Umkehrbewegungen gegen Führungskontakt. Längere Behandlungszeiten waren wegen der schnellen Ermüdbarkeit des Patienten nicht möglich. Die Kräftigung der Oberschenkelmuskulatur ging deshalb langsamer vor sich als üblich. Der Allgemeinzustand des Patienten besserte sich erst nach ca. 3 Wochen.

Bei passiver Fixation des Oberschenkels wurde der M. quadriceps gegen Eigenschwere aus dem seitlichen Übergang geübt. Traten Schmerzen am Bekken auf, wurde unter abgenommener Unterschenkelschwere geübt und die Technik geändert. Auch hier bewährte sich das Prinzip des »Stop and go«.

- *Mobilisation.* Probleme bereitete die Mobilisation der linken Sprunggelenke, es bestand ein schmerzhafter, fester Bewegungsstop.

  Aktiv/passive PNF-Mobilisationstechniken und Techniken der manuellen Therapie kamen zur Anwendung. Das Bewegungsausmaß konnte nur gering verbessert werden (s. Röntgenbild).

- *Vorbereitung zur Gehschulung.* Die konservativ behandelte Azetabulumfraktur erforderte eine Entlastungszeit von ca. 10–12 Wochen. Um den Patienten während dieser Zeit nicht ständig im Bett lassen zu müssen, wurde nach 6 Wochen Teilbelastung für das rechte Bein erlaubt und der Pin herausgenommen.

  In dieser Zeit wurde begonnen, die linke Glutäalmuskulatur für die Standphase zu kräftigen, so daß allmählich mit zunehmender Muskelkraft eine 20-kg-Teilbelastung aufgebaut werden konnte. Am Ende der 10. Woche hatten der M. quadriceps, die Mm. glutaei und die Unterschenkelmuskulatur ausreichende Kontraktionsfähigkeiten, um eine weitere Belastungssteigerung zuzulassen (wöchentlich 10–15 kg). Nach 12 Wochen durfte der Patient auch das rechte Bein belasten.

Beidseitige Serienfrakturen

Als Beispiel soll hier folgende Anamnese angeführt werden: Der Patient erlitt bei einem Motorradunfall auf der linken Körperseite eine Olekranonfraktur, eine distale Oberschenkelfraktur, Verdacht auf Kreuzbandläsion sowie eine Beckenfraktur mit Iliosakralgelenksprengung. Auf der rechten Seite zog er sich eine Tibiakopffraktur und eine distale Humerusfraktur zu. Zusätzlich wies er einen Pneumothorax auf. Es bestand kein Schädel-Hirn-Trauma.

Folgende *Frakturversorgungen* wurden innerhalb der ersten 9 Tage nach dem Unfall vorgenommen (alle Osteosynthesen waren übungsstabil):
* linke Olekranonfraktur – Zuggurtungsosteosynthese (Abb. 21.13),
* linke Femurkondylenfraktur – Löffelplatten- und Zugschraubenosteosynthese (Abb. 21.14 a–c),
* Beckenfraktur und Iliosakralgelenksprengung – Platten- und Schraubenosteosynthese (Abb. 21.15 und 21.16),

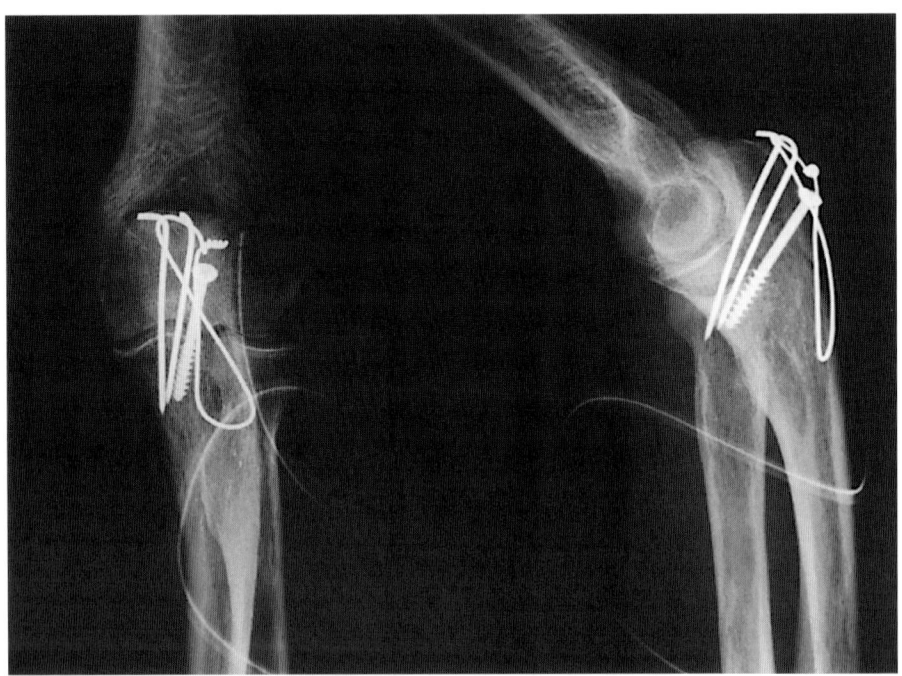

Abb. 21.13. Olekranon-Zuggurtungsosteosynthese

Abb. 21.14.   **a** Distale Femurfraktur, **b** Löffel-
platten- und Zugschraubenosteosynthese, **c** seitliche Aufnahme

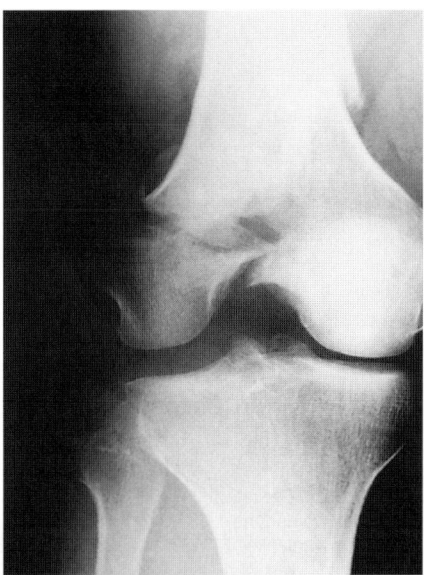

a

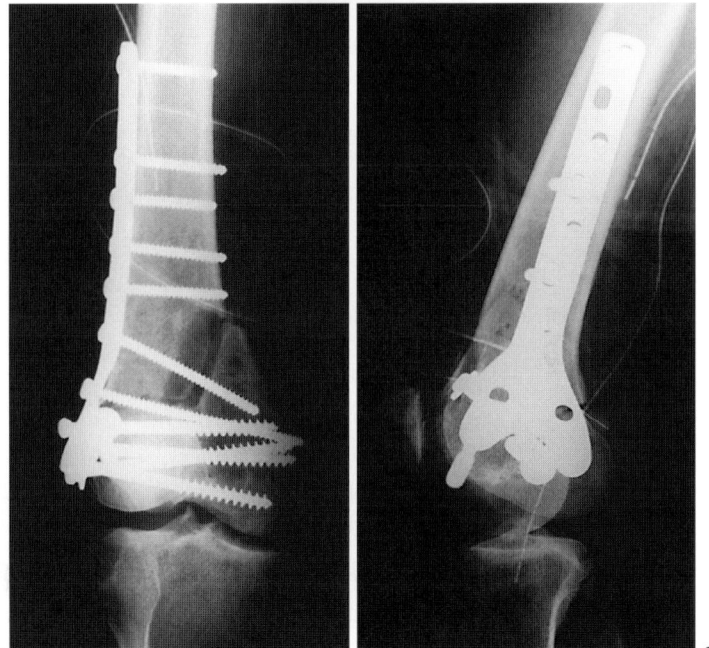

b

c

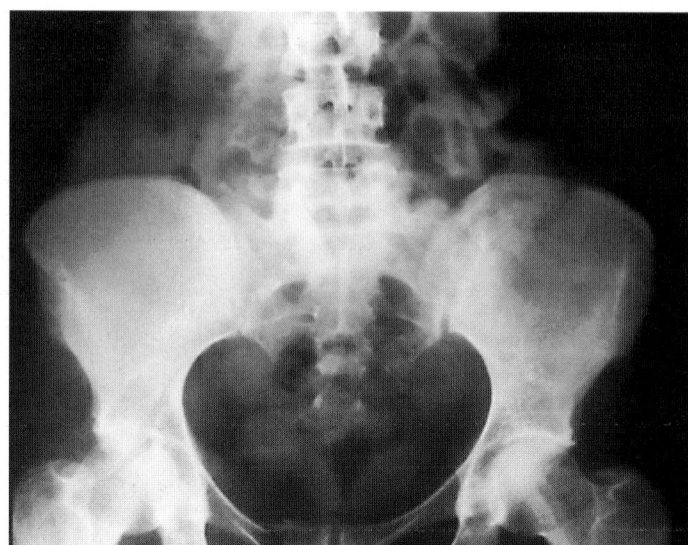

Abb. 21.15. Becken-
fraktur mit Sprengung
des Iliosakralgelenkes

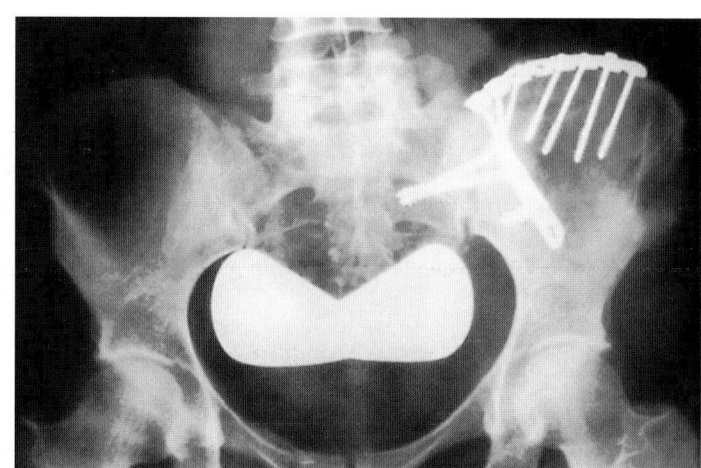

Abb. 21.16. Stabile
Osteosynthese des Beckens

PROBLEME DER
BEHANDLUNG

- rechte Tibiakopffraktur – Abstützplatte und Zugschraube erst 3 Wochen nach dem Unfall (Abb. 21.17),
- rechte, distale Humerusfraktur – biologische Osteosynthese mit Veterinärplatten und einem Spickdraht, Zuggurtungsosteosynthese der Olekranonosteotomie (Abb. 21.18 und 21.19).

In der Erstversorgung wurde eine Thoraxdrainage (nach Bülau) gelegt.

▶ Die erste *physiotherapeutische Behandlung* begann auf der Intensivstation; 14 Tage später konnte der Patient auf einer Normalstation weiterbehandelt werden.

▶ Probleme bestanden bei folgenden Behandlungspunkten:

- *Spannungsaufbau.* Nach 14tägiger Behandlung auf der Intensivstation war der Allgemeinzustand des Patienten noch so schlecht, daß selbst isometrische Spannungsübungen gegen Handkontakt zu einer erhöhten Atemfrequenz und Pulsbeschleunigung führten.

  Darüber hinaus bestanden Probleme bezüglich der Behandlung des linken Kniegelenkes. Die verzö-

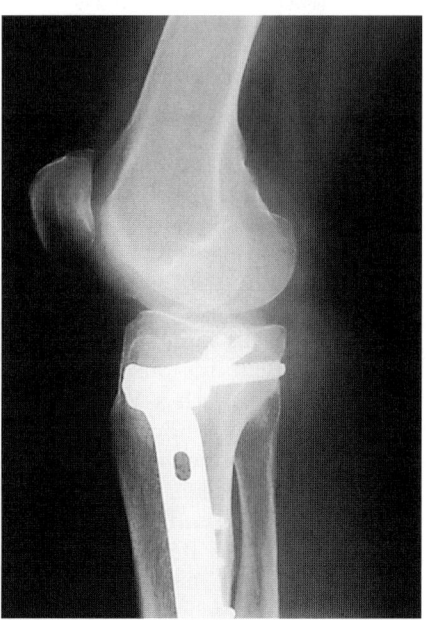

Abb. 21.17. Abstützplatte nach Tibiakopffraktur

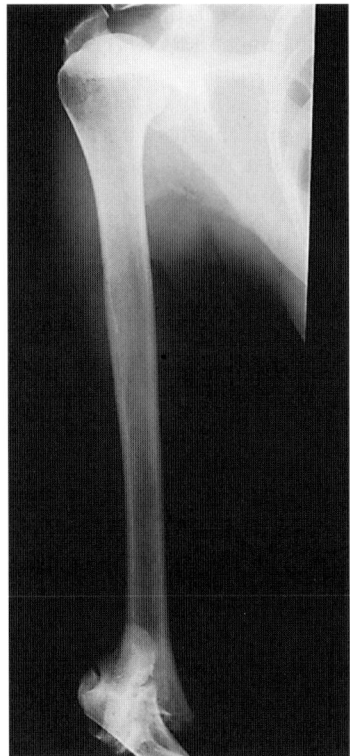

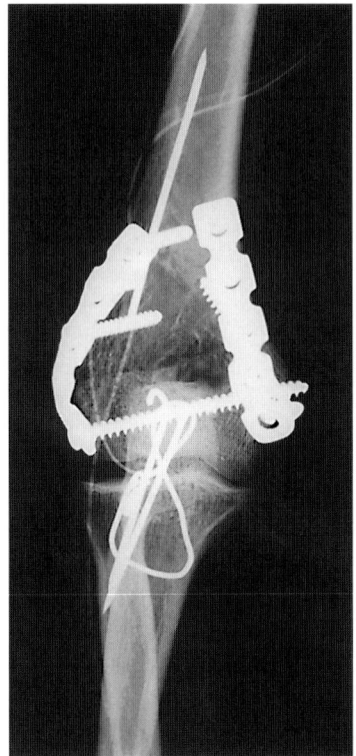

Abb. 21.18.   Distale Humerusfraktur   **Abb. 21.19.**   Osteosynthese

PROBLEME DER
BEHANDLUNG

gerte Osteosynthese der rechten Tibiafraktur mit einer Spongiosaplastik machte eine erneute Gipsruhigstellung notwendig. Die mechanische Übungsstabilität der Osteosynthesen des linken Beines konnte nicht für freies Bewegen ausgenützt werden.

Es konnte mit Spannungsübungen für das linke Bein im Sinn eines effektiven Spannungsaufbaus erst nach 3 Wochen begonnen werden. Komplexes Üben und ein Einsatz von Verstärkungstechniken waren jedoch nicht möglich. Schmerzen im Bereich des linken Kniegelenkes verhinderten ein intensives Üben und Mobilisieren.

Die Beweglichkeit des linken Ellbogengelenkes nahm stetig zu, zum Stützen war jedoch auch dieser Arm nicht zu verwenden.

**PROBLEME DER
BEHANDLUNG**

- *Mobilisation.* Die Mobilisation des rechten Kniegelenkes gestaltete sich besonders schwierig. Durch
die verzögerte Osteosynthese und Ruhigstellung in
einer Gipsschiene wurde das Gelenk kontrakt, es
bestand ein deutlicher Gelenkerguß und eine Verklebung des oberen Rezessus mit starker Bewegungseinschränkung der Patella. Trotz intensiver
Behandlung lag das Bewegungsausmaß nach 10
Wochen erst bei 0–20–80° und festem Bewegungsstop.
  Lange Zeit bestand ein ausgeprägtes Ödem am
linken Oberschenkel mit einer M.-quadriceps- und
Mm. -ischiocrurales-Insuffizienz.
  Erst bei zunehmender Funktion wurde die Instabilität deutlich, die den Verdacht einer Kreuzbandläsion erhärtete. Arthroskopische Untersuchungen
wurden durchgeführt, eine Bandplastik für einen
späteren Zeitpunkt geplant.
  Symptomabhängig wurden Techniken der manuellen Therapie, wie Traktion und translatorisches
Gleiten, Patellagleiten und kleine Umkehrbewegungen durchgeführt.
  Auch das rechte Ellbogengelenk zeigte große
Empfindlichkeit bei der Übungsbehandlung. Über
längere Zeit war es heiß, schmerzhaft und geschwol-
len. Langsame Umkehrbewegungen unter passiver
Fixation am distalen Humerus mit minimalem Zug
waren am erträglichsten. Auch die rhythmische Stabilisation gegen Führungskontakt erwies sich als
erfolgreich.
- *Gehschulung.* Der Patient war ca. 10 Wochen lang
bettlägrig, die Sprengung des Iliosakralgelenkes und
die Funktion des linken und rechten Beines ließen
eine Belastung nicht früher zu. Etwa 3 Wochen nach
der letzten Operation begannen wir mit der Behandlung im Bewegungsbad, was dem Patienten viel
Motivation gab. In der 11. Woche wurde für das linke
Bein eine Teilbelastung von 20–30 kg und für das
rechte Bein Sohlenkontakt verordnet. Dabei trug der
Patient am linken Bein eine Donjoy-Schiene. Beide
Arme konnten mit Achselstützen gut umgehen. Auf
dem Stehbrett und im Bewegungsbad konnten längeres Stehen und das erste Gehen geübt werden.
Nach ca. 12 Wochen konnte auf Unterarmstützen
umgestellt werden, die Belastung wurde je nach
Tragfähigkeit und Schmerzfreiheit langsam gestei-
gert.

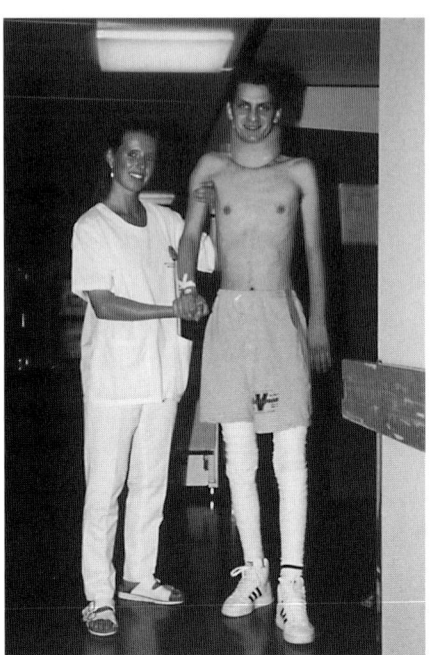

Abb. 21.20. Erste Geh-
versuche nach Polytrauma
und HWK3-Fraktur

PROBLEME DER
BEHANDLUNG

Der Patient konnte 13 Wochen nach der ersten
Operation aus der Klinik entlassen und in eine
Rehabilitationsklinik zur weiteren intensiven phy-
siotherapeutischen Behandlung verlegt werden.

Bei der Röntgenkontrolle nach 6 Monaten
bestand am linken Oberschenkel eine deutliche Kalzifikation. Auch das rechte Kniegelenk war arthrogen kontrakt. Diskutiert wurde eine Arthrolyse und
eine Kreuzbandplastik am linken Kniegelenk.

Zusammenfassung

Die physiotherapeutische Behandlung polytraumatisierter Patienten
muß sich *individuell* an dem Verlet-
zungsmuster ausrichten. Überleben
Mehrfachverletzte, kann das Schädel-

Hirn-Trauma Grund zu lebenslanger
motorischer oder geistiger Behinderung sein.

In der Regel müssen nach Stabilität der vitalen Funktionen über mehrere Wochen *operative Eingriffe*
durchgeführt werden, von denen hier

nur die Knochenverletzungen beschrieben wurden. Häufig kommt es über massive Weichteilschäden zu Infektionen. Dann wird ein Fixateur externe angelegt und evtl. ein Epigard-Lappen verwendet, bis die Haut endgültig gedeckt werden kann. Defektbrüche erfordern langwierige biologische Osteosynthesen, z. B. mit einem Ilizarov-Fixateur.

Steht nach etwa 1 Jahr die Materialentfernung an, müssen oft *Korrekturoperationen* vorgenommen werden.

> **!** Die Techniken, die bei der Behandlung von Einzelfrakturen Anwendung finden, müssen niedriger dosiert, zeitlich anders geordnet und langfristiger geplant werden. Exaktes Befunden und Kontrollieren der Maßnahmen ist Voraussetzung für eine effektive Behandlung.
> Die Kombination von Verletzungen erschwert komplexes Bewegungsverhalten, wie Bewegungsübergänge, Einnehmen von unterschiedlichen Positionen, das Stehen und Gehen. Die Behandlung von polytraumatisierten Patienten ist für eine Physiotherapeutin eine lohnende Aufgabe, aber auch eine Herausforderung an ihr Können (Abb. 21.10).

Literatur

Allgöwer M (1983) Management of open fractures in the multiple trauma patient. World J Surg 7: 88–95

Bakay L (1983) Brain injuries in polytrauma. World J Surg 7: 42–48

Boyd DR (1983) Comprehensive regional trauma, emergency medical services. World J Surg 7: 149–157

Dittel H, Weller S (1981) Zur Problematik des polytraumatisierten Patienten. Aktuelle Traumatol 11: 35

Goris RJ (1983) The injury severity score. World J Surg 7: 12–18

Heberer G, Becker HM, Dittmer H, Stelter WJ (1983) Vascular injuries in polytrauma. World J Surg 7: 68–79

Laver MB (1983) The pulmonary response to trauma and mechanical ventilation. World J Surg 7: 31–41

London P S (1983) Progress in the care of the victim of multiple injuries. World J Surg 7: 167–169

Messmer K F (1983) Traumatic shock in polytrauma. World J Surg 7: 26–30

Molnar J A (1983) Prevention and management of infection in trauma. World J Surg 7: 158–168

Olerud S, Allgöwer M (1983) Evaluation and management of the polytraumatized patient in various centers. World J Surg 7: 143–148

Pannike A, Siebert H, Kron H (1981) Behandlungsgrundsätze und Prioritäten des Polytraumas in der Unfallchirurgie. Unfallchirurg 7: 76

Peter K (1982) Der polytraumatisierte Patient. Thieme, Stuttgart

Rehn J, Müller-Faber J (1983) Our experience with the changes in the care of the multiple trauma patient over the past twenty years. World J Surg 7: 173–175

Roder J, Stübinger B, Gmeinwieser J, Claudi B (1988) Ergebnisse der operativen Behandlung von Beckenfrakturen bei polytraumatisierten Patienten. Akt Traumatol 18: 129

Schweiberer L, Dambe LT, Klapp F (1978) Die Mehrfachverletzung: Schweregrad und therapeutische Richtlinie. Chirurg 49: 608

Salter RB, Simonds DF, Malcom BW, Rumble EJ, Macmichael D, Clements ND (1980) The biological effect of continuous passive motion on the healing of fullthickness defects in articular cartilage. J Bone Joint Surg [Am] 62: 12–32

Sander E (1983) Progress in care and treatment of the multiple trauma patients during the last twenty years. World J Surg 7: 170–172

Shaftan GW (1983) The initial evaluation of the multiple trauma patient. World J Surg 7: 19–25

Tscherne H, Oestern HJ, Sturm J (1983) Osteosynthesis of major fractures in polytrauma. World J Surg 7: 80–87

Tscherne H (1980) in: Heberer G (Hrsg) Chirurgie. Springer, Berlin Heidelberg New York

Walt A (1983) Progress in the treatment of polytrauma over the past twenty years. World J Surg 7: 164–166

Weller S, Schmelzeisen H (1978) Indikation und Technik zur operativen Behandlung der Azetabulumfrakturen. Hefte Unfallheilkunde 81: 264

Wiedemann M, Braun W, Rüter A (1992) Leitfaden Unfallchirurgie. Urban & Schwarzenberg, München

Wolff G, Dittmann M, Frede KE (1978) Klinische Versorgung des Polytraumatisierten. Indikationsprioritäten und Therapieplan. Chirurg 49: 737

Wolff G, Dittmann M, Rüedi T, Allgöwer M (1978) Koordination von Chirurgie und Intensivmedizin zur Vermeidung der posttraumatischen respiratorischen Insuffizienz. Unfallheilkunde 81: 425

22 PNF-Techniken

Anwendung

In der Unfallchirurgie können Techniken des PNF-Programms (Proprioceptive Neuromuscular Facilitation) von M. Knott besonders effektiv eingesetzt werden. Schülerinnen aller Physiotherapieschulen lernen diese Techniken in ihrer Grundausbildung. Um Verständnisschwierigkeiten zu vermeiden, soll hier eine Beschreibung der von mir am häufigsten zitierten Techniken erfolgen. Selbstverständlich gibt es eine Vielzahl von zusätzlichen PNF-Techniken, die jedoch in der Traumatologie seltener Verwendung finden. Diese sind hier nicht erwähnt, sie werden aber in der Literatur, z. B. für neurologische Patienten, ausreichend beschrieben.

▶ Besonders wichtig bei der Behandlung akut verletzter Patienten ist die *Dosierung* aller PNF-Übungsformen. Zuordnungen zur aktuellen Stabilität der Frakturen oder Weichteilverletzungen sind unumgänglich. Wir unterscheiden:

- freie aktive PNF-Muster,
- PNF-Übungen gegen manuellen Kontakt/Führungskontakt,
- PNF-Übungen gegen angepaßten manuellen Widerstand,
- PNF-Übungen gegen maximalen Widerstand,
- PNF-Übungen gegen Gerätewiderstand.

▶ Alle *übungsstabilen Osteosynthesen* erfordern ein Üben im freien Raum oder gegen Führungskontakt (Abb. 22.1–22.3)

Zum Einsatz können dabei kommen:

- Fazilitationstechniken (Kontraktionshilfen, Rhythmische Bewe-

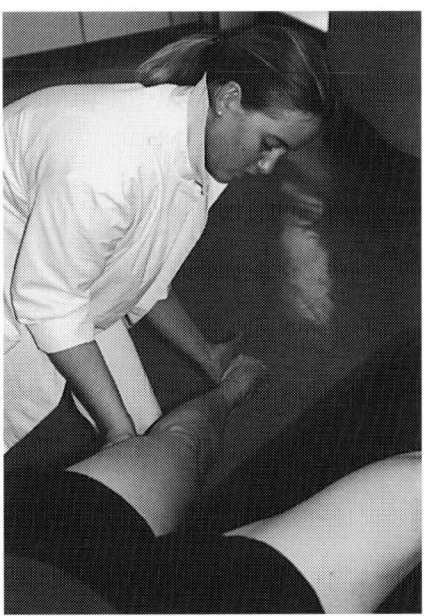

Abb. 22.1. PNF: Extension – Abduktion – Innenrotation gegen manuellen Kontakt/Widerstand

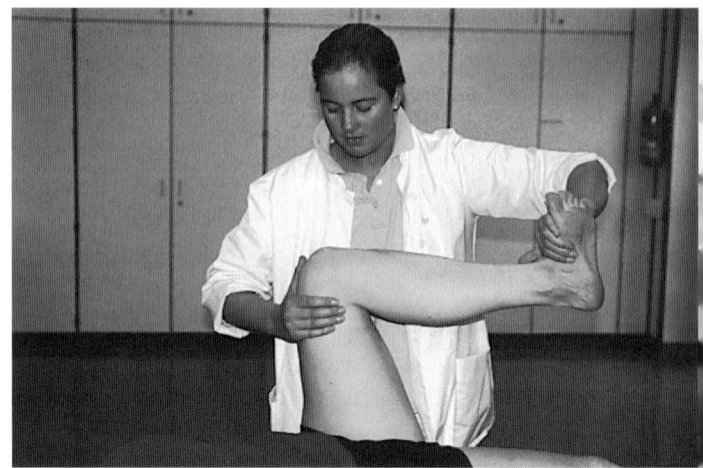

Abb. 22.2. Flexion – Adduktion – Außenrotation zum gebeugten Knie

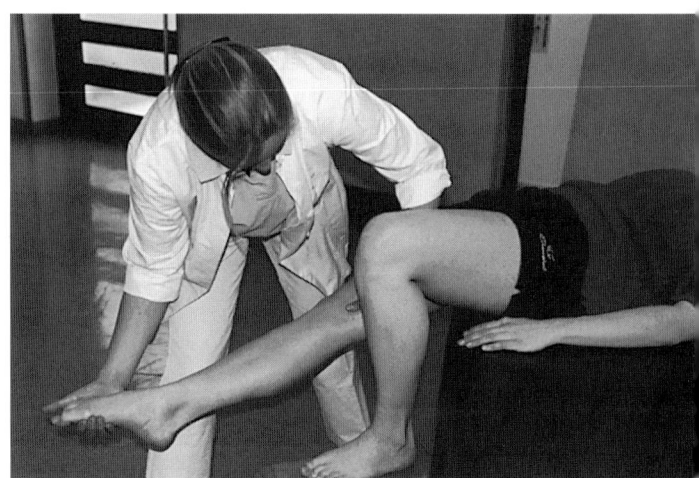

Abb. 22.3. Extension – Adduktion – Außenrotation

gungseinleitung, Langsame Umkehr) oder
- Verstärkungstechniken.

Die adäquaten Mobilisationstechniken sind:
- die »Chirurgische Technik« und
- die »Rhythmische Stabilisation – Entspannen gegen Führungskontakt.

▶ *Teilbelastungsfähige Osteosynthesen* vertragen ein Üben gegen angepaßten Widerstand, die Muskeltest-

stufe 4 soll erreicht werden (Bewegen und Halten, wiederholte Kontraktion, Rhythmische Stabilisation).
Als Mobilisationstechniken können bei entsprechendem Bewegungsstop Anwendung finden:
- Langsame Umkehr – Halten – Entspannen,
- Halten – Entspannen – passives Weiterziehen und
- Rhythmische Stabilisation – Entspannen.

▶ Bei *voll belastungsfähigen Osteosynthesen* soll der Muskeltestwert 5 erarbeitet werden. Alle Übungen können gegen optimalen/maximalen Widerstand ausgeführt werden, es gibt keine Einschränkung bei der Auswahl der Mobilisationstechniken.

▶ Therabänder und das Pullingformergerät sind einsetzbar für ein Hausaufgabenprogramm.

Trainingstechniken

Endstellung – Halten

▶ Ein Gelenk wird in die aktuelle Endstellung gebracht, dort soll die entsprechende Muskulatur versuchen, die Position 7–10 s zu halten, unter verschiedenen Dosierungsstufen z. B. bei Testwerten unter 3 mit abgenommener Extremitätenschwere, bei ausgeschalteter Schwere, gegen die Schwerkraft, gegen Führungskontakt oder bei Testwerten über 3 gegen angepaßten Widerstand.

▶ Bei geringer Muskelkraft (unter 3) werden adäquate Kontraktionshilfen gesetzt wie Stretch, Approximation, Traktion, In-den-Muskel-Greifen, Über-die-Sehne-Streichen, Bürsten oder Reiben mit einem Eisball etc. Die Übungen werden 3- bis 5mal wiederholt, dann wird eine Erholungspause gesetzt. Die Dosierung richtet sich außerdem nach dem akuten Stand der Verletzung.

Wiederholte Kontraktion

Die Technik der wiederholten Kontraktionen ist die *effektivste Trainingsform im PNF-Programm,* sie nutzt die 3 Spannungsformen des Muskels aus.

▶ Sie beginnt mit einer konzentrisch-dynamischen Kontraktion, wechselt dann etwa bei $2/3$ des Bewegungsweges in eine statische Muskelarbeit, von der aus 4- bis 5mal konzentrisch und exzentrisch-dynamisch weitergeübt wird. Die letzte Kontraktion soll der Muskel ausnützen, um in seine aktuelle Kontraktionsstellung zu ziehen.

▶ Wo der Muskel statisch beansprucht wird und wie oft die Übung wiederholt wird, bestimmt die aktuelle Situation.

▶ Die Technik muß auch auf den Muskelbefund abgestimmt werden durch Anwendung von Führungskontakt, angepaßtem oder maximalem Widerstand oder durch Betonung oder Weglassen der Rotation.

▶ Wiederholte Kontraktionen können auch als *aktive Bewegungen* gegen die Schwere des Körperabschnitts durchgeführt werden. Sie sind, aktiv im freien Raum ausgeführt, die Technik der Wahl bei übungsstabilen Frakturen.

In diesen Fällen wird die wiederholte Kontraktion im Sinne des *Ausdauertrainings* ausgeführt, 10–15 Wiederholungen sind dazu nötig, die Pausen zwischen den Serien sind kurz, erst nach 3–4 Serien wird eine Erholungspause von ca. einer $1/2$ min angesetzt.

Wechselnde Drehpunkte (»pivoting«)

Diese Technik ermöglicht gezieltes *Üben distaler Gelenke* durch wiederholte Kontraktionen im Rahmen der PNF-Muster.

▶ Die Schlüsselgelenke Hüft- und Schultergelenk sollen statisch gegen manuellen Widerstand oder Führungskontakt in Position gehalten werden, die Drehpunkte wechseln zum Knie- oder den Sprunggelenken, am Arm zum Ellbogen-, den Hand- oder Fingergelenken (Abb. 22.4).

▶ Entsprechend der Symptomatik und der Biomechanik der Verletzung müssen Abänderungen der Origina-len Bewegungsmuster vorgenommen werden, es müssen z. B. absolute Dehnstellungen oder endgradige Ro-tationen weggelassen sowie verord-nete Bewegungsbegrenzungen einge-halten werden, z. B. muß bei der Kniebehandlung in Rotationsnull-stellung geübt werden (Abb. 22.5).

Verstärkungstechniken

Die Verstärkungstechnik nützt eine *Overflowreaktion* zur Stimulation geschwächter Muskulatur aus.

▶ Verstärkende Muskeln müssen vorab eine Haltespannung gegen Widerstand aufbauen, die von den schwachen Muskeln aufgenommen werden kann. In der Regel können in der Unfallchirurgie bei nicht poly-traumatisierten Patienten Rumpf-muskeln zum Training geschwächter Extremitätenmuskeln herangezogen werden. Sogenannte Verstärkungs-muster werden am besten über bekannte erlernte Bewegungsmuster aufgebaut, z. B. das Geh-, Stütz- oder Greifmuster (Abb. 22.6–22.9).

▶ Der zu verstärkende Muskel soll die Technik »Endstellung Halten« oder »wiederholte Kontraktionen« ausführen.

▶ Eine gute Verstärkung wird auch erreicht über die asymmetrischen Arm-Rumpf-Übungen »Chopping«, »Lifting« und die Übung Extension – Adduktion – Innenrotation mit ange-

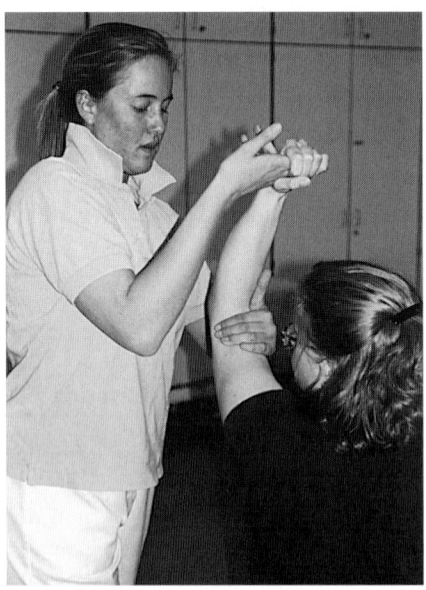

Abb. 22.4. Wechselnder Drehpunkt Ellbogen-gelenk

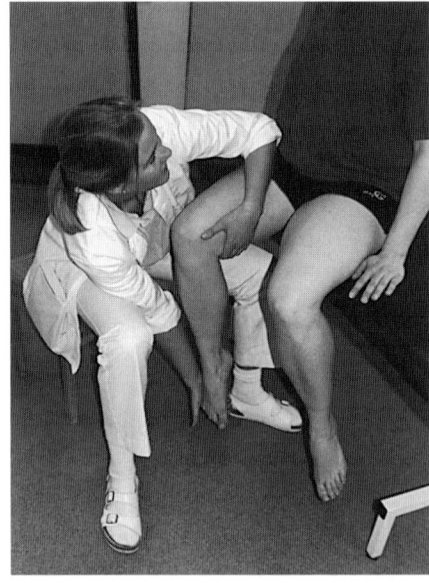

Abb. 22.5. Abgewandelte PNF-Übung zum gebeugten Knie in Rotationsnullstellung

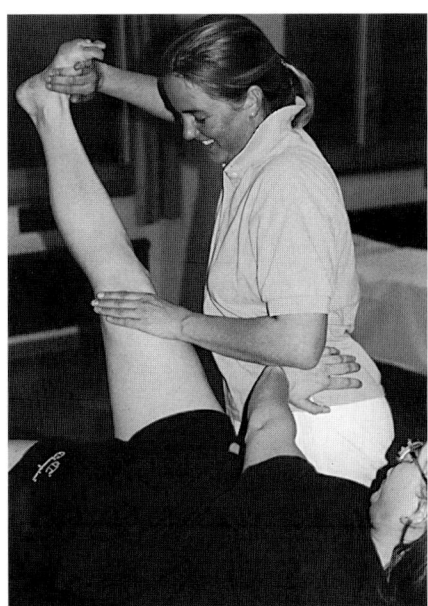

Abb. 22.6. Verstärkungsmuster für M. quadriceps

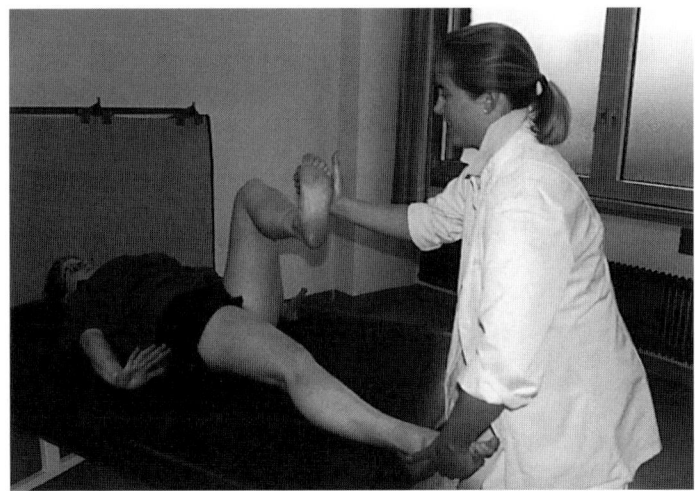

Abb. 22.7. Reziprokes Gehmuster

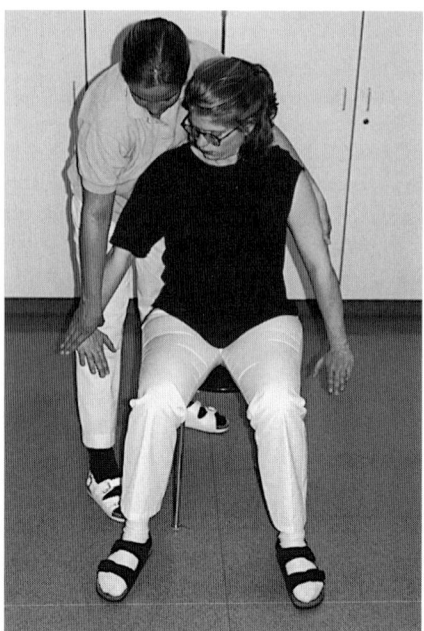

Abb. 22.8. Symmetrisches Stützen

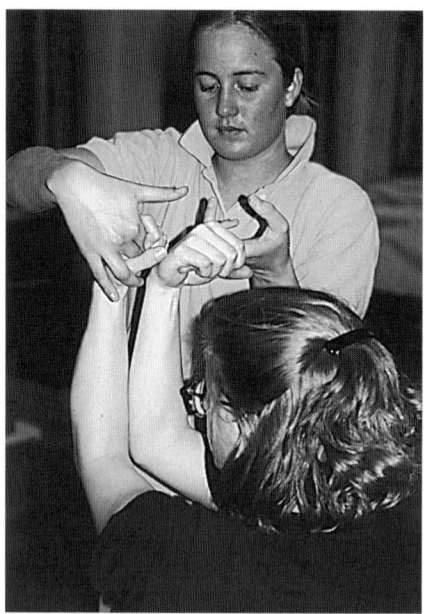

Abb. 22.9. Symmetrisches Greifen

koppeltem 2. Arm der 2. Diagonale (Abb. 22.10–22.12).
▶ Funktionelle Muster und synergistische Muskelketten eignen sich für den Aufbau von fortlaufenden Kontraktionen und zur Erzeugung eines Overflows.

Mobilisationstechniken

Alle von M. Knott angegebenen Mobilisationstechniken nutzen die vorangehende bewußte Kontraktion des Muskels dazu aus, ihn nachfolgend bewußt zu entspannen. *Aktive Entspannungstechniken* beziehen sich deshalb auf muskulär bedingte Kontrakturen, auf Abwehrspannungen von Muskeln. Sie sind effektiv, wenn es sich um einen *weich- bis festelastischen Bewegungsstop* handelt.
▶ Die erste Spannung des kontrakten Muskels beginnt schonenderweise *kurz vor*, später dann *an* seiner Dehn- oder Schmerzgrenze.

»Chirurgische Technik« (»contract-relax«)

Sie stellt die *mildeste Form der Entspannungstechniken* dar.
▶ Die Extremität wird entsprechend der Diagonalen gelagert, die Fraktur wird passiv manuell fixiert. In den meisten Fällen entfällt der Kontakt und der Auftrag für die Rotation. Das Anspannen des kontrakten Muskels geschieht gegen Handkontakt und nicht gegen Widerstand, die Entspannungsphase wird so lange durchgeführt, bis der Patient bewußt entspannen kann. Sicheres Greifen und Schmerzfreiheit lassen dies geschehen. Das Weiterziehen in die ge-

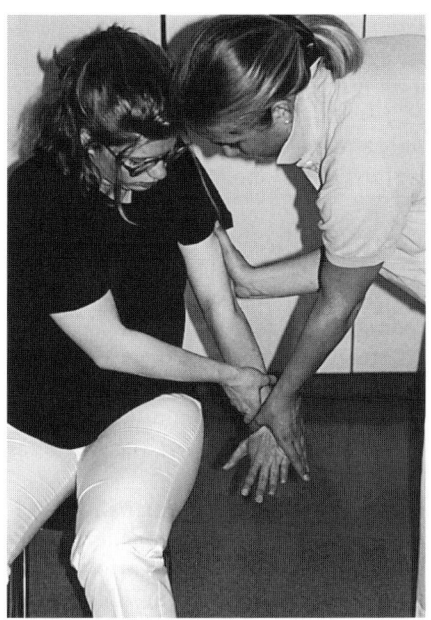

Abb. 22.10.   Asymmetrische Armübung,
»Chopping«

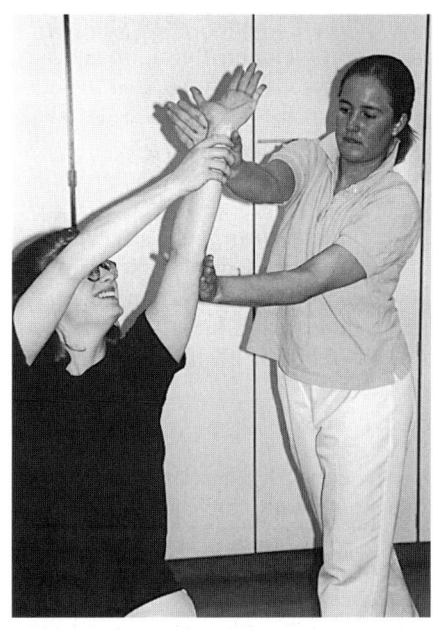

Abb. 22.11.   Asymmetrische Armübung,
»Lifting«

wünschte Richtung wird unter abgenommener Schwere und gegen Kontakt durchgeführt, dazu ist ein
geschickter Griffwechsel nötig.
▶ Die Technik wird so lange wiederholt, bis ein Bewegungsgewinn nicht
mehr sichtbar wird; dann folgt Endstellung Halten für 7–10 s gegen Führungskontakt.

**Langsame Umkehr – Halten –
Entspannen (»slow reversal-hold-
relax«)**

▶ Bei dieser Technik soll die kon-
trakte Muskelgruppe *an ihrer Dehngrenze in allen 3 Bewegungsrichtungen* (also auch in Richtung der Rotation) gegen manuellen Widerstand
anspannen. Anschließend folgt eine

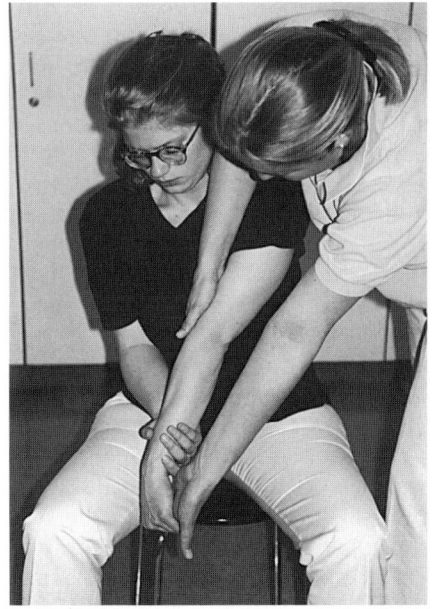

Abb. 22.12.   Asymmetrische Armübung

ausreichend lange Entspannungsphase am gleichen Bewegungspunkt,
ein Griffwechsel und ein aktiv oder
aktiv/passives Weiterziehen der antagonistischen Muskulatur.
▶ Die Technik wird am neuen Bewegungspunkt wiederholt. Ist kein
Bewegungsgewinn mehr spürbar, soll
die antagonistische Muskulatur die
gewonnene Position gegen angepaßten Widerstand für 7–10 s halten.
Andere Trainingstechniken schließen
sich an.

Rhythmische Stabilisation – Entspannen (»rhythmic stabilisation«)

Unter »Rhythmischer Stabilisation«
verstehen wir die wechselnde statische Spannung antagonistischer
Muskelgruppen unter Betonung der
dynamischen Rotation an einem
Gelenk. Erst nach 4 bis 5maligem
Spannungswechsel erfolgt die Pause.
▶ Zur *Bewegungsvergrößerung* wird
diese Technik so eingesetzt, daß die
letzte statische Spannung die kon-
trakte Muskelgruppe erfährt, so daß
sie nachfolgend bewußt entspannen
kann.
▶ Diese Technik kann sowohl gegen
Führungskontakt als auch gegen
angepaßten Widerstand durchgeführt werden. Das Weiterziehen ist
aktiv, die Therapeutin führt dabei
eine weiche Traktion aus.
▶ Die Rhythmische Stabilisation –
Entspannen eignet sich besonders
gut zur *Mobilisation schmerzhafter
Gelenke*. Während des Spannungs-
wechsels kann eine manuelle Traktion beibehalten werden, die die
Gelenkpartner von Druckkräften
entlastet. Die gewonnene Bewegungsbahn wird am besten mit kleinen, dynamischen Bewegungen im

letzten Bewegungsdrittel unter Betonung der Rotation ausgenützt.

Anspannen – Entspannen – passiv Weiterziehen (»hold-relax«)

Diese Technik nennen wir auch die
»Technik bei Lähmungen«.
▶ Das Prinzip wird beibehalten,
jedoch muß der Dehnpunkt des kontrakten Muskels passiv gefunden
werden, seine statische Spannung
erfolgt gegen Widerstand, nach der
Entspannungszeit wird passiv unter
Zug weiterbewegt.
▶ Im Anschluß an mehrmalige Wiederholungen können für den paretischen Muskel Kontraktionshilfen
gesetzt werden und ein Mentaltraining aufgebaut werden.

**Bei allen Scharniergelenken müssen
die Rotationsbewegungen wegfallen
(z. B. am Kniegelenk!).**

Techniken zur Spannungs-/ Tonusregulation und zum Erhalten der Gelenkbeweglichkeit

Langsame Umkehr, langsame Umkehr mit Halt (»slow reversal – hold«)

▶ Es handelt sich hier um dynamische Umkehrbewegungen gegen
Handkontakt oder angepaßten
Widerstand, die den Wechsel der
antagonistischen Muskelspannung
ausnützen. Haltephasen können an
jedem Punkt der Bewegungsbahn
eingebaut werden, anschließend wird
die Bewegung bis zum aktuellen
Ende und dann wieder in die Gegen-

richtung geführt. Eine Pause erfolgt erst nach 4- bis 5maliger Wiederholung.

▶ Die Technik ist geeignet, den Muskeltonus zu regulieren, ein Gelenk einzuschleifen oder durch Haltephasen eine Spannungsbetonung für eine geschwächte Muskelkette zu setzen. Sie eignet sich besonders zu Beginn einer Behandlung, um das Vertrauen des Patienten zu gewinnen und den aktuellen Bewegungsstop richtig zu erfassen.

Vorbereitende Übungsformen

▶ Der Einstieg in die physiotherapeutische Behandlung von Unfallverletzten wird in der postoperativen Phase am besten durch Techniken vorgenommen, die Punctum fixum und Punctum mobile vertauschen. Für das Üben des Schultergelenks bedeutet dies, daß mit Skapulamustern, für das Hüftgelenk mit Bek-

kenmustern begonnen wird (Abb. 22.13, s. auch Kap. 7 und 12).

▶ Die *Skapulamuster* werden eingesetzt, wenn das Schultergelenk frisch verletzt und schmerzhaft ist. Der Oberarm ist in Nullstellung gelagert; gegen Führungskontakt oder leichten Widerstand können folgende Bewegungsrichtungen ausgewählt werden:
• Extension/Adduktion (auch als aktive Fixation).
• Extension/Abduktion (Fazilitation des M. deltoideus).
• Flexion/Anteversion.
• Flexion/Retroversion.

▶ *Beckenmuster* werden effektiv eingesetzt, wenn der Oberschenkel noch nicht dynamisch bewegt werden soll. Die *Bewegungsrichtungen* sind:
• Flexion/Adduktion/Außenrotation.
• Extension/Abduktion/Innenrotation.
• Flexion/Adduktion/Innenrotation (abgeänderte Rotation).
• Flexion/Abduktion/Außenrotation (abgeänderte Rotation).

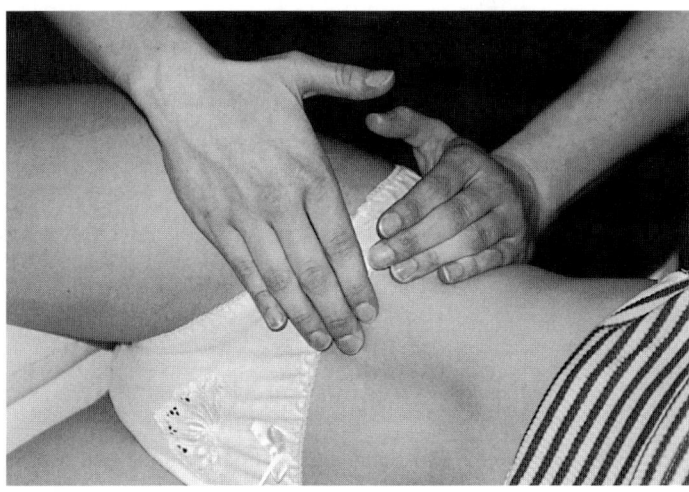

Abb. 22.13. Beckenmuster: Flexion/Adduktion/ Außenrotation als Vorübung zum Drehen

▶ Skapula- und Beckenmuster lassen sich *dynamisch* und *statisch* einsetzen; sie können statisch als aktive Fixation oder dynamisch als Bewegung Anwendung finden. Alle Formen des Bewegens und Haltens sind möglich.

▶ Die Dosierung richtet sich nach dem Befund. Beckenmuster können die Behandlung der Lendenwirbelsäule oder das Drehen auf die Seite oder auf den Bauch einleiten. Die Extensionsmuster werden durch Approximation, die Flexionsmuster durch Stretch fazilitiert.

▶ Ergänzend seien auch die *Kopfmuster* erwähnt, die Anwendung bei Halswirbelsäulenverletzungen finden. Sie können aus den Lagen oder aus dem Sitz geübt werden (Abb. 22.14 und 22.15). Schwerpunkt der Behandlung von an einem Halswirbel verletzten Patienten sind die Extensionsmuster (s. auch Kap. 6).

Übungen zum Positionswechsel/Bewegungsübergänge

▶ Auf der Matte oder der Bobath-Bank können über PNF-Muster das Wechseln von der Rückenlage in die Seitenlage, in den Sitz, den Vierfüßlerstand, den Kniestand, Halbkniestand und Stand geübt werden (Abb. 22.16 und 22.17). Dabei werden fortlaufende dynamische Bewegungen von distal nach proximal gegen Führungskontakt oder leichten Widerstand verwendet. Die Bewegungen können über Kontraktionshilfen eingeleitet werden.

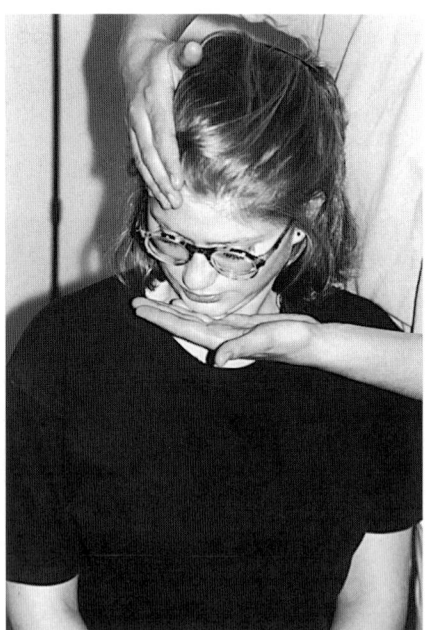

Abb. 22.14. Kopfmuster: Flexion/Drehung nach rechts

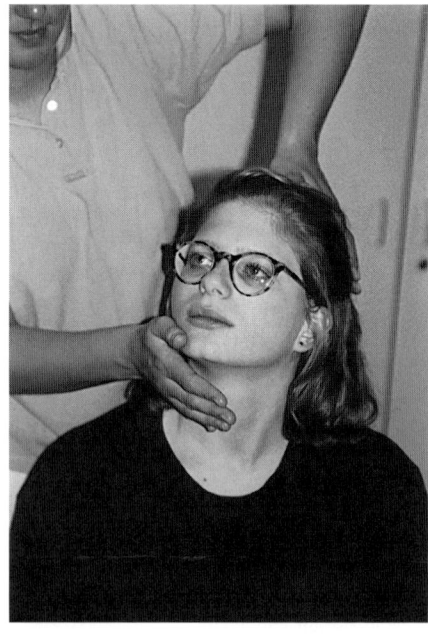

Abb. 22.15. Kopfmuster: Extension/Drehung nach rechts

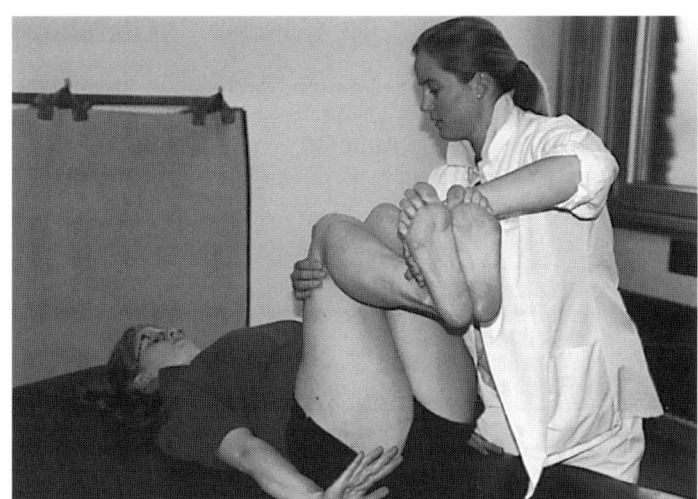

Abb. 22.16. Asymmetrische Beinübung

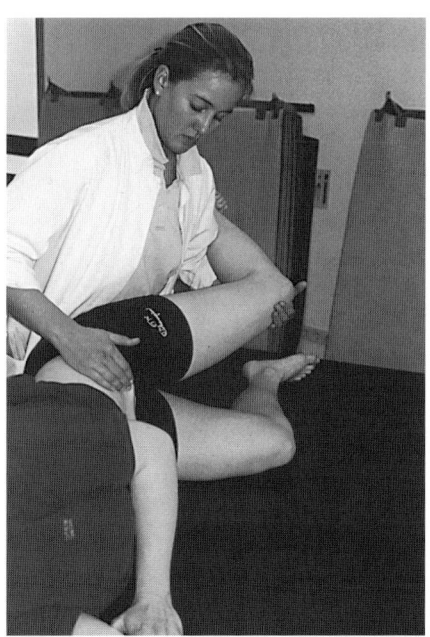

Abb. 22.17. Becken- und Beinkombination als Vorübung zum Drehen

▶ Die Kunst besteht darin, die einzelnen Gelenke bis zu ihrem aktuellen Bewegungsstop zu führen, damit die Bewegung des nächsten Bewegungsabschnittes beginnen kann. Kann der Schwerpunkt über die Lotlinie gebracht werden, ist der Positionswechsel möglich.

| ! | PNF-Bewegungsübergänge müssen bei den einzelnen Gelenkfrakturen, aber auch bei Becken- oder Wirbelfrakturen den einzelnen Verletzungsmustern und dem Befund angepaßt werden. |

| ! | Die Muster »Lifting« oder »Chopping« unkritisch anzuwenden, ist falsch. Insbesondere bei der Frühmobilisation von unfallverletzten Patienten muß dies Beachtung finden. |

Literatur

Göhler B (1993) PNF und Alltag. Pflaum, München

Hedin-Andén S (1994) PNF-Grundverfahren und funktionelles Training. Fischer, Stuttgart, Jena, New York

Sullivan P, Markos P, Minor M (1985) PNF – Ein Weg zum therapeutischen Üben. Fischer, Stuttgart

Voss D, Ionta M, Myers B (1988) Propriozeptive neuromuskuläre Fazilitation Fischer, Stuttgart

23 Sachverzeichnis

Z

Zehenamputation   408
Zehenfrakturen   24, 392, 393
– Versorgung
– – konservative   392
– – operative   392
– – – Schraube   392
Zuggurtung   31

– Osteosynthese   144, 293, 295, 327, 358, 427
Zugschraube   250, 274, 293
Zweipunktdiskriminierung   200
Zweipunktegang   231, 265, 271, 324
Zwerchfell
– Irritation   224
– Verletzung   224

Druck und Weiterverarbeitung: Konrad Triltsch, Print und digitale Medien GmbH, Ochsenfurt-Hohestadt